下垂体疾患
診療マニュアル

改訂第3版

編集顧問

平田結喜緒

編集

髙橋　裕
山田正三
成瀬光栄

編集協力

大塚文男
西岡　宏
福岡秀規

診断と治療社

口絵カラー

- 本項「カラー口絵」は，本書本文中にモノクロ掲載した写真のうち，カラーで提示すべきものを，本文出現順に並べたものである．
- 本項「カラー口絵」に示したページ（→）は当該写真の本文掲載ページを示す．

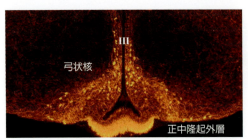

《口絵カラー①》視床下部弓状核内（A12）のドパミン作動性ニューロンと，正中隆起外層のドパミン作動性神経終末

マウス視床下部弓状核と正中隆起を含む切片を用い，チロシン水酸化酵素（TH）に特異的な抗体を用いて免疫染色を施した．弓状核（A12）内に多数のTH陽性細胞体が認められる．正中隆起外層には極めて強いTH免疫染色性が観察され，ドパミン作動性神経終末が密に存在するためと考えられる（自験例）．III：第三脳室

（→ p34）

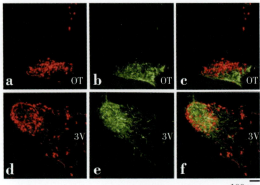

《口絵カラー②》視床下部におけるオキシトシン産生ニューロン（赤色蛍光）およびAVP産生ニューロン（緑色蛍光）

ラット視床下部の視索上核（a，b，c）および室傍核（d，e，f）に限局するオキシトシン産生ニューロン（赤色蛍光：a，d）およびAVP産生ニューロン（緑色蛍光：b，e）の写真を重ねて解剖学的位置関係（c，f）を示した．これらのラットは，オキシトシンおよびAVPに赤色もしくは緑色蛍光蛋白を挿入したトランスジェニック動物である[3]．OT：視神経，3V：第三脳室

〔Katoh A, et al.: Highly visible expression of an oxytocin-monomeric red fluorescent protein 1 fusion gene in the hypothalamus and posterior pituitary of transgenic rats. *Endocrinology* 2011；**152**：2768-2774 より一部抜粋〕

（→ p54）

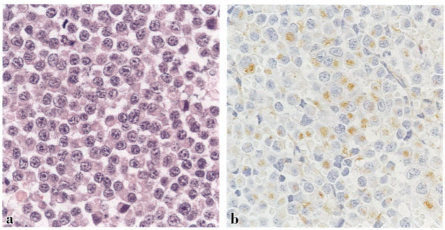

《口絵カラー③》PRL 産生腺腫の病理所見
a：PRL 産生腺腫 H&E 染色．淡好酸性の細胞質に偏在核を有する細胞が密に増殖している．
b：PRL 免疫組織化学．PRL は核の近傍に陽性となる（Golgi pattern を呈する）．

（→ p75）

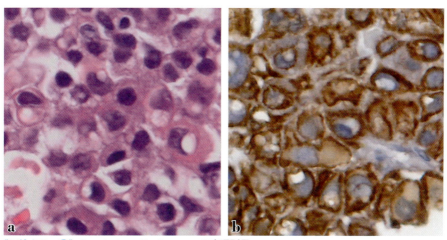

《口絵カラー④》Crooke's cell adenoma の病理所見
a：Crooke's cell adenoma．H&E 染色．淡好酸性硝子様の細胞質が核を取り囲むように認められる．
b：CAM5.2 免疫組織化学．CAM5.2 は核を取り囲むようにドーナツ状（ring pattern）に強陽性となる．

（→ p76）

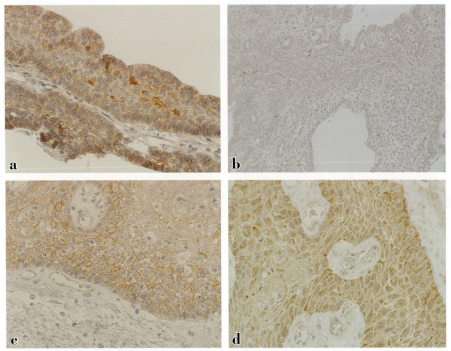

《口絵カラー⑤》頭蓋咽頭腫　a，b：エナメル上皮腫型，c，d：扁平上皮型
a，c：β-catenin 染色，a では細胞質／核内に局在，c では膜に局在．
b，d：*BRAF V600E* 変異抗体による染色

(→ p79)

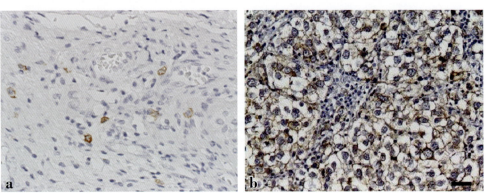

《口絵カラー⑥》胚細胞腫
大型の多角形腫瘍細胞が C-kit(a)，podoplanin(b) 免疫染色で陽性である．

(→ p80)

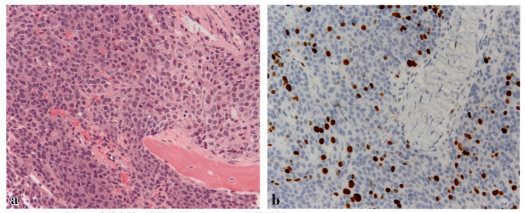

《口絵カラー⑦》50歳代女性　再発を繰り返すPRL細胞腺腫
a：HE染色，骨浸潤あり．b：Ki-67免疫染色，10%を超える陽性率である．

（→ p89）

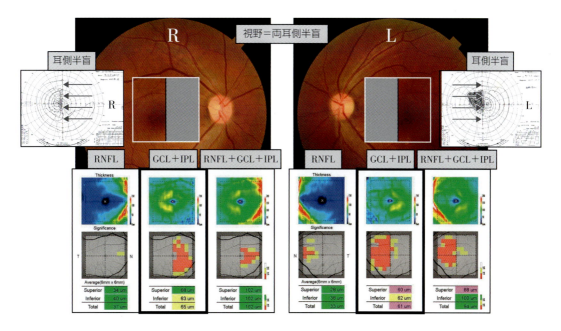

《口絵カラー⑧》症例2：下垂体腺腫，56歳女性
視交叉障害により視野は両耳側半盲を呈した．視交叉から眼球に向かって逆行性の神経萎縮が生じ，耳側半盲に対応する眼底の黄斑鼻側網膜（赤色部分）に到達する．このため実測のOCT所見では両眼性に黄斑中心窩を通る垂直経線で境されて，網膜神経線維層（retinal nerve fiber layer：RNFL），神経節細胞層（ganglion cell layer：GCL），内顆粒層（inner plexiform layer：IPL）厚の鼻側菲薄（＝萎縮）が耳側半盲に一致してみられる（赤色表示）．特にGCL＋IPLで最も明瞭に描出される．OCTでは下垂体腺腫の視神経障害を手術前に定量的（層厚：μm）に把握することができる．

（→ p103）

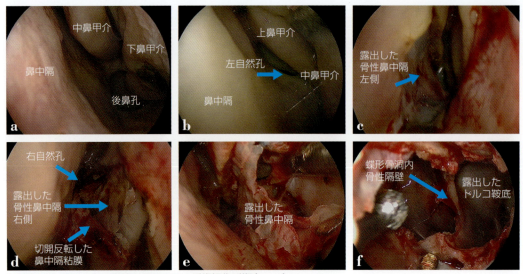

《口絵カラー⑨》トルコ鞍底に至るまでの手術操作手順（a → f）
詳細は本文参照．

（→ p115）

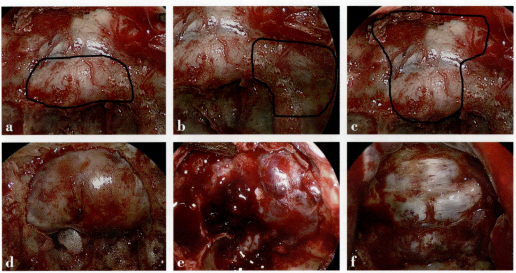

《口絵カラー⑩》種々の経蝶形骨洞経由のアプローチ（a，b，c）とその際の骨切除範囲（黒線で囲まれた領域），および硬膜の露出部位（d，e，f）

a：通常の鞍底へのアプローチ（transsphenoidal transsellar approach），b：海綿静脈洞へのアプローチ（transsphenoidal transcavernous approach），c：拡大経蝶形骨洞手術（transsphenoidal transplanum approach）．

（→ p115）

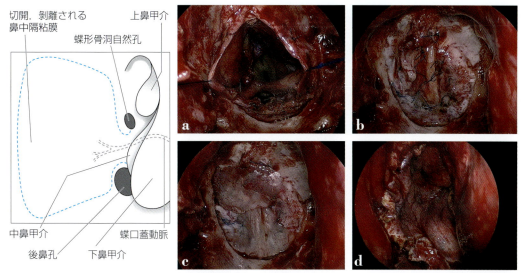

《口絵カラー⑪》鼻中隔粘膜 flap 作成方法(左側模式図,左鼻腔での)と Grade3(⑦閉創の項参照)の術中髄液漏の術後髄液漏予防のための閉創術

a:再発頭蓋咽頭腫術後の大きな硬膜欠損,b:欠損部を右大腿筋膜から採集した筋膜を充填,これを inlay にし硬膜と数針縫合,c:骨片で支持(鞍底形成),d:最後に全体を有茎の鼻中隔粘膜 flap で覆う.

(→ p116)

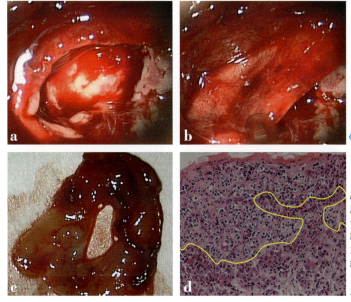

《口絵カラー⑫》比較的小さなenclosed macroadenoma(GH 産生腺腫)における顕微鏡下の腫瘍の被膜外切除

a:腫瘍内部の柔らかい実質性腫瘍を切除(内減圧),b:周囲の腫瘍外郭部分を被膜外に周囲から切除,c:切除された外郭部分,d:外郭部分の組織像.外側の腫瘍被膜(正常下垂体前葉と結合組織からなる)と内部に存在する腫瘍組織との境界(黄線)部は直線上の明瞭な境界ではなく入り組んでおり,全摘のためには被膜外切除が有用であることが理解できる.

(→ p117)

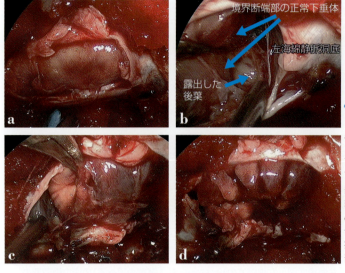

《口絵カラー⑬》invisible tumor(Cushing 病)の検索手順

a：露出された下垂体底面．b：この症例ではサンプリング上，左側に腫瘍の局在が疑われたため，下垂体左側を検索．海綿静脈洞内側壁を露出し，下垂体の外側部分を切除．切除断端部には正常下垂体前葉，後葉が認められる．c：下垂体右側を海綿静脈洞内側壁から剥離，割を加え内部を検索．d：残った下垂体に水平に割を加え，さらにその両側の下垂体を1〜2mm幅で短冊状に割を加え腫瘍を検索する．最後にこの症例では右側外側の一部を追加切除した．

（→ p117）

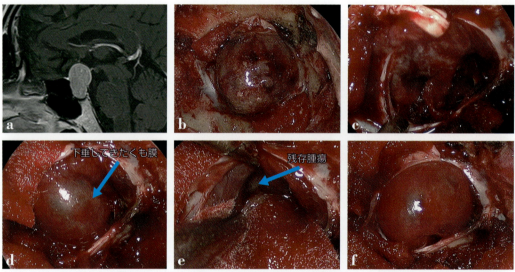

《口絵カラー⑭》鞍上部進展を伴い両耳側半盲，GH 分泌不全を呈した非機能性 macroadenoma 症例（56 歳男性）．

a：術前 T1 強調造影 MRI 矢状断撮影．b：腫瘍は柔らかい実質性（一部囊胞あり）の腫瘍．c：まず鞍内の腫瘍を十分に郭清．d：鞍内，外側方向の腫瘍の切除が終了したのち，鞍上部へ進展する腫瘍の切除に移る．鞍上部の腫瘍を左右前後から剥離，切除していくと，やがて上面のくも膜が下垂してきた．e：下垂が不良な部分（fold）があれば，通常腫瘍がその奥に残存していることが多く，これを丁寧に露出し切除する必要がある．f：以上の操作で上面を覆っていたくも膜が大きく，半球状に下垂してきた．

（→ p118）

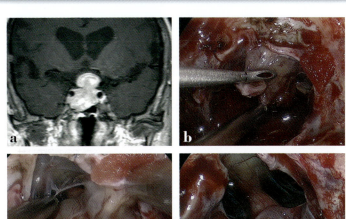

《口絵カラー⑮》再発非機能性下垂体腺腫（78歳男性）

a：腫瘍は，dumbbell 状に鞍上部に進展．b：鞍上部に進展する腫瘍は硬く，周囲に癒着．c：硬膜切開を上方に加え，拡大経蝶形骨洞手術に変更．鞍上部腫瘍を直視下に被膜外に周囲から剥離．d：下垂体茎と連続する薄くなった後方の正常下垂体を温存し，腫瘍は選択的に全摘された．

（→ p119）

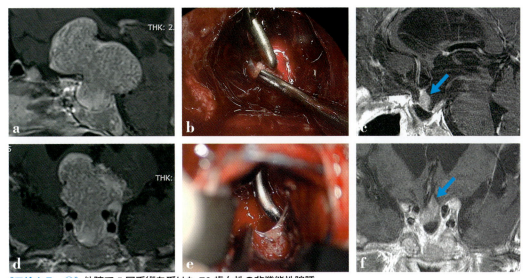

《口絵カラー⑯》他院で 5 回手術を受けた 70 歳女性の非機能性腺腫

腫瘍は大きく鞍上部に進展し（a，d），開頭，経鼻，同時手術の方針とした．術中の経鼻側（b），開頭側（e）からの術中写真．ともに両方（鼻側，開頭側）から器具が挿入され，協力し合いながら腫瘍を切除している．術後腫瘍は鞍上部にごく一部残存（矢印）するのみでほぼ切除されている（c，f）．術後視機能の改善が得られた．

（→ p120）

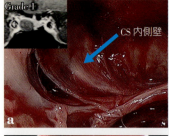

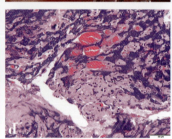

《口絵カラー⑰》56歳男性の先端巨大症 Knosp分類 Grade1

a：やや硬い鞍内の腫瘍を被膜外に切除．右側外側は海綿静脈洞内側壁に達し内側壁は一見腫瘍の浸潤はないように見受けられた，b：内側壁を海綿静脈洞から剥離すると内側壁と一部内部に腫瘍の浸潤が認められた，c：内側壁と浸潤腫瘍を切除した，d：切除した内側壁の病理でも線維性組織のなかに挫滅した腫瘍細胞が浸潤していた．この症例では血管の硝子化も目立つ．

(→p121)

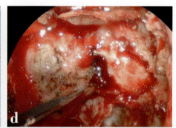
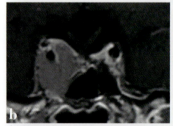
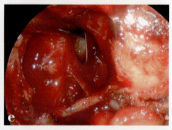

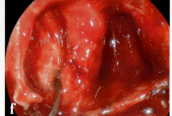

《口絵カラー⑱》Knosp分類 Grade 4 のGH産生腫瘍（39歳，女性）

a〜c：初回術前の造影T1強調MRI（a）．術後海綿静脈洞内を中心に右側外側に腫瘍が残存（b）．薬物療法でIGF-1の正常化が得られないとのことで追加切除の可否を求め紹介受診となり，再手術施行．海綿静脈洞内を含め十分に腫瘍を切除（c）．IGF-1は正常化し現在に至っている（再手術前のGH，IGF-1は9.5，775ng/mL，術後同0.6，265ng/mL），d：鞍底から，右側海綿静脈洞底面の硬膜を大きく露出，e：海綿静脈洞底の硬膜を切開し内部を露出．腫瘍は比較的柔らかい実質性腫瘍でトルコ鞍内から内頸動脈周囲の腫瘍を切除した，f：内頸動脈周囲の腫瘍をできるだけ切除したが，外側に神経が露出してきたため，この時点で切除を終了した．

(→p122)

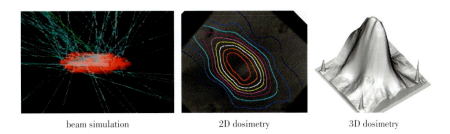

beam simulation　　　　2D dosimetry　　　　3D dosimetry

《口絵カラー⑲》サイバーナイフの分布図

beam simulation　サイバーナイフは病変部に向けて，病変部の形状に合わせて beam を収束させる．その二次元，三次元の分布図を示す．

（→ p132）

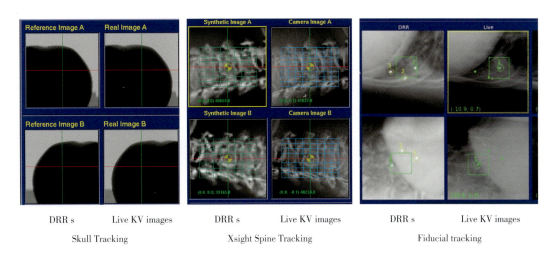

DRR s　　Live KV images　　　DRR s　　Live KV images　　　DRR s　　Live KV images

Skull Tracking　　　　　　Xsight Spine Tracking　　　　　　Fiducial tracking

《口絵カラー⑳》target locating system（TLS）

治療計画用 CT から左右斜位 45 度の digitally reconstructed radiograph（DRR）を作成し，治療中は Xray imager で live KV image と位置照合を行う．Skull tacking では，骨構造を照合する．Xsight spine tracking では，9×9 の監視ポイントを設定し，骨構造，ねじれを照合する．TLS は前後上下左右の位置情報と，ねじれを 3 方向示し，位置のずれをロボットアームへ返し，病変を追尾する．Fiducial tracking では，純金製マーカー（fiducial）を腫瘍中心，近傍に留置し，それを追尾する．通常呼吸同期（Synchrony）とともに用いられ，呼吸により動く臓器に対しての治療に用いられる．

（→ p132）

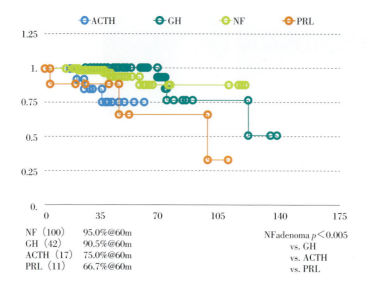

《口絵カラー㉑》**下垂体腺腫の無増大生存率を示す**
非機能性腺腫は，ホルモン産生腫瘍に比較し有意に制御できていた．

（→ p133）

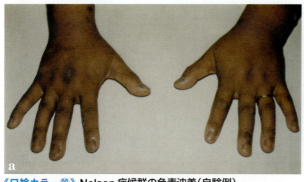 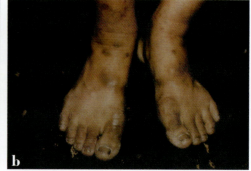

《口絵カラー㉒》Nelson症候群の色素沈着（自験例）
副腎全摘後の，(a)両手，(b)両足の皮膚，爪甲，瘢痕部の色素沈着．

（→ p181）

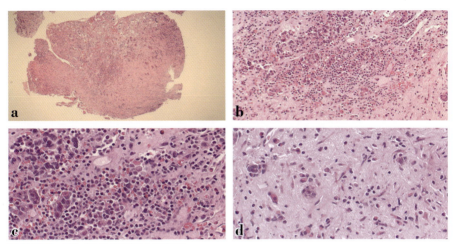

《口絵カラー㉓》汎下垂体炎の病理組織

汎下垂体炎の症例（68歳男性）の下垂体生検組織（HE 染色標本）．トルコ鞍底後方より，下垂体前葉と神経葉末端部を一塊として，生検（a：×20）した．リンパ球（ほかに形質細胞や好酸球）の浸潤があるも，肉芽腫はなし（b：×100，c：×400）．下垂体腺組織ならびに後葉の破壊と間質の線維化を認める（d：×400）（自験例）．

（→ p205）

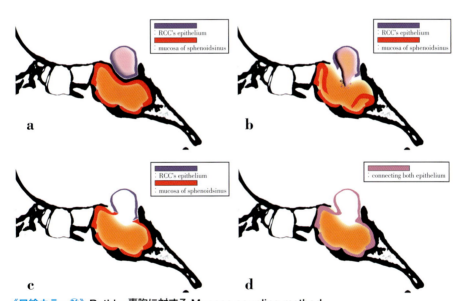

《口絵カラー㉔》Rathke 囊胞に対する Mucosa coupling method

a：術前，b：蝶形骨洞粘膜を温存しつつ囊胞開窓，c：開窓後蝶形骨洞粘膜に切り込みを入れ囊胞開窓部辺縁に粘膜縁が近接するように設置，d：上皮化後囊胞と蝶形骨洞の marsupialization が完了
紫：Rathke 囊胞上皮，赤：蝶形骨洞粘膜上皮，桃：Marsupialization 後上皮
〔Journal of Neurosurgery 133（6）：1635-1978, 2020. Copyright Hiroyoshi Kino. Published with permission〕

（→ p220）

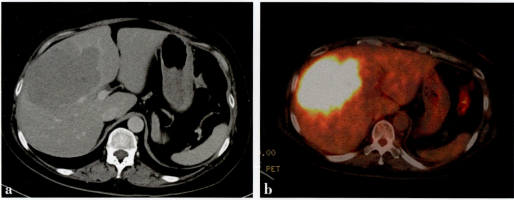

《口絵カラー㉕》肝転移をきたした ACTH 産生下垂体癌の腹部造影 CT および PET-CT
a：腹部造影 CT．b：PET-CT．
下垂体卒中を繰り返した Cushing 病症例．経過中，右海綿静脈洞内の再発腫瘍のサイズに比して ACTH は急激に上昇し，肝臓に大きな転移巣を診断された．肝転移の摘出により ACTH は低下した．

(→ p238)

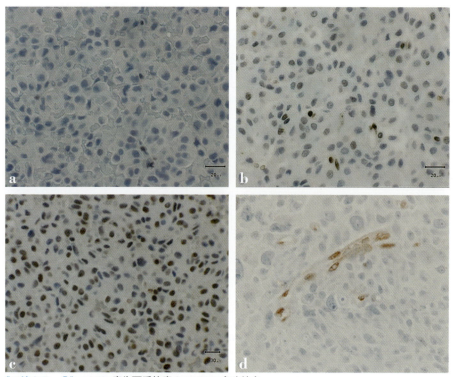

《口絵カラー㉖》ACTH 産生下垂体癌の MGMT 免疫染色
a：Low（＜ 10%），b：Medium（10 〜 50%），c：High（＞ 50%），d：陰性症例の血管内皮細胞陽性像．
MGMT 免疫染色で核内陽性像を示す細胞の割合とテモゾロミドの効果が比例する．腫瘍細胞が陰性でも偽陰性の可能性があるため，positive control として血管内皮細胞の陽性像を確認する必要がある．

(→ p239)

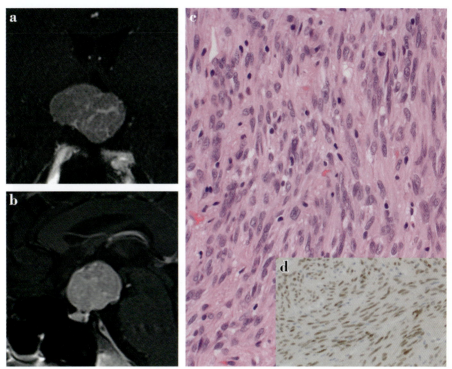

《口絵カラー㉗》両耳側半盲と下垂体機能低下症で発症した鞍上部の下垂体細胞腫（44 歳男性）
a, b：造影 MRI．c：HE 所見．d：TTF-1 免疫組織化学．

(→ p245)

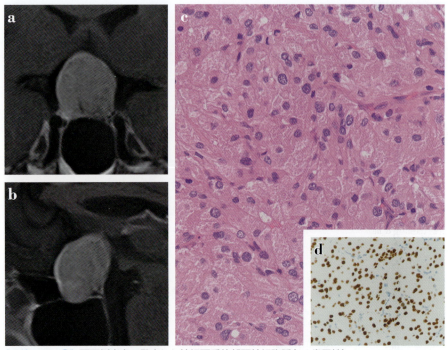

《口絵カラー㉘》両耳側半盲で発症した神経下垂体部顆粒細胞腫（39歳男性）
a, b：造影 MRI．c：HE 所見．d：TTF-1 免疫組織化学．

（→ p245）

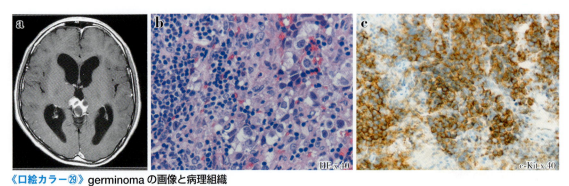

《口絵カラー㉙》germinoma の画像と病理組織
a：松果体部に発生した germinoma の MRI T1 造影像．b：神経内視鏡による生検術にて germinoma の診断を得た．大型の腫瘍細胞と小型のリンパ球が存在する典型的な two cell pattern を呈する．c：c-Kit の免疫染色にて大型の腫瘍細胞のみ腫瘍細胞表面が染色される．

（→ p254）

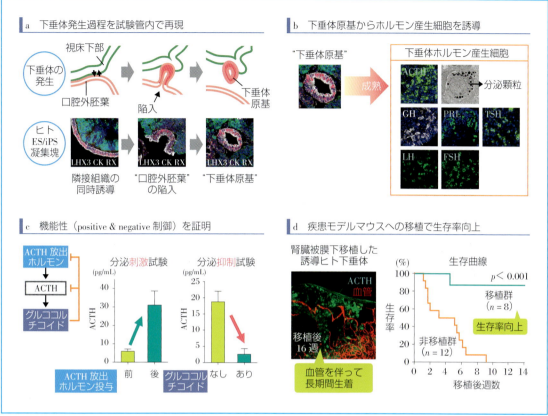

《口絵カラー㉚》ヒト ES 細胞から機能的な下垂体前葉の試験管内誘導
〔Ozone C, et al. : Functional anterior pituitary generated in self-organizing culture of human embryonic stem cells. Nat Commun 2016；**7**：10351 より引用〕

(→ p279)

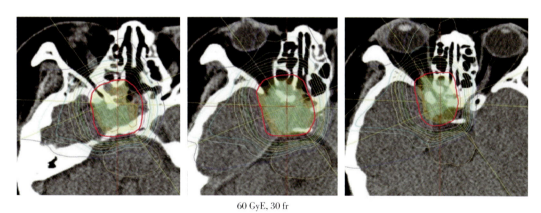

《口絵カラー㉛》陽子線の治療計画
某年 3 月 26 日〜 5 月 10 日．60 GyE，30 fr 施行．脳幹と左視神経の線量を減らして高線量を照射した．

(→ p301)

「診断と治療社　内分泌シリーズ」について

　編者らはこれまで，わが国の内分泌疾患の診療水準の向上を目的として2007年出版の『内分泌代謝専門医ガイドブック』をはじめとして，『原発性アルドステロン症診療マニュアル』『褐色細胞腫診療マニュアル』『クッシング症候群診療マニュアル』『甲状腺疾患診療マニュアル』『内分泌機能検査実施マニュアル』『内分泌性高血圧診療マニュアル』『内分泌画像検査・診断マニュアル』『もっとわかりやすい原発性アルドステロン症診療マニュアル』など17種類の「診断と治療社 内分泌シリーズ」の企画・編集に携わってきた．『下垂体疾患診療マニュアル』はシリーズの10番目の書籍として企画されたものであり，このたび改訂第3版を出版することとなった．

　本書は視床下部・下垂体疾患の診療のために知っておくべき解剖，構造，ホルモン，機能検査，画像検査などの総論的事項と，多様な疾患の診断と治療に関する各論的事項を系統的にかつコンパクトにまとめた企画である．また今回の改訂にあたり編集および編集協力の先生方から提案いただいた最新のトピックスも積極的に追加し，書籍の情報を最新の内容にアップデートした．執筆は前版と同じく，当該分野でわが国を代表する諸先生方に分担をお願いした．昨年来のCOVID-19パンデミックの影響に伴う様々な負担増のなか，ご尽力いただいたすべての先生方に改めて御礼申し上げる．本書がわが国の下垂体疾患診療のさらなる水準向上に貢献できれば幸いである．

2021年11月

医仁会武田総合病院内分泌センター・臨床研究センターセンター長
成瀬光栄

改訂第3版序文

　下垂体は生体に分布する主要な内分泌腺を支配する内分泌腺の長(Master Gland)といえる．それゆえ下垂体疾患は多彩な兆候を呈することから早くから注目されてきたが，比較的まれであり，その診断と治療はむずかしいとされてきた．しかし近年の下垂体ホルモンの測定と画像診断の進歩により，下垂体疾患の診断法は飛躍的に向上した．加えて下垂体腫瘍の治療法も侵襲の少ない手術療法，より選択的な薬物療法，ピンポイント照射が可能な定位放射線療法など目覚ましい進歩がみられる．またゲノム研究の進歩によって腫瘍や遺伝性疾患における受容体，転写因子，情報伝達などの遺伝子異常など下垂体疾患の成因が次々と明らかにされている．最近ではがん免疫療法導入による新たな免疫関連下垂体疾患が登場している．WHOによる内分泌腫瘍の組織分類改訂では「下垂体腺腫の病理組織学的分類WHO2017」が発表され，また厚生労働省の難治性疾患政策研究事業の一環として「間脳下垂体機能障害に関する調査研究」班(有馬 寛 班長)による「間脳下垂体機能障害の診断と治療の手引き」(平成30年度改訂)が日本内分泌学会から発表されている．

　このような下垂体疾患を実地医療で広く理解してもらう目的で，2012年「下垂体疾患診療マニュアル 初版」が刊行され，下垂体の基礎から臨床まで幅広く解説した専門書として好評であった．その後2016年に第2版の改訂，さらに2021年に編集者に成瀬光栄氏に加えて下垂体分野のリーダーである内科の髙橋 裕氏，脳外科の山田正三氏の両氏を迎えて，装いも新たに改訂第3版が刊行されることになった．本書では視床下部・下垂体ホルモンの幅広い基礎知識から臨床では各下垂体疾患を系統的にわかりやすく専門家により解説してある．また新型コロナウイルス感染症(COVID-19)パンデミックの渦中，総論編でCOVID-19と下垂体疾患の診療・治療での対応・課題についても記載されている．最後はTopicsとして現在注目されている新たな知見，疾患概念，新規の診断法や治療法を取り上げている．

　下垂体疾患は比較的まれなものであり，診断法や治療法も特殊であるとの認識のため内分泌専門医以外の医師にとってはなじみにくいとの印象がある．本書は内分泌専門医・専攻医のみならず，研修医や専門外の一般医家にも役立つ下垂体疾患に関する良書といえる．下垂体疾患をよりよく理解するために多くの臨床医に本書を推薦したい．

2021年11月

兵庫県予防医学協会健康ライフプラザ健診センター センター長
東京医科歯科大学名誉教授

平田結喜緒

執筆者一覧

■ 編集顧問

平田結喜緒	兵庫県予防医学協会健康ライフプラザ健診センター センター長
	日本医科歯科大学名誉教授

■ 編集

髙橋　裕	奈良県立医科大学糖尿病・内分泌内科学 教授
山田正三	森山脳神経センター病院間脳下垂体センター センター長
成瀬光栄	医仁会武田総合病院内分泌センター・臨床研究センター センター長

■ 編集協力

大塚文男	岡山大学大学院医歯薬学総合研究科総合内科学 教授
西岡　宏	虎の門病院間脳下垂体外科 部長
福岡秀規	神戸大学医学部附属病院糖尿病・内分泌内科　講師

■ 執筆者（50音順）

阿久津博義	獨協医科大学脳神経外科
荒田純平	九州大学大学院工学研究院機械工学部門
有馬　寛	名古屋大学大学院医学系研究科糖尿病・内分泌内科学
井口元三	神戸大学保健管理センター
池田秀敏	あたまと体のヘルスケアクリニック神田
伊澤正一郎	鳥取大学医学部循環器・内分泌代謝内科学分野
石井角保	群馬大学大学院医学系研究科応用生理学分野
石井雄道	東京慈恵会医科大学脳神経外科
石田敦士	森山記念病院脳神経外科
磯島　豪	帝京大学医学部小児科
井樋慶一	東北福祉大学健康科学部保健看護学科
伊藤純子	虎の門病院小児科
井下尚子	東京都健康長寿医療センター病理診断科
井野元智恵	東海大学医学部付属大磯病院病理診断科
岩﨑泰正	高知大学臨床医学部門
岩間信太郎	名古屋大学医学部附属病院糖尿病・内分泌内科
上田陽一	産業医科大学医学部第1生理学
大塚文男	岡山大学大学院医歯薬学総合研究科総合内科学
大月道夫	東京女子医科大学内分泌内科学分野
岡　秀宏	北里大学医学部脳神経外科学／北里大学メディカルセンター
岡田満夫	虎の門病院間脳下垂体外科
沖　隆	医療法人社団盛翔会浜松北病院
長村義之	日本鋼管病院病理診断科，慶應義塾大学医学部

越智可奈子	岡山大学大学院医歯薬学総合研究科医療教育センター
蔭山和則	弘前大学大学院医学研究科内分泌代謝内科学講座
片上秀喜	伊藤病院内科
木野弘善	筑波大学附属病院脳神経外科
黒﨑雅道	鳥取大学医学部脳神経医科学講座脳神経外科学分野
児島将康	久留米大学分子生命科学研究所遺伝情報研究部門
後藤雄子	ゆう脳神経外科
齋藤洋一	篤友会リハビリテーションクリニック
佐藤健吾	岡山旭東病院脳神経外科
芝﨑　保	日本医科大学
島津　章	淡海医療センター先進医療センター
須賀英隆	名古屋大学大学院医学系研究科糖尿病・内分泌内科学
菅原　明	東北大学大学院医学系研究科分子内分泌学分野
杉原　仁	日本医科大学大学院医学研究科内分泌糖尿病代謝内科学
椙村益久	藤田医科大学医学部内分泌・代謝・糖尿病内科学
大門　眞	弘前大学大学院医学研究科内分泌代謝内科学講座
髙木博史	名古屋市立大学医学部附属東部医療センター内分泌内科
高砂浩史	聖マリアンナ医科大学脳神経外科
髙野幸路	北里大学病院内分泌代謝内科
高野晋吾	筑波大学附属病院脳神経外科
髙橋　裕	奈良県立医科大学糖尿病・内分泌内科学
田上哲也	京都医療センター内分泌・代謝内科
田島敏広	自治医科大学とちぎこども医療センター小児科
巽　圭太	宝塚大学看護学部
館野　妙	アルバータ大学内分泌代謝内科
館野　透	アルバータ大学内分泌代謝内科
田中雄一郎	聖マリアンナ医科大学脳神経外科
千原和夫	社会医療法人愛仁会明石医療センター
立木美香	京都医療センター内分泌・代謝内科
辻野元祥	東京都立多摩総合医療センター内分泌代謝内科
寺本　明	湘南医療大学
登坂雅彦	群馬大学大学院医学系研究科脳神経外科学
中尾雄三	近畿大学医学部眼科
中野靖浩	岡山大学大学院医歯薬学総合研究科総合内科学
中村英夫	久留米大学医学部脳神経外科
西岡　宏	虎の門病院間脳下垂体外科
西山　充	高知大学保健管理センター
長谷川　功	岡山大学大学院医歯薬学総合研究科総合内科学
長谷川泰久	名古屋大学未来社会創造機構ナノライフシステム研究所

原田香奈子	東京大学大学院医学系研究科附属疾患生命工学センター
原田竜也	くぼのやIVFクリニック
肥塚直美	東京女子医科大学
平田結喜緒	兵庫県予防医学協会健康ライフプラザ健診センター
福岡秀規	神戸大学医学部附属病院糖尿病・内分泌内科
福田いずみ	日本医科大学大学院医学研究科内分泌糖尿病代謝内科学
福原紀章	虎の門病院間脳下垂体外科
藤尾信吾	鹿児島大学大学院医歯学総合研究科脳神経外科学
藤本正伸	鳥取大学医学部周産期・小児医学分野
藤原　研	神奈川大学理学部生物科学科
堀口和彦	群馬大学大学院医学系研究科内分泌代謝内科学
堀口健太郎	千葉大学医学部脳神経外科
松田晋一	東海大学医学部総合診療学系小児科学
光石　衛	東京大学大学院工学系研究科機械工学専攻
山下美保	浜松医科大学国際化推進センター
山田正三	森山脳神経センター病院間脳下垂体センター
山田正信	群馬大学大学院医学系研究科内分泌代謝内科学
山本雅昭	神戸大学医学部附属病院糖尿病・内分泌内科
横谷　進	福島県立医科大学ふくしま国際医療科学センター甲状腺・内分泌センター
横山徹爾	国立保健医療科学院生涯健康研究部
吉本勝彦	加茂健やかクリニック
吉本幸司	鹿児島大学大学院医歯学総合研究科脳神経外科学

略語一覧

和文	欧文	略語
副腎皮質刺激ホルモン	adrenocorticotropic hormone	ACTH
抗利尿ホルモン	antidiuretic hormone	ADH
アデノシン一リン酸	adenosine monophosphate	AMP
アルギニンバソプレシン	arginine vasopressin	AVP
副腎皮質刺激ホルモン放出ホルモン	corticotropin-releasing hormone	CRH
デアミノ-8-D-アルギニンバソプレシン	deamino-8-D-arginine vasopressin	DDAVP
卵胞刺激ホルモン	follicle-stimulating hormone	FSH
遊離トリヨードサイロニン	free triiodothyronine	FT_3
遊離サイロキシン	free thyroxine	FT_4
成長ホルモン	growth hormone	GH
成長ホルモン放出ホルモン	growth hormone-releasing hormone	GHRH
成長ホルモン放出ペプチド	growth hormone-releasing peptide	GHRP
ゴナドトロピン放出ホルモン	gonadotropin-releasing hormone	GnRH
ヒト絨毛性ゴナドトロピン	human chorionic gonadotropin	hCG
インスリン様成長因子1	insulin-like growth factor 1	IGF-1
インスリン様成長因子結合蛋白	insulin-like growth factor-binding protein	IGFBP
黄体形成ホルモン	luteinizing hormone	LH
黄体形成ホルモン放出ホルモン	luteinizing hormone-releasing hormone	LHRH
プロラクチン	prolactin	PRL
副甲状腺ホルモン	parathyroid hormone	PTH
トリヨードサイロニン	triiodothyronine	T_3
サイロキシン	thyroxine	T_4
サイログロブリン	thyroglobulin	Tg
甲状腺ペルオキシダーゼ	thyroid peroxidase	TPO
TSH受容体抗体	thyrotropin receptor antibody	TRAb
甲状腺刺激ホルモン放出ホルモン	thyrotropin-releasing hormone	TRH
甲状腺刺激抗体	thyroid-stimulating antibody	TSAb
甲状腺刺激ホルモン	thyroid-stimulating hormone	TSH

CONTENTS

口絵 ... ii
「診断と治療社 内分泌シリーズ」について ... 成瀬光栄 ... xviii
改訂第3版序文 ... 平田結喜緒 ... xiv
執筆者一覧 ... xx
略語一覧 ... xxiii

I 総論編

1. 下垂体疾患の診療〜内科から〜 ... 髙橋 裕 ... 2
2. 下垂体疾患の治療〜外科から〜 ... 山田正三 ... 6
3. 下垂体疾患の診療〜小児科から〜 ... 伊藤純子 ... 10

II 各論編

第1章 基礎知識

A 下垂体の発生，分化
　下垂体の発生，分化 ... 井野元智恵 ... 14

B 視床下部・下垂体の解剖
　視床下部・下垂体の解剖 ... 登坂雅彦 ... 17

C 下垂体の転写因子／視床下部の機能
　下垂体の転写因子／視床下部の機能 ... 上田陽一 ... 19

D 視床下部ホルモン
1. CRH ... 西山 充 ... 21
2. GHRH ... 髙野幸路 ... 23
3. グレリン ... 児島将康 ... 26
4. GnRH ... 中野靖浩 他 ... 28
5. TRH ... 堀口和彦 他 ... 30
6. ソマトスタチン ... 髙野幸路 ... 32
7. ドパミン ... 井樋慶一 ... 34

E 下垂体前葉ホルモン
1. ACTH ... 福岡秀規 ... 37
2. GH ... 髙橋 裕 ... 41
3. LH/FSH ... 中野靖浩 他 ... 44
4. TSH ... 堀口和彦 他 ... 47
5. PRL ... 髙野幸路 ... 49

F 下垂体後葉ホルモン
1. AVP ... 有馬 寛 ... 51
2. オキシトシン ... 上田陽一 ... 53

第2章 臨床知識

A 総論

1	下垂体疾患の疫学と予後	横山徹爾	56
2	下垂体機能の生理的変化	原田竜也	61
3	下垂体形態の生理的変化	伊澤正一郎	63
4	下垂体腫瘍の成因	福岡秀規	66
5	下垂体腺腫の病理と分類	井野元智恵 他	71
6	傍鞍部腫瘍の病理と分類	木野弘善 他	78
7	下垂体腫瘍の症候	福田いずみ	83
8	下垂体嚢胞性病変の鑑別	岡田満夫	86
9	下垂体腫瘍の予後マーカー〜臨床および病理学的観点から〜	井下尚子	88

B 検査

1	下垂体機能検査の実際と解釈	立木美香 他	90
2	下垂体機能検査の留意点とピットフォール	髙橋 裕	93
3	下垂体疾患の画像検査〜3T MRI 画像を中心に〜	黒﨑雅道	96
4	下垂体疾患の眼科的検査	中尾雄三	101
5	下垂体疾患の QOL 評価	福岡秀規	105
6	下錐体静脈洞・海綿静脈洞サンプリング	石田敦士	109

C 治療総論

1	下垂体腫瘍の外科治療	山田正三	114
2	手術合併症とその対策	堀口健太郎	124
3	下垂体機能低下症のホルモン補充療法	大月道夫	127
4	放射線治療	佐藤健吾	130

D 下垂体前葉疾患各論

1	先端巨大症	髙橋 裕	136
2	小児 GH 分泌不全症	磯島 豪 他	141
3	成人 GH 分泌不全症	髙橋 裕	146
4	IGF-1 異常症と IGF-1 受容体異常症	藤本正伸	150
5	中枢性思春期早発症	越智可奈子 他	153
6	プロラクチノーマ	杉原 仁	160
7	高プロラクチン血症	巽 圭太	164
8	Cushing 病	山本雅昭 他	167
9	subclinical Cushing 病と silent corticotroph adenoma	蔭山和則 他	174
10	ACTH 単独欠損症	長谷川功 他	176
11	Nelson 症候群	平田結喜緒	180
12	非機能性下垂体腺腫（ゴナドトロピン産生下垂体腺腫）	黒﨑雅道	183
13	特発性低ゴナドトロピン性性腺機能低下症	田島敏広	186
14	TSH 産生下垂体腺腫	堀口和彦 他	188
15	中枢型甲状腺ホルモン不応症（Refetoff 症候群）	石井角保	191
16	汎下垂体機能低下症	西山 充	193
17	Sheehan 症候群	菅原 明	198

18	リンパ球性下垂体炎〜前葉炎を中心に〜		椙村益久 他	202
19	IgG4 関連(漏斗)下垂体炎		島津 章	207
20	抗 PIT-1 下垂体炎(抗 PIT-1 抗体症候群)		髙橋 裕	210
21	頭部外傷後・脳血管障害後の下垂体機能低下症		齋藤洋一 他	212
22	下垂体卒中		登坂雅彦	215
23	empty sella 症候群		山下美保	217
24	嚢胞性病変(Rathke 嚢胞・くも膜嚢胞)		阿久津博義	219
25	下垂体茎断裂症候群		井口元三	222
26	遺伝性下垂体疾患		井口元三	224
27	遺伝性・家族性下垂体腫瘍		吉本勝彦	226
28	トルコ鞍部肉芽腫性病変,Tolosa-Hunt 症候群		西岡 宏	228
29	視床下部症候群		福田いずみ	232
30	下垂体偶発腫瘍		石井雄道	234
31	aggressive な下垂体腺腫と下垂体癌		福原紀章	237
32	転移性下垂体腫瘍		藤尾信吾 他	241
33	トルコ鞍部グリオーマ(下垂体神経膠腫)		西岡 宏	244
34	頭蓋咽頭腫		岡 秀宏	247
35	胚細胞腫瘍		中村英夫	252
36	髄膜腫		田中雄一郎 他	257

E　下垂体後葉疾患各論

1	中枢性尿崩症		岩間信太郎 他	260
2	SIADH(ADH 不適合分泌症候群)		髙木博史 他	265
3	本態性高ナトリウム血症		西山 充 他	270
4	リンパ球性漏斗下垂体後葉炎		椙村益久	273

III　Topics

1	ES/iPS 細胞による下垂体分化とその応用		須賀英隆	278
2	下垂体機能低下症の移行期医療(小児がん経験者も含む)		辻野元祥	280
3	濾胞星状細胞と細胞外マトリクス		藤原 研	284
4	本態性高ナトリウム血症と Nax 自己抗体		松田晋一	286
5	免疫チェックポイント阻害薬と関連下垂体炎		髙橋 裕	288
6	ドパミン作動薬の新たな副作用		髙橋 裕	291
7	傍腫瘍症候群としての自己免疫性下垂体疾患		髙橋 裕	293
8	新規分子イメージングによる Cushing 病の局在診断		平田結喜緒	295
9	下垂体腫瘍における新規薬物療法の展望		館野 妙 他	297
10	トルコ鞍部腫瘍に対する重粒子療法,陽子線療法		池田秀敏	300
11	間脳下垂体腫瘍 COE(center of excellence)への展望		山田正三	303
12	下垂体腫瘍手術の近未来〜安全な内視鏡手術の普及を目指して〜		光石 衛 他	305

付録

おもな下垂体機能検査・画像検査の判定基準・所見一覧 .... 立木美香 309

▶ Column

Rosalyn S. Yalow(1921 − 2011) .... 平田結喜緒 16
Roger Guillemin(1924 −) .... 芝﨑 保 36
Grant W. Liddle(1921 − 1989) .... 平田結喜緒 46
Wylie W. Vale(1941 − 2012) .... 芝﨑 保 55
Kalman T. Kovacs(1926 −) .... 山田正三 60
Andrew V. Schally(1926 −) .... 千原和夫 70
佐野壽昭先生(1949 − 2011) .... 山田正三 77
Harvey W. Cushing(1869 − 1939) .... 沖 隆 108
Julse Hardy(1932 −) .... 寺本 明 126
有村 章先生(1923 − 2007) .... 千原和夫 135
鎮目和夫先生(1924 − 2015) .... 肥塚直美 152
Geoffrey W. Harris(1913 − 1971) .... 平田結喜緒 173
佐野圭司先生(1920 − 2011) .... 寺本 明 221

▶ Information

間脳下垂体機能障害に関する調査研究班の取り組み .... 有馬 寛 231

▶ Side Memo

Knospの分類 .... 山田正三 243
germinomaは胚細胞腫か，それとも胚腫か？ .... 西岡 宏 251
下垂体(hypophysis；pituitary)の語源は？ .... 平田結喜緒 256
アイルランドの巨人(The Irish Giant) .... 平田結喜緒 302
「管状腺」−第4の唾液腺？ .... 平田結喜緒 304

索引 311

I

総論編

1 下垂体疾患の診療〜内科から〜

奈良県立医科大学糖尿病・内分泌内科学　髙橋　裕

> **》》臨床医のための Point ▶▶▶**
>
> 1. 診断においては，症状，理学所見，一般検査から総合的に病態を考える．
> 2. 主訴以外の症状についてもシステムレビューで網羅的に情報を得ることによって，症状の集積によるホルモン異常の病態の理解に努める．
> 3. 画像検査においては，鑑別診断を明確に念頭におきながら，ホルモン分泌異常などその他の情報と合わせて病態を考え総合的に解釈する．
> 4. 下垂体機能検査の意義，目的，限界を理解する．
> 5. 治療においては，目的を明確にし適切な薬物，量を選択し，その効果も検査所見だけではなく，常に症状，QOL も含めて定量的に評価する．

はじめに

　ホルモンは特定の内分泌腺から分泌されるが，その作用は全身の臓器に及ぶ．そのことは，あるホルモンの異常が明らかなときにそれによって引き起こされる症状を理解して疾患を診断することは容易だが，原因のホルモンが不明な状態で一見関連がなさそうにみえる様々な症状から，その原因となるホルモンを思い浮かべる必要があるというむずかしさを意味している．

　一方で，ホルモンの存在意義やその多彩な作用を理解していれば，一見関連のない症状の集合にみえるものが，実は特定のホルモン作用異常で一元的に説明できるという，内分泌疾患診断の喜びと醍醐味を味わうことができる．

　このような観点は下垂体疾患によらず，すべての内分泌疾患診療において重要である．

　下垂体疾患を考えるうえで，下垂体は全身の内分泌腺調節機構のヒエラルキーの司令塔であるということを理解しておく必要がある．下垂体と直接連結している視床下部は外部からの入力を統合し，適切な反応として視床下部ホルモンを下垂体門脈に分泌して下垂体機能を調節する．そして下垂体ホルモンはさらに末梢の内分泌腺からの末梢ホルモン分泌を調節し，末梢ホルモンは全身の臓器を標的としている．さらに末梢ホルモンは視床下部，下垂体にフィードバックをかけることによって恒常性を維持している．下垂体疾患の病態を正しく診断・治療するためにはこれらの生理学を十分理解しておく必要がある．

下垂体疾患の診断

1 診察

　診療において snap diagnosis で診断すべき疾患がいくつかあるが，下垂体疾患では，先端巨大症と Cushing 病はその代表的なものである．専門医であれば見逃すことは少ないと考えられるが，最近では比較的早期の発見が増え，いわゆるサブクリニカルの病態で見つかる場合も多い．それでも詳細に観察すると軽微ではあっても特徴的な兆候をきたしていることも多いので，まず疑うことが大切である．また判断に迷ったら過去の写真と比較すると兆候が明らかな場合もある．これらの代表的疾患以外でも，たとえば下垂体機能低下症では，色白でひ弱，華奢であったり，詳細にみれば疑わせる所見を認める場合もある．

　病歴においては，システムレビューが非常に重要である．下垂体ホルモン，その末梢ホルモン異常の影響は全身の臓器に出るため，一見不定愁訴と考えられる症状の集積が，1 つのホルモン異常で説明できる場合が多い．たとえば，倦怠感で来院した患者が，高血圧，糖尿病，月経異常，不正咬合，発汗過多，睡眠時無呼吸症候群を合併していればそれらの症状だけで先端巨大症と診断可能である．

　診断の過程において，主訴から鑑別診断をできるだけ多く列挙する作業は重要だが，内分泌疾患では主訴が必ずしも診断に結びつく最も重要な症状ではない場合も多く，その陰に隠れている重要な所見（食欲，体重の変化，倦怠感の有無，尿量，睡眠，月経周期，視力・視野など）も，先入観のないシステムレビューによってしっかりと確

認することが必要である．

　既往歴，薬剤歴も詳細に聴取する．既往歴のなかでは，まず出生時の異常の有無(仮死，骨盤位分娩)，小児がん経験者，頭部外傷，くも膜下出血などの既往をしっかり確認する．また，たとえば手根管症候群など既往歴と考えていたものが先端巨大症の診断によって一元的に説明できるようなことも多い．近年免疫チェックポイント阻害薬投与患者が増加しており，免疫チェックポイント阻害薬中止後に関連の下垂体炎を発症することもあるので，常に既往歴，薬剤歴をしっかりと確認することが必要である．そして，内科医としての視点で領域横断的かつ時系列も考慮した縦断的視点も含めて病態を理解するように努める．

　身体所見も重要である．バイタルサイン，顔貌の特徴，肥満のパターン(中心性肥満，内臓肥満など)・体重変化，視力・視野障害，皮膚の肥厚・菲薄化，色素沈着，皮疹，皮膚腫瘍，皮膚線条，体毛，筋萎縮，手足の肥大，発汗，二次性徴(腋毛，恥毛，精巣のサイズ)などをしっかり確認し，陰性所見も含めてカルテに記載する．

2 一般検査

　一般検査では，白血球数，好中球数，好酸球数，相対的リンパ球数，軽度の貧血，血中 Na, K 濃度，肝障害，脂質異常症などを総合的に解釈することが重要である．つまり個々の変化は非特異的であっても好酸球増多，相対的リンパ球増多，低 Na 血症，高 K 血症があれば副腎不全の存在の可能性は高い．

3 ホルモン異常の解釈

　ホルモン値は，年齢，性別，食事，日内変動，ストレス，薬剤，体位，採血条件(血清，血漿)などの影響を受けることを知っておく必要がある．一方でこれらの影響を考慮すれば，必ずしも最適な条件ではなくてもある程度の解釈が可能な場合もあるので，柔軟な対応と病態を考慮した解釈が必要である．たとえば，副腎不全を疑う場合には朝9時までの採血が望ましいが，Cushing 症候群を疑う場合にはむしろ夕方から夜のほうが診断的価値が高い．

　ホルモン値の解釈として上位のホルモンと下位のホルモンあるいはホルモンとその制御因子の関係性で責任部位を同定することは極めて重要である．その場合に，実際には単純に解釈が困難な場合があることを知っておく必要がある．たとえば，一般に TSH は FT_4 と指数関数的に逆相関するが，その関係性を解釈する場合に注意すべき点が3つある．1つは，TSH は特に回復期において FT_4 よりも遅れて動くことが多い．その結果，原発性か中枢性かの判断を誤ったり，不可解なデータを示すことがある．診断時には説明がむずかしい関係であっても，経時的にフォローすると TSH が追いついて動いてくるので，その点を念頭においておく必要がある．もう1つは中枢性甲状腺機能低下症の際に視床下部性の場合には，糖鎖付加が起こらない生物学的不活性な TSH が産生され，軽度の上昇を認めることがある．その際多くの場合は，FT_4 低下の程度のわりには比較的軽度な TSH の上昇である場合が多い．またいわゆる不適切 TSH 分泌症候群(syndrome of inappropriate secretion of TSH：SITSH)の場合には，TSH 産生腫瘍と甲状腺ホルモン受容体異常症が鑑別にあがるが，その前に見かけ上の SITSH を除外するために，TSH と FT_4 を2ステップサンドイッチ法で確認しておく必要がある．1ステップ競合法のアッセイが一般的に使われているが，抗 T_4 自己抗体などの影響を受け異常値が出ることがある．

　ACTH の解釈において，ACTH はコルチゾールのフィードバックを受けるが，日内リズムに加えて脈動性分泌があることも念頭におく必要がある．また中枢性副腎不全はもとより，原発性副腎不全の場合にも ACTH を指標にグルココルチコイド補充量の調整は困難である．それはおもに現状のヒドロコルチゾンの補充方法(分割投与法)では，十分なフィードバックをかけることがむずかしいことによる．一方で，Cushing 病(症候群)治療後の内因性 HPA (視床下部 - 下垂体 - 副腎系) 軸の回復の評価には，外来におけるヒドロコルチゾン服用前の早朝 ACTH，コルチゾール値の経時的変化が非常に参考になる．術直後は ACTH，コルチゾール値いずれも抑制されているが，まず ACTH が立ち上がり，さらにオーバーシュート(まだ副腎が回復せず，一時的に原発性副腎不全の状態)するとともにコルチゾール値が立ち上がってくる．さらにコルチゾールが回復すると ACTH は正常範囲に戻るが，その状態であれば内因性 HPA 軸は回復しており，負荷試験を行わなくても補充の漸減中止が可能と判断できる．

4 下垂体機能検査

　ホルモン基礎値で異常が明らかになることもあるが，特に ACTH，GH 分泌を正確に評価する際は，機能検査(負荷試験)が必要である．それは下垂体疾患の多くが分泌予備能の低下あるいは自律性分泌によって引き起こされるからである．分泌予備能の低下は最大の刺激を与えたときの反応性の低下を機能試験で確認する．その場合にも，たとえば HPA 軸の場合に視床下部を刺激しているのか(インスリン低血糖試験)，下垂体を刺激しているのか(CRH 試験)，あるいは副腎を刺激しているのか(迅速 ACTH 試験)を理解したうえで，

結果を解釈する必要がある．そしてそれぞれの試験の限界を理解しておく（機能検査のピットフォールの項参照）．GH分泌刺激試験のゴールドスタンダードはインスリン低血糖試験であるが，GHRP-2試験が簡便でよく用いられている．しかしGHRP-2試験には重症GH分泌不全症の基準しかないことを知っておく必要がある．また自律性分泌は抑制試験（ブドウ糖負荷試験やデキサメサゾン抑制試験など）で証明するが，その背景やピットフォールを理解しておくことも重要である．

5 画像検査

下垂体疾患の鑑別においては，下垂体MRIが最も診断的価値が高い．しかし，頭蓋咽頭腫における石灰化の有無の確認や，浸潤性の病変で頭蓋底，トルコ鞍破壊の有無など確認したいときにはCTを用いる．下垂体後葉の高信号はバソプレシン貯留を可視化できるため中枢性尿崩症の鑑別に重要だが，単純MRIで確認し，斜台の骨髄の高信号と区別する必要がある．またMRIにおいて造影することによって何が明らかになるかを明確に意識する必要がある．造影の大きな目的の1つは下垂体腺腫の同定である．正常下垂体に比べて腺腫は血流が少ないためless enhanced lesionとして同定されることが多い．微小病変を疑う場合にはダイナミックMRIが用いられるが，分解能は低下するため通常の造影MRIのほうが精度が高い場合もある．また3テスラのMRIのほうが，Cushing病やプロラクチノーマの微小病変の検出には優れている．下垂体炎や肉芽腫性疾患などは前葉そのものに細胞が浸潤しているため，正常下垂体組織は造影によっても区別されないことが多い．いずれにせよ，画像の適切な解釈のためには十分に病態を考慮することが大切である．

下垂体疾患の治療

1 下垂体機能低下症

汎下垂体機能低下症の場合，まずは生命に必須の副腎皮質ホルモン，甲状腺ホルモンから補充することが重要である．両者においてはまず副腎皮質ホルモンを先に補充する．そして年齢や背景にもよるが次に性腺系，さらにGHの補充を行う．性腺系は年齢，性別，妊孕性を希望するかどうかによって補充の方法を適切に使い分ける．いまだGH補充がされていない症例も少なくないが，成人においてもGHは必須のホルモンである．体組成異常，脂質・糖代謝異常，脂肪肝・NASHの合併はもとより，一見無症状でもAHQ（成人下垂体機能低下症患者のQOL尺度）で評価するとQOLが低下していることが多く，補充して初めて補充前の症状の存在に気づく場合も少なくない．また高齢者においてもGH補充療法が顕著な効果を示す場合もあるため積極的に考慮する必要がある．最近長時間作用型GH製剤が使用可能になり補充療法のハードルは下がっている．そして補充療法後は，自覚症状だけではなく，脂質・糖代謝，肝機能，体組成，骨密度，QOLなどを適切に評価し患者さんにフィードバックすることは，アドヒアランスを向上させるためにも重要である．

2 下垂体機能亢進症

先端巨大症やCushing病，TSH産生腫瘍などは治癒を目指す場合に外科手術が第一選択である．内科医としてまず重要なことは，下垂体手術の寛解率，合併症のリスクは，脳神経外科医の手術経験数に明らかに左右されるというエビデンスが存在することから，経験豊富で治療成績のよい脳外科医に紹介することである．患者さんにとっても医療経済への負担を考慮しても，手術で寛解するのか，生涯の薬物療法が必要となるのかは大きな違いがある．

また手術で全摘出が不可能な寛解が明らかに困難な浸潤性腫瘍の場合には，debulking effectで薬剤反応性が改善することを期待できる場合もある一方で，primary medical therapyとして当初から薬物療法のほうが効率的な場合もありうることを念頭におき，長期的な治療戦略を立てる必要がある．

先端巨大症における術前薬物療法の意義については，治療抵抗性高血圧や心不全，重度の睡眠時無呼吸症候群など周術期リスクの増加が危惧される場合を除いて，議論の余地があるところであるが，仮に寛解率は明らかに向上しなくても術前薬物療法によって全体の腫瘍体積が減少して，術後の残存腫瘍体積を少しでも減少できる場合には，術後の薬物療法の効果を考えると意義がある可能性はある．TSH産生腫瘍においては，まれであるが周術期のクリーゼの報告があるため術前にランレオチドによって甲状腺機能を正常にしてから手術を行うのがより安全と考えられる．

最近では薬物療法効果の術前予測因子が確立しつつある．たとえば先端巨大症では，Densely granulated typeとSparsely granulated typeで第一世代ソマトスタチンに対する反応性は明らかに異なり，前者では一定の効果があるが後者では抵抗性を示す．一方で後者には第二世代ソマトスタチンアナログのパシレオチドが奏効することが多い．以前は術後に電顕あるいは免疫染色を行わないとそれらの判断ができなかったが，最近MRI T2強調画像信号強度によって鑑別が可能になった．これらの情報をもとに薬物の効果をトライアンドエラーで判断するのではなく，より適切な薬物を第

一選択に組み立て，最適のタイミングで手術を行うというテーラーメイド治療が可能な時代になってきた．

COVID-19と下垂体疾患

COVID-19のパンデミックはそれ自体への対応だけではなく，下垂体疾患を含む多くの疾患の診療に影響を及ぼしている．下垂体腫瘍は多くが良性腫瘍のため，初期の頃はCOVID-19のスクリーニングが普及し術者の安全性が確立するまでは緊急性の観点から，またその後COVID-19診療の影響で医療全体が逼迫すると医療資源の再配分のために，下垂体腫瘍を含む多くの手術が延期され，機能性腺腫で薬物療法が可能な場合にはそれが優先された．

COVID-19の感染および重症化のリスクとして，肥満，糖尿病，高血圧，心血管疾患およびCKDが知られているが，下垂体疾患との関連については不明である．Cushing病を含むCushing症候群ではコルチゾール過剰をきたし，一般的に易感染性を示すが，これまで自己免疫あるいは炎症性疾患におけるグルココルチコイド投与とCOVID-19のリスクについてはいくつかの報告があり，プレドニゾロンで10mg以上の場合，COVID-19感染リスクが増加する可能性が示唆されている[1]．Cushing症候群におけるCOVID-19感染については軽症例から重症例まで報告があり，一報では内因性グルココルチコイド過剰がCOVID-19の重症化と関連するかもしれないと考察している[2]．

一般にCOVID-19感染の際には血清コルチゾール濃度は有意に上昇するが，血清コルチゾール濃度は死亡率増加と関連する[3]．一方でCOVID-19感染において，サイトカインストームに伴う肺障害は重症化および死亡率増加と関連し，それを軽減するためのデキサメサゾン投与が有効である[4]．これらのことは非感染時のグルココルチコイド過剰は免疫抑制によって感染リスクを増大させる一方で，COVID-19感染そのものは大きなストレスとしてその重症度に従ってグルココルチコイド分泌を促進するが，適切なタイミングで十分に分泌されないとサイトカインストームによる重症化を引き起こすという病態を示唆している．また内因性グルココルチコイド過剰であるCushing症候群や過小である副腎皮質機能低下症の患者においてはこれらの病態を念頭においたグルココルチコイドの適切な調節が必要であると考えられる．

COVID-19のmRNAワクチンの有効性について，臓器移植後のグルココルチコイドあるいは免疫抑制剤投与中の症例では1回目の投与で17%しか抗体が陽性にならず有効性が低く，これらの投薬下ではワクチンに対する十分な免疫反応が起こりにくいことを示唆している[5]．しかしながらmRNAワクチンの場合，生ワクチンのような疾患そのものの発症リスクはないため，感染した場合のリスクを考慮すると，このような症例でも一般にはワクチン接種が推奨される．これらの点を踏まえて，中枢性副腎皮質不全を伴う下垂体機能低下症患者においてワクチンの効果を十分得るためには，副反応に備えてストレスドーズのグルココルチコイドを投与すべきかどうかは慎重な判断が必要であろう．一方で筆者らはグルココルチコイド補充療法中に，ワクチン接種後の発熱によって副腎不全をきたした症例を経験したことから，副反応の程度によって必要な免疫反応を抑制しない程度の適切な増量が必要だと考えられる．

下垂体疾患は希少疾患が多いため，COVID-19と関連した十分なエビデンスを得ることは一般に困難であることから，類似のエビデンスと病態の深い洞察を踏まえた適切な対応が望まれる．

おわりに

下垂体疾患の診断学の進歩，病態解明，新たな薬剤の開発によって，十分な知識と経験を備えた専門医としての腕を振るう機会が増えている．編者の1人として本書の情報がそのようなエキスパートへの道に至るために皆さんの診療に役立つことを期待している．

文献

1) Soldevila-Domenech N, et al.: COVID-19 incidence in patients with immunomediated inflammatory diseases: influence of immunosuppressant treatments. *Front Pharmacol* 2020; **11**: 583260.
2) Guerrero-Pérez F, et al.: Ectopic Cushing's syndrome due to thymic neuroendocrine tumours: a systematic review. *Rev Endocr Metab Disord* 2021. doi:10.1007/s11154-021-09660-2.(Online ahead of print.)
3) Tan T, et al.: Association between high serum total cortisol concentrations and mortality from COVID-19. *Lancet Diabetes Endocrinol* 2020; **8**: 659-660.
4) Horby P, et al.; RECOVERY Collaborative Group: Dexamethasone in hospitalized patients with Covid-19. *N Engl J Med* 2021; **384**: 693-704.
5) Boyarsky BJ, et al.: Antibody response to 2-dose SARS-CoV-2 mRNA vaccine series in solid organ transplant recipients. *JAMA* 2021; **325**: 2204-2206.

2 下垂体疾患の治療～外科から～

森山脳神経センター病院間脳下垂体センター　山田正三

>> 臨床医のための Point >>>

1. 下垂体近傍には多くの疾患が発生する．間違った外科適応に陥らないためには，常に鑑別診断を理解し，各疾患における外科治療の適応をよく理解しておくことが重要である．
2. 手術療法を行う場合には，病変の位置，周囲組織との関係などを術前に十分に評価したうえで，適切な手術アプローチ（従来の TSS，拡大 TSS，開頭術との同時併用 TSS，開頭術）を選択する必要がある．
3. 機能性下垂体腺腫では細胞レベルでの腫瘍の完全摘出が要求される．たとえそれが不可能な場合でもできるだけ腫瘍を摘出するための手術操作が必要である．
4. 術前後の検査，治療方針や，慢性期のホルモン補充療法などについては内分泌内科医，小児内分泌内科医と協議を行うことや共診していくことが重要である．

はじめに

　下垂体近傍には腫瘍をはじめ肉芽腫，嚢胞性病変など数多くの疾患が発生する．これらの疾患に対する外科診療の原則はまずその疾患による症状と，画像による病変の評価を行い，外科治療の適応を決めることである．たとえ視機能障害等を呈していてもプロラクチノーマやリンパ球性下垂体炎等では通常外科治療は第一選択肢とはならない．したがって間違った外科適応に陥らないためには，常に鑑別診断を理解し，各疾患における外科治療の適応をよく理解しておくことが重要である．また同一疾患でも外科的アプローチは異なってくるため，病変の大きさ，その位置，周囲組織との関係や浸潤の有無などの点について，あらかじめ，MRI などで十分に評価したうえで最適な手術アプローチを選択する必要がある．以下外科の立場から下垂体疾患の治療について概説する．

手術法の変遷と現状[1,2]

　現在行われている経蝶形骨洞手術（transsphenoidal surgery：TSS）および開頭術（transcranial surgery：TCS）の種々のアプローチは，すでに 20 世紀初頭に考案，臨床応用されていたが，1930 年以降は TCS が主流となっていた．そして Guiot，Hardy らによる術中透視および手術用顕微鏡の TSS への応用により，1960 年代後半以降 TSS が再び脚光を浴び，下垂体疾患の手術方法として顕微鏡下の TSS（microscopic TSS：mTSS）が global standard となった．これにより，機能性微小下垂体腺腫も選択的切除が可能となった．一方内視鏡は mTSS の補助として 1990 年当初は使用されていたが，1997 年，ピッツバーグのグループが内視鏡を主体とした TSS（endoscopic endonasal TSS：eTSS）について，初めて多数例での手術成績の報告を行った．そして 21 世紀に入り，内視鏡光学技術の進歩（High vision, 4K camera）と内視鏡用の手術機材の発展によって，eTSS は日本を含め世界中で mTSS を凌駕し現在に至っている．eTSS の最大の利点はパノラマ的広角な視野が得られることである．そしてその稼働範囲の広さから，その応用範囲は広がりトルコ鞍底を含む前頭蓋底から頭頸部移行部までの正中領域にある病変の切除に利用されているのが現状である．さらに拡大経蝶形骨洞手術（後述）や，海綿静脈洞浸潤腫瘍に対する手術など mTSS ではごく限られた術者のみ可能であった手術方法が eTSS の普及でより一般的な手術方法となりつつある．

　一方病変を低侵襲的に，かつより安全に切除するためのアプローチの工夫も同時に行われてきた．1987 年，Weiss らはそれまで TSS が禁忌とされ，経頭蓋アプローチ（transcranial approach：TCA）が唯一適応とされてきた鞍上部に主座する頭蓋咽頭腫に対しても経鼻手術が可能となるよう鞍結節から蝶形骨平板までの骨と硬膜の解放を従来法（トルコ鞍底の解放）に追加して鞍上部に至る方法（現在，拡大経蝶形骨洞法〔extended transphenoid surgery：extTSS〕とよばれている）を考案した．この方法を応用することで TCA が主流だった頭蓋咽頭腫の約 8～9 割の症例は低侵襲的な TSS で腫瘍の切除が可能となっている．この extTSS は，同様に従来 TCA が適応と考えられてきた，特殊な下垂体腫瘍，鞍結節髄膜腫，脊索

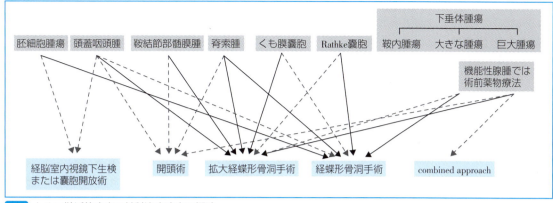

図1 トルコ鞍近傍疾患の外科治療適応の概略
実線：頻度が高いことを示す，点線：頻度が低いことを示す．胚細胞腫は生検術．

腫などの手術にも利用されている．extTSSの最大の利点は，周囲の重要な脳組織の圧迫・剥離操作などを行うことなく鞍上部の病変が露出，切除できる点である[3]．もう1つが，TSSとTCSを同時に施行する方法（combined approach）である[4]．この方法はTSS，TCSいずれの方法でも切除が困難な大きな腫瘍に対して選択される方法である．図1に各疾患で手術を行う際のアプローチの概略をまとめた．要は腫瘍の大きさ，位置，周囲との関係などを十分に評価したうえで，通常のTSS，extTSS，TCSとの同時併用によるTSSなどを適時選択していくということである．

機能性下垂体腺腫の外科治療

機能性下垂体腺腫は腫瘍が大きな場合には占拠性症候の改善という非機能性下垂体腺腫や他のトルコ鞍部腫瘍と同様の手術目標があるが，機能性腺腫で共通する重要な手術目標は腫瘍から過剰に産生されているホルモンの正常化である．そのためには切除可能なものは細胞レベルでの腫瘍の切除を，そしてたとえ完全摘出が不可能な場合でも，可能な限りの腫瘍の切除を行い，術後にホルモンをできるだけ低下させることが必要である．そのためには他の腫瘍同様，最大限腫瘍を摘出するための手術アプローチを選択する必要があるが，同時に海綿静脈洞浸潤腫瘍に対しても積極的な切除のためのアプローチの工夫が必要となる[5]（表1）．

手術をより安全・確実に施行するため周辺機材

いずれの手術法を選択するにせよ，これらの手術を可能な限り安全にかつ確実に施行することが重要である．そのためには，操作位置が確認できる外科用ナビゲーション，動脈を確認できるマイクロドプラ，眼の動きをモニターする眼球運動モニター装置や視機能をモニターする視覚誘発電位検査，運動路の評価に有用な運動誘発電位（motor evoked potential：MEP）などの術中モニタリングは有用で，それぞれの病変の状況に合ったモニタリングの選択が必要となる．その他，腫瘍，特に硬い腫瘍の切除に有用な超音波メスや術中腫瘍の切除状況や，予期せぬ出血などの評価が可能な術中CT，MRI検査なども症例によっては有用である[6]．さらに術前のMRIやCTなどを利用した3次元での合成画像の作成が可能となり，これを外科用ナビゲーションおよび手術用顕微鏡などに連動することも可能となっている．またこれらの技術は術前の手術プランニングや研修医への教育にも利用することが可能となっている．

術前検査

術前の適切な内分泌学的検査は重要であるが，特に手術との関連からは下垂体機能障害の有無を検討することが重要である．その際，大きな腫瘍などでは下垂体卒中のリスクも考慮して，下垂体前葉とその標的器官のホルモン基礎値を評価すれ

表1 過剰に産生・分泌されているホルモンの正常化のための手術方法

① Gross total removal ではなく，細胞レベルでの完全摘出を行う 　・被膜外切除，境界部分の追加切除
② たとえ全摘術が不可能な腫瘍でも術後の補助療法で完全寛解に至るように可能な限りの腫瘍切除を行う 　・拡大TSS 　・拡大TSS＋開頭術同時手術 　・海綿静脈洞への積極的な手術
③ より安全に行う 　・術中モニタリングの応用

ば機能低下があるかどうか判断がつく．ただしGH分泌低下については基礎値のみの評価では不十分であり，GHRP-2など適切な負荷試験が必要である．また機能性腺腫では同時に薬物に対する反応性をオクトレオチド試験，ブロモクリプチン試験などで術前評価しておくことも重要である．一方腫瘍が大きく，視交叉を圧迫している場合には，眼科的精査が必要であるが，視力や視野検査のみならず，最近ではフリッカー値検査や光干渉断層撮影検査なども視神経障害の早期の発見と，その程度，予後を知る意味からも重要な検査となってきている（第2章 B．検査 4．眼科的検査参照）．さらにKnosp分類Grade 4の腫瘍などではウイルス動脈輪の血流動態や合併血管病変の有無を評価しておくことも重要である[7]．

術前薬物療法

大きな機能性下垂体腺腫（GH，TSH産生腺腫）では，腫瘍を縮小させることによる手術成績の向上や併発する症状の改善による周術期合併症の低下などを目的に術前短期間薬物療法を施行することが勧められる[8]．筆者自身，大きな鞍上部進展を呈するようなGHやTSH産生腫瘍では術前1～6か月間の短期ソマトスタチン製剤の術前使用を行っている．ただし海綿静脈洞方向（横方向）の腫瘍縮小は縦方向の縮小に比べ通常得難いという特徴がある．

COVID-19流行時の経蝶形骨洞手術

この2年間にわたる新型コロナウイルス感染症（COVID-19）のパンデミックは，世界中の医療システムに大混乱をもたらした．第1回目のわが国における緊急事態宣言が発令された2020年4月頃には，中国とイタリアの下垂体外科チームからの外科チーム感染の初期の逸話的な報告に基づいて，スタンフォード大学の耳鼻咽喉科および脳神経外科チームは，TSSが患者，医療スタッフ双方にとってリスクが高い手術であることを米国の内視鏡頭蓋底外科関連学会に警告し緊急性の低い経鼻手術は当面延期すること．手術が必要で検査が可能な場合には48時間以内にできれば2回のCOVID-19感染のRT-PCR検査を行い，陰性を確認したうえで手術を行うこと．COVID-19感染の患者，あるいは疑いのある患者で鑑別検査ができない場合には，すべての手術スタッフは電動ファン付き呼吸用防護具（PAPR）などの適切な個人用防護具（PPE）を使用のうえで手術を行う必要があることなどを提言した．これを契機に日本でも脳神経外科学会，間脳下垂体腫瘍学会など関連する学会から相次いでCOVID-19に対する診療対応指針が発表され，脳神経外科学会からは2021年3月にはversion 3が出されている．スタンフォード大学からの提言が伝わった当初は日本でもまだCODID-19についての十分な理解が得られていなかったこと，RT-PCRの検査が保健所主導の行政検査であり，一般の病院で入院患者や術前患者のスクリーニング検査として行うことがほぼ不可能であったことなどの理由から，多くの病院では待機可能な患者さんの手術は原則延期され，機能性下垂体腺腫などではいったん薬物療法を主体とする治療で待機するなどの措置がとられた．われわれの施設でもそのうえでやむなく手術が必要な，急激な視機能の悪化症例や下垂体卒中など早期の手術が必要な場合には，臨床症状，胸部CTなどでCOVOD-19をスクリーニングしたうえで，さら

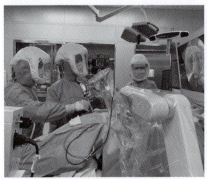
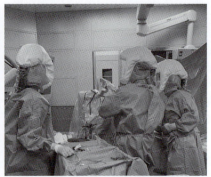

図2 スタッフ全員がルーズフィットなフード タイプ（呼吸用保護具が装着者の顔面に密着しない構造）の電動ファン付呼吸用保護具（PAPR）を装着しての内視鏡経鼻手術の手術風景

PAPRは付属のバッテリー（腰にベルト式に装着）により電動ファンを稼働させ，吸い込む環境中の空気を高性能なフィルターでろ過して清浄な空気を供給するため呼吸が容易で，長時間の手術が抵抗なく可能である．

に手術時には医療スタッフは最小人数とし，陰圧手術室で，原則術中部屋の出入りを禁じ，全員がPAPRなどPPEに十分に注意を払い手術を行っていた（図2）．その後，医学的な情報が蓄積，整理され，下垂体疾患を抱える患者のCOVID-19パンデミック時の問題点やその対応についても徐々に明らかとなり，Pituitary SocietyからもCOVID-19パンデミック下における，下垂体手術や，それぞれの下垂体疾患について，その診断と治療の詳細なガイドラインが出された[9]．また日本でも医療体制の改善とワクチンをはじめ，治療薬などの普及により，COVID-19が流行し始めた2020年4月当初とは下垂体手術に対する対応も変化してきた．さらに当初注意喚起が行われてきた経鼻手術中の鼻腔内粘膜の操作（high speed drillなど）によるエアロゾル感染のリスクは当初危惧されていたよりも低いことや，わが国では現在まで手術室を介した重大な院内感染の報告がないこと，RT-PCR，抗原検査などが広く，比較的容易に施行可能となってきたことなどから，現在（2021年9月）では，下垂体手術を専門に扱う多くの施設で，術前にRT-PCRやまたは抗原検査を全例で施行しscreeningとしたうえで，陰性例については，以前と同様の手順で手術が行われている．しかしながら今後も引き続き，各地域の感染状況を評価，把握しながら，関連学会からのガイドラインやそれぞれの施設の感染症防止対策マニュアルに沿った術前，術中，術後対策を遵守していくことが要求される．

おわりに

各疾患の状況にあった最適の外科的アプローチを行うことが重要であることを述べてきたが，外科治療を行う場合には，その対象症例の全体的な治療の流れのなかで，外科治療はどのような位置づけにあるのか，どのような役割を担っているのかを十分に術前考慮することが外科医として極めて重要である．そして下垂体腫瘍を代表とするトルコ鞍近傍疾患の多くは，手術療法のみでその治療が終止することは少なく，複合的，集学的な治療を必要とする．したがって術前後の治療方針の決定・慢性期のホルモン補充療法などの診断・治療においては常に内分泌内科医，小児内分泌内科医と密に協議を行い，時に共診して行く姿勢が重要である．

文献

1) Cavallo LM, et al.：Endoscopic endonasal transsphenoidal surgery：history and evolution. *World Neurosurg* 2019；**127**：686-694.
2) Wang AJ, et al.：History of endonasal skull base surgery. *J Neurosurg Sci* 2016；**60**：441-453.
3) Cappabianca P, et al.：Endoscopic endonasal extended approaches for the management of large pituitary adenomas. *Neurosurg Clin N Am* 2015；**26**：323-331.
4) 山田正三，他：巨大下垂体腺腫．佐伯直勝（編集）：脳神経エキスパート．間脳下垂体．中外医学社，2008；244-258.
5) Dhandapani S, et al.：Cavernous sinus invasion in pituitary adenomas：systematic review and pooled data meta-analysis of radiologic criteria and comparison of endoscopic and microscopic surgery. *World Neurosurg* 2016；**96**：36-46.
6) Laws ER, et al.：A checklist for endonasal transsphenoidal anterior skull base surgery. *J Neurosurg* 2016；**124**：1634-1639.
7) Fukuhara N, et al.：Magnetic resonance angiography-based prediction of the results of balloon occusion. *Neurol Med Chir (Tokyo)* 2019；**59**：384-391.
8) Nunes VS, et al.：Preoperative somatostatin analogues versus direct transsphenoidal surgery for newly-diagnosed acromegaly patients: a systematic review and meta-analysis using the GRADE system. *Pituitary* 2015；**18**：500-508.
9) Fleseriu M, et al.：Pituitary society guidance：pituitary disease management and patient care recommendations during the COVID-19 pandemic-an international perspective. *Pituitary* 2020；**23**：327-337.

3 下垂体疾患の診療～小児科から～

虎の門病院小児科　伊藤純子

> **臨床医のための Point ▶▶▶**
> 1. 小児の特徴として，成長，性成熟があげられるが，下垂体のホルモン系はこれらに深く関与している．
> 2. 小児期の下垂体疾患を診療する際には，標準成長曲線，肥満度曲線を利用した成長評価，Tanner 分類を用いた性成熟評価，骨年齢を用いた骨成熟の評価が必須である．
> 3. 小児期の治療は，年齢，成長を踏まえた，適切なタイミングで行うことが重要である．
> 4. 成人期の治療を見据えた移行期支援を計画的に行うことが求められている．

はじめに

下垂体のホルモン系は，小児の特徴である成長，性成熟に深く関与しているため，小児期に特有の症状を呈する．ホルモンの基準値も，年齢，性成熟の段階によって大きく変化する．小児期の下垂体疾患を診断する際にはそれらを踏まえた評価方法に習熟する必要がある．治療に際しても「どのような」治療を行うかだけでなく「いつ」治療を行うかが重要となってくる．

小児期に特有の症状と評価方法，それをきたす下垂体疾患

1 成長

成長のメカニズムを説明するモデルとして，出生から成人身長に至る身長の伸びを Infancy-Childhood-Puberty の3要素に分けた，Karlberg の ICP モデル[1]がよく知られている．Infancy は胎児期に引き続いて3～4歳まで続く最も大きな成長の成分で，栄養状態や IGF-1，インスリン分泌に左右される．Childhood は出生後に始まり，思春期にかけて緩かに減少していく直線的な成長で，成長ホルモンや甲状腺ホルモンの影響が大きい．Puberty は思春期のスパートを構成する成分で，性ステロイドによって引き起こされるが，この時期に成長ホルモン分泌が上昇することも関与している．この3成分の総和が実際の身長の伸びとなる（図1）．

成長の評価は標準成長曲線を用いて行う．日本人男女別の横断的標準成長曲線は，日本小児内分泌学会のホームページ[2]からダウンロード可能である．日本では乳幼児健診や学校健診で定期的に身長，体重の測定を行っているため，個々の患者について正確な成長曲線を描くことができる．成長ホルモン分泌不全や甲状腺機能低下など，成長障害をきたす内分泌疾患においては，成長曲線を作成することによって，その患者が低身長（−2SD 以下）であるか，成長速度の低下があるか，などが一目で把握できる．特に間脳下垂体腫瘍などによって後天的に成長ホルモンが低下した症例では，成長曲線を作成することによって発症の時期を推定することが可能である．

身長と並び，体重の評価も重要である．小児においては BMI の標準値も年齢によって変わるため，肥満か否かの判定には BMI 標準曲線または肥満度曲線を用いる．いずれも前述の学会ホームページからダウンロードできる．

2 性成熟

小児期から成人期に移行する過程が思春期であるが，その際の身体的変化の特徴が性成熟である．正常の思春期は，視床下部 - 下垂体 - 性腺系において中枢の活動が活性化されることによって

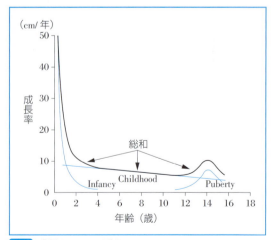

図1 成長の ICP モデル
〔Karlberg J：A biologically-oriented mathematical model (ICP) for human growth. Acta paediatr scand 1989；**350**：70-94 より引用〕

引き起こされる．小児において，ゴナドトロピンの分泌は胎児期から生後6か月までは高く，乳幼児期から思春期前の小児では低値となり，特にLH基礎値は極めて低い値をとる．この時期はテストステロン・エストロゲンも低値である．思春期に入るとLH分泌が急激に上昇し始める．思春期前からまず夜間のLHパルスがみられ，思春期の進行につれて振幅が大きくなり昼間の分泌も上昇していく[3]．並行して性ステロイドの分泌増加が起こりその結果二次性徴が進行する．

　二次性徴は，男児では外陰部（精巣・陰茎・陰嚢等）の発育，恥毛発生，声変わり・腋毛・ひげの発生，女児では乳房発育・恥毛発生・月経という順に進行することが一般的である．その評価にはタンナー分類（Tanner Stage）が用いられている（表1）．男児の最初の徴候は精巣容量の増大であるが，その変化は2mLから3～4mLへの増大というわずかなものであり，熟達した医師が診察をしなければ気づかれることはない．男児で本人や家族が二次性徴発来を自覚するのは，恥毛発生あるいは声変わりをきたしてからであることが多く，二次性徴がある程度進行した段階である．これに対して女児の二次性徴は乳房発育から始まるため，早期に気づかれやすい．各二次性徴の発現する標準的な時期には幅があり（図2）[4]，±2SDの範囲を超えたものが思春期早発・思春期遅発とされている．早発・遅発いずれの場合でも初診時には診断が困難な場合があるので，定期的に経過をみることが重要である．

3 骨成熟

　成長している長管骨には成長軟骨帯（成長板）があり，この部分で軟骨細胞が増殖分化することによって骨が伸長する．静止軟骨細胞，増殖軟骨細胞，前肥大軟骨細胞，肥大軟骨細胞と分化した軟骨細胞は，石灰化軟骨となって最終的に骨と置換される．この過程で骨密度も急激に上昇してゆく．骨成熟には，成長ホルモン，甲状腺ホルモンが必要であり，これらのホルモン分泌不全があると骨成熟の遅延が起こる．思春期においては，ア

表1　二次性徴のタンナー分類（Tanner Stage）

【陰毛】
1度　陰毛なし
2度　長くやや黒さを増したうぶ毛様の真っ直ぐなまたはややカールした陰毛を認める（女児：主として大陰唇にそって見られる，男児：陰茎基始部に見られる）
3度　陰毛は黒さを増し，硬くカールして，まばらに恥骨結合部に拡がる
4度　陰毛は硬くカールして，量，濃さを増し成人様となるが，大腿中央部までは拡がっていない
5度　成人型，陰毛は大腿部まで拡がり逆三角形となる

【乳房】
1度　思春期前　乳頭のみ突出
2度　蕾の時期　乳房，乳頭がややふくらみ，乳頭輪径が拡大
3度　乳房，乳頭輪はさらにふくらみを増すが，両者は同一平面上にある
4度　乳頭，乳頭輪が乳房の上に第二の隆起を作る
5度　成人型，乳頭のみ突出して乳房，乳頭輪は同一平面となる

【男性外性器】
1度　幼児型
2度　陰嚢，睾丸は大きさを増し，陰嚢はきめ細かくなり，赤みを帯びる
3度　陰茎は長くなり，やや太くなる．陰嚢，睾丸はさらに大きさを増す
4度　陰茎は長く，太くなり，亀頭が発育する．陰嚢，睾丸はさらに大きさを増し，陰嚢は黒ずんでくる
5度　成人型となり，大きさを増すことはない

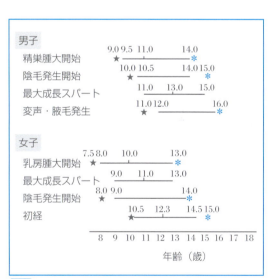

図2　正常日本人小児における二次性徴ごとのおよその発現時期の範囲

横棒の両端の数字はおよその範囲，あいだの数字は平均値ないし中央値を示す．
★印より早い年齢での二次性徴発現の場合には，中枢性思春期早発症の診断の手引き（厚生労働科学研究費補助金難治性疾患等政策研究事業　間脳下垂体機能障害に関する調査研究班：中枢性思春期早発症の診断の手引き，2019年度改訂）における年齢基準を満たす．
＊印の年齢においてそれぞれの二次性徴がみられない場合には，思春期遅発症と考える．

〔横谷　進：思春期と身体成熟．日本小児科学会，思春期医学臨床テキスト．診断と治療社，2008；6-10より引用〕

ンドロゲン・エストロゲンが二次性徴発現や成長促進に対して両者ともに作用するが，骨成熟作用はエストロゲンが担っている．どの程度骨への置換が進んでいるかを標準的な年齢で示したものが骨年齢であり，小児の成長を評価するうえでは欠かせない指標である．

小児期の治療

　小児の下垂体疾患に対する治療は，成長・性成熟・骨成熟の評価を踏まえて行う必要がある．成長曲線，肥満度曲線を作成し，ホルモン補充等の治療によって改善の方向に向かっているかを確認する．

　特に重要なのが性成熟・骨成熟の評価と治療のタイミングである．性ステロイドが分泌される思春期には成長速度が急激に増加して成長スパートを呈する．二次性徴開始の1～2年後，男児では平均13歳，女児では平均11歳前後で最大成長速度に達し，男児では平均10cm/年，女児では平均8cm/年伸びるが，スパートの時期には骨成熟進行が最終段階に達しており，この時期を過ぎると成長速度は急速に低下して伸びが止まり，成人身長に達する．成長スパートの時期に一時身長が正常化したように見えても，骨成熟が進行していると成人身長が低くなってしまうことはしばしばみられるため，思春期発来時の身長に注意する必要がある．

　性腺機能不全で思春期が自然に発来しない場合には，性腺補充療法を行って性成熟を進める必要がある．この場合，図2の標準的な思春期発来年齢から大きく遅れないよう留意するが，骨年齢を評価しつつ成人身長の改善も同時に達成することが望まれる．

　思春期遅発が疑われる年齢は小児科と内科の境界の年齢であるため，時に成人まで異常が見逃されてしまうことがある．二次性徴が不十分なまま成人することによる精神発達への影響は大きく，専門医診察の時期を逸しないような配慮が必要である．

移行期支援の重要性

　小児期発症の下垂体疾患の多くで，成人に達しても治療の継続が必要である．そのため，小児期から移行を意識した診療が重要となる．性成熟が完成して成人身長に達したことを確認するまでは，小児科医が一貫して治療を行ったほうがスムーズであるが，その時期は10歳代後半になることが多い．この時期は，受験，進学，就職などの社会的なイベントが続き，本人の精神的，社会的な自立がまだ途上であることもあって，治療の中断が起こりやすい時期である．

　移行期支援は，一律に年齢で区切るのではなく，患者ごとの病態，疾患の受け入れや理解を含めた自立の状態に合わせて，ある程度の期間をかけて進める必要がある．下垂体疾患は内分泌内科という専門科があるため成人診療科を決めやすいが，小児期発症の患者では成人後に発症した患者と比較して，社会的経験が少なく未熟であることが多いため，成人診療科と連携した支援システムを構築することが望まれる[5]．

文献

1) Karlberg J：A biologically-oriented mathematical model（ICP）for human growth. *Acta paediatr scand* 1989；**350**：70-94.
2) 日本小児内分泌学会：日本人小児の体格の評価．http://jspe.umin.jp/medical/taikaku.html（2021年8月9日）
3) 伊藤純子：思春期早発症．小児内科 2008；**40**（Suppl）：701-706．
4) 横谷　進：思春期と身体成熟．日本小児科学会（編）：思春期医学臨床テキスト．診断と治療社，2008；6-10．
5) 横谷　進，他：小児期発症疾患を有する患者の移行期医療に関する提言．http://www.jpeds.or.jp/uploads/files/ikouki2013_12.pdf（2021年8月9日）

II

各論編

下垂体の発生，分化

東海大学医学部付属大磯病院病理診断科　**井野元智恵**

> **>> 臨床医のための Point >>>**
>
> 1. 下垂体は起源の異なる2つの外胚葉成分から構成される．
> 2. 下垂体の発生は妊娠第3週に始まり，妊娠第12〜17週には機能をもち始める．
> 3. Rathke囊の遺残組織は頭蓋咽頭腫や異所性下垂体腺腫の発生母地となる．
> 4. 発生および分化に転写因子が深く関与している．

下垂体は起源の異なる2つの外胚葉成分から構成される

　下垂体は外胚葉由来の臓器であるが，発生学的には起源の異なる2つの部分から構成されている．1つは口窩の外胚葉性天蓋から背側に発育するRathke(ラトケ)囊で，下垂体憩室ともいう．このRathke囊が腺性下垂体(前葉)とよばれる上皮由来の腺組織の原基となる．もう1つは間脳の神経外胚葉から腹側へと伸長した漏斗で，神経性下垂体(後葉)とよばれる神経組織の原基となる．

下垂体の発生過程

　妊娠第3週に口窩(原始口腔)天蓋部の膨出としてRathke囊が出現し，背側(図1b-①)[1,2]へと陥入する．一方，妊娠第4週に間脳の底部が腹側(図1b-②)へと隆起し，漏斗となる．Rathke囊は背側へと伸長し，かつ茎部(口腔上皮に連絡する部分)が中胚葉の成長により狭窄するため，乳頭状の外観を呈するようになる(図1c)．第6〜7週頃にRathke囊の茎部は次第に退行・消失し，Rathke囊は口窩との連絡を失う．同時期に漏斗も腹側へと発育し，Rathke囊と接合する(図1d, e)．蝶形骨の軟骨原基によりトルコ鞍が形成されるのもこの時期である[3]．

　その後，Rathke囊前壁の細胞は急速に増殖し下垂体前部(後の前葉)を形成する(図1f)．下垂体前部がさらに延長し，漏斗茎を前方より取り囲んだ部分が隆起部とよばれる．妊娠第6週頃にはACTH産生細胞を形態的に確認でき，妊娠第7週にはACTHの産生が認められる．妊娠第8週にはGH産生能も確認される．糖蛋白ホルモン産生細胞はαサブユニット(αSU)を発現し，妊娠第12週にはそれぞれTSHやLH，FSHのβSUも認められる[1]．PRL産生細胞は最も遅く，妊娠後期(妊娠24週以後)に認められる．

　下垂体前部の活発な細胞増殖によりRathke囊内腔は減少し，狭い間隙となる．この痕跡的な間隙は，通常成人の下垂体では認められないが，囊胞帯として残存することがある．Rathke囊後壁は中間部となるが，ヒトの中間部は他の哺乳類と比較して未発達で，ほとんど痕跡的である．

　漏斗は漏斗の起始部である正中隆起，漏斗茎，および後葉となる．漏斗の遠位端は，神経上皮細胞の増殖により次第に充実性となる．増殖する細胞は中枢神経系におけるグリア細胞に相当すると考えられており，後葉細胞とよばれる．漏斗茎と接着する視床下部領域から無髄神経線維が神経部へと伸長してくる．妊娠第23週頃には下垂体後葉において，オキシトシンやAVPが観察される．

　妊娠第7〜8週頃には下垂体前葉を主体として下垂体門脈の発達が始まり，第12週には正中隆起と下垂体前葉に血管が分布する．視床下部・下垂体門脈が完成するのは第18〜20週にかけてである．

Rathke囊の遺残

　Rathke囊茎部の遺残組織(図1d, e)が存続し，口腔咽頭部の天蓋に咽頭下垂体を形成する場合がある．下垂体被膜外の蝶形骨内に下垂体前葉組織が発生することもある．脳底咽頭管とよばれるRathke囊の遺残組織が，約1%の割合で新生児の蝶形骨切片にみられ，頭蓋奇形のある新生児のX線写真にて認められることもある．これらのRathke囊遺残組織は異所性下垂体腺腫や頭蓋咽頭腫の発生母地としても知られている[2]．

転写因子による下垂体発生・分化の制御

　下垂体の発生および分化の制御は，種々の転写因子とその共役因子，内因性の増殖因子などにより行われていることが明らかとなっている．下垂

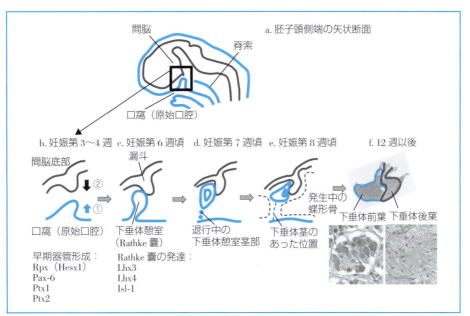

図1 下垂体の発生過程
Pax-6：paired box, Isl-1：islet1
〔Kaiser U, et al.：Pituitary physiology and diagnostic evaluation. In：Melmed S. et al.(eds), Williams textbook of endocrinology. 14th ed, Elservier, Philadelphia, 2020；184-235 および瀬口春道，他：第17章 神経系，瀬口春道，他（訳），ムーア人体発生学．原著第8版，医歯薬出版，2011；377-381 より改変〕

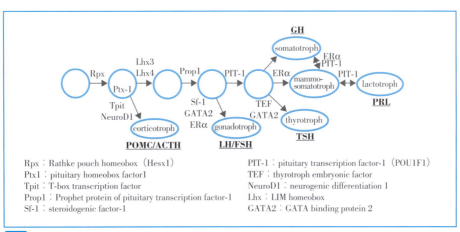

図2 下垂体前葉細胞の分化と転写因子
Rpx：Rathke pouch homeobox（Hesx1)
Ptx1：pituitary homeobox factor1
Tpit：T-box transcription factor
Prop1：Prophet protein of pituitary transcription factor-1
Sf-1：steroidogenic factor-1
PIT-1：pituitary transcription factor-1（POU1F1）
TEF：thyrotroph embryonic factor
NeuroD1：neurogenic differentiation 1
Lhx：LIM homeobox
GATA2：GATA binding protein 2

〔Katugampola H, et al.：Endocrinology of fetal development. In：Melmed S, et al.(eds), Williams textbook of endocrinology. 14th ed, Elservier, Philadelphia, 2020；825-866 および Asa SL, et al.：The Normal Pituitary Gland. In：Asa SL, et al.(eds), Tumors of the pituitary gland.(AFIP Atlas of tumor and non-tumor pathology, Series 5) ARP press, Virginia, 2020；1-40 より改変〕

体ホルモン産生細胞の分化や下垂体ホルモン発現を制御する転写因子の異常により，しばしば下垂体ホルモン単独欠損症あるいは複合下垂体ホルモン欠損症が発症する．

図1に下垂体発生初期に関与する転写因子を，図2に下垂体前葉細胞の分化に関与する転写因子をそれぞれ示したが，転写因子の機能や発現時期のコントロールが下垂体の発生や形態の形成に非常に重要な役割を担っていることがわかる[4,5]．

文献

1) Kaiser U, et al.：Pituitary physiology and diagnostic evaluation. In：Melmed S, et al.(eds), Williams textbook of endocrinology. 14th ed, Elservier, Philadelphia, 2020；184-235.
2) 瀬口春道，他：第17章 神経系，瀬口春道，他（訳），ムーア人体発生学．原著第8版，医歯薬出版，2011；377-381.

3) Lopes MBS, *et al.*：Pituitary and sellar region. In：Mills SE(eds), Histopathology for pathologists. 5th ed, Lippincott Williams & Wilkins, Philadelphia, 2020；270-299.
4) Katugampola H, *et al.*：Endocrinology of fetal development. In：Melmed S, *et al.*(eds), Williams textbook of endocrinology. 14th ed, Elsevier, Philadelphia, 2020；825-866.
5) Asa SL, *et al.*：The Normal Pituitary Gland. In：Asa SL, *et al.*(eds), Tumors of the pituitary gland. (AFIP Atlas of tumor and non-tumor pathology, Series 5) ARP press, Virginia, 2020；1-40.

▶Column

Rosalyn S. Yalow(1921 – 2011)

　内分泌研究の飛躍的な進歩は，1960年代のラジオイムノアッセイ(RIA)の開発と応用によってもたらされたといっても過言ではない．RIAはそれまで困難であった体液中(特に血中)や組織中に微量しか存在しないホルモンの測定を可能にし，ホルモンの生理的および病態生理学的役割を解明し，また視床下部や消化管ホルモンの同定を加速した．RIAの原理と開発に貢献したのがRosalyn S. YalowとSolomon A. Bersonである．当時のわが国の研究者のあいだでは「"ばあさん"(Berson)が男で"野郎"(Yalow)が女である」とジョークが飛ばされていた．

　核物理学者のYalowと内科医のBersonはニューヨーク・ブロンクスの在郷軍人病院で共同研究者として糖尿病患者の血中に存在する標識インスリン結合グロブリン(インスリン抗体)を研究し，その成果をScienceやJCIに投稿してリジェクトされた(当時の免疫学の常識として，インスリンのような小分子物質が抗体産生を惹起するとは考えられなかった)．これを契機に二人はインスリン抗体を用いたRIAを開発し，次々と新たにペプチドホルモンのRIAを成功させていった．RIAを臨床応用した内分泌疾患の血中ホルモン測定による疾患の診断や病態生理の解明が進み，また当時TRHやGnRHといった視床下部ホルモンの同定にしのぎを削っていた生化学者のSchallyやGuilleminの基礎研究の成功に大きく貢献した．その結果，YalowはSchally, Guilleminとともに1977年，ノーベル生理学・医学賞を授与された．残念ながらBersonは1972年に亡くなっていたためその栄誉に浴することはなかった．しかしYalowは自身の研究室を「SA Berson研究室」と命名して彼の業績を後世に伝えた(Lancet 2011；**378**：122)．参考までに，二人の思い出(Endocrinology 2002；**87**：1925)，またJCI編集部との確執(JCI 2004；**114**：1051)については論文に詳細に記載されている．

(兵庫県予防医学協会健康ライフプラザ健診センター　平田結喜緒)

視床下部・下垂体の解剖

群馬大学大学院医学系研究科脳神経外科学　登坂雅彦

》 臨床医のための Point ▶▶▶

1. 下垂体は腺下垂体と神経下垂体の融合したものである．
2. 視床下部で産生された向下垂体ホルモンは正中隆起で神経終末から血中に分泌され，下垂体門脈を介して下垂体前葉に運ばれる．
3. 下垂体後葉ホルモンは視床下部大細胞性ニューロンの細胞体で産生され，視床下部下垂体路の軸索を通じて後葉に達する．
4. 海綿静脈洞には内頸動脈，III，IV，V_1，V_2，VI の各脳神経が走行している．

視床下部

視床下部は腹側間脳に属し，第三脳室下側壁に位置する領域である．前方は終板，後方は乳頭体に至る領域で，背側は視床と視床下溝にて境される．下方からみると視交叉，灰白隆起（正中隆起，外側隆起），乳頭体がみられる．正中隆起の突出部が漏斗を形成し，漏斗茎として下垂体後葉に続く[1]（図1）．

視床下部は下垂体前葉の上位調節中枢である．

視床下部で産生された向下垂体ホルモン（CRH，TRH，GHRH，ソマトスタチン，GnRH，ドパミンなど）は正中隆起で神経終末から血中に分泌され，下垂体門脈を介して下垂体前葉に運ばれる．視床下部は前後方向に視索前野，視索上部，隆起域，乳頭域の4領域に分けられる．内側視索前野にはGnRH産生ニューロンが存在する．腹外側視索前野は睡眠や覚醒に関連する．視交叉上核は，概日リズムの調節中枢である．室傍核および視索上核には大型細胞性ニューロンの細胞体が存

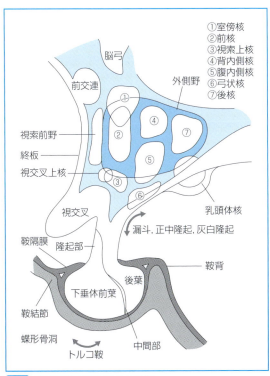

図1　視床下部と下垂体の矢状断

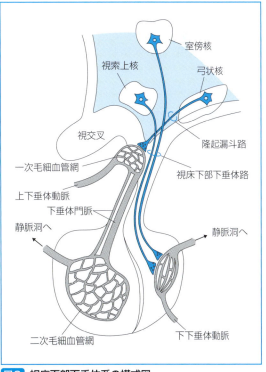

図2　視床下部下垂体系の模式図

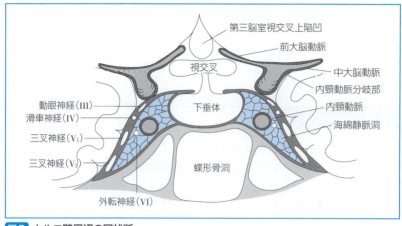

図3 トルコ鞍周辺の冠状断

在し，オキシトシン，AVP を産生する．これらのホルモンは視床下部下垂体路の軸索を通じて直接下垂体後葉に達する．室傍核内側には小細胞部も存在し，CRH や TRH 産生ニューロンが分布する．室周囲核は前後方向に長く，ソマトスタチン産生ニューロンが存在する．隆起域には背内側核，腹内側核が存在し，摂食調節に関与する．弓状核は小型細胞群よりなり，ドパミン，GHRH，GnRH などを産生し，正中隆起に軸索を送る（隆起漏斗路）．弓状核にはその他プロオピオメラノコルチン系のペプチド含有ニューロンなどが存在する．乳頭域には乳頭体核や結節乳頭核が含まれる．乳頭体核は大脳辺縁系を構成する．結節乳頭核はヒスタミン神経系の起始核で，睡眠や覚醒に関連する．視床下部外側野はオレキシン産生ニューロンを含み，摂食調節や睡眠，覚醒に関連する[2]（図1，2）．

下垂体

下垂体は口腔外胚葉由来の Rathke（ラトケ）嚢から生じる腺下垂体と，間脳底が突出してつくられる神経下垂体の2つの部分からなる．

腺下垂体は前葉と退化した中間部からなる．前葉は漏斗茎を取り囲む隆起部と大きな部分である末端部から構成される．下垂体前葉では洞様毛細血管（sinusoid）が前葉細胞を網目のように取り囲みホルモンの血中への放出を容易にしている．また，濾胞星状細胞が存在し，前葉細胞のあいだに突起を伸ばしている．腺下垂体は下垂体全体の約 75% の重さを占める[2]．

腺下垂体は内分泌腺であるが，神経下垂体は神経線維，毛細血管網，および後葉細胞（pituicyte）という特殊な膠細胞を含む脳の一部である．神経下垂体は神経部という大きな球状の部分と漏斗からなる[2]．

下垂体はトルコ鞍に収まる子指頭大の組織で上部を鞍隔膜が覆う．鞍隔膜はトルコ鞍前方部分に存在する鞍結節に付着し，後方で鞍背と後床突起に付着する．中央に存在する鞍隔膜裂孔を漏斗茎が貫く[1]．正常な成人の下垂体の大きさは，平均で横径約 13 mm，高さ 6〜9 mm，前後径 9 mm とされ，平均 0.6 g（0.4〜0.9 g）の重さがある（図1，2）．

下垂体の栄養血管，静脈洞

漏斗茎と前葉はおもに上下垂体動脈が灌流する．上下垂体動脈は内頸動脈の眼動脈分岐部と後交通動脈分岐部のあいだの内側ないし後壁から分岐し，正中隆起で下垂体門脈系の一次毛細血管網を形成する．毛細血管ループも正中隆起に入り込む．これらの毛細血管は前葉の二次毛細血管網に血液を運ぶ下垂体門脈に達する．後葉はおもに下下垂体動脈で灌流される．下下垂体動脈は内頸動脈の海綿静脈洞内から分枝した meningohypophyseal trunk の枝である[1]（図2）．

トルコ鞍の両側に存在する海綿静脈洞には内頸動脈，動眼神経(III)，滑車神経(IV)，外転神経(VI)，三叉神経第一枝(V_1)，第二枝(V_2)が走行している（図3）．動眼神経は，海綿静脈洞の後側方に存在する oculomotor trigone から脳槽内に出る．下垂体卒中などでは，この部位で動眼神経が圧迫を受け動眼神経麻痺が生じるとされる．

文献

1) 田中雄一郎：間脳と下垂体部の解剖．佐伯直勝(編)：脳神経外科エキスパート．間脳下垂体，中外医学社，2008；1-14.
2) 小澤一史：視床下部下垂体の正常構造．寺本 明，他(編)，下垂体腫瘍のすべて．医学書院，2009；7-15.

下垂体の転写因子／視床下部の機能

産業医科大学医学部第1生理学　**上田陽一**

> **》》臨床医のための Point 》》》**
>
> 1. 種々の転写因子が時間的・空間的・特異的に発現することで下垂体の発生・分化を制御する．
> 2. 転写因子の遺伝子異常によって特徴的な下垂体前葉ホルモン欠損が生じる．
> 3. 視床下部は下垂体の背側に位置し，下垂体前葉・後葉ホルモン分泌を調節する．
> 4. 視床下部を構成する諸神経核は異なった生理機能をもつ．
> 5. 視床下部は体内外からの神経性・液性情報を統合して内分泌系および自律神経系を介して生体の恒常性維持（ホメオスタシス）に働く．

転写因子と下垂体の発生・分化

転写因子は遺伝子の特定配列に直接結合することによりその遺伝子発現を調節する．下垂体の発生初期にBMP4, FGF8, 10, Wnt5/4, BMP2, sonic hedgehog (SHH) といった下垂体周囲で分泌される内因性タンパクの作用により種々の転写因子 (Pitx1, 2, Hesx1, Lhx3, 4 など) が誘導されて下垂体形成が誘導される．

下垂体の系統前駆体細胞が下垂体前葉ホルモン産生細胞まで分化誘導されるには種々の転写因子の発現が必要であることが明らかになった．大別すると，下垂体の系統前駆体細胞は，図1に示すように ① corticotroph (POMC/ACTH), ② somatotroph (GH)・lactotroph (PRL)・thyrotroph (TSH) および ③ gonadotroph (FSH, LH) に分化していく．それぞれに特異的な転写因子として ① NeuroD1, Tpit, Ptx, ② PIT-1 が必須，PIT-1 は Prop-1 で制御, ③ Prop-1, SF-1 が必須，Gata-2 は gonadotroph と thyrotroph の分化に関与する．

転写因子遺伝子異常と下垂体前葉ホルモンの欠損

転写因子遺伝子の異常により種々の下垂体ホルモンが欠損する．たとえば，Tpit (TBX19) が欠損するとその下流の ① corticotroph (POMC/ACTH) が

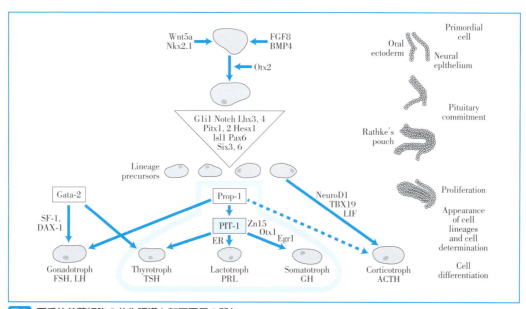

図1　下垂体前葉細胞の分化誘導と転写因子の関与
〔Shlomo Melmed, et al.：Williams Textbook of Endocrinology 13th Edition. 2015；178. figure 8-2 より一部抜粋，改変〕

生じないことからACTH単独欠損となる．PIT-1（POU1F1）が欠損するとその下流の②somatotroph（GH）・lactotroph（PRL）・thyrotroph（TSH）が生じないことからGH，PRL，TSHのホルモン欠損が生じる．Prop-1が欠損すると制御下にあるPIT-1とその下流の②somatotroph（GH）・lactotroph（PRL）・thyrotroph（TSH）および③gonadotroph（FSH，LH）が欠損する．SF-1（NR5A1）が欠損すると③gonadotroph（FSH，LH）の単独欠損となる．

下垂体の発生・分化にかかわる転写因子の理解が進むことでそれらが欠損したことでどのような下垂体前葉ホルモンが欠損するかの理解を深めることができる．

視床下部と下垂体前葉・後葉ホルモン分泌

視床下部は下垂体の背側に位置し，下垂体茎部で下垂体とつながっており，下垂体からのホルモン分泌を調節する上位中枢として機能している．下垂体は腺性下垂体（下垂体前葉），退化した中間部および神経性下垂体（下垂体後葉）から構成されている．

下垂体前葉ホルモン分泌を調節する神経分泌ニューロンの細胞体は視床下部に局在しており，その軸索を正中隆起外層の一次毛細血管網に投射する．一次毛細血管網に分泌された下垂体ホルモン分泌調節ホルモンは，下垂体門脈から二次毛細血管網に流れ込み下垂体前葉の内分泌細胞に作用する．おもな視床下部神経分泌ニューロンの産生ホルモン（細胞体の局在部位）・下垂体前葉ホルモン分泌への作用を列挙すると，①CRHおよびバソプレシン（室傍核小細胞領域）・ACTH分泌の促進，②TRH（室傍核小細胞領域）・TSHおよびプロラクチン分泌の促進，③GHRH（弓状核）・GH分泌の促進，④ソマトスタチン（第三脳室壁周囲）・GH分泌の抑制，⑤ドパミン（弓状核）・プロラクチン分泌の抑制，⑥GnRH（弓状核）・LH，FSH分泌の促進である．

なお，GnRHニューロンの分泌調節に働くキスペプチンを産生するニューロンの細胞体が弓状核および前腹側室周囲核の2か所に局在しており，前者はGnRHおよびLHのパルス状分泌に，後者はGnRHおよびLHのサージ状分泌に関与していることが報告されている[1]．キスペプチン産生ニューロンの活動性は，エストロゲン受容体が発現している（GnRHニューロンにはエストロゲン受容体は発現していない）ことから卵巣由来のエストロゲンによる正・負のフィードバックを受けている．

一方，下垂体後葉ホルモン（バソプレシンおよびオキシトシン）は視床下部室傍核大細胞領域および視索上核に局在する大細胞性神経分泌ニューロンの細胞体で産生され，下垂体後葉に投射した軸索終末から活動電位依存性に循環血液中に分泌される．下垂体後葉は，これらの軸索終末と後葉細胞から構成されており，神経性下垂体（神経葉）ともよばれる．バソプレシンは抗利尿作用・血管収縮作用，オキシトシンは分娩促進・射乳反射に関与することでよく知られているが，種々の神経疾患とのかかわりがあることでも注目されている[2]．

視床下部の諸神経核における生理機能

視床下部の前方から後方へ向かって局在する諸神経核の生理機能について列挙すると，①視床前核：体温調節，②内側視索前野核：性行動，③外側視索前野：睡眠，④視交叉上核：日内リズム，⑤視索上核・室傍核大細胞領域：水分バランス，⑥室傍核小細胞領域：ストレス反応，⑦腹内側核：満腹中枢，⑧背内側核：情動行動，⑨弓状核：摂食調節，⑩結節乳頭体核：ヒスタミン産生，⑪外側野：摂食中枢などがある．最近，冬眠様の生体反応を引き起こす神経回路が発見されて大変注目されている[3]．

視床下部による生体の恒常性維持機構と本能行動

視床下部は，生体内外の種々の環境変化を神経性・液性情報を介して受け取り，それらを統合して内分泌系および自律神経系を出力として生体内の恒常性を維持する機能（ホメオスタシス）をもつ．たとえば，体温調節，血圧調節，体液調節などである．また，視床下部が司令塔となってストレスに対して①視床下部-下垂体-副腎系の活性化，②交感神経系の活性化，③副腎髄質からのアドレナリン分泌といった一連の生体反応を引き起こす．さらに内分泌系と自律神経系を介して免疫系も修飾される．視床下部およびその上位の大脳辺縁系が深くかかわる本能行動として，摂食行動，飲水行動，性行動，体温調節行動などが知られている．

文献

1) Matsuda F, et al.：Role of kisspeptin neurons as a GnRH surge generator：Comparative aspects in rodents and non-rodent mammals. *J Obstet Gynaecol Res* 2019；**45**：2318-2329.
2) Meyer-Lindenberg A, et al.：Oxytocin and vasopressin in the human brain：social neuropeptides for translational medicine. *Nat Rev Neurosci* 2011；**12**：524-538.
3) Takahashi TM, et al.：A discrete neuronal circuit induces a hibernation-like state in rodents. *Nature* 2020；**583**：109-114.

第1章 基礎知識——D 視床下部ホルモン

1 CRH

高知大学保健管理センター　西山　充

> **臨床医のための Point ▶▶▶**
>
> 1. CRH は HPA 系を制御する視床下部ホルモンである.
> 2. 視床下部 CRH はストレス, ネガティブフィードバック機構, 日内リズムなどにより分泌制御される.
> 3. CRH はストレス応答の中心的な役割を担っており, 内分泌系, 自律神経系などに作用して種々の生体反応を惹起する.

構造

副腎皮質刺激ホルモン放出ホルモン (corticotropin-releasing hormone: CRH) は 41 個のアミノ酸よりなるペプチドホルモンである[1]. CRH ペプチドは哺乳類ではよく保存されており, おもな作用は下垂体 ACTH 分泌促進による視床下部－下垂体－副腎 (HPA) 系の制御である.

合成

CRH は 2 つのエクソンより構成され, プロモーター領域にはサイクリックアデノシン一リン酸 (cyclic adenosine monophosphate: cAMP) 反応部位 (cAMP response element: CRE) やグルココルチコイド受容体結合部位 (glucocorticoid response element: GRE) が存在する. CRH 前駆体が合成されたのちに, 蛋白分解酵素により切断されて CRH ペプチドとなる (図1).

分泌調節

CRH は中枢神経 (大脳皮質, 扁桃体, 視床下部室傍核など) および腸管, 膵臓, 副腎などに局在が認められる. 視床下部室傍核における CRH は正中隆起, 下垂体門脈を介して corticotroph に至り, ACTH 分泌を促進する (図2). 室傍核 CRH は様々な神経伝達物質や液性因子により分泌調節を受ける[2].

1 ストレス

室傍核 CRH はストレス応答の中枢としての役割を担っており, 肉体的・精神的ストレスを受けた際の適応反応として, CRH 発現の増加に引き続き HPA 系や交感神経副腎系の活性化がみられる. ストレス性入力は脳幹部ノルアドレナリン神経群を中継して室傍核に投射され, ストレス時の CRH 分泌に関与する. また炎症性サイトカイン (IL-1, IL-6, TNFα) により室傍核 CRH は増加する.

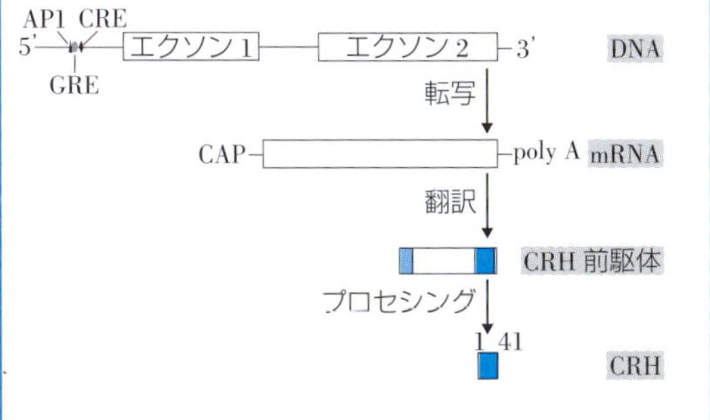

図1 CRH の合成
CRH → CRH mRNA → CRH ペプチド
AP1: activator protein

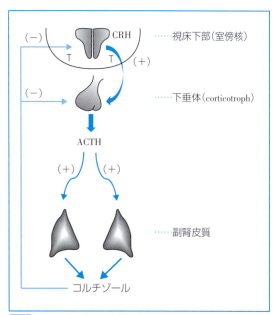

図2 HPA 系の分泌調節機構

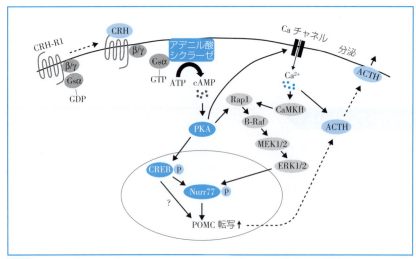

図3 CRHの細胞内情報伝達系（CRH-R1を介するACTH合成・分泌機構）

2 ネガティブフィードバック

HPA系が活性化されて副腎皮質から分泌されたグルココルチコイド（コルチゾール）により，視床下部CRHおよび下垂体ACTH分泌が抑制されるシステムをネガティブフィードバック機構という．グルココルチコイドはcAMP response element binding protein（CREB）の活性化を阻害することによりCRH発現を抑制する．

3 日内リズム

室傍核CRH発現は日内変動を示し，その結果血中ACTH，コルチゾールにも日内リズムが形成される（ヒトでは朝上昇し，夕～夜間に低下する）．

作用

CRHはストレス応答の中心的な役割を担っており，内分泌系，自律神経系，辺縁系，大脳皮質などに作用して，種々の生体反応を惹起する．

視床下部室傍核CRHは下垂体ACTHの合成・分泌促進作用をもつ．その他のCRHの作用として，交感神経副腎系の賦活化，行動・情動への作用（不安惹起など），覚醒調節に対する作用，消化管・摂食行動への作用（胃蠕動・胃酸分泌の抑制，食欲抑制），免疫抑制作用などがある．

情報伝達系

CRH受容体は7回膜貫通型のG蛋白共役型受容体であり，G蛋白質（Gsα，β，γ）を介して細胞内情報伝達系を制御する．CRH受容体には1型（CRH-R1：おもに中枢神経）と2型（CRH-R2α：中枢神経，CRH-R2β：末梢組織）のサブタイプが存在する．下垂体corticotrophでは，CRHが受容体（CRH-R1）と結合すると，活性型Gsαによりアデニル酸シクラーゼが賦活化されてcAMPを生成，引き続いてprotein kinase A（PKA）を活性化する．その後，Caチャネルを介して細胞外よりCa^{2+}が流入し，Ca^{2+}濃度の上昇に伴ってACTHが分泌される（図3）．一方で，CRHによるPOMC転写促進機序は完全には明らかにされておらず，MAPK系の関与が指摘されている[3]．

機能の評価方法

末梢血CRH濃度はHPA系の活動性とは相関がみられず，血中CRHの大部分は末梢組織由来と考えられている（妊娠中は胎盤から大量のCRHが分泌される）．異所性CRH産生腫瘍では血中CRHレベルの上昇がみられるため，これが診断の参考となる．

視床下部性副腎皮質機能低下症では，低血糖が起こっても内因性CRHが分泌されないので，ACTH，コルチゾールは無反応となる．そのため中枢性副腎皮質機能低下症では，インスリン低血糖試験を実施することによりCRH分泌能を間接的に評価することができる．

文献

1) Vale W, et al.：Characterization of a 41-residue ovine hypothalamic peptide that stimulates secretion of corticotropin and beta-endorphin. Science 1981；**213**：1394-1397.
2) Lechan RM：Corticotropin-releasing hormone, Neuroendocrinology. In：Melmed S, et al.（eds），Williams Textbook of Endocrinology. 14th ed. Elsevier Saunders, Philadelphia, 2020；135-145.
3) Bonfiglio JJ, et al.：The corticotropin-releasing hormone network and the hypothalamic-pituitary-adrenal axis：molecular and cellular mechanisms involved. Neuroendocrinology 2011；**94**：12-20.

2 GHRH

北里大学病院内分泌代謝内科　**髙野幸路**

> **»» 臨床医のための Point »»»**
>
> 1. GH 分泌を促進する視床下部ホルモンで，抑制性のソマトスタチンとともに GH 分泌を制御する．
> 2. GHRH 分泌は睡眠との関連があり，夜間の GH 分泌に関連している．

GHRH

　成長ホルモン放出ホルモン（growth hormone-releasing hormone：GHRH）は，44 個のアミノ酸配列から成るペプチドホルモンである．GH 分泌促進作用を示す因子（GRF）は早くから存在が想定されていたが，GHRH 分子そのものの発見は 1982 年であり，先端巨大症をきたした異所性 GHRH 産生膵腫瘍より単離同定された．このホルモンは，視床下部の弓状核で作られることが知られている．弓状核の GHRH 産生ニューロンの神経分泌神経末端は正中隆起外層に分布しており，ここで GHRH を放出する．そこに分布する下垂体門脈に取り込まれ，下垂体前葉に運ばれて GH 産生細胞に作用する．GHRH は脈動性に放出される．GHRH は徐波睡眠のときに分泌活性が高い．GH 分泌は，GHRH による刺激とソマトスタチン産生神経細胞から分泌され同じく視床下部に運ばれるソマトスタチンの抑制の 2 つの機構によって調節されている．GHRH 受容体は下垂体のおもに GH 産生細胞に発現しており，Pit-1 の制御下にある．

　ヒト GHRH のアミノ酸配列は，Tyr - Ala - Asp - Ala - Ile - Phe - Thr - Asn - Ser - Tyr - Arg - Lys - Val - Leu - Gly - Glu - Leu - Ser - Ala - Arg - Lys - Leu - Leu - Gln - Asp - Ile - Met - Ser - Arg - Glu - Gln - Gly - Glu - Ser - Asn - Gln - Glu - Arg - Gly - Ala - Arg - Ala - Arg - LeuNH2 であり，うち，N 端側 1〜29 位のアミノ酸配列は種間で比較的よく保存されている．血中ではペプチド分解酵素 DPP-4 の作用により，N 端側第 2 位 Ala と 3 位 Asp 残基の間で切断され，生物活性のない GHRH3-44NH2 が産生される．その結果，血中生物学的半減期は数分（T1/2=7 分）と，きわめて短い．

GHRH の作用機構

　GHRH の GH 分泌刺激の作用機構は，Gs タンパクと共役する GHRH 受容体の活性化，Gs を介するアデニル酸シクラーゼの活性化，cAMP の膜直下での産生と PKA のリクルートおよび活性化が生じて起こる．活性化した PKA は GH 細胞膜の非選択性陽イオンチャネルを活性化することで，膜を脱分極し，GH 産生細胞の活動電位の発生頻度を上昇し，電位依存性カルシウムチャネルを介するカルシウムイオンの流入を増加する（図1）[1]．このことによって生じた，細胞膜直下のカルシウムイオン濃度の増加により，GH を貯留する分泌顆粒の細胞膜への会合，それに引き続く開口分泌が生じる．活性化した PKA は開口分泌の際に活性化する電位依存性カルシウムチャネルの電流量も増加する作用もあり，開口分泌増加を促す（図2）[2]．GH の遺伝子発現と GH 分泌顆粒産生についても上記の PKA 経路が主要な刺激伝達経路と考えられている．

　Gsα の体細胞性の活性化変異によって GH 産生下垂体腺腫の約半数が発生すること（表1）[3]や GHRH トランスジェニックマウスで GH 細胞の過形成が生じ，細胞外ドメインの変異により機能消失した GHRH 受容体をもつ dwarf little mouse で GH 細胞の著明な減少がみられることから，GHRH には，GH 産生細胞の増殖促進作用があると考えられている．増殖促進作用については MAP kinase 経路の関与が報告されているもののその詳細は十分に明らかになっていない．

GHRH と睡眠

　GH は 1 日をとおしてパルス状に分泌され，特に睡眠開始後の徐波睡眠の出現と深く関連している．GH 分泌は睡眠中では徐波睡眠中に多いが，それ以外の睡眠段階においてもみられる．就寝後しばらくして，徐波睡眠の開始とともに GH 分泌のパルスが始まる．この GH のパルス状分泌は 1 日のなかで最も大きいものである．健常男性では睡眠中の GH 分泌の約 6〜7 割が徐波睡眠中である．睡眠相がシフト（前進や後退）しても，睡眠開

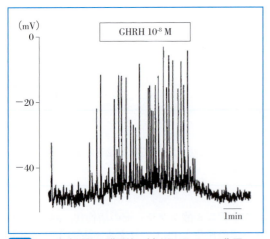

図1 GH産生細胞の膜電位に対するGHRHの作用
GHRHは膜を脱分極させ，活動電位の発生頻度を増加させている．
〔Takano K, et al.：GHRH activates a nonselective cation current in human GH-secreting adenoma cells. Am J Physiol 1996；**270**：E1050-1057 より引用〕

泌が有意に上昇した．一方，GABA受容体作動薬であるベンゾジアゼピン系睡眠薬の投与では徐波睡眠を増加させず，睡眠中のGH分泌も変化しなかった．

成長ホルモン分泌における加齢と性差

覚醒時と睡眠時のGH分泌の違いが明らかとなるのは生後3か月である．GH分泌は性差による影響が大きく，女性では男性に比べてGHのパルス状分泌の頻度が多く（男性3～4回に対して5～6回），1つ1つのパルスの高さは男性より低い傾向がみられる．健常な成人女性では，睡眠中に占めるGH分泌量は1日の分泌量のうちの5割未満であり，健常な成人男性では，睡眠開始後のGH分泌量は1日のGH分泌量の約60～70%を占める．30歳以降は加齢によりGH分泌が減少する傾向にあるが，男性では30歳代から睡眠に関連したGH分泌が減少し，50歳以降にはほぼ消失する．一方，女性では閉経後から睡眠に関連したGH分泌が減少してくる．

始直後に誘発される．このため睡眠の分断化はGH分泌に抑制的に働く．GH分泌は徐波睡眠が消失すると減少するが，その後の睡眠相において代償的なGH分泌がみられる．夜勤者では日勤者に比べて睡眠中のGH分泌は少ないが，日中のGHのパルス状分泌の頻度が増加する．GH分泌不全症の成人では，GHの投与により，睡眠覚醒リズムが改善し，生活の質が改善すると報告されている．若年男性では，選択的5HT2受容体刺激薬であるγ-hydroxy butyrateの就寝前投与により，徐波睡眠の増加とともに睡眠開始後のGH分

睡眠開始後のGH分泌はGHRH拮抗薬でほぼ完全に抑制されること，GHRHはノンレム睡眠（浅睡眠と徐波睡眠）を促進することから，徐波睡眠の開始とともにみられる夜間のGH分泌は弓状核のGHRH神経細胞の活動によりおもに調節されていると考えられているが，しかしながら，GH分泌が上昇する夜間は視床下部からのソマトスタチン分泌が減少し，グレリン分泌がピークに達する時間帯でもある．GH分泌は睡眠の開始のほかに，概日リズムの影響も受けている．若年者

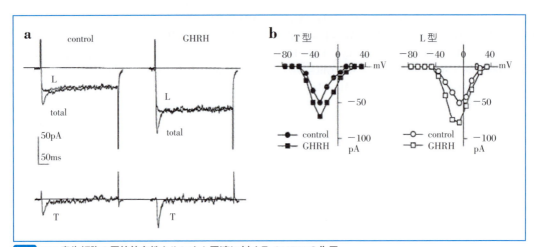

図2 GH産生細胞の電位依存性カルシウム電流に対するGHRHの作用
GHRHによって，L型，T型の電位依存性カルシウムチャネル電流が増加している．
〔Takei T, et al.：Enhancement of Ca^{2+} currents by GHRH and its relation to PKA and $[Ca^{2+}]i$ in human GH-secreting adenoma cells. Am J Physiol 1996；**271**：E801-807 より引用〕

表1 GH産生下垂体腺腫100例でのgsp変異陽性率

	性別（男/女）	年齢（歳）	GH基礎値（ng/mL）	IGF-1（ng/mL）
gsp 陰性（$n=47$）	17/30	$49.4 \pm 13.4(47)$*	$62.0 \pm 120(43)$*	$755 \pm 288(38)$
gsp 陽性（$n=53$）	23/30	$48.2 \pm 11.7(53)$	$45.1 \pm 65.2(47)$	$844 \pm 353(40)$
p	0.54 †	0.64 ‡	0.60 §	0.23 ‡

*平均値±標準偏差（症例数）
† by Fisher's exact test.
‡ by Student's t-test.
§ by Student's t-test（GH値の対数変換値）

症例の約半数が Gsαの活性化変異（gsp 変異）を体細胞変異として有しており，GHRH受容体がGH分泌とGH細胞の増殖に関係することが強く示唆される．

〔Takano JY, et al.: Does the prevalence of gsp mutations in GH-secreting pituitary adenomas differ geographically or racially? Prevalence of gsp mutations in Japanese patients revisited. Clin Endocrinol（Oxf）2006；**64**：91-96 より引用〕

ではGH分泌は睡眠をとる時間帯にかかわらず，睡眠開始に依存しており，概日リズムの影響が明らかとなるのは睡眠剝奪や睡眠負債といった必要な睡眠が足りていない場合にみられる．高齢者では睡眠開始前にもGH分泌がみられ，概日リズムによる分泌調節を反映している．

末梢血中のGHRH濃度とGHRH産生腫瘍

末梢血中のGHRHの由来は膵臓と上部消化管とされている．食物摂取1～2時間後に，血中GHRH濃度は基礎値の約1.5～3.0倍に増加する．視床下部由来のGHRHは末梢血中のGHRH濃度には反映せず．視床下部の破壊により視床下部のGHRH産生細胞数が著減した場合でも，血中GHRH濃度は変化しない．先端巨大症や下垂体性巨人症のほとんどは下垂体のGH産生腫瘍によるものであるが，まれにGHRH産生神経内分泌腫瘍によってGH過剰分泌が引き起こされることがある．先端巨大症を惹起するGHRH産生腫瘍では腫瘍細胞のGHRH産生量が著増して，末梢血中GHRH濃度は著明な高値を示す（＞300pg/mL，通常，800～5,000pg/mL）．

文献

1) Takano K, et al.: GHRH activates a nonselective cation current in human GH-secreting adenoma cells. Am J Physiol 1996；**270**：E1050-1057.
2) Takei T, et al.: Enhancement of Ca^{2+} currents by GHRH and its relation to PKA and $[Ca^{2+}]i$ in human GH-secreting adenoma cells. Am J Physiol 1996；**271**：E801-807.
3) Takano JY, et al.: Does the prevalence of gsp mutations in GH-secreting pituitary adenomas differ geographically or racially? Prevalence of gsp mutations in Japanese patients revisited. Clin Endocrinol（Oxf）2006；**64**：91-96.
4) 鈴木圭輔，他：睡眠時間と成長ホルモンの分泌量．日本医事新報 2014；**4684**：92.

第1章 基礎知識──D　視床下部ホルモン

3　グレリン

久留米大学分子生命科学研究所遺伝情報研究部門　**児島将康**

≫ 臨床医のための Point ▸▸▸

1. グレリンは胃から分泌されるオクタン酸で修飾されたペプチドホルモンである．
2. N末端から3番目のアミノ酸であるセリン残基が，中鎖脂肪酸のオクタン酸によって修飾されていることが，グレリンの活性に必要である．
3. グレリンは下垂体前葉に作用して，成長ホルモン分泌を刺激する．
4. 成長ホルモン分泌不全診断薬のプラルモレリン塩酸塩は，グレリン受容体に作用するグレリン模倣物である．
5. グレリンは空腹時に分泌が増加する強力な摂食亢進ホルモンである．
6. グレリン受容体に結合する低分子化合物のアナモレリンは，がん悪液質治療薬として臨床応用されている．

構造

ヒトのグレリン（ghrelin）はアミノ酸28残基からなるペプチドホルモンであるが，N末端から3番目のアミノ酸であるセリン残基の側鎖が，中鎖脂肪酸のオクタン酸によって修飾されている（図1）．しかもこのオクタン酸修飾が，グレリンの活性に必要である[1]．生体内にはデカン酸によっても修飾されたグレリンが存在するが，メインの分子型はオクタン酸で修飾されたグレリンである．分子量は3370.9である．

合成

グレリンの合成はおもに消化管で行われており，胃での合成量が最も多く[2]，十二指腸，小腸，大腸と下部消化管にいくにしたがって合成量は低下する．胃では胃底腺のグレリン細胞で合成される．グレリンは膵臓Langerhans島のA細胞（グルカゴン産生細胞）でも合成されている．視床下部においては弓状核や海馬などに存在する．視床下部のグレリンもオクタン酸によって修飾された分子型がメインである．

分泌調節

グレリンは空腹時に分泌が増加し，食後1時間以内に基礎値に戻る．このグレリン濃度の変化は，血糖値とは関連がなく，習慣的な食事パターンと関連している[3]．つまり食事時間の習慣を一定期間持続すると，食事時間の予測によってグレリン濃度は上昇するようになる．摂食行動によってグレリン濃度の上昇が誘導されるわけではない．絶食を持続すると血中グレリン濃度は上昇するが，これは交感神経からのアドレナリンによる神経伝達をレゼルピンで抑制することでブロックされる．

空腹時に上昇したグレリン濃度が低下するメカニズムに関して，胃での栄養素の感知や食物による胃の拡張は関連がない．カニューレを使って栄養素を直接十二指腸や空腸に投与すると，血中グレリン濃度は低下する．

一般に血中グレリン濃度は体重増加，肥満症，インスリン抵抗性の状態と逆相関し，運動や低カロリーダイエット，神経性食欲不振症，COPDや慢性心不全によるカヘキシア状態と正の相関を示す．血中グレリン濃度は肥満や過食症で低い．このことはグレリン濃度の上昇が肥満や過食を起こす原因ではなく，むしろ肥満や過食の結果としてグレリン濃度が低下していることを示している．

作用

① 成長ホルモン分泌刺激作用：グレリンを血中に投与すると，下垂体に直接作用して強力に成長ホルモンの分泌を刺激する（図2）．また視床下部の成長ホルモン放出ホルモン（GHRH）との同時投与によって相乗効果を示す[4]．

② 摂食亢進作用：グレリンは強力な摂食亢進ホルモンで，空腹時に胃から分泌され視床下部の弓状核などの摂食調節部位を刺激する[5]．その作用は脂肪組織から分泌される摂食抑制ホルモンのレプチンと拮抗する．グレリンは血中投与や

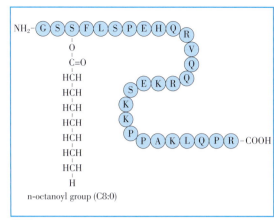

図1　ヒト・グレリンの構造模式図
ヒト・グレリンは28アミノ酸残基からなるペプチドホルモンで，N末端から3番目のアミノ酸セリンが中鎖脂肪酸のオクタン酸によって修飾されている．そしてこのオクタン酸の修飾が，グレリンの活性発現に必須である．

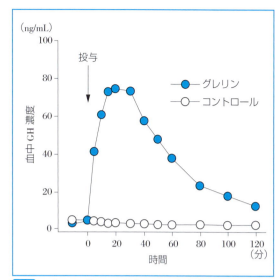

図2　ヒトへのグレリン投与による血中成長ホルモン濃度の変化

皮下投与によって摂食亢進作用を示す唯一のホルモンである．
③胃の蠕動運動・胃酸分泌の刺激作用：グレリンを血中投与すると胃に作用して蠕動運動や胃酸分泌を刺激する．
④交感神経抑制作用：グレリンは中枢性に交感神経を抑制する．グレリンによる軽度の血圧低下作用は交感神経抑制によるものと考えられる．

情報伝達

グレリンは細胞膜を7回貫通する典型的なG蛋白共役型受容体のグレリン受容体を介して情報伝達を行う．グレリン受容体は下垂体前葉，膵臓のLangerhans島，副腎，甲状腺，視床下部弓状核，海馬，黒質緻密部，腹側被蓋野，縫線核などに発現がみられる．グレリンがグレリン受容体に結合すると，細胞内でGα$_{q/11}$が活性化され，IP$_3$が上昇し細胞内カルシウム濃度が増加する．またグレリン受容体はGα$_{12/13}$ともカップリングし，RhoAキナーゼを活性化することが報告されている．

機能の評価方法

グレリンには高感度のELISA測定系が開発され，市販されている．これを用いて簡便に血中濃度を測定し，グレリンの機能を評価することが可能である．

成長ホルモン分泌不全診断薬との関連

プラルモレリン塩酸塩（商品名：注射用GHRP科研100）はグレリン模倣物（ghrelin mimetics）であり，下垂体のグレリン受容体に結合して成長ホルモン分泌を刺激する．この作用を利用して成長ホルモン分泌不全症の診断薬として広く使われている．

グレリンの臨床応用

グレリン受容体に結合する低分子化合物のアナモレリンは，がん悪液質治療薬として臨床応用されている．アナモレリンは経口投与で効果を示し，がん悪液質の患者に対して食欲の増加や，体重および筋肉量の増加が確認されている．

文献

1) Kojima M, et al.：Ghrelin is a growth-hormone-releasing acylated peptide from stomach. *Nature* 1999；**402**：656-660.
2) Hosoda H, et al.：Ghrelin and des-acyl ghrelin：two major forms of rat ghrelin peptide in gastrointestinal tissue. *Biochem Biophys Res Commun* 2000；**279**：909-913.
3) Frecka JM, et al.：Possible entrainment of ghrelin to habitual meal patterns in humans. *Am J Physiol Gastrointest Liver Physiol* 2008；**294**：G699-707.
4) Hataya Y, et al.：A low dose of ghrelin stimulates growth hormone（GH）release synergistically with GH-releasing hormone in humans. *J Clin Endocrinol Metab* 2001；**86**：4552-4555.
5) Nakazato M, et al.：A role for ghrelin in the central regulation of feeding. *Nature* 2001；**409**：194-198.

4 GnRH

第 1 章 基礎知識——D 視床下部ホルモン

岡山大学大学院医歯薬学総合研究科総合内科学　中野靖浩, 大塚文男

> **≫ 臨床医のための Point ▶▶▶**
>
> 1. GnRH は視床下部において GnRH 産生ニューロンから分泌される 10 個のアミノ酸残基からなるペプチドホルモンである.
> 2. GnRH 分泌は, キスペプチンを介した性ステロイドホルモンによるフィードバックや, 様々な脳内神経伝達物質によって調節されている.
> 3. GnRH はパルス状に分泌され, 下垂体前葉の gonadotrope におけるゴナドトロピンの合成・分泌を介して, 性腺系をコントロールしている.

構造

ゴナドトロピン放出ホルモン (gonadotropin-releasing hormone: GnRH) は, 10 個のアミノ酸残基からなるペプチドホルモンである. 進化的に極めて古い起源のペプチドであり, 脊椎動物以外にも類似構造がみられる. N 末端のグルタミンは環状化しピログルタミン酸になり, C 末端のグリシンはアミド化され, GnRH 受容体との結合に関与している. 2 位のヒスチジンと 3 位のトリプトファンはセカンドメッセンジャーの活性に重要で, 6 位のグリシンと 7 位のロイシン間で断裂し GnRH は不活化される[1]. 分子量は約 1,200 である.

合成

GnRH は神経細胞から分泌される. GnRH 産生ニューロンは, 胎生期に脳内ではなく嗅上皮に発生し, その後視床下部へ移行する. 細胞体は, 視床下部の内側基底部背側, 脳底部, 脳室周囲に分布し, 神経突起を正中隆起の外層に伸ばし, 下垂体門脈に GnRH を分泌する.

GnRH ははじめ *GnRH1* 遺伝子から転写翻訳され 92 個のアミノ酸残基からなる GnRH 前駆体蛋白質が生成される. 軸索を下るあいだにプロセシングを受け, 軸索末端から GnRH および GnRH 関連ペプチドが放出される (図 1)[2].

分泌調節

GnRH 分泌の調節因子は多様であり, 性腺ホルモンによるフィードバック機構や様々な脳内神経伝達物質を介して調節されている.

性腺ホルモンは, 下垂体への直接作用のみなら

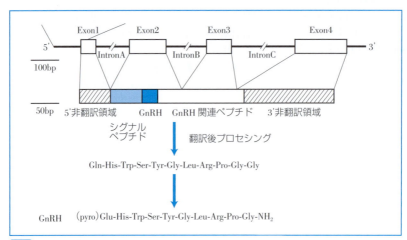

図 1　*GnRH1* 遺伝子の構造とプロセシング
〔Lechan RM, et al.: Neuroendocrinology. In: Melmed S, et al. (eds): Williams Textbook of Endocrinology. 14th ed, Elsevier, 2019; 114-183 より改変〕

ず視床下部を介してGnRH分泌を調節する．男性ではテストステロンがGnRH分泌に対して抑制的に働き，女性ではエストラジオールがポジティブ，ネガティブ両方のフィードバック作用をもつ．しかし，GnRHニューロンにエストロゲン受容体（estrogen receptor：ER）は存在せず，近年キスペプチンという神経ペプチドとその受容体GPR54が重要な役割を果たすことが明らかになってきた[3]．

キスペプチンは視床下部の弓状核（arcuate nucleus：ARC）と前腹側室周囲核（anteroventral periventricular nucleus：AVPV）に局在する．ARCのキスペプチンニューロンは，キスペプチン分泌を刺激するニューロキニンBと，キスペプチン分泌を抑制するダイノルフィンを発現しているためKNDyニューロンとよばれ，両者がキスペプチンの分泌を調節している．長期的なエストラジオール刺激は，ARCからのキスペプチンとニューロキニンBの分泌を抑制することで，GnRH分泌を低下させる．一方，卵胞期後半の急激なエストロゲンサージは，AVPVからのキスペプチン分泌を促進し，GnRH・LHサージを惹起する（図2）．キスペプチンニューロンには，ERだけでなくプロゲステロン受容体（progesterone receptor：PR）とアンドロゲン受容体も発現しているため，他の性腺ホルモンによるフィードバック機構にも関与していると考えられる．

脳内の様々な神経伝達物質もGnRHの分泌に影響を与える．グルタミン酸とノルアドレナリンはGnRH分泌を増加し，γアミノ酪酸（γ-aminobutyric acid：GABA）と内因性オピオイドはGnRH分泌を抑制する．ほかにも，ドパミン，セロトニン，ニューロペプチドY，ガラニンの関与が指摘されている．これらは，GnRH産生ニューロンに直接的に働くのではなく，他のニューロンを介する機構が推定されている．

また，ストレス下で生殖機能が低下する場合にはGnRH分泌低下を伴い，ストレスの種類に応じてCRHやレプチンなどが関与していると考えられている．

作　用

GnRHは下垂体前葉のgonadotropeにおけるゴナドトロピンの合成・分泌を介して，性腺系をコントロールしている．GnRHは60～90分周期でパルス状に分泌されており，それに応じてゴナドトロピン分泌もパルス状に行われる．月経周期が始まる思春期の発動は，GnRH分泌の増加によってもたらされる．

情報伝達

GnRH受容体は下垂体前葉のgonadotropeの細胞膜に存在するG蛋白共役型受容体である．おもなG蛋白は$G\alpha_{q/11}$であり，視床下部から分泌されたGnRHが結合するとGnRH受容体はホスホリパーゼCと結合し，プロテインキナーゼCを介して細胞内へのCa^{2+}流入と小胞体からのCa^{2+}放出を惹起する．細胞内Ca^{2+}濃度の上昇が，GnRH刺激によるゴナドトロピン分泌に重要となる．

機能の評価方法

GnRHの半減期は数分と短く，かつパルス状分泌をしているため，末梢で直接測定することは困難である．GnRH分泌に同期して下垂体から分泌されるゴナドトロピン（LH，FSH）を測定することで，GnRHの機能を推定することが一般的である．

文献

1) 高橋俊文，他：黄体形成ホルモン放出ホルモン（LH-RH）．清野　裕，他（編）：ホルモンの事典 新装版，朝倉書店，2020；36-47．
2) Lechan RM, et al.：Neuroendocrinology. In：Melmed S, et al.（eds）：Williams Textbook of Endocrinology. 14th ed, Elsevier, 2019；114-183．
3) 大石　元，他：GnRHの産生・分泌の調節．百枝幹雄（編）：基礎からわかる女性内分泌，診断と治療社，2016；40-42．

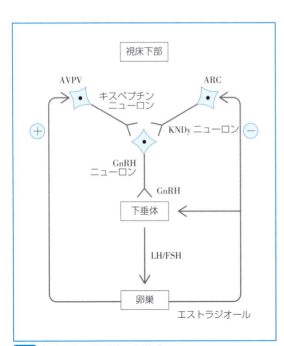

図2　視床下部-下垂体-卵巣系

第1章 基礎知識——D 視床下部ホルモン

5 TRH

群馬大学大学院医学系研究科内分泌代謝内科学　堀口和彦，山田正信

》臨床医のための Point ▶▶▶

1. TRHは，おもに視床下部室傍核において産生され，分泌後正中隆起葉より下垂体門脈を介して下垂体前葉に存在するTSH産生細胞を刺激し，TSHの合成分泌を促進する．
2. 視床下部障害によるTRH合成分泌低下は，三次性甲状腺機能低下症（視床下部性甲状腺機能低下症）を起こすが，このとき血清TSHは低下しない．
3. TRHは，TSHの糖鎖を修飾するなど生物学的活性も制御している．

構　造

甲状腺刺激ホルモン放出ホルモン（thyrotropin releasing hormone：TRH）は，3個のアミノ酸，ピログルタミン酸，ヒスチジン，プロリンの3残基からなり，C末端側がアミド化された分子量362.4kDのペプチドホルモン（pGlu-His-Pro-NH$_2$）である．前駆体蛋白であるpreproTRHは242アミノ酸からなり，Lys-ArgまたはArg-Argの塩基性アミノ酸に挟持されたTRH前駆体配列（Glu-His-Pro-Gly）を6個繰り返す特徴的な構造からなる．TRHは，preproTRHからプロセッシングおよび酵素修飾を受けて生成される（図1）[1]．

合成・分泌調節[2]

視床下部におけるTRHの合成・分泌は甲状腺ホルモンによるネガティブフィードバック機構による調節のみではなく（後述），副腎皮質ホルモン，摂食，栄養状態，ストレス，寒冷刺激などの影響を受けることが知られている．

視床下部室傍核からのTRHニューロンは，わかっている範囲でおもに3系統の神経系からの入力制御を受けている．1つ目は，延髄からのアドレナリン系刺激で，寒冷曝露などの刺激でTRH分泌を促す．カテコールアミンはT$_3$によるTRH発現抑制のセットポイントを上げ，血中甲状腺ホルモンレベルが上昇し，体温維持に関与すると考えられる．カテコールアミンは，α1-アドレナリン受容体を介してCREBのリン酸化を誘導し，TRHプロモーターを活性化する．さらに，この神経にはcocaine- and amphetamine-regulated transcript（CART）と neuropeptide Y（NPY）が含まれ，CARTはTRH産生を刺激し，反対にNPYはTRH合成分泌あるいはカテコールアミンによる刺激を抑制する働きをしている．

2つ目は，視床下部弓状核からの神経入力であり，レプチン反応性を反映し，2つの相反するシグナル，摂食量減少やエネルギー代謝亢進作用のCARTやα-melanocyte stimulating hormone（α-MSH）と，絶食やエネルギー消費減少作用のNPYやagouti-related protein（AgRP）といった神経ペプチドを介して，TRHニューロンに刺激伝達している．絶食や空腹刺激により視床下部TRH合成が減少し，血清TSHおよび甲状腺ホルモンレベルが低下して，エネルギー消費が抑制される．

3つ目は，視床下部背内側核からの入力で，背内側核に弓状核からのα-MSHを含んだ軸索末端が入力し，TRHニューロンへの制御を中継する．背内側核は，TRHニューロンに対してレプチン作用を調節する代謝のセンサーとしての役割を果たすと考えられる．視床下部-下垂体-甲状腺（hypothalamic-pituitary-thyroid：HPT）系の日内リズムやストレスに対する反応にも影響する．

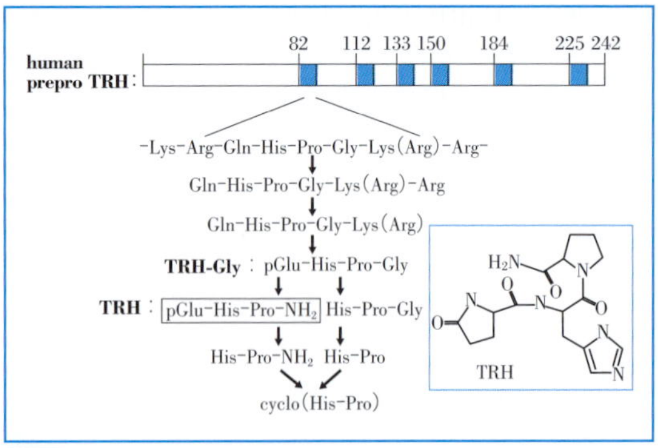

図1　TRH前駆体蛋白からの生成
〔Yamada M, et al.：Cloning and structure of human genomic DNA and hypothalamic cDNA encoding human preprothyrotropin-releasing hormone. Mol Endocrinol 1990；4：551-556より引用〕

作 用

 血中甲状腺ホルモンは,おもに HPT 系により制御されている.視床下部より分泌された TRH は,正中隆起部の下垂体門脈を介して下垂体前葉の TSH 産生細胞を刺激し,TSH が分泌される. TSH は,甲状腺を刺激し甲状腺ホルモンを分泌させる.甲状腺ホルモンは末梢組織で作用する一方,視床下部 TRH や下垂体 TSH の合成分泌を抑制的に制御しフィードバック系を確立している(図2).

 臨床的に視床下部 TRH の作用低下は,視床下部性甲状腺機能低下症を引き起こす.先天性の TRH 欠損による視床下部性甲状腺機能低下症では,甲状腺ホルモンは軽度低値から基準値下限を推移するが,TSH は低下せず軽度高値を示すことが報告されている[3].視床下部性甲状腺機能低下症モデルマウスである TRH 欠損マウス(TRHKO)でも,甲状腺ホルモン値は軽度低下するが,血清 TSH 値は軽度高値を示す.この TSH 高値には,TRH による TSH に対する糖鎖修飾が障害され,生物学的活性が低下した TSH が分泌されていると予想される[4].さらに,TRHKO では,甲状腺機能低下症にもかかわらず下垂体 TSH 含量および TSH mRNA 発現量が低下し,TRH は TSH の甲状腺ホルモンに対する応答を制御していると考えられる[5].

 TRH は PRL の合成分泌を促進し,臨床においても TRH 試験は PRL の分泌刺激試験としても利用される.また,先端巨大症での TRH に対する成長ホルモンの奇異性増加反応は補助診断となる.

 さらに,TRH の視床下部以外の大脳や小脳を含む中枢神経系に広く存在し,高次機能にも関与する.加えて消化管や膵臓,生殖臓器を含む全身の臓器に広く存在し,神経伝達物質(neurotransmitter)あるいは神経修飾物質(neuromodulator)として作用すると考えられる.ヒトの脊髄小脳変性症,運動失調症に対して TRH 製剤は薬物療法として利用されている.

情報伝達系

 TRH の作用は標的細胞膜上の TRH 受容体に結合することによって惹起される.TRH 受容体は,7回膜貫通型の G 蛋白質共役型受容体に属し,G 蛋白質 α サブユニットの $G\alpha_{11}$ と $G\alpha_q$ を介して,細胞膜のホスホリパーゼ C を活性化してホスファチジルイノシトール 4, 5-二リン酸を加水分解し,生成したイノシトール三リン酸とジアシルグリセロールが Ca 依存性プロテインキナーゼを活性化することによって,細胞内 Ca 濃度を増加させる[6].MAP キナーゼ系にも関与し,直接細胞の分化,増殖への影響も示唆される.

機能の評価方法

 血中あるいは脳脊髄液中の TRH を測定することにより,視床下部からの TRH 合成分泌を評価できることが期待されるが,多臓器に由来するとの報告もあり,現時点で血中 TRH 測定の臨床的意義は確立されていない.さらに,測定法,抽出方法が煩雑で困難なため,一般臨床検査の範疇を逸脱してしまう.視床下部性甲状腺機能低下症を疑う場合,前述のように血中 TSH は指標とならないため,TRH 試験を含む機能検査の結果などにより,評価を慎重に行う必要がある(第 1 章 E. 下垂体前葉ホルモン 4. TSH 参照).

文献

1) Yamada M, et al.：Cloning and structure of human genomic DNA and hypothalamic cDNA encoding human preprothyrotropin-releasing hormone. Mol Endocrinol 1990；**4**：551-556.
2) 渋沢信行,他：TRH の発見から半世紀〜新たな展開〜.最新医学 2017；**72**：1384-1391.
3) Niimi H, et al.：Congenital isolated thyrotrophin releasing hormone deficiency. Arch Dis Child 1982；**57**：877-878.
4) Yamada M, et al.：Tertiary hypothyroidism and hyperglycemia in mice with targeted disruption of the thyrotropin-releasing hormone gene. Proc natl Acad Sci U S A 1997；**94**：10862-10867.
5) Shibusawa N, et al.：Requirement of thyrotropin-releasing hormone for the postnatal functions of pituitary thyrotrophs：ontology study of congenital tertiary hypothyroidism in mice. Mol Endocrinol 2000；**14**：137-146.
6) Gershengorn MC：Mechanism of signal transduction by TRH. Ann N Y Acad Sci 1989；**553**：191-196.

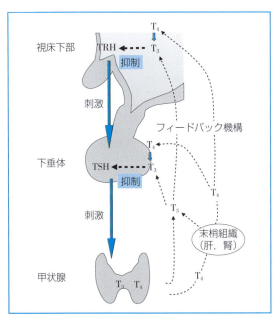

図2 視床下部−下垂体−甲状腺系フィードバック機構

第1章 基礎知識──D 視床下部ホルモン

6 ソマトスタチン

北里大学病院内分泌代謝内科 髙野幸路

>> 臨床医のための Point ▶▶▶

1. GH 分泌と TSH 分泌を抑制する視床下部ホルモンである．
2. 膵・消化管にも存在し，膵・消化管ホルモン分泌抑制や，消化管運動の抑制に作用する．
3. ソマトスタチンアナログの副作用の多くが膵・消化管に対する作用に関連する．

ソマトスタチン

ソマトスタチンは下垂体において，GH 分泌と TSH 分泌を抑制的に調節する視床下部ホルモンである．共通の前駆体から切り出される 14 アミノ酸もしくは 28 アミノ酸残基からなるペプチドで，下垂体細胞以外にも，膵消化管ホルモンの分泌抑制も担う主要な抑制性制御ホルモンである．視床下部では室周囲核などにソマトスタチン産生神経細胞が存在し，正中隆起外層や GHRH 神経細胞に軸索終末を伸ばしている．GHRH 産生神経細胞に対する抑制作用や，正中隆起外層から発する下垂体門脈によって下垂体前葉に運ばれて GH 細胞，TSH 細胞に抑制的に作用する．成長ホルモンや IGF-1 による負のフィードバック機構にソマトスタチンニューロンが関与していると考えられている．

中枢神経には，弓状核，海馬，孤束核などにもソマトスタチン発現が知られている．GH 分泌は視床下部由来の GHRH による刺激と視床下部由来のソマトスタチンによる抑制の 2 つの作用で精密に制御されている．TSH 分泌は同じく TRH とソマトスタチンの作用で調節されている．

作用機構

ソマトスタチン受容体は 5 つのサブタイプがあり，細胞の種類で作用する受容体の使い分けがあることが推測されている．正常 GH 細胞と TSH 細胞についてはタイプ 2 受容体を介しておもに作用すると考えられている．GH 細胞と TSH 細胞については，ソマトスタチンは受容体に結合すると，百日咳毒素感受性の受容体である G_{i3} を活性化する（図 1）[1]．活性化された Gi タンパクは α サブユニットと $\beta\gamma$ サブユニットに乖離し，$\beta\gamma$ サブユニットが直接作用して内向き整流性カリウムチャネルを活性化し細胞膜を過分極する（図 2，3）[2]．

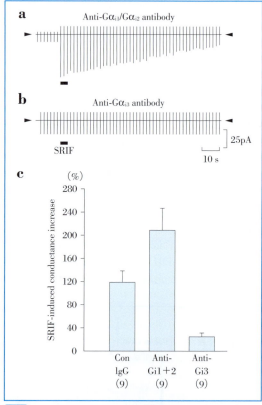

図1 ソマトスタチンによる過分極は G_{i3} を介して生じる

ソマトスタチン受容体を発現する AtT-20 細胞において，電流固定法下で（固定電位 − 70 mV）膜電流を測定した．百日咳毒素感受性 G タンパクのうち，$G_{z\alpha}$ と $G_{i1\alpha}$，$G_{i2\alpha}$ タンパクの C 末端に対する中和抗体を細胞内に作用させても，ソマトスタチンによるカリウム電流増加反応は影響を受けなかったが，$G_{i3\alpha}$ タンパクの C 末端に対する中和抗体を細胞内に作用させると，反応は消失したことから G_{i3} を介する反応であることが示された．

〔Takano K, et al.：Different G proteins mediate somatostatin-induced inward rectifier K$^+$ currents in murine brain and endocrine cells. *J Physiol* 1997；**502**：559-567 より引用〕

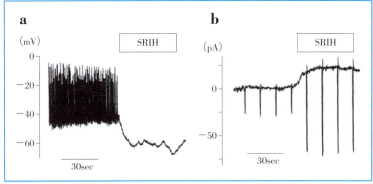

図2 TSH産生腺腫細胞の膜電位に対するソマトスタチンの作用

a：自発的に活動電位を発生して，TSHを過剰分泌するTSH産生腺腫細胞にソマトスタチン（SRIH）を作用させると，膜の過分極とそれに伴う活動電位の抑制がみられる．
b：電位固定法（固定電位－68 mV）で膜電流を測定すると，ソマトスタチンにより外向きの電流が活性化されることが示されている．この外向き電流により，膜が過分極する．電流は内向き整流性のカリウム電流であった．

〔Takano K, et al. : Mechanisms of action of somatostatin on human TSH-secreting adenoma cells. Am J Physiol 1995；**268**：E558-564 より引用〕

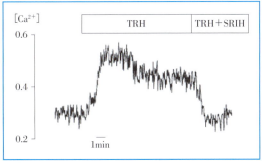

図3 TSH産生腺腫細胞の細胞内カルシウム濃度に対する，TRHとソマトスタチンの作用

TSH産生細胞にTRHを作用させると細胞内カルシウム濃度が増加するが，引き続きソマトスタチンを投与すると細胞内カルシウム濃度が低下する．

〔Takano K, et al. : Mechanisms of action of somatostatin on human TSH-secreting adenoma cells. Am J Physiol 1995；**268**：E558-564 より引用〕

過分極により活動電位の発生が抑制され，電位依存性カルシウムチャネルを介するカルシウム流入が減少，膜直下のカルシウムイオン濃度の低下を起こして開口分泌が抑制される[1]．また，ソマトスタチンには，カルシウム流入の低下と独立して，開口分泌装置に対する直接の抑制作用が知られている（学会発表情報）．ソマトスタチンはGHやTSHの遺伝子発現を抑制するが，これも抑制性のGタンパクを介する反応である．GH産生腫瘍に対してソマトスタチンアナログは増殖抑制作用とアポトーシス誘導作用を示し，抗腫瘍効果を示すが，増殖抑制についてはチロシン脱リン酸化作用などを介すると考えられている．

膵臓Langerhans島や消化管のδ細胞から分泌されるソマトスタチンはインスリン，グルカゴン，ガストリン，セクレチンなどの分泌を抑制する．また，消化管ホルモン分泌抑制を介して，もしくは直接的に消化液の分泌を抑制し，胃液，胃酸，膵液の分泌も抑制する．平滑筋収縮抑制により，消化管からの内容物の排出速度減少，胆嚢収縮の減少がみられる．そのため長期にソマトスタチン作用が生じると胆石が生じることがある．ソマトスタチンアナログの副作用として知られている症状のなかには，膵・消化管でのソマトスタチンの生理作用に関係するものが多い．インスリン分泌抑制により血糖が上昇する場合がある．

文献

1) Takano K, et al. : Different G proteins mediate somatostatin-induced inward rectifier K+ currents in murine brain and endocrine cells. J Physiol 1997；**502**：559-567.
2) Takano K, et al. : Mechanisms of action of somatostatin on human TSH-secreting adenoma cells. Am J Physiol 1995；**268**：E558-564.

7 ドパミン

第1章 基礎知識——D 視床下部ホルモン

東北福祉大学健康科学部保健看護学科　**井樋慶一**

> **臨床医のための Point**
> 1. 視床下部内側基底部で産生されるドパミンはプロラクチン（PRL）抑制因子である．
> 2. ドパミンは正中隆起毛細血管内に分泌され，下垂体門脈経由で下垂体前葉 PRL 産生細胞（lactotroph）の D_2 受容体に結合する．
> 3. 妊娠・出産とかかわりなく乳汁分泌を訴える患者には，向精神薬やプロトンポンプ阻害薬など薬剤内服の有無を確認する．

構造

ベンゼン環に2個のヒドロキシ基（オルト位）とエチルアミン側鎖が結合した化合物をカテコールアミンとよぶ．生体で合成されるカテコールアミンにはドパミン，ノルアドレナリン，およびアドレナリンが含まれる（図1）．これまでに知られる視床下部ホルモンのなかでドパミンは唯一のカテコールアミンであり，ほかはすべてペプチドである．

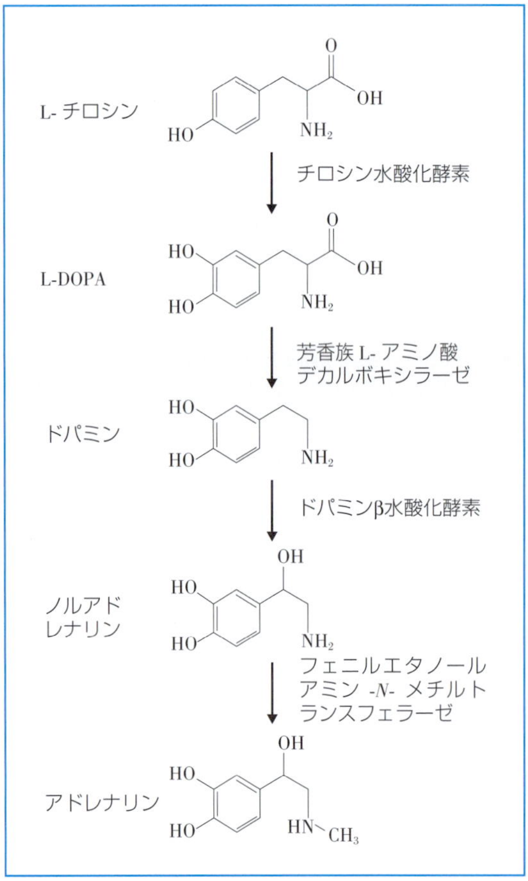

合成

カテコールアミンはチロシンから一連の酵素反応によって生合成される（図1）．チロシン水酸化酵素による L- チロシンから L-3,4-dihydroxyphenylalanine（L-DOPA）への変換がドパミン合成の律速段階であり，このプロセスには補酵素としてテトラヒドロビオプテリンが必要である．芳香族 L- アミノ酸デカルボキシラーゼの触媒により L-DOPA からドパミンが生成される．ド

図1　カテコールアミン生合成経路

生体内で合成されるカテコールアミンはドパミン，ノルアドレナリン，アドレナリンの3種であり，一連の酵素反応によって生合成される．ドパミンはチロシンから L-DOPA を経て合成されるが，チロシン水酸化酵素が律速段階である．

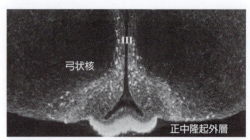

図2　視床下部弓状核内（A12）のドパミン作動性ニューロンと，正中隆起外層のドパミン作動性神経終末

マウス視床下部弓状核と正中隆起を含む切片を用い，チロシン水酸化酵素（TH）に特異的な抗体を用いて免疫染色を施した．弓状核（A12）内に多数の TH 陽性細胞体が認められる．正中隆起外層には極めて強い TH 免疫染色性が観察され，ドパミン作動性神経終末が密に存在するためと考えられる（自験例）．III：第三脳室

（▶口絵カラー①，p.ii 参照）

パミン作動性神経終末の細胞質で合成されたドパミンはシナプス小胞モノアミントランスポーターによってシナプス小胞内に輸送されシナプス間隙への放出に備える．

視床下部ホルモンとしてのドパミンは，げっ歯類では視床下部弓状核内のA12細胞群(図2)および脳室周囲核内のA14細胞群で産生される．これらのうちA12の尾側部のニューロンが正中隆起外層に投射し(図2)，ここで毛細血管内に神経分泌されたドパミンは下垂体門脈血により前葉に運ばれプロラクチン(PRL)産生細胞(lactotroph)を抑制的に調節する．A14のニューロンは下垂体中葉に投射しプロオピオメラノコルチン産生細胞を抑制的に調節する．A12吻側部からは下垂体中葉と後葉両者への投射が認められる．中葉はヒトでは胎生期に存在するが成人では萎縮し機能していない．

分泌調節

ドパミンは神経終末で開口分泌によりシナプス小胞から放出される．このプロセスは脱分極によってCaイオンが細胞外から細胞内に流入することにより惹起される．シナプス間隙に放出されたドパミンは，シナプス前ニューロンの細胞膜に存在するドパミントランスポーターによって細胞質に再取り込みされ作用が減弱する．また，ドパミンはモノアミン酸化酵素(MAO)とカテコール-O-メチル基転位酵素(COMT)によって代謝される．

黒質のドパミン作動性ニューロンと異なり，視床下部内側基底部のドパミン作動性ニューロンにはD₂自己受容体が存在しないが，PRL受容体を発現している．血中PRLは視床下部におけるドパミン合成・分泌を亢進させ自ら分泌抑制に働く．

視床下部のドパミン産生ニューロンは様々な神経性入力によって調節される．たとえば，グルタミン酸やアセチルコリンは刺激性に，オピオイドやヒスタミンは抑制性に働く．また，乳児が乳首を吸引したときの授乳反射は，知覚神経求心路を経た多シナプス性入力を介してドパミン作動性ニューロンが抑制されることにより惹起される．女性ホルモンは，視床下部ドパミン作動性ニューロンには抑制性に，lactotrophには刺激性に働き乳汁分泌に促進的に働く．ドパミン作動性ニューロンの日内リズムに同期して血中PRLは早朝に頂値をとる．

作用

ドパミンは視床下部で産生される最も重要なPRL抑制因子(prolactin-inhibiting factor：PIF)である．下垂体前葉のlactotrophにおいてドパミンはD₂受容体に結合し，PRLの合成・分泌を緊張性に抑制(tonic inhibition)する．下垂体腫瘍やその他の鞍上部占拠性病変(space-occupying lesions)が下垂体門脈を圧排し，十分な量のドパミンがlactotrophに到達できないとPRLが過剰に産生・放出され乳汁分泌が惹起されることがある．一方，種々の薬剤が直接，間接的に視床下部ドパミン系の働きを修飾することが知られ，これらの副作用として乳汁分泌が出現することがある．たとえば，向精神薬のなかにはドパミンD₂受容体拮抗作用を有するものがある．また，抗潰瘍薬として用いられるプロトンポンプ阻害薬は，女性ホルモンの代謝を遅らせホルモンの作用を増強する．臨床的には乳汁分泌の原因として薬物治療に伴うものが最も多いため，問診で確かめることが大切である．ブロモクリプチン(bromocriptine，パーロデル®)やカベルゴリン(cabergoline，カバサール®)は強いPRL産生抑制作用を有する合成ドパミンD₂受容体作動薬であり，プロラクチノーマ治療薬として広く用いられている．

情報伝達系

ドパミンやその他のD₂受容体作動薬はlactotrophにおいて様々な細胞内応答を惹起する．D₂受容体は百日咳毒素感受性G蛋白質(Gi)に共役し細胞内cAMPレベルを減少させる．その他の作用として，内向き整流性Kチャネルの活性化，電位依存性K電流の増加，電位依存性Ca電流の減少，イノシトール1,4,5-三リン酸産生の抑制などがある．これらの作用はいずれも細胞内遊離Caイオンを減少させ，PRL分泌小胞の開口分泌を抑制する方向に働く．

機能の評価方法

現在のところ，臨床的に視床下部弓状核(A12)のドパミン作動性ニューロンの機能を直接評価する方法はない．前述のように，プロラクチノーマ以外の下垂体腫瘍，あるいは鞍上部占拠性病変に伴い高プロラクチン血症が認められることがあり，このような場合，臨床的にドパミン(あるいはその他のPIF)によるlactotrophの抑制が解除された状態にあると推論される．髄液中ドパミン濃度は，黒質緻密部(A9)，腹側被蓋野(A10)，A12，A14を含めたすべてのドパミン作動性ニューロンの活動を反映するもので視床下部ホルモンとしてのドパミン選択的な示標ではない．ドパミンD₂受容体作動薬試験(ブロモクリプチン試験)は先端巨大症やプロラクチノーマの診断に用いられるが，弓状核ドパミン作動性ニューロンの

機能を評価するものではない．

文献

1) Lechan RM：Neuroendocrinology. In：Melmed S, *et al.*（eds），Williams Textbook of Endocrinology. 14th ed, Elsevier, Philadelphia, 2020；114-183.
2) Westfall TC, *et al.*：Neurotransmission：the autonomic and somatic motor nervous systems. In：Bruton LL（ed），Goodman and Gilman's The Pharmacological Basis of Therapeutics. 12th ed, McGraw-Hill, New York, 2011；171-218.
3) Parker KL, *et al.*：Introduction to endocrinology：the hypothalamic-pituitary axis. In：Bruton LL（ed），Goodman and Gilman's The Pharmacological Basis of Therapeutics. 12th ed, McGraw-Hill, New York, 2011；1103-1127.

▶Column

Roger Guillemin（1924 －）

　神経内分泌学のパイオニアの一人である．フランスのディジョンで生まれ，臨床医を志しディジョン医科大学を卒業した．1948年にパリでストレスの研究で高名なHans Selyeの講演を聴いてSelyeの魅力に惹かれ，研究者の道を目指してモントリオールのSelyeの研究所で実験内分泌学を学んだ．その後米国に渡り，1955年に視床下部ホルモンの一つであるCRHの存在を明らかにし，視床下部が下垂体ホルモン分泌を調節しているというGeoffrey Harrisの学説を支持した．

　その後彼の研究グループは，Andrew V. Schallyの研究グループとのすさまじい先陣争いのなかで，いずれもほぼ同時期に，視床下部ホルモンであるTRH，GnRHのアミノ酸構造を，Guilleminらはヒツジの視床下部抽出物を，Schallyらはブタの視床下部抽出物をそれぞれ用いて明らかにした．さらにGuilleminらはソマトスタチンのアミノ酸構造を明らかにし，それらの功績で，1977年にSchally，ラジオイムノアッセイを確立し微量ホルモンの測定に貢献したRosalyn S. Yalowとともにノーベル生理学・医学賞が授与された．その後，Guilleminの弟子であったWylie W. Valeらはヒツジ視床下部抽出物を用い，1981年にCRHのアミノ酸配列を明らかにした．さらにGuilleminの研究グループは1982年に異所性にGHRHを産生する膵腫瘍から同ホルモンを単離し，そのアミノ酸構造を明らかにした．

　このようにGuilleminおよび彼の研究グループはすべての向下垂体視床下部ペプチドホルモンの発見と構造決定を成し遂げ，神経内分泌学分野の研究と臨床医学の発展に偉大な貢献をしている．

（日本医科大学名誉教授　芝﨑　保）

第1章 基礎知識――E 下垂体前葉ホルモン

1 ACTH

神戸大学医学部附属病院糖尿病・内分泌内科 **福岡秀規**

> **臨床医のための Point ▶▶▶**
>
> 1 血中ACTH値は，様々な因子により影響を受けるため，その評価には合成分泌機構の理解が重要である．
> 2 ACTHは転写，細胞内輸送，分泌という多面的な調整を受けており，その急性，慢性変化に着目して病態をとらえる必要がある．
> 3 ACTHの作用はコルチゾール合成分泌にとどまらず，アンドロゲン合成分泌，副腎皮質増殖促進，皮膚色素沈着などにわたるため，多面的に評価する必要がある．

構 造

副腎皮質刺激ホルモン(adrenocorticotropic hormone：ACTH)は，1943年Choh Hao Liらにより，初めて羊から単離された生理活性ペプチドである．おもに下垂体前葉のコルチコトロフ細胞で合成され，39個のアミノ酸からなる．267個のアミノ酸からなる前駆体ペプチドpro-opiomelanocortin(POMC)が，蛋白分解酵素などによって変換され，ACTH(1-39)が合成される．*POMC*は染色体2p23に位置し，8kbからなる遺伝子である．3つのエクソンと2つのイントロンから構成され，エクソン3がACTH，β-エンドルフィンを含むおもな生理活性ペプチドをコードしている．*POMC*を発現する他の組織，たとえば視床下部では，蛋白分解酵素発現分布の違いなどにより，ACTHがさらに切断され，α-MSH，corticotropin-like intermediate lobe peptide(CLIP)となる(図1)．ACTHの立体構造は明らかになっていないが，線状ポリペプチドであると考えられている．ACTH(17-24)が副腎におけるメラノコルチン2受容体(MC2R)との結合に重要な領域であるが，コルチゾール合成などの生理活性にはACTH(1-24)が必要である．

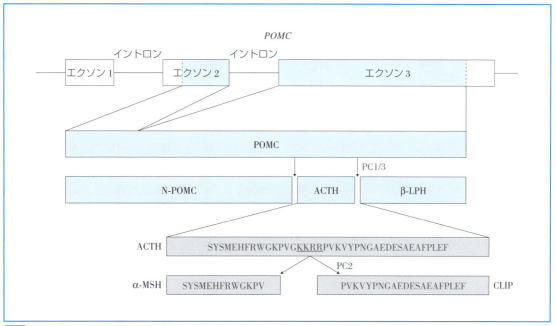

図1 *POMC*遺伝子からACTHの合成

合 成

ACTH合成はおもに下垂体前葉コルチコトロフ細胞で行われている．その合成調節機構として，①*POMC*遺伝子の転写調節，②調節性分泌経路への選別と輸送，③蛋白プロセシング，がよく知られている[1]．

1 *POMC*転写調節

*POMC*遺伝子転写を促進する因子として，副腎皮質刺激ホルモン放出ホルモン（corticotropin releasing hormone：CRH）がおもな役割を担っている．CRHは視床下部室傍核の神経核で合成，正中隆起で下垂体門脈に分泌され，コルチコトロフ細胞表面に存在するCRH1型受容体（CRH1）に結合する．この結合によりアデニル酸シクラーゼ，cAMP，さらにプロテインキナーゼA（PKA）が活性化する．PKAによってcAMP response-element binding protein（CREB）が*POMC*プロモーターに結合する古典的経路を介して*POMC*転写活性が上昇する．しかし，CRH1の下流におけるよりドミナントな*POMC*転写促進経路として，オーファン核内受容体であるNur77を介した経路が知られている．この経路はPKAの下流でEPAC2/MAPKの活性化を介し，Nur77のホモ二量体，もしくはNurl などのNurファミリーとのヘテロ二量体を形成，さらには*POMC*プロモーター上に存在するNur response element（NurRE）への結合により*POMC*転写活性が誘導される経路である．同時に，PKAは細胞内Ca濃度を上昇によりCalmodulin kinase II（CaMKII）を活性化し，Nur77の誘導やMAPKによるNur77活性化を助長し，*POMC*転写活性をさらに促進する．CRHによる*POMC*転写活性促進は，これらのプロモーター領域での調節とともに，転写開始部位の-7kbに存在しているコルチコトロフ特異的エンハンサーを介した調節も関連していることが示されている（図2）．

*POMC*遺伝子転写のおもな抑制機構として知られているのが，グルココルチコイドによるネガティブフィードバックである．グルココルチコイドは，細胞質内に存在するグルココルチコイド受容体（GR）と結合することにより，その作用を呈する．*POMC*プロモーターにはnGRE，E-box，NueroD1結合サイトなど，GRの結合サイトがいくつか存在している．しかし，グルココルチコイドによる*POMC*転写抑制はGRの*POMC*プロモーターへの直接結合を介していないと考えられている．ひとつの有力な機序は，Nurrファミリーとの蛋白質間相互作用を介したトランスリプレッションである．また，Swi/Snf複合体であるBrg1がGR，Nur77，ヒストン脱アセチル酵素であるHDAC2の相互作用を安定化させ，*POMC*転写抑制に関与していることが示されている（図3）．グルココルチコイドは視床下部におけるCRHも抑

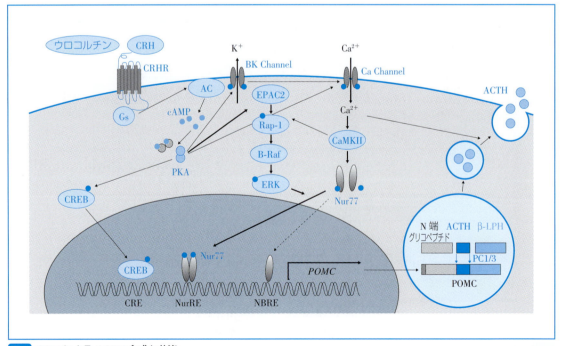

図2 CRHによるACTH合成と分泌

制しており，このこともPOMC転写抑制に働いていると考えられる．

その他，POMC転写活性促進因子としてCRH関連ペプチドであるウロコルチンや，炎症性サイトカインであるinterleukin(IL)-1β，IL-6，leukemia inhibitory factor(LIF)などが知られている．炎症性サイトカインは転写因子signal transducer and activator of transcription(STAT3)を介したPOMC転写活性促進作用がその機序として示されている．さらにPOMC転写抑制因子として，TGF-βスーパーファミリーであるbone morphogenetic protein(BMP)4が知られている．この機序として，POMCプロモーターにおけるTpitやPitx1などの転写因子の結合を抑制することが考えられている[2]．

2 調節性分泌経路への選別と輸送

POMCは転写翻訳後にトランスゴルジネットワーク(TGN)で選別され，調節性分泌経路(regulated secretory pathway：RSP)に入る．その選別にはPOMCのN末端領域，POMC(1-26)が重要であることが示されている．ここでのPOMC輸送，その後の蛋白修飾，そして分泌顆粒への蓄積にはペプチド結合加水分解酵素であるカルボキシペプチダーゼE(CPE)，グラニン蛋白であるセクレトグラニンIII(SgIII)などの選別受容体を介した輸送機構が重要な役割を担っている．CPEやSgIIIの欠損マウスでは下垂体細胞におけるACTHの低下を認め，このRSPでの選別輸送機構が，その後のタンパク質プロセシングに重要な役割を担っていることが考えられる．

タンパク質プロセシング

POMCは下垂体前葉で，おもに蛋白分解酵素であるプロホルモン転換酵素(prohormone convertase：PC)1/3，PC2により切断変換される．PCはプロインスリンをインスリンに切断変換する酵素としても知られている．PC1/3はコルチコトロフに発現を認め，POMCをN端グリコペプチド，ACTH，β-LPHに切断変換する．一方PC2はコルチコトロフには発現を認めず，視床下部や脳などに発現し，ACTHをα-MSH，CLIPに切断変換する(図1)．また，マウスには下垂体前葉と後葉の間に中葉が存在し，そこに局在するメラノトロフ細胞でPC2の強い発現を認め，α-MSHのおもな産生源となっている．これが，下垂体前葉コルチコトロフ特異的にACTHが合成される機序として考えられている．POMC蛋白プロセシングは上記PC以外にも，Yapsin A，ACTH-converting enzyme(AACE)，aminopeptidases B-like(AMB)，peptidylglycine a-amidating monooxygenase(PAM)など，多彩な酵素によって行われている．

分泌調節

RSPにより輸送され，細胞質内の分泌顆粒に蓄

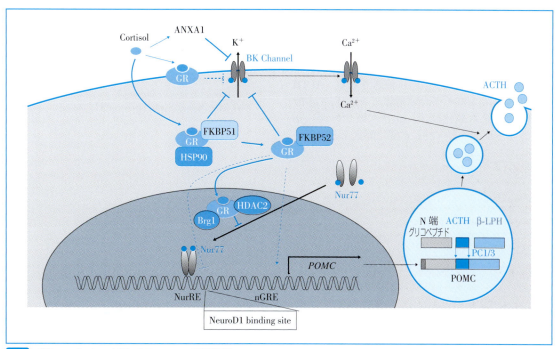

図3 グルココルチコイドによるACTH抑制機構

積されたACTHは，エクソサイトーシスにより分泌される．エクソサイトーシスは細胞膜上に存在する電位依存性カリウムチャネル（BKチャネル）の閉口によって細胞膜が脱分極し，細胞内へCa^{2+}が流入することで誘導される．CRH，バソプレシンは，このBKチャネルを介してエクソサイトーシスを促進させる．バソプレシンはおもにストレス時のACTH分泌に重要であり，コルチコトロフ特異的に発現するバソプレシンV1b受容体を介している（図2）．分泌抑制調節因子としては，グルココルチコイド，ソマトスタチンが知られている．グルココルチコイドはGRと結合しBKチャネルを一部介してACTH分泌を抑制する．この作用は細胞膜上に存在するGRも関与しており，グルココルチコイドによる遺伝子調節を介さない急性期反応として示されている．またグルココルチコイドは下垂体前葉に存在する濾胞星細胞からのアネキシン1を誘導し，ACTH分泌を抑制することも知られている（図3）．ソマトスタチンはコルチコトロフ細胞膜上に存在するソマトスタチン受容体サブタイプ2（SSTR2），サブタイプ5（SSTR5）に結合し，cAMPの抑制によりACTH分泌を抑制する．

生理的にはACTHは日内変動，運動，絶食，ストレス，低血圧などにより，その分泌が刺激される．

作用・情報伝達

ACTHはおもに副腎皮質で作用し，ステロイドホルモン合成を促進する．その作用は，細胞膜に存在するMC2Rと結合を介しており，初期ステップとしてsteroidogenic acute regulatory protein（StAR）を活性化させる．これにより，コレステロールがミトコンドリア内に輸送される．ACTHは，さらにステロイド合成酵素である17α水酸化酵素，11β水酸化酵素，18β水酸化酵素，18メチルオキシダーゼ，21α水酸化酵素などのシトクロムP450を転写レベルで発現促進させる．これによりコルチゾール，副腎アンドロゲン，アルドステロンの前駆体であるコルチコステロン合成が促進される．また，ACTHは副腎皮質細胞の増殖促進作用ももつことが知られている．

副腎以外では，皮膚のメラノサイトにもMC2Rは発現しており，ACTHはここで色素沈着を促進している[3]．

機能の評価方法

ACTH分泌を評価する方法は一般臨床において容易ではない．一般にコルチゾール値との同時測定により評価する．ACTH分泌低下を評価する目的では早朝空腹時の採血，分泌亢進評価目的には深夜の採血が適している．そういった意味で日内変動の確認は，総合的な分泌評価として参考になる．1日蓄尿での尿中遊離コルチゾール測定はACTHの総分泌を推定するうえで参考となる．ACTH分泌刺激試験としては，インスリン低血糖試験がゴールドスタンダードである．その他，CRH試験，メチラポン試験などがある．分泌抑制試験としてはデキサメタゾン抑制試験がある．これらを組み合わせ，ACTH分泌評価を行うが，外因性ステロイドの影響を受けやすいため，評価前に，詳細なステロイド服薬状況と服薬量，期間（外用薬，吸入，点鼻，点眼，注射を含む）を把握し，可能な範囲での中止を検討する．

文献

1) Fukuoka H, et al.：The mechanisms underlying autonomous adrenocorticotropic hormone secretion in Cushing's disease. Int J Mol Sci 2020；21：9132.
2) Drouin J：60 YEARS OF POMC：Transcriptional and epigenetic regulation of POMC gene expression. J Mol Endocrinol 2016；56：T99-T112.
3) Soto-Rivera CL, et al.：Adrenocorticotrophin. In：The Pituitary 4th Edition. Melmed S（ed）. Elsevier, 2017；631-641.

第1章 基礎知識──E 下垂体前葉ホルモン

2 GH

奈良県立医科大学糖尿病・内分泌内科学　髙橋　裕

> **臨床医のための Point**
> 1. GH は下垂体前葉から分泌される成長と代謝を調節するペプチドホルモンである．
> 2. 分泌調節はおもに視床下部からの GHRH とソマトスタチン，胃からのグレリンによってなされている．
> 3. 成長促進など GH の作用の多くは IGF-I を介しているが，脂肪分解作用，インスリン抵抗性惹起作用など GH の直接作用も存在する．

構造

成長ホルモン（growth hormone：GH）をコードする GH1（GHN）は 17 番染色体長腕に存在し，遺伝子重複によって生じた GH2（GHV），CSH1（PL），CSH2 とともにクラスターを形成している．GH は 191 個のアミノ酸からなるペプチドホルモン（図1）で，22kDa の分子量をもつ．GH は PRL および胎盤で産生される placental lactogen（PL）と類似した構造，生化学的特徴をもち，GH・PRL ファミリーとよばれている．ヒト GH と PRL にはアミノ酸レベルで 26% の相同性があり，ヒト GH は PRL 受容体にも結合し PRL 様作用を発揮する．GH 分子は 4 つの α-ヘリックスからなるサイトカインと類似した構造を示し（図2），受容体もクラス 1 サイトカイン受容体ファミリーに含まれることから，GH は PRL とともにサイトカインとして進化してきたものと考えられている[1]．

合成

GH はおもに下垂体前葉で合成，血中に分泌され全身で作用を発揮する．下垂体から分泌される主要なものは 22kDa の GH であり，5〜10% は 32〜46 のアミノ酸を欠失した 20kDa の GH であるが，その基本的な活性は 22kDaGH と同等と報告されている．

分泌調節

下垂体からの GH の分泌はおもに分泌刺激因子である GHRH と，分泌抑制因子であるソマトスタチンの 2 つの視床下部ホルモンによって調節されている．さらに飢餓時の GH 分泌にはグレリンが関与している．GH の分泌は脈動性であり，最初の徐波睡眠時にみられる最大のピークを含めて 24 時間に 7〜11 回のピークを示す．GH 分泌は思春期前後に最大になり，以降は脈動性分泌の振幅が減少し 10 年ごとに 14% ずつ分泌量が低下，60 歳代には 20 歳代の 30% 程度に減少する．GH 分泌低下とともに血清インスリン様成長因子-1（insulin-like growth factor 1：IGF-1）値も低下し，30 歳代から 70 歳代にかけて女性では半減，男性では 30% に低下する[1]．GH 受容体の細胞外ドメインが TNFα 変換酵素（TNFα converting enzyme：TACE）によって切断，産生された GH 結合蛋白（GHBP）と GH は血中において結合しており，それによって GH の生物学的半減期が延長している．

作用

GH は全身の臓器に作用するが，小児における GH のおもな作用は成長促進である．GH は成長板における軟骨細胞の分化と局所の IGF-1 産生を刺激し，IGF-1 が軟骨細胞増殖と肥大を促進する．

MATGSRTSLL LAFGLLCLPW LQEGSAFPTI PLSRLFDNAM LRAHRLHQLA
FDTYQEFEEA YIPKEQKYSF LQNPQTSLCF SESIPTPSNR EETQQKSNLE
LLRISLLLIQ SWLEPVQFLR SVFANSLVYG ASDSNVYDLL KDLEEGIQTL
MGRLEDGSPR TGQIFKQTYS KFDTNSHNDD ALLKNYGLLY CFRKDMDKVE
TFLRIVQCRS VEGSCGF

図1 GH の一次構造（下線はシグナルペプチド）

GHの多くの作用はIGF-1依存性であるが，GHの直接作用として成長板の軟骨幹細胞の活性化，インスリン抵抗性惹起，脂肪分解，卵巣における卵胞発育，筋芽細胞の融合とサイズ増大が報告されている．

　一般にGH，IGF-1は，成長については協調的に働き，代謝作用の一部については拮抗的に作用する．GHの代謝作用として脂肪分解，インスリン抵抗性惹起，骨リモデリング刺激，筋肉蛋白同化，塩分貯留促進などがある．成人におけるGH分泌低下は，除脂肪体重の減少，内臓脂肪の増加，脂質異常，脂肪肝・NASH，骨塩量減少，骨折頻度の増加，QOLの低下を引き起こす．GHは皮下脂肪より内臓脂肪に強く作用し，脂肪合成抑制作用，ホルモン感受性リパーゼ活性化作用による脂肪分解を介して内臓脂肪を減少させる．成人GH分泌不全症におけるGH補充療法によって，体組成と脂質異常の改善，NASHの改善，骨塩量増加，QOLの上昇効果を認める[2]．GH過剰である巨人症，先端巨大症においては，高身長，顔貌変化，手足容積増大，糖尿病，高血圧，心不全，睡眠時無呼吸症候群などを引き起こす．

情報伝達系

　GHの細胞内情報伝達機構においてはJanus kinase(JAK)2-signal transducers and activators of transcription(STAT)5系が生理的に最も重要である．1つのGH分子が2つのGH受容体分子と結合し構造変化をきたすことによってJAK2を活性化，転写因子STAT5bをリクルートし，JAK2によってリン酸化され重合したSTAT5bは，核内に移行し標的遺伝子の転写を促進する(図3)．ヒトではGH受容体，STAT5bの変異によってGH抵抗性，低身長をきたす[3]．GH-IGF-1シグナルの負の制御因子としてsuppressor of cytokine signaling(SOCS)2が重要な役割を果たしており，socs2ノックアウトマウスは巨人症を呈する．またSOCS2はエストロゲンによる肝臓におけるGH抵抗性発症機序に，SOCS1，3は腎不全や炎症などの際のGH抵抗性に関与していることが示唆されている[4]．

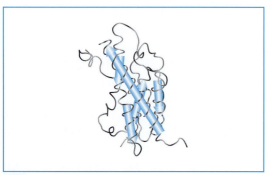

図2　GHの立体構造

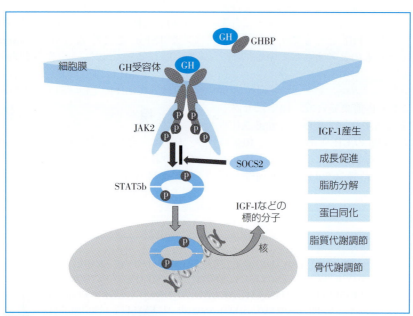

図3　GH細胞内シグナル伝達機構
GH受容体，JAK2，STAT5bによってシグナルが核へと伝わる．
SOCS2は負の制御因子である．
GHBP：GH binding protein(GH結合蛋白)

機能の評価方法

　GH分泌は脈動性であるため，随時の採血ではGH分泌能を正確に評価することは困難で，分泌刺激試験が必要である．分泌低下を疑う場合にはインスリン低血糖，アルギニン，L-DOPA，クロニジン，グルカゴンまたはGHRP-2試験を行い，各刺激に対するGH分泌の頂値によって評価する．ただし成人の場合にはL-DOPA，クロニジン試験は用いない[5]．分泌過剰を疑う場合には，経口ブドウ糖負荷試験によるGH分泌抑制によって自律性分泌の評価を行う．血中IGF-1濃度はGH分泌とよく相関し随時の採血でも判断できるが，年齢，性別ごとの正常値を参照すること，栄養障害，肝疾患，腎疾患，甲状腺機能低下症，コントロール不良の糖尿病などが合併していると低値になりうることを念頭において診断する必要がある．

文献

1) Giustina A, et al.：Pathophysiology of the neuroregulation of growth hormone secretion in experimental animals and the human. *Endocri Rev* 1998；**19**：717-797.
2) Baumann G：Chapter 4. Interaction of growth hormone/insulin-like growth factor axis with other hormone axes. Abs R, et al.(eds), *Growth hormone deficiency in adults-10 years of KIMS*. Oxford PharmaGenesis, Oxford, 2004；39-49.
3) Brooks AJ, et al.：The growth hormone receptor：mechanism of activation and clinical implications. *Nature Rev Endocrinology* 2011；**6**：515-525.
4) 髙橋　裕：GH作用機構とその異常．ホルモンと臨床 2007；289：3-8.
5) 有馬　寛，他：成長ホルモン分泌不全性低身長症の診断と治療の手引き（平成30年度改訂），成人成長ホルモン分泌不全症の診断と治療の手引き（平成30年度改訂）．厚生労働科学研究費補助金難治性疾患等政策研究事業間脳下垂体機能障害に関する調査研究班：間脳下垂体機能障害の診断と治療の手引き（平成30年度改訂）．日本内分泌学会雑誌 2019；95(Suppl)：31-39.

第1章 基礎知識——E 下垂体前葉ホルモン

3 LH/FSH

岡山大学大学院医歯薬学総合研究科総合内科学　中野靖浩，大塚文男

> **≫ 臨床医のための Point ▶▶▶**
>
> 1. ゴナドトロピンである LH，FSH は，下垂体前葉の gonadotrope からパルス状に分泌されている．
> 2. LH，FSH の分泌は複雑に調節されており，視床下部から分泌される GnRH のほかに，インヒビンやアクチビンなどのペプチドや性ステロイドホルモンなどが関与している．
> 3. 年齢，性別，月経周期に応じて分泌に差があり，女性における基礎分泌の評価には卵胞期初期が適している．

構 造

ゴナドトロピンには，黄体形成ホルモン（luteinizing hormone：LH）と卵胞形成ホルモン（follicle-stimulating hormone：FSH）の2種類がある．いずれも糖蛋白ホルモンであり，αサブユニットとβサブユニットの2個のペプチドが非共有結合によりヘテロダイマーを形成し，15～31%の糖鎖が付加されている（図1）[1]．TSH と hCG も構造が類似しており，4つのホルモンはファミリーを形成する．これらは共通の遺伝子から進化したと考えられる．αサブユニットは，これら4つのホルモンでほぼ共通しており，92個のアミノ酸残基からなる．βサブユニットは，各ホルモンによってアミノ酸配列も糖鎖も異なるため，受容体結合の特異性に関与しているとされ，LH は121個，FSH は111個のアミノ酸残基からなる[2]．分子量は，LH が約29,000，FSH が約35,000である．

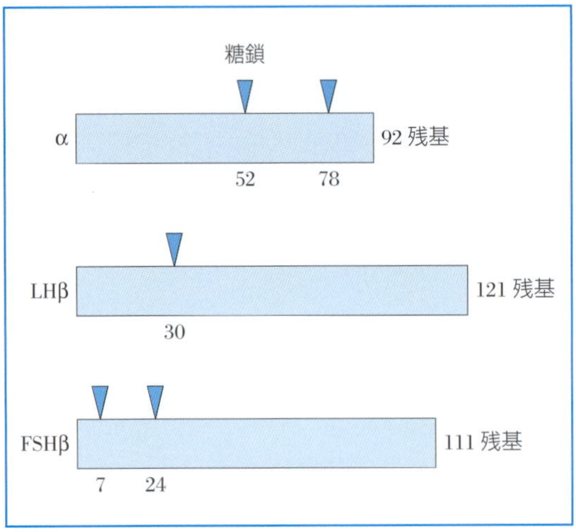

合 成

ゴナドトロピンは下垂体前葉のゴナドトロピン産生細胞（gonadotrope）で合成・分泌される．gonadotrope は下垂体前葉細胞の約10%を占め，前葉全体に散在性に分布し，LH と FSH の2つのホルモンを産生する．免疫化学染色では，LH と FSH の両方が染まる細胞といずれかのみが染まる細胞と存在する[3]．

ゴナドトロピンを構成する3種の遺伝子（αサブユニット，LHβ，FSHβ）は，それぞれ6番，19番，11番染色体に存在する．各遺伝子から転写・翻訳されたのち，粗面小胞体やゴルジ体でグリコシル化やリモデリングなどが行われ，分泌顆粒を通じて細胞外へ分泌される．

分泌調節

視床下部からの GnRH がおもな調節因子であり，gonadotrope の GnRH 受容体に結合することで，ゴナドトロピンの合成・分泌を調節する．GnRH のパルス状分泌に合わせて，ゴナドトロピンもパルス状に分泌されるが，血中半減期が LH は20分と短い一方，FSH は2～3時間と長いため FSH の血中濃度の変化は少ない．GnRH の分泌周期が短い場合は LH 分泌，長い場合は FSH 分泌が優位になる．これは，卵胞期から排卵期が近づくにつれ，GnRH 分泌の周期が短くなる現象と合致する．GnRH が体外から持続的に投与された場合は，GnRH 受容体発現が低下し，ゴナド

図1 ゴナドトロピンの構造
糖鎖はアスパラギン残基に結合する．αサブユニットは2か所でグリコシル化されるが，βサブユニットは糖鎖付加の数が異なるアイソフォームが存在する．
〔Leif W, et al.：Molecular size and charge as dimensions to identify and characterize circulating glycoforms of human FSH, LH and TSH. Ups J Med Sci 2017；122：217-223 より引用〕

ロピンの分泌は低下する．この機序は GnRH アナログである治療薬に臨床応用されている．

ほかにも複数のペプチドがゴナドトロピンの分泌調節に関与している．インヒビンは男性では精巣，女性では卵巣顆粒膜細胞や黄体から分泌され，FSH の合成・分泌を抑制する．一方，アクチビンは様々な組織で成長と分化の調節因子であるが，下垂体で産生されオートクリン・パラクリン作用を発揮し，FSH の合成・分泌を GnRH とは無関係に促進する．フォリスタチンはアクチビンに結合することで，アクチビンの受容体結合を阻害し作用を減弱させる．

エストロゲンやプロゲステロン，アンドロゲンによる gonadotrope への直接作用からも影響を受ける．

また，女性では各年齢においてゴナドトロピンの分泌様式が異なる(図2)[4]．幼児期は，視床下部からの GnRH 刺激が不十分であるため，ゴナドトロピンのパルス状分泌はみられず血中濃度は低い．思春期を迎えると，GnRH のパルス状分泌が確立されるようになり，特に睡眠中の LH 分泌が上昇する．性成熟期には，LH のパルス状分泌が明らかとなり，月経周期に応じて変動する．更年期以降は，卵巣機能の低下に伴いエストロゲンなどの分泌が低下するため，特に FSH に対するネガティブフィードバックが作動しなくなり，FSH 優位にゴナドトロピンの基礎値は上昇する．

作用

男性では，LH は精巣の Leydig 細胞に作用し，テストステロンの合成・分泌を促進し，精子形成に寄与している．FSH は Sertoli 細胞に作用し，インヒビンやアンドロゲン結合タンパク，アンドロゲン受容体などの蛋白合成を誘導し，テストステロンと協調して精子細胞を成熟精子へ成長させる．

女性では，LH は卵巣の莢膜細胞に作用し，ステロイド，特にアンドロゲン合成を促進する．また，成熟卵胞の顆粒膜細胞に作用し，排卵，黄体化を促進する．FSH は顆粒膜細胞に作用し，卵胞発育を促進する．また，アロマターゼを誘導し，莢膜細胞で産生されたアンドロゲンをエストロゲンへ変換し，エストロゲン産生を促進する(エストロゲン産生の two-cell theory)．

情報伝達系

LH 受容体と FSH 受容体は，類似の構造をもつ TSH 受容体とともにロドプシンファミリーに属する G 蛋白共役受容体である．LH 受容体は，LH と類似する hCG にも結合する．FSH 受容体は FSH に特異的である．ともに共役するのは Gs であるため，リガンドが結合すると，アデニル酸シクラーゼ活性化により cAMP が産生され，活性化したプロテインキナーゼ A が標的蛋白質をリン酸化し，その機能を発揮させる．

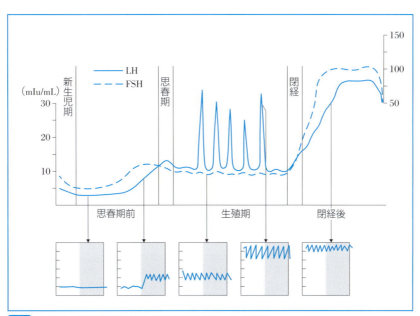

図2 女性の一生における LH，FSH 分泌パターンの変動
グレーの部分は夜間の分泌を意味する．
〔Yen SSC, et al.：Neuroendocrine rhythms of gonadotropin secretion in women. In：Ferin M, et al.(eds) Biorhythms and Human Reproduction. John Wiley & Sons, 1974；219-238 より引用〕

機能の評価方法

年齢，性別，月経周期に応じて分泌量に差があるため，それぞれに応じた評価が必要である．基礎値を評価する場合は，月経中の卵胞期初期が安定しており測定に適している．LH，FSHの絶対値のみならず，LH/FSH比も重要であり，多嚢胞性卵巣症候群（polycystic ovary syndrome：PCOS）では，LH/FSH比が上昇する．臨床的にゴナドトロピン分泌低下症を疑う場合は，ゴナドトロピン分泌刺激試験を行い，下垂体性ではゴナドトロピン分泌が低〜無反応となる．視床下部性の場合は，LHRHの連続投与後に正常反応を示すことがある．

文献

1) Leif W, et al.：Molecular size and charge as dimensions to identify and characterize circulating glycoforms of human FSH, LH and TSH. Ups J Med Sci 2017；**122**：217-223.
2) 久具宏司，他：ゴナドトロピン，LH，FSH. 清野 裕，他（編）：ホルモンの事典 新装版，朝倉書店，2020；178-196.
3) Kaiser U, et al.：Pituitary Physiology and Diagnostic Evaluation. In：Melmed S, et al.（eds）：Williams Textbook of Endocrinology. 14th ed, Elsevier, 2019；184-235.
4) Yen SSC, et al.：Neuroendocrine rhythms of gonadotropin secretion in women. In：Ferin M, et al.（eds）Biorhythms and Human Reproduction. John Wiley & Sons, 1974；219-238.

▶Column

Grant W. Liddle（1921 − 1989）

現在 Liddle 症候群で広く知られる Grant W. Liddle は，視床下部・下垂体・副腎（HPA）系の病態生理の解明に貢献した国際的な内分泌学者である．Liddle はユタ州ソルトレイク出身で，カリフォルニア大学医学部を卒業後，UCSF の Bennett, Forsham の元で内分泌・代謝学を研鑽し，Bartter 症候群で知られる NIH の Bartter 研究室へ移り，HPA 系，特に副腎性高血圧の基礎および臨床研究を本格化させた．1956 年，テネシー州 Vanderbilt 大学医学部教授に招聘されると，内分泌研究室を立ち上げ，彼のライフワーク研究ともいえる HPA 系の病態生理の解明と，その診断・治療を目指した．Cushing 症候群の原因の鑑別診断に現在も用いられる少量・大量デキサメタゾン抑制試験やメトピロン試験の原理と臨床応用，異所性 ACTH 産生腫瘍の証明や異所性 ACTH 症候群を代表とする新たな疾患概念の樹立，SU4885（メトピロン）を代表とする種々のステロイド合成酵素阻害薬の作用機序の解明と副腎疾患への臨床応用など，彼が後世に残した業績は枚挙にいとまがない．

Liddle は Vanderbilt 大学で実に 16 年間（1968 − 1983）もの長きにわたり医学部長を務めた．その間，国内はもとより海外から多くの内分泌臨床医・研究者が彼のもとに集まり輝かしい研究成果を上げて衆目を集めるほど，当時 Vanderbilt は内分泌研究のメッカであった．彼の指導を受けた多くの国内外のフェローは内分泌研究や診療で指導的役割を果たし，彼の目指した physician・scientist の魂は国際的にも広く伝承されていった．ちなみに最初の日本人フェローは故 清水直容先生（帝京大学名誉教授）で，引き続き故 尾形悦郎先生（癌研究会附属病院名誉院長），故 阿部薫先生（国立がんセンター名誉総長）といったそうそうたる内分泌学者が彼の薫陶を受けた．残念ながら Liddle は 1983 年，脳卒中で倒れて現役を引退したが，後を引き継いだのは Cushing 症候群で有名な一番弟子の David N.Orth である．彼の伝記については清水先生の論文に詳しい（荒川規矩男編：高血圧研究の偉人達．先端医学社，2005；159 − 170）．

（兵庫県予防医学協会健康ライフプラザ健診センター　平田結喜緒）

4 TSH

第1章 基礎知識——E 下垂体前葉ホルモン

群馬大学大学院医学系研究科内分泌代謝内科学　**堀口和彦, 山田正信**

臨床医のためのPoint ▶▶▶

1. 血中甲状腺ホルモン値が基準範囲内であっても，視床下部-下垂体-甲状腺系が正常であれば，TSHは病態を鋭敏に反映する．
2. 副腎皮質ホルモンなどの薬剤により，TSHの分泌合成は抑制されることがある．
3. TSHの過剰分泌は，検査所見上血清T_4値が高値にもかかわらず血清TSHが検出されるSITSHを示す．

構造（図1）

　甲状腺刺激ホルモン（thyroid stimulating hormone, thyrotropin：TSH）は，LH，FSH，およびhCGと共通の構造であるαサブユニットと，TSH独自の構造であるβサブユニットの2つが非共有結合でつながった二量体を形成した糖蛋白質ホルモンである．下垂体前葉のTSH産生細胞において産生，分泌され，分子量は約28,000～30,000である．αサブユニットは，92個のアミノ酸からなり，2か所のアスパラギン残基に糖鎖が付加される．βサブユニットは，112個のアミノ酸からなり，1か所糖鎖が付加される．付加される糖鎖は，マンノースから分子が伸び，フコース，N-アセチルグルコサミン，ガラクトース，シアル酸などからなっており，TSHの安定性や生物学的活性に関与する．βサブユニットのみでは生物学的活性はなく，αサブユニットと結合することがTSHの生物学的活性には必須である[1]．

合成・分泌

　下垂体前葉におけるTSHの合成分泌は，おもに視床下部ホルモンであるTRHにより刺激され，甲状腺ホルモンにより抑制的に制御される（第1章 D. 視床下部ホルモン 5. TRH，図2参照）．さらにTRHは，TSHの糖鎖付加の調節をすることによって，TSHの生物学的活性を制御していると考えられている[2]．甲状腺ホルモンは，核内受容体である甲状腺ホルモン受容体（TR）にT_3が結合し，視床下部におけるTRH合成分泌を抑制し，下垂体ではTSH遺伝子の発現を抑制する[3]．さらに，下垂体におけるTRH受容体発現の減少や，TRH代謝の亢進することによりTSHの分泌を抑制する．また，視床下部で産生されるソマトスタチンは，TSHの基礎分泌，TRHによるTSHの分泌反応を抑制する．さらに，αアドレナリン経路の刺激は，TSH分泌に促進的に，ドパミン経路の刺激は抑制的に働く．妊娠初期や絨毛性疾患で過度に分泌されたhCGは甲状腺を刺激し，甲状腺ホルモンが上昇し，TSHは抑制される．また，副腎皮質ホルモンやドパミン様作用を示すL-DOPAなどの薬物によってもTSHは抑制される．

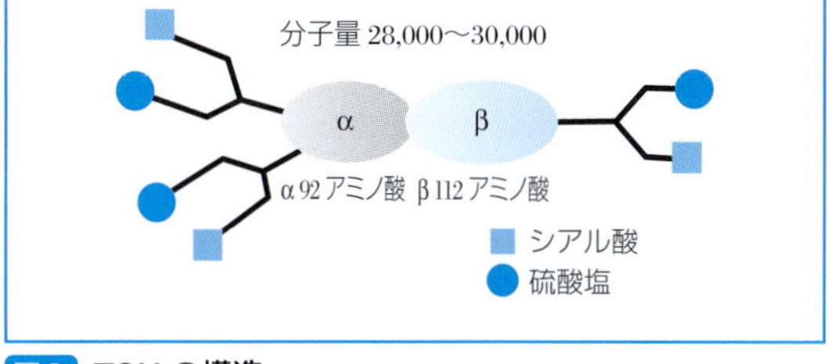

図1　TSHの構造

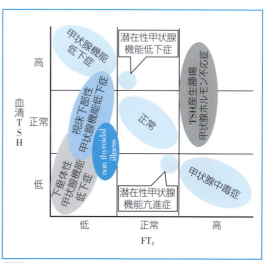

図2　TSHの異常値をきたす疾患

作　用

血液中に分泌されたTSHは甲状腺の細胞膜表面にあるTSH受容体に結合する．TSH受容体は，7回膜貫通型G蛋白質共役型受容体であり，TSHによる刺激を受けると甲状腺へのヨウ素取り込み，ヨウ素の有機化，サイログロブリン合成・促進，ヨードチロシンの縮合などが促進され，甲状腺ホルモン合成，分泌が促進される．

情報伝達系

7回膜貫通型G蛋白質共役型受容体に属するTSH受容体は，他の糖蛋白質ホルモン受容体と比較して，N末端側の細胞外領域に長い親水性領域を突き出しており，5～6か所ある糖鎖付加部位が三次構造形成に重要とされる．TSHによるTSH受容体の刺激は，アデニル酸シクラーゼ-cAMP経路と，ホスファジルイノシトール二リン酸(PIP_2)/Ca/アラキドン酸経路を介して伝達されると考えられている．

機能の評価方法

血清TSH値と甲状腺ホルモン(特にFT_4)を併せて測定し，甲状腺機能異常を評価する(図2)．FT_4が高値でTSHが低値であれば，バセドウ病，破壊性甲状腺炎などによる甲状腺中毒症である．逆にFT_4が低値でTSHが高値あれば原発性甲状腺機能低下症である．ただし，中枢性甲状腺機能低下症でもTSHが軽度高値を示すことがあり，注意が必要である．視床下部，下垂体に異常がなければ，TSHはFT_4の変化に対して鋭敏に反応するため，FT_4が基準範囲内で，TSHが低値，あるいは高値となる潜在性甲状腺中毒症や機能低下症が検出可能となる．

一方，FT_4が高値にもかかわらずTSHが基準値内～高値を示す状態は不適切TSH分泌症候群(syndrome of inappropriate secretion of TSH：SITSH)とよばれ，検出系の問題がなければ，中枢性のTSH過剰分泌が疑われ，TSH産生下垂体腺腫あるいは甲状腺ホルモン不応症の鑑別が必要となる．

逆にFT_4が低値であり，TSHが基準値内あるいは低値(時に軽度高値を示すことがある)であれば，視床下部，下垂体障害により中枢性甲状腺機能低下症が疑われる．TSH分泌能の評価にはTRH試験が用いられる．甲状腺中毒症では，TSH合成分泌は抑制されるためTSHの応答は消失あるいは低下する．逆に原発性甲状腺機能低下症では，TSHは過剰に反応する．

中枢性甲状腺機能低下症では，TRH試験における血中TSHが低または無反応，あるいは遷延または遅延反応を示すことが多い．遷延反応とは，120分後の頂値が60%以上の値を示す場合であり，遅延反応は，頂値が60分以降となる場合である．低反応の基準に明確な数値はないが，これまでの報告では，TRH 200あるいは500μg投与に対して，ΔTSHが4.0～5.0μIU/mL以下，あるいは規定値の2倍以下としている報告が多い．この場合，血中TSH基礎値が1.0μIU/mL以下の際の評価が問題となるが，TRH試験120分後の血中T_3増加率(健常者平均32%増加)を考慮して総合的に判断する必要がある[4]．また，この血中T_3増加率は，原発性甲状腺機能低下症を除外できていれば，生物学的活性が低下したTSHが分泌されている鑑別に参考となる[5]．視床下部性の場合は，TRHの1回または連続投与で正常反応を示すことがある．下垂体腺腫が大きい場合，TRH試験は下垂体卒中を発症する危険性があり，注意が必要である．

文献

1) Cohen RN, et al.：Chemistry and biosynthesis of thyrotropin. In：Braverman LE, et al.(eds), Werner & Inbar's the Thyroid：A fundamental and clinical test. 11th ed. Lippincott Williams & Wilkins, Philadelphia, 2021；157-173.
2) Beck-Peccoz P, et al.：Decreased receptor binding of biologically inactive thyrotriopin in central hypothyroidism. Effect of treatment with thyrotropin-releasing hormone. N Engl J Med 1985；312：1085-1090.
3) Lazar MA：Thyroid hormone receptors：multiple forms, multiple possibilities. Endocr rev 1993；14：184-193.
4) Yamada M, et al.：Mechanisms related to the pathophysiology and management of central hypothyroidism. Nat Clin Pract Endocrinol Metab 2008；12：683-694.
5) 山田正信，他：診断へのアプローチ 中枢性甲状腺機能低下症. 日本内科学会雑誌 2010；99：38-43.

5 PRL

北里大学病院内分泌代謝内科　髙野幸路

》》臨床医のための Point 》》》

1. PRLは乳腺の発育と乳汁分泌に関与するホルモンである．
2. PRL分泌は視床下部のドパミンにより抑制性の調節を受けており，視床下部や下垂体茎の障害により上昇する．
3. PRL分泌過剰はプロラクチノーマ以外の原因（薬物や視床下部障害）などでも起こる．

構造

PRLには下垂体から分泌される22 kDaの分子種（図1，2）と48 kDaのbig prolactin，150 kDaのbig big prolactinがある．後二者はPRL分子に抗体が結合した複合体の形であり生物活性は少ない．

合成

おもに下垂体のPRL産生細胞で産生されるが，乳腺，リンパ球，前立腺，妊娠中の脱落膜，子宮筋層でも産生される．PRLの生合成は転写因子のPIT-1によって調節されており，ドパミンで抑制される．子宮などの末梢で生合成されるPRLは下垂体と異なる遠位のプロモーターで発現調節されており，ドパミンの影響は受けない．

エストロゲンは*PRL*上流に作用し転写促進し，PRL細胞の増殖を促し，PRL分泌を促進することが知られている．またドパミンの抑制をもたらす．

分泌調節

1 生理的変動

PRL濃度の変動には，日内変動によるものと性周期によるものがある．PRLは睡眠中に高くなり，またストレスにより分泌刺激される．妊娠中の女性では妊娠の進行に伴い徐々に増加し，full termで非妊娠時の10倍の200 ng/mLに達し，乳腺を発達させる．妊娠中に増加したPRLは出産後，吸啜刺激がないと低下するが，吸啜により1～3分で血漿中の濃度が上がり始め，吸啜後10分をピークとするPRL分泌が起こる．その後の1～3か月で徐々に低下して正常に近づき，吸啜による上昇も少なくなる．PRL上昇中は無月経が続く．また，授乳時間とPRL値には正相関があり，授乳が多いと血中PRL値は高値で，無月経も続く．吸啜による乳頭刺激があると産生が維持される．この刺激は，乳頭周囲の機械受容器により感知されて脊髄から視床下部に伝わり，PRL産生分泌を促す．吸啜刺激はオキシトシン分泌も促進し，射乳を促す．吸啜刺激がなくなると3～4週で乳汁分泌は終了する．高PRLによりGnRH放出パルスが抑制され，性周期が消失する．

2 分泌調節機構

視床下部はPRL分泌をおもに抑制するように制御している．視床下部門脈系を途絶すると，PRLは中等度上昇する．視床下部の支配を離れるとPRL分泌が増加することは1954年にEverettらが報告した．その後隆起漏斗系からのドパミンがこのPRL抑制因子（prolactin-inhibiting factor：PIF）であることが明らかになった．授乳などの生理的PRL分泌刺激においてはドパミンの低下とvasoactive intestinal peptide（VIP）などのPRL放出因子（prolactin-releasing factor：PRF）の増加の両者が同時に起こっていると考えられている．このドパミンを産生する神経細胞は視床下部の弓状核の背内側核と腹内側核の下部に存在する．この神経路は隆起漏斗ドパミン系（tuberoinfundibular dopamine pathway：TIDA pathway）として知られ，軸索は正中隆起の外層に投射する．

セロトニンもPRL分泌に関与する可能性がある．セロトニンの神経細胞体はおもに背側縫線核と正中縫線核に存在し，視床下部やほかの辺縁系，大脳皮質の神経線維を投射している．背側縫線核の障害によってPRLの基礎分泌と刺激による分泌は減弱し，この部位の刺激でPRLは増加する．

セロトニンは全身投与でも第三脳室投与でもPRL分泌を促進する．セロトニン合成阻害薬，セロトニン受容体拮抗薬，選択的セロトニン再取り込み阻害薬（selective serotonin reuptake inhibitor：SSRI）を用いた研究により，セロトニンが吸啜刺激によるPRL分泌やproestrousのPRL増加に関

```
         10            20            30            40            50            60
    MNIKGSPWKG    SLLLLLVSNL    LLCQSVAPLP    ICPGGAARCQ    VTLRDLFDRA    VVLSHYIHNL
         70            80            90           100           110           120
    SSEMFSEFDK    RYTHGRGFIT    KAINSCHTSS    LATPEDKEQA    QQMNQKDFLS    LIVSILRSWN
        130           140           150           160           170           180
    EPLYHLVTEV    RGMQEAPEAI    LSKAVEIEEQ    TKRLLEGMEL    IVSQVHPETK    ENEIYPVWSG
        190           200           210           220
    LPSLQMADEE    SRLSAYYNLL    HCLRRDSHKI    DNYLKLLKCR    IIHNNNC
```

図1 PRLの一次分子構造

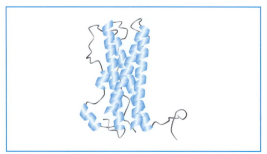

図2 PRLの立体構造

与していることが明らかになっている．セロトニン分泌を刺激する薬剤やセロトニン作動薬は，S_2受容体を介してPRL増加を引き起こす．抗うつ薬によるPRL分泌にこの機構が関与している．セロトニンの作用が直接作用か間接作用かは明らかになっていない．セロトニン神経終末はドパミン神経の細胞体にシナプス結合しており，ドパミン分泌抑制を介して間接的に作用している可能性がある．PRFの候補としては，TRH，VIPのほかに数種類あげられている．これらは外から投与するとPRL分泌を促進することが多くの場合明らかになっているが，それらが生理的なPRFであるかについては確定的なことがわかっていない．

作　用

PRLは哺乳類では乳腺に対する作用が最もよく知られているが，魚類にも存在し水分や塩類の調節を行っていると考えられている．PRLはサイトカインファミリーに属し，免疫調節作用，成長，分化，抗アポトーシス作用を有する．300以上の作用が報告されており，内分泌代謝調節，脳機能調節，行動調節，繁殖，免疫系の調節，造血，血管形成，凝固系にも関与する．

ヒトで最もよく知られている作用は乳腺の発育と乳汁産生である．妊娠中に増加したPRLは乳腺に作用し，乳腺組織を肥大させ乳汁産生を準備する．しかし，妊娠中には増加したプロゲステロンの作用で乳汁産生は抑制されており，妊娠後期にプロゲステロン濃度が低下すると乳汁産生が初めて開始され，哺乳の刺激により乳汁分泌が起こる．さらには黄体の構造と機能を維持させプロゲステロン分泌を維持させる．また，母性行動の誘導にも関与する．

また，マウスにおいては胎生期に母胎から作用して将来の母性行動の誘導に関与することが報告されたが，ヒトでの機能消失変異型のプロラクチン受容体異常症の症例では，高プロラクチン血症があるものの，母性行動に問題がなかったことが報告されている．

情報伝達系

PRL受容体はJAK2のチロシンリン酸化を介してSTATを活性化し，MAP kinaseやSrc経路の活性化を介して作用する．

機能の評価方法

1 PRL分泌低下

基礎値の低下とTRH試験に対する反応性の低下で判断する．

2 高プロラクチン血症

高プロラクチン血症の原因としては，プロラクチノーマ以外にも，妊娠，心理的ストレス，薬剤（SSRI，セロトニン・ノルアドレナリン再取り込み阻害薬〈SNRI〉，抗精神病薬，制吐薬），原発性甲状腺機能低下症，視床下部障害・下垂体茎圧迫，マクロプロラクチン血症，など多くのものがある．

非ストレス下で正常上限を超えた際に高プロラクチン血症と診断する．

文献

1) Goffin V, et al.：Prolactin：the new biology of an old hormone. Annu Rev Physiol 2002；**64**：47-67.

第1章 基礎知識──F 下垂体後葉ホルモン

1 AVP

名古屋大学大学院医学系研究科糖尿病・内分泌内科学　有馬　寛

> **臨床医のための Point**
>
> 1. AVPは抗利尿ホルモンであり，腎臓の集合管に発現するV_2受容体を介して水の再吸収を促す．
> 2. AVP分泌はわずかな血漿浸透圧（あるいは血中Na）の上昇にも反応して増加する．
> 3. AVPの抗利尿作用は血漿AVP濃度5 pg/mLまではAVP濃度に応じて直線的に増加する．

構造

バソプレシン（arginine vasopressin：AVP）は9個のアミノ酸からなる分子量約1,000のペプチドであり，1位のシステインと6位のシステインがS-S結合に結ばれた結果，環状構造を呈する．またAVPのC端のアミノ酸残基であるグリシンはアミド化されている．

合成

AVPは視床下部視索上核および室傍核の大細胞の核内で遺伝子情報が転写されたあとに粗面小胞体上のリボソームにおいてまず大分子のプレプロAVPとして翻訳される[1]（図1）．プレプロAVPはシグナルペプチド，AVP，ニューロフィジン，グリコプロテインから構成されるが，シグナルペプチドは小胞体腔に前駆体が入る際のマーカーであり，この過程で切断されプレプロAVPはプロAVPとなる．プロAVPは小胞体内で折りたたまれ，Golgi装置を経て分泌顆粒に入り，軸索輸送により下垂体後葉まで運ばれる過程でAVP，ニューロフィジン，グリコプロテインにクリベージされる．93個のアミノ酸からなるニューロフィジンは7個のS-S結合によって立体構造を呈し，細胞内輸送におけるAVPの安定化に寄与していると考えられている．一方，39個のアミノ酸からなるグリコプロテインの生理学的な役割に関しては明らかではない．

下垂体後葉の神経終末からAVPが血中に分泌されると，後葉に蓄えられるAVPが減少するためそれを補充するべくAVPの合成が亢進する．すなわちAVPの合成は以下に述べるAVP分泌調節と連動し，血漿浸透圧の上昇および循環血液量（血圧）の低下に反応して増加する[2〜4]（図2）．

分泌調節

AVP分泌はおもに血漿浸透圧および循環血液量（あるいは血圧）によって調節されている．

1 血漿浸透圧

血漿浸透圧の上昇は第三脳室の前壁に存在するとされる浸透圧受容体で感知され，その情報が視床下部の視索上核および室傍核大細胞のAVPニューロンに伝えられる[2]．血漿浸透圧は血中Na，血糖，尿素窒素により構成されるが，このうちAVPの分泌に最も重要な影響を与えるのは血中Naである．血中NaによるAVP分泌調節は極めて精密であり，血中Naのわずかな上昇もAVP分泌を有意に上昇させる[2]．

2 循環血液量

循環血液量の変化は心房に存在する容量受容体で感知され，迷走神経を介して脳幹部の孤束核にそのシグナルが伝えられたのちに視床下部に情報が伝えられる[2]．また圧受容体は頸動脈や大動脈弓に存在し，血圧の変化も孤束核を介して視床下部にその情報が伝えられる．血漿浸透圧による調節が非常に精密であるのに対し，10%以内の血圧低下を伴わない循環血液量の低下はAVP分泌に有意な影響を与えない．一方，10〜20%以上の急激な循環血液量の低下に血圧低下を伴うと，AVP分泌は有意に上昇する[4]．

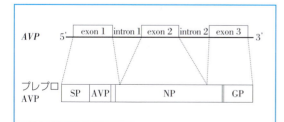

図1　AVPとプレプロAVP
3つのエクソン（exon 1, 2, 3）と2つのイントロン（intron 1, 2）から構成されるAVPおよびシグナルペプチド（SP），AVP，ニューロフィジン（NP），グリコプロテイン（GP）から構成されるプレプロAVPを示した．

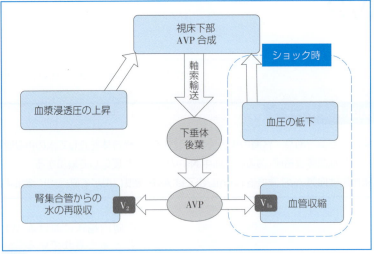

図2 AVPの合成・分泌
AVPはV₂受容体を介して血漿浸透圧を一定に保つように働くが，ショック時にはV₁ₐ受容体を介して血管を収縮させ，血圧を上昇させる方向に働く．

作　用

血中 Na の上昇に反応して血液中に分泌された AVP は，腎臓の集合管に発現する V_2 受容体を介して水の再吸収を促す．一方，血中 Na の低下は AVP 分泌を抑制して自由水のクリアランスを増加させる．こうした AVP の作用により尿の浸透圧は 50～1,200 mOsm/kg の範囲で変化し，血中 Na は一定の値に保たれる．すなわち血中 Na のわずかな変化も AVP の作用によりキャンセルされることになる．一方，AVP の抗利尿作用は血漿 AVP 濃度 5 pg/mL までは濃度依存的であるが，それ以上の濃度では AVP の抗利尿作用はプラトーとなる[2]．

血圧低下に反応して分泌された AVP は時に 100 pg/mL 以上の濃度にも達し，血管に発現する V_{1a} 受容体を介して血管を収縮することにより血圧を上昇させる．このようなショック状態においては，血漿浸透圧を一定に保つことより血圧を上昇させる機構が優位になると理解できる（図2）．抗利尿ホルモン（ADH）がバソプレシン（vaso＝血管，pressin＝収縮）とよばれるゆえんがここにある．

情報伝達系

AVP が腎集合管の主細胞の血管側細胞膜に存在する V_2 受容体に結合すると，G 蛋白を介して主細胞内の cAMP が増加し，プロテインキナーゼ A（PKA）が活性化される．PKA は水チャネルであるアクアポリン 2（AQP2）をリン酸化し，リン酸化された AQP2 は管腔膜へ移動し癒合して水の再吸収を促す．

機能の評価方法

AVP の抗利尿作用により尿浸透圧は上昇し，血漿浸透圧および血中 Na 濃度は低下することから，血漿 AVP 値，血漿浸透圧（血中 Na）および尿浸透圧の値によって AVP の抗利尿作用が類推できる．

文献

1) Gainer H, et al.：The magnocellular neuronal phenotype：cell-specific gene expression in the hypothalamo-neurohypophysial system. *Prog Brain Res* 2002；**139**：1-14.
2) Robertson GL：Posterior Pituitary. In：Felig P, et al.（eds），*Endocrinology and Metabolism*. 3rd ed, McGraw-Hill, New York, 1995；385-432.
3) Arima H, et al.：Rapid and sensitive vasopressin heteronuclear RNA responses to changes in plasma osmolality. *J Neuroendocrinol* 1999；**11**：337-341.
4) Kakiya S, et al.：Effects of acute hypotensive stimuli on arginine vasopressin gene transcription in the rat hypothalamus. *Am J Physiol Endocrinol Metab* 2000；**279**：E886-E892.

第1章 基礎知識——F 下垂体後葉ホルモン

2 オキシトシン

産業医科大学医学部第1生理学　上田陽一

臨床医のための Point ▶▶▶

1. オキシトシンは，AVPと同様に視床下部で産生され，下垂体後葉から血中に分泌される下垂体後葉ホルモンの1つである．
2. 血中に分泌されたオキシトシンは，オキシトシン受容体を介して分娩時の子宮筋収縮および授乳時の射乳を引き起こす．
3. オキシトシンは，女性のみならず男性でも産生・分泌されており，多彩な末梢作用とともに中枢作用をもつ．

構造

オキシトシンは，その構造決定から70年近く経つが，いまだ新しい生理機能が注目される古くて新しいホルモンである．

オキシトシン(oxytocin)という名称は，"早い出産(quick birth)"のギリシャ語(okytokos)に由来する．20世紀初頭に，Sir Henry Daleにより下垂体後葉からの抽出物が子宮を収縮させることや乳汁分泌を惹起することが発見された．20世紀中頃には，Vincent du Vigneaudらによってオキシトシンの9個のアミノ酸構造が決定され，ペプチドホルモンとして初めて人工的に合成された(1955年ノーベル化学賞受賞)．その後，1980年代から1990年代にかけて，オキシトシン遺伝子の構造が明らかとなり，オキシトシン受容体遺伝子とその構造も決定された[1]．現在もなお，オキシトシンは分娩誘発薬として臨床において使用されている．

オキシトシンは，AVPと同様に9個のアミノ酸からなる．1，6番目にシステイン(Cys)をもち，ジスルフィド(S-S)結合による環状構造をとり，7〜9番目のアミノ酸が側鎖を形成する．

合成

オキシトシン遺伝子は，ヒト第20染色体(20p13，マウスでは第2染色体)上にAVPと向き合って存在する[2]．どちらの遺伝子も3つのエクソンと2つのイントロンからなり，エクソンの部分は，シグナルペプチド(SP)，オキシトシン(OXT)およびニューロフィジンI(AVPの場合，ニューロフィジンII)をコードしている(図1[2]参照)．転写・翻訳されたのちにオキシトシンを含む大きな前駆体が合成され，小胞体および分泌顆粒内でプロセシングを受けてオキシトシンとなる．ニューロフィジンIは，93個のアミノ酸からなり，オキシトシンの輸送蛋白という役割以外にはその生理作用は不明である．

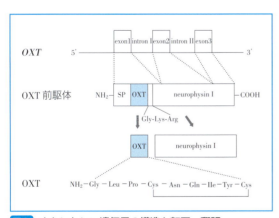

図1　オキシトシン遺伝子の構造と転写・翻訳
3つのエクソン(exon 1, 2, 3)と2つのイントロン(intron I, II)からなるオキシトシン(OXT)遺伝子，転写後のOXT前駆体，およびプロセシング後の9個のアミノ酸からなるOXTおよびニューロフィジンI(neurophysin I)を示した．オキシトシンとニューロフィジンIのあいだにプロセシングシグナルおよびアミド化のための配列(Gly-Lys-Arg)がある．
〔Young WS 3rd, *et al*.: Transgenesis and the study of expression, cellular targeting and function of oxytocin, vasopressin and their receptors. *Neuroendocrinology* 2003；**78**：185-203 より改変〕

分泌調節

オキシトシンは，視床下部室傍核および視索上核に局在する大細胞性神経分泌ニューロンの細胞体で産生され(図2[3]参照)，下垂体後葉に投射した軸索終末から活動電位依存性に分泌される．分

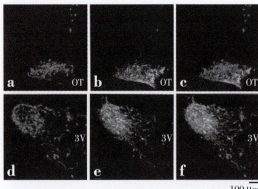

図2 視床下部におけるオキシトシン産生ニューロン(赤色蛍光)およびAVP産生ニューロン(緑色蛍光)

ラット視床下部の視索上核(a, b, c)および室傍核(d, e, f)に限局するオキシトシン産生ニューロン(赤色蛍光:a, d)およびAVP産生ニューロン(緑色蛍光:b, e)の写真を重ねて解剖学的位置関係(c, f)を示した。これらのラットは、オキシトシンおよびAVPに赤色もしくは緑色蛍光蛋白を挿入したトランスジェニック動物である[3]。OT:視神経、3V:第三脳室

〔Katoh A, et al.: Highly visible expression of an oxytocin-monomeric red fluorescent protein 1 fusion gene in the hypothalamus and posterior pituitary of transgenic rats. *Endocrinology* 2011;**152**:2768-2774より一部抜粋〕

(▶口絵カラー②, p.ii参照)

娩末期や授乳期に末梢からの感覚情報(胎児頭下降による子宮口伸展刺激や乳児の乳頭吸啜刺激)によって視床下部のオキシトシン産生ニューロンが同期して興奮し、下垂体後葉に投射した神経終末から血中に大量のオキシトシンが分泌される。

またラットでは雌雄にかかわらず、コレシストキニンの末梢投与により、胃からの求心性迷走神経入力および脳内ノルアドレナリン系を介してオキシトシン産生ニューロンが興奮し、下垂体後葉の神経終末からオキシトシンを血中に分泌する。この分泌反応は、摂食抑制を引き起こし、嘔気(嘔吐)に関連しているらしい。

一方、オキシトシン産生ニューロンの細胞体および樹状突起からもオキシトシンが分泌され、神経核内および脳内でオキシトシンが作用して高次脳機能に関与することが報告されている[4]。このオキシトシン分泌は必ずしも活動電位に依存しておらず、細胞内Ca^{2+}濃度の上昇が重要である[5]。

作用

オキシトシンは、7回膜貫通型かつG蛋白共役型のオキシトシン受容体(oxytocin receptor:OTR)を介して生理作用を発揮する。OTRは、末梢臓器では、子宮筋、乳腺、卵巣、膣、精巣のLeydig細胞、腎臓、心臓などに存在する。中枢神経系では、嗅球、大脳皮質、基底核、辺縁系、視床、視床下部、中心灰白質、縫線核などに存在する。

末梢作用としては、分娩時の子宮筋収縮、授乳期の射乳のほか、黄体機能の調節、卵の輸送、輸精管の収縮、水電解質代謝調節、骨形成、骨格筋維持、腸炎の抑制などの作用が報告されている。中枢神経系では、ストレス・疼痛の緩和、報酬系・セロトニン系の活性化信頼感、夫婦・親子の愛情(子育て行動)、飼い主と犬との絆形成、社会性に関与することが報告されている。自閉症等の精神神経疾患とオキシトシンの関連や肥満治療への可能性[6]についても注目されている。

情報伝達系

OTRは、$G\alpha_{q/11}$蛋白と結合しており、オキシトシンがOTRに結合するとホスホリパーゼC(PLC)を活性化させる。その結果、ホスファチジルイノシトール二リン酸(PIP_2)よりジアシルグリセロール(DG)とイノシトール1,4,5-三リン酸(IP_3)が産生され、DGはプロテインキナーゼC(PKC)を活性化し、IP_3は小胞体のIP_3受容体を介して細胞内Ca^{2+}濃度を上昇させる。一方、$G\alpha i3$蛋白とも結合しており、アデニル酸シクラーゼ(AC)を抑制する系も報告されている。

最近、終末糖化産物の受容体タンパク(RAGE)にオキシトシンが結合して血液脳関門を通過し、脳内に運ばれることが報告された[7]。

機能の評価方法

オキシトシン遺伝子のノックアウトマウスおよびOTRのノックアウトマウスが作製されたが、いずれも生殖行動および分娩に明らかな異常はみられなかったが、射乳が生じないことから乳児は餓死し、オキシトシンは射乳には必須のホルモンであることが明らかとなった。これらのノックアウトマウスは、不安行動や社会性行動にも異常がみられた。*Cd38*のノックアウトマウスではオキシトシンの分泌が低下し、子育て行動に異常がみられたことも報告された。

臨床ではオキシトシン感受性テストがヒト子宮筋のオキシトシン感受性を、オキシトシンチャレンジテストが胎児の予備能を評価するために行われることがある。

文献

1) Kimura T, et al.: Structure and expression of a human oxytocin receptor. *Nature* 1992;**356**:526-529.
2) Young WS 3rd, et al.: Transgenesis and the study of expression, cellular targeting and function of oxytocin, vasopressin and their receptors. *Neuroendocrinology* 2003;**78**:185-203.
3) Katoh A, et al.: Highly visible expression of an oxytocin-monomeric red fluorescent protein 1 fusion gene in the

hypothalamus and posterior pituitary of transgenic rats. *Endocrinology* 2011;**152**:2768-2774.
4) Ludwig M, *et al.*: Dendritic peptide release and peptide-dependent behaviours. *Nat Rev Neurosci* 2006;**7**:126-136.
5) Higashida H: Somato-axodendritic release of oxytocin into the brain due to calcium amplification is essential for social memory. *J Physiol Sci* 2016;**66**:275-282.
6) Maejima Y, *et al.*: The hypothalamus to brainstem circuit suppresses late-onset body weight gain. *Sci Rep* 2019;**9**:18360.
7) Yamamoto Y, *et al.*: RAGE regulates oxytocin transport into the brain. *Commun Biol* 2020;**3**:70.

▶ Column

Wylie W. Vale(1941－2012)

　Salk 研究所の Wylie W. Vale が本年 1 月に急逝した．彼は大学を卒業後，Roger Guillemin の視床下部ホルモンの研究に興味をもち，1964 年に Baylor 医科大学の Guillemin の研究室に入った．その後，1970 年に Guillemin とともにラホヤの Salk 研究所に移り，ノーベル生理学・医学賞の受賞理由となった Guillemin の TRH，GnRH，ソマトスタチンの単離，構造決定に貢献した．1978 年には Rivier 夫妻らとともに Salk 研究所内の別の建物に研究室を設け，Guillemin から独立した．そして 1981 年に CRH の構造決定に成功し，翌年には Guillemin らとほぼ同時にそれぞれ異なった異所性 GHRH 産生腫瘍を用いて GHRH の構造を明らかにした．
　その後，CRH の受容体のサブタイプのクローニングに成功し，さらにこれら受容体に親和性を有するウロコルチン 1，ウロコルチン 2，ウロコルチン 3 を発見し，それらのアミノ酸配列構造を明らかにした．CRH は下垂体に作用し ACTH の分泌を促進する視床下部ホルモンとして発見されたが，Vale らの功績により同ペプチドが，ストレス下で ACTH の分泌を促進するのみならず，自律神経，消化管，心血管，行動，摂食・エネルギー代謝，情動などの多くの変化の出現機序に関与していることが明らかになり，ストレス学の研究が大きく前進した．

〈日本医科大学名誉教授　芝﨑　保〉

第2章 臨床知識——A 総論

1 下垂体疾患の疫学と予後

国立保健医療科学院生涯健康研究部　**横山徹爾**

> **》》 臨床医のための Point 》》》**
>
> 1. 疾患の頻度を記述するための主要な指標には、罹患率、有病率、死亡率等がある。
> 2. これらは全国疫学調査、患者調査、人口動態統計、脳腫瘍統計、特定医療費(指定難病)受給者証所持者数等により把握される。
> 3. 性・年齢別の頻度分布と下垂体機能異常の病因に注目する。

はじめに

　疾病の頻度を記述するための主要な指標には、①罹患率、②有病率、③死亡率の3つがある。罹患率は一定期間中(通常は1年間)に新しく当該疾病に罹患した患者数を人口当たりで表したものである。罹患率を正確に把握することは一般にむずかしく、下垂体疾患の罹患率に関する情報は乏しい。有病率はある一時点において当該疾病の罹病状態にある者の割合である。未受療者を含めた有病率を把握することは困難であるが、厚生労働省研究班による全国疫学調査[1,2]および厚生労働省の患者調査[3,4]により、医療機関を受療している"総患者数"(11月の調査時点において継続的に医療を受けている患者の全国総数)が推計されており、これを人口で除した値が有病率に比較的近い(ただし受療者に限られる)指標である。また、指定難病については、特定医療費(指定難病)受給者証所持者数[5]も全国患者数の参考値となりうるが、受給申請したうえで認定基準に合致した者に限られるという点に留意が必要である。死亡率は一定期間中(通常は1年間)に当該疾病を原死因(死亡診断書に記載された病名で最も元となったと考えられる疾患)とする死亡数を人口当たりで表したもので、人口動態統計によって把握可能であるが、必ずしも下垂体疾患が原死因として選択されるとは限らず、致命率の低い疾患では罹患率よりも大幅に小さな値となりやすい。The committee of Brain Tumor Registry of Japan の脳腫瘍統計[6]では、全国の協力病院から脳腫瘍患者を登録し、追跡調査によって予後の把握も行われている。これらの資料に基づき、下垂体疾患の頻度等について概説する。

下垂体機能の異常

1 下垂体前葉機能低下症

　厚生労働省研究班の全国疫学調査[1]によると、わが国において2000年1年間に成人下垂体機能低下症で医療機関を受療した18歳以上の推計患者数は、表1のとおりである。男女計では、ACTH、TSH、ゴナドトロピン(LH、FSH)、GH、PRL分泌低下症の順に多い。PRL分泌低下症は

表1 成人下垂体機能低下症の推計患者数*

	男女計		男性		女性		男/女比
	推計患者数	人口10万対	推計患者数	人口10万対	推計患者数	人口10万対	
成人下垂体機能低下症　計	7,100	6.8	3,500	7.0	3,600	6.7	0.97
ゴナドトロピン(LH、FSH)分泌低下症	3,000	2.9	1,400	2.8	1,600	3.0	0.88
PRL 分泌低下症	770	0.7	270	0.5	500	0.9	0.54
ACTH 分泌低下症	4,200	4.0	2,200	4.4	2,000	3.7	1.10
TSH 分泌低下症	3,300	3.2	1,600	3.2	1,800	3.4	0.89
GH 分泌不全症	1,900	1.8	890	1.8	970	1.8	0.92
AVP 分泌低下症の合併	1,900	1.8	1,000	2.0	880	1.6	1.14

*：2000年1年間に全国の医療機関を受療した18歳以上の患者数。

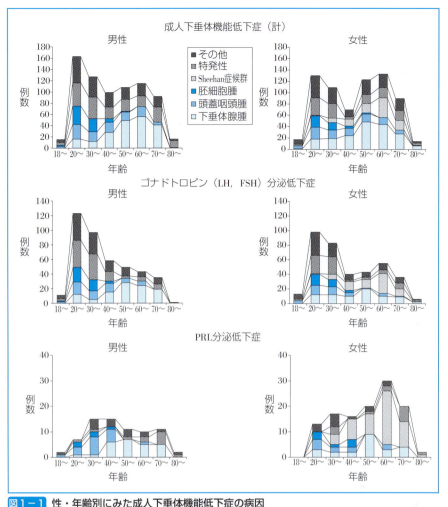

図1-1 性・年齢別にみた成人下垂体機能低下症の病因
〔横山徹爾, 他:成人下垂体機能低下症の全国疫学調査成績. 厚生労働省特定疾患間脳下垂体機能障害に関する調査研究班. 平成13年度総括研究事業報告書. 2002;161-169より引用〕

女性が多く, それ以外では男女差はあまりない. 過去の報告では女性がやや多いとされていたが, 近年における産科医療の進歩および出生数の低下によりSheehan症候群が減少していることが男女差の縮小に寄与している可能性がある. なお, 無症状等のため医療機関を受療していない患者数は含まれていないので, 実際の患者数はこれよりも多いと考えられる.

性・年齢分布と病因を図1[1)]に示す. 成人下垂体機能低下症全体でみると, 男女とも20歳代で多く40歳代にかけて少なくなるが, 60歳代に再び山がある二峰性の分布で, 特に女性でその特徴が顕著である. 二峰性となる理由は, 年齢によって病因が大きく異なるためと考えられる. つまり, 男性では下垂体腺腫を病因とする症例数が高齢者ほど多く, 逆に胚細胞腫・頭蓋咽頭腫が若年層で多いため, 40歳代を境として二峰性分布となる. 女性ではこれらに加えて, 高齢側でSheehan症候群を病因とする症例が多いという特徴があるため, 二峰性分布がより顕著となる. 40〜60歳代にかけてもSheehan症候群を病因とする者が多くなっていることから, これは年齢差というよりも"世代差"と考えるべきであろう. 各ホルモン分泌低下症の性・年齢分布で男女差が目立つものは, おおむねSheehan症候群の世代差に由来しているようである.

20歳未満の患者数は明らかでないが, 平成20 (2008)年患者調査[3)]によると, 下垂体機能低下症で受療している総患者数は, 0〜9歳で1,200人 (人口10万対21), 10〜19歳で1,400人(人口10万対22)と推計される.

2 下垂体前葉機能亢進症

厚生労働省研究班の全国疫学調査[2)]によると, わが国で1998年1年間に受療した推計患者数(全

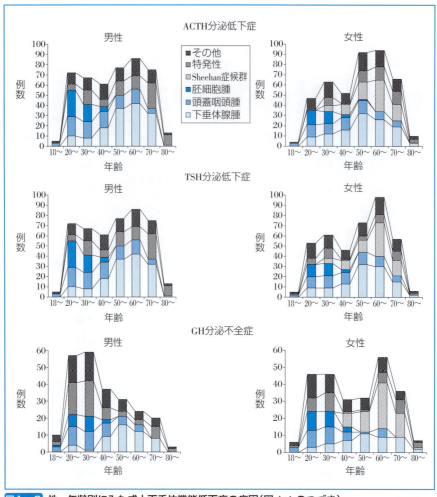

図1-2 性・年齢別にみた成人下垂体機能低下症の病因（図1-1のつづき）
〔横山徹爾, 他：成人下垂体機能低下症の全国疫学調査成績. 厚生労働省特定疾患間脳下垂体機能障害に関する調査研究班. 平成13年度総括研究事業報告書. 2002；161-169より引用〕

年齢男女計）は，PRL分泌過剰症12,400人（人口10万対9.8），ゴナドトロピン分泌過剰症9,500人（同7.5），うち中枢性思春期早発症1,800人（同1.4），多嚢胞性卵巣症候群7,000人（同10.8），下垂体ゴナドトロピン産生腺腫320人（同0.3）であった．

3 AVP分泌異常症

前述の全国疫学調査[2]による1998年1年間の受療患者数は，AVP分泌低下症（尿崩症）4,700人（人口10万対3.7），AVP分泌過剰症（SIADH）1,700人（同1.3）と推計される．

4 間脳下垂体機能障害（指定難病）

令和元年度末の特定医療費（指定難病）受給者証所持者数[5]は，下垂体性ADH分泌異常症3,294人，下垂体性TSH分泌亢進症145人，下垂体性PRL分泌亢進症1,997人，Cushing病828人，下垂体性ゴナドトロピン分泌亢進症38人，下垂体性成長ホルモン分泌亢進症4,303人，下垂体前葉機能低下症17,495人である．

下垂体腫瘍

1 下垂体腺腫

2005〜2008年の脳腫瘍統計[6]によると，原発性脳腫瘍のうち下垂体腺腫（WHO2007分類による）が19%である．非機能性腺腫が57%，機能性腺腫が43%（GH産生18%，PRL産生12%，ACTH産生5%，ゴナドトロピン産生5%，GH-PRL産生1%，TSH産生1%）である．人口10万対の年平均登録数（図2：折れ線グラフ）では50〜70歳代の男女にピークがあり，20歳代では特に女性が高い．脳腫瘍統計の登録率を仮に25〜35%と仮定すると[7]，実際の発症数はこの3〜4倍程度の可能性がある．

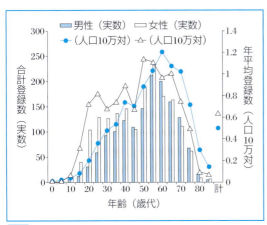

図2 下垂体腺腫登録数（実数および人口10万対，脳腫瘍統計2005〜2008年）

実数は文献6より引用．人口10万対は当該期間の延べ人口で除して算出．

a) 総患者数

平成29年患者調査[4]によると，下垂体腫瘍の総患者数は約9,000人と推計されており，人口10万対では約7.1である．

b) 罹患率

脳腫瘍統計と人口動態統計に基づくKanekoらの推計[7]によると，年齢調整罹患率（昭和60〈1985〉年モデル人口に調整）は，1993年に人口10万対2〜3程度で女性がやや高い．経時的にみると，1970年代に下垂体腫瘍の罹患率に急な増加が認められ，1980年以降は比較的緩やかな変化となっている．このような経時変化にはCTの導入等による診断技術の変化が影響している可能性がある．なお，このデータは年齢構成を昭和60年モデル人口に合わせたものであるという点に留意されたい．高齢化が進むと，年齢調整していない粗罹患率はこの値よりも高くなる．

c) 死亡率

下垂体腺腫のように致命率の低い疾患では，死亡率は罹患率に比べて非常に小さな値をとりやすい．2005〜2016年の人口動態統計によると，下垂体腫瘍を原死因とする死亡数は年平均69人である．ただし，Cushing病等のホルモン異常症として分類され，死亡診断書に下垂体腫瘍と明記されなかったものは含まれていないので，実際にはこれよりも多い可能性がある．人口10万対の粗死亡率は男性0.056，女性0.053である．

d) 予後

脳腫瘍統計の追跡調査結果によると，2005〜2008年の下垂体腺腫全体の5年生存率（および5年無増悪生存率）は，GH産生腺腫99.3%（94.5%），PRL産生腺腫98.7%（94.8%），ACTH産生腺腫99.2%（86.5%），非機能性腺腫98.2%（86.7%）である．

2 頭蓋咽頭腫

脳腫瘍統計に登録された原発性脳腫瘍のうち，頭蓋咽頭腫は2.2%を占める．人口10万対の年平均登録数を年齢別にみると，男女ともに小児期と壮年期以降の二峰性である．

a) 総患者数

平成29年患者調査によると，頭蓋咽頭腫の総患者数は約1,000人（千人単位での集計のため，500〜1,500の範囲）と推計されており，人口10万対では約0.8である．

b) 死亡率

2008〜2012年の人口動態統計によると，頭蓋咽頭腫を原死因とする死亡数は年平均20人，人口10万対の粗死亡率は男性0.018，女性0.014である．

c) 生命予後

脳腫瘍統計の追跡調査結果によると，2005〜2008年における頭蓋咽頭腫の5年生存率（および5年無増悪生存率）は96.4%（68.0%）である．

3 胚細胞腫瘍

脳腫瘍統計に登録された原発性脳腫瘍のうち胚細胞腫瘍は2.2%である．germinoma（胚細胞腫）が70.0%で多く，次いで奇形腫が14.5%である．20歳未満が64%，30歳未満が90%を占める．同統計によるpure germinomaの5年生存率（および5年無増悪生存率）は99.1%（95.4%）である．

4 髄膜腫

脳腫瘍統計に登録された全脳腫瘍（原発性）のうち髄膜腫は23.8%である．

おわりに

わが国では昭和43（1968）年以来，間脳下垂体機能障害に関する疫学調査を実施している．受療患者数と臨床疫学的特性は時代とともに変化していくことが予想されるので，今後も定期的に全国規模での調査を実施し，また指定難病の臨床調査個人票を活用してその疫学的特徴を記述していく必要がある．脳腫瘍統計はわが国における脳腫瘍の頻度を把握する主要な統計調査であるが，罹患率推計のために，登録率を把握する仕組みが望まれる．

文献

1) 横山徹爾，他：成人下垂体機能低下症の全国疫学調査成績．厚生労働省特定疾患間脳下垂体機能障害に関する調査研究班．平成13年度総括研究事業報告書．2002；161-169．
2) 大野良之編：特定疾患治療研究事業未対象疾患の疫学像を把握するための調査研究班．平成11年度研究業績集—最終報告書—．2000；202-238．

3) 横山徹爾, 他：平成20年患者調査による難病の受療状況データブック. 平成22年度厚生労働科学研究費補助金難治性疾患克服研究事業 特定疾患の疫学に関する研究班. 2010；236-237.
4) 厚生労働省：平成29年度患者調査. 2018年.
5) 厚生労働省：令和元年度衛生行政報告例. 2020年.
6) The committee of Brain Tumor Registry of Japan: Report of Brain Tumor Registry of Japan (2005-2008), 14th edition. *Neurologia medico-chirurgica* 2017；**57**(Suppl-1).
7) Kaneko S, *et al.*：Trend of brain tumor incidence by histological subtypes in Japan：estimation from the Brain Tumor Registry of Japan, 1973-1993. *J Neurooncol* 2002；**60**：61-69.

▶Column

Kalman T. Kovacs (1926 −)

　Kovacs先生は下垂体腫瘍病理学の発展に最も貢献したハンガリー生まれの病理学者である．先生は出身のSzeged大学で病理学・内分泌学を研修された後，Sheehan症候群で有名なDr. Harold Sheehan, ストレス学説で有名なDr. Hans Selyeのもとで内分泌病理学に関する種々の研究（下垂体の移植や下垂体・副腎壊死に関する研究など）に従事され，トロントに移られてからは下垂体腺腫の病理学を研究テーマとして今日に至っている．下垂体腫瘍に関する著書・論文は1,000を越え，なかでもその集大成がAFIP (TUMORS of the PITUITARY GLAND)に記載され，免疫染色，電顕所見をもとにした彼の下垂体腫瘍の組織分類は，今日のWHOにおける下垂体腫瘍の病理分類の骨幹となっている．その業績に対し多くの賞を受賞され，多数の学会，ジャーナル，研究所の創立にかかわってこられたが，研究に没頭できないとの理由からあまたのchairmanshipのオファーだけは一度も受け入れられたことがない．そして一人の科学者として"work hard in order to arrive at the truth and to achieve success"をご自身で続けられてきた鉄人である．先生は今年で満95歳を迎え，共同研究者として，そして何よりも最愛の伴侶であるDr. Eva Horvath (下垂体疾患の電子顕微鏡分野の第一人者)とともに，現在住み慣れたトロントの郊外で余生を送られている．長年にわたりご指導をいただき，どんな時でも励ましのお言葉をいただいた先生には，弟子の一人として，お二人いつまでもお元気でありますことを祈願しています．

（森山脳神経センター病院間脳下垂体センター　山田正三）

第2章 臨床知識——A 総論

下垂体機能の生理的変化

くぼのや IVF クリニック　**原田竜也**

> **≫ 臨床医のための Point ▶▶▶**
>
> 1. 下垂体機能は，加齢により軽度の低下をきたすもののその変化は小さい．
> 2. 下垂体標的臓器の加齢変化によりそのホルモン動態は変化し，特に女性におけるゴナドトロピン（FSH/LH）分泌の変化が顕著である．
> 3. 妊娠に伴う下垂体機能は，内分泌環境が胎児－胎盤系を主として機能することから全体としては抑制されるが，PRL 産生は劇的に増加する．

加齢による変化

出生時の下垂体重量は 0.1 g であり，3 歳までに急速に増大し成人では平均 0.6 g になる．ヒトでは中年期に最大となり，その後は加齢とともに減少する．これは線維化による萎縮が進行し細胞数が減少することによると考えられており，特に好酸性細胞が減少傾向を示すといわれている．加齢により最も大きな変化を示すのは，ゴナドトロピン（FSH/LH）であり，女性で特に顕著である．

1 GH

GH の分泌は思春期にピークを迎え，その後は加齢とともにその基礎分泌は低下する．また GHRH に対する反応性については 40 歳以降で著明な低下がみられ，夜間徐波睡眠時の分泌も低下する．

2 TSH

加齢に伴い潜在的に甲状腺機能低下が起こると考えられ，TSH 基礎分泌の軽度上昇がみられる．また，TRH 負荷試験による反応性は低下する．

3 ACTH

高齢者においても分泌の日内変動はよく保たれている．また，インスリン低血糖刺激やメトピロン試験など負荷試験に対する反応性についても加齢の影響は少ないと考えられる．

4 FSH/LH

分泌動態は年齢，性，性周期の時期などによって大きく異なる．

a）男　性

ゴナドトロピン（FSH/LH）の標的臓器である精巣の機能により変化する．精巣機能のよい指標である血中テストステロン値は，20 歳代前半に最高値となり，30 歳代後半になると緩徐ながら減少傾向がみられるものの個人差が大きい．年齢による精巣機能の低下に伴いゴナドトロピンの基礎値は上昇するが，精巣からのインヒビン分泌の低下により LH に比べ FSH の上昇が顕著であり，70 歳代では 30 歳代と比較して FSH が約 3.5 倍，LH が 2.5 倍の値を示している．この変化は精細管と Leydig 細胞双方の機能低下により起こるものと解釈される．

b）女　性

ゴナドトロピンは卵巣を刺激し，女性ホルモン（エストロゲン・プロゲステロン）の分泌を促進するとともに排卵を起こす．月経発来（初経）前においてはゴナドトロピンの分泌は低く抑えられているが，10 歳頃に増加し女性ホルモンが産生されるようになるため月経が開始する．性成熟期女性ではゴナドトロピンの分泌は周期的変化を示すが，加齢により卵巣機能が低下すると男性同様ゴナドトロピンの分泌は増加する．男性と異なるのは，女性では 50 歳頃に卵巣機能の消失が起こるため女性ホルモンの分泌が低下し月経は閉止（閉経）となる．この劇的な変化によりゴナドトロピンの分泌は亢進する．閉経期では GnRH 負荷試験時の反応性も若年者に対し大きいが，60 歳以後では再び低下傾向を示す．

5 PRL

加齢による基礎分泌の変化は示さないが，TSH 同様 TRH 負荷試験による反応性は低下し，頂値に達する時間の遅延傾向がみられる．

6 AVP

高齢者の水制限試験や高張食塩水負荷試験における AVP の分泌調整は良好に保持されており，むしろ加齢により亢進する傾向がみられるとされている．老化に伴い尿濃縮能の低下をきたすことが知られているが，その原因は AVP の分泌能の低下ではなく腎における AVP に対する反応性の低下のためと考えられている．

妊娠に伴う変化

下垂体の体積は妊娠時には非妊娠時の135%程度まで増大するといわれているが，この増大はPRL産生細胞の過形成によって起こるため，下垂体前葉のみにみられ後葉は肥大しない．またこの肥大は視神経を圧迫するが，その視野変化は極めて小さいものである．

妊娠中に母体–胎児間の物質交換を行う胎盤は巨大な内分泌臓器でもあり，多量のステロイドホルモン，蛋白ホルモン，神経ペプチド，成長因子，サイトカインなどを分泌している．このなかには視床下部ホルモン，下垂体ホルモン，末梢ホルモンと同一の，あるいは類似の物質も多く，また1つの胎盤ホルモンでいくつかの生物活性を同時にもっているものもある．そのため妊娠時の内分泌環境は主として胎児–胎盤系によって支配されており，その結果，視床下部–下垂体を中心とする制御機構が果たす役割が小さくなり抑制状態にある．

一方で，胎児–胎盤系が消失した分娩後の生理現象である乳汁分泌にはPRLが不可欠であるため，妊娠中のPRL分泌は著しい変化を示すこととなる．

1 GH

妊娠中，下垂体でのGH産生は低く，大きな変動はない．胎盤からの分泌は妊娠8週で認められるようになり，妊娠17週までにGHのおもな産生源となる．そのためGHは妊娠中徐々に増加し，妊娠28週以降でプラトーに達し14 ng/mL程度になるとされている．

2 TSH

妊娠中，TSHの刺激ホルモンであるTRHは増加しないが，胎盤を通り胎児下垂体を刺激し甲状腺機能は亢進する．妊娠初期は妊娠組織から分泌されるヒト絨毛性ゴナドトロピン（hCG）の甲状腺刺激作用により，FT_4は非妊時と比較してやや高値を示し，それに伴いTSHは低下する．妊娠中期以降は，母体血中TSHは80%の妊婦で低下するが，その値は非妊娠女性の正常範囲内であり大きな変化は示さず恒常的であると考えられる．

3 ACTH

妊娠中の血中ACTHは，妊娠初期に最も低下し妊娠経過とともに上昇するが，非妊娠時より高値にはならない．また胎盤からもACTHは分泌されるが，CRHも分泌していることが知られている．CRHは妊娠中期から満期にかけて上昇し，分娩後速やかに低下すると考えられている．また，副腎皮質ホルモンは妊娠中にコルチゾール結合蛋白が増加するため見かけ上増加していることが知られている．

4 FSH/LH

胎盤形成前には妊娠黄体から分泌される性ステロイドホルモンにより，また胎盤形成後には胎盤から分泌される大量の性ステロイドホルモンおよびインヒビンによりGnRH分泌が低下し，ゴナドトロピン（FSH/LH）は抑制される．このような妊娠中のゴナドトロピンの抑制は，視床下部からのGnRH放出パルスの頻度と強さの減少によるものと下垂体の反応性低下によるものの2つの要因があるとされている．

5 PRL

下垂体前葉ホルモンのなかでPRLは妊娠，分娩，産褥に伴って大きく変動する唯一のホルモンである．妊娠中のPRL値は妊娠経過とともに著明に上昇し，妊娠末期には150 ng/mLを超え非妊娠時の10倍以上になる．PRL分泌には夜間睡眠時に高値を示す日内変動がみられるが，この変化は妊娠時にも認められる．

またPRLは陣痛が開始すると低下するが，出産前には上昇し始め出産直後にピークに達する．これはドパミンやオピオイドが関与していると考えられている．高い血中PRL濃度により乳汁分泌が刺激されるが，その後は徐々に低下して3週間後にはPRLの基礎値は非妊娠時と同様になる．一方で，産褥期におけるPRL分泌の大きな特徴は吸啜刺激によってスパイク状に分泌されることであり，これにより乳汁分泌が維持されることとなる．このスパイク状の分泌も経過とともに低下するが，分娩後1〜2年にわたり5 ng/mL以上のPRL上昇が起こるとされている．

文献

1) 武谷雄二, 他：2. 妊娠・分娩・産褥の生理と異常, 新女性医学体系, 中山書店, 2001.
2) 上田慶二, 他：図説臨床老年医学講座6. 内分泌・代謝疾患, 骨・運動器疾患, メジカルビュー社, 1986.
3) 佐伯直勝, 他：脳外科エキスパート 間脳下垂体, 中外医学社, 2008.
4) Cunningham F, et al.：Williams obstetrics. 22nd edition, McGRAW-HILL, 2005.

第2章 臨床知識——A 総論

3 下垂体形態の生理的変化

鳥取大学医学部循環器・内分泌代謝内科学分野　伊澤正一郎

≫ 臨床医のための Point ▶▶▶

1. 下垂体容積は出生時より1〜2歳頃まで縮小し，以降は青年期にかけて増大する．
2. 成人期以降の下垂体は加齢とともに縮小するが，妊娠中には生理的腫大をきたす．
3. 非腫瘍性下垂体腫大では，原発性甲状腺機能低下症等の他臓器疾患との鑑別を要する．

はじめに

下垂体前葉の前駆体であるRathke（ラトケ）囊は妊娠5週までに分離し，視床下部，下垂体茎，下垂体後葉も妊娠7週までに形成される．同時期にはトルコ鞍底も形成され，腺下垂体が分離する．神経下垂体の構造は妊娠15〜18週に形成される．下垂体門脈は妊娠12〜17週に現れるが，視床下部へ向けての発達は妊娠30〜35週まで継続する．下垂体前葉細胞の分化は妊娠7〜16週に起こり，下垂体前葉ホルモンの同定が妊娠10〜17週に可能となることから，視床下部・下垂体系の基本構造は妊娠12〜17週に完成すると考えられる[1]．

本項では胎児期に形成された下垂体の生理的な形態変化について，新生児期以降の各年代において画像診断の第一選択であるMRI所見の特徴を中心に概説する．

新生児期〜青年期

新生児の下垂体の重量は100 mgとされ，母体からのホルモン供給の途絶を反映して腫大し，MRI T1強調画像（T1 weighted image：T1WI）高信号となる．特に早期産児ではT1WI信号強度と下垂体高が正期産児より高い傾向となる．ネガティブフィードバック機構の確立により，これらの所見は生後1〜2年間で低下する[2]．

以降の下垂体容積は男女とも年齢に相関し，青年期に成人と同等となるが，女性のほうが男性より若年より増大し，容積も大きくなる[3]．まれに青年期における一過性腫大により視野障害をきたした症例も報告されており，病的な腫大との鑑別を要する．下垂体後葉も増大するが，前葉に比しわずかである．図1a，bに示す正常下垂体機能の男女における下垂体単純MRI T1WI冠状断像と矢状断像では，下垂体高の高さが特徴的である．

成人期

成人期の下垂体は重量400〜900 mg，13×9×6 mmとされ，下垂体の80%を前葉が占める[4]．下垂体容積のピークは20歳代中頃〜30歳代前半にあり，男性より女性のほうがやや大きく，容積は加齢とともに減少する[5]．以後は特に下垂体高の低下が目立ち，いわゆるempty sellaを示す割合が増加するが，閉経前後の女性では一過性の腫大が報告されている．加齢に伴う容積減少と前葉予備能のあいだに関連性は認めない．また，後葉の容積も50歳以降に減少する[5]．T1WI高信号を示さない症例も増加するが，後葉機能とは必ずしも相関しない．図1c〜hに下垂体機能正常を確認した30歳代，50歳代，70歳代の男女における下垂体単純MRI T1WI冠状断像と矢状断像を示す．男女とも70歳代における下垂体高の低下が特徴的である．

周産期

妊娠中に下垂体前葉の容積は平均36%増大するとともに，MRI T1WI高信号も増強する．この変化はPRL産生細胞がその大きさと数の増大で妊娠前の10倍の容積になることによるとされ，後葉はむしろ縮小する[6]．まれながらも妊娠中の下垂体前葉腫大により視野障害をきたし授乳の有無にかかわらず出産後に正常化することが報告されており（図2），リンパ球性下垂体炎等の病的腫大との鑑別診断が必要となる．

他臓器疾患による非腫瘍性下垂体腫大

特に血中TSHの著明な上昇を伴う原発性甲状腺機能低下症では，下垂体前葉のTSH産生細胞の過形成による腫大をきたすことがあり[3]，甲状腺機能が正常化しても月〜年単位で腫大が残存しうる（図3）．同様の機序にてアジソン病において

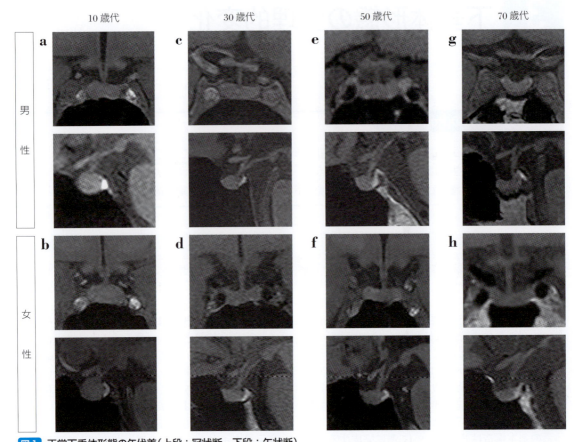

図1 正常下垂体形態の年代差（上段：冠状断，下段：矢状断）
a：15歳男性，b：17歳女性，c：34歳男性，d：36歳女性，e：52歳男性，f：52歳女性，g：76歳男性，h：73歳女性

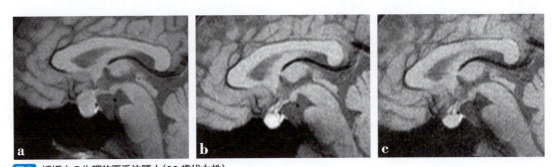

図2 妊娠中の生理的下垂体腫大（30歳代女性）
a：妊娠32週，b：出産4週間後，c：出産36週間後
〔村上典彦，他：妊娠中の生理的下垂体腫大のため，中心暗点による視力低下が生じたと考えられた1例．医学と薬学 2008；**60**：618より著者の許可を得て引用〕

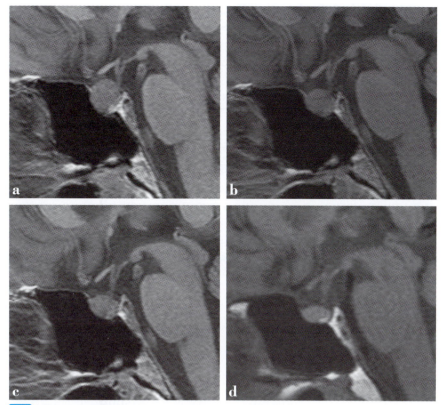

図3 原発性甲状腺機能低下症による下垂体腫大（50歳代女性）
a：甲状腺ホルモン補充開始時（TSH 262 μU/mL，FT₄ 0.31 ng/dL）
b：2か月後（TSH 5.93 μU/mL，FT₄ 1.47 ng/dL）
c：6か月後（TSH 2.67 μU/mL，FT₄ 1.57 ng/dL）
d：18か月後（TSH 0.88 μU/mL，FT₄ 1.59 ng/dL）
〔松澤和彦, 他：原発性甲状腺機能低下症による下垂体過形成を経時的に観察した1例. 日本内分泌学会雑誌 2010；86：296 より著者の許可を得て引用〕

もACTH産生細胞の過形成による腫大をきたしうる．また不安障害，統合失調症をはじめとする精神病，躁うつ病の下垂体容積への影響に関する報告や薬剤性高プロラクチン血症患者で下垂体容積が有意に大きいとする報告，低髄液圧症候群，頸動脈海綿静脈洞瘻等による下垂体腫大の報告もあり，非腫瘍性下垂体腫大の評価においては病歴（基礎疾患，既往歴，服薬歴など）や他臓器疾患を考慮することも重要である．

おわりに

視床下部‐下垂体疾患における画像診断の第一選択はMRIで，病的所見と生理的変化の鑑別診断に極めて有用である．評価に際しては，特に下垂体前葉の大きさが年齢や性，妊娠，基礎疾患等により多彩な変化を示し，時に生理的変化により視野障害などの症候を呈する可能性があることを念頭におく必要がある．

文献

1) Katugampola H, et al.：Endocrinology of Fetal Development. In：Melmed S, et al.(eds), Williams textbook of endocrinology. 14th ed, Elsevier, Philadelphia, 2020；e3695-3907.
2) Argyropoulou MI, et al.：MRI of the hypothalamic-pituitary axis in children. *Pediatr Radiol* 2005；**35**：1045-1055.
3) Sari S, et al.：Measures of pituitary gland and stalk：from neonate to adolescence. *J Pediatr Endocr Met* 2014；**27**：1071-1076.
4) Cooke DW, et al.：Normal and Aberrant Growth. In：Melmed S, et al.(eds), Williams textbook of endocrinology. 14th ed, Elsevier, Philadelphia, 2020；e4189-4275.
5) Anastassiadis C, et al.：Imaging the pituitary in psychopathologies：a review of in vivo magnetic resonance imaging studies. *Brain Struct Funct* 2019；**224**：2587-2601.
6) Nitsche JF, et al.：Endocrine Changes in Pregnancy. In：Melmed S, et al.(eds), Williams textbook of endocrinology. 14th ed, Elsevier, Philadelphia, 2020；e3614-3692.

第2章 臨床知識──A 総論

4 下垂体腫瘍の成因

神戸大学医学部附属病院糖尿病・内分泌内科　**福岡秀規**

> **▶▶ 臨床医のためのPoint ▶▶▶**
>
> 1. 下垂体腺腫の成因としてのcAMPシグナル亢進や細胞周期異常の重要性が示唆されている.
> 2. GH産生腺腫の約40％は原因不明であり，遺伝子以外のエピジェネティック異常などの原因が存在している可能性が考えられる.
> 3. 様々な腫瘍において，プロモーター領域におけるCpGアイランドの局所的高メチル化が，がん抑制遺伝子や増殖制御因子の発現低下を呈し，腫瘍の成因となっていることが報告されている.
> 4. MEG3にはp53発現促進作用，腫瘍増殖抑制作用があり，本腫瘍の成因との関連が示唆されている.

はじめに

下垂体腫瘍の成因について，近年の次世代シーケンサーの貢献により急速にその遺伝学的な成因が明らかになってきている．本項では下垂体腫瘍のなかでも下垂体腺腫と pituiblastoma そしてその他の腫瘍として頭蓋咽頭腫，胚細胞腫の成因について，近年明らかにされてきている遺伝子変異，エピジェネティック異常の最新の知見を概説する．

下垂体腺腫における遺伝子異常

1 胚細胞変異によるもの

症候性の家族性下垂体腺腫をきたす疾患として多発性内分泌腫瘍1型（multiple endocrine neoplasia type1：MEN1），カーニー複合（Carney complex：CNC）が古くから知られている．MEN1 の原因遺伝子として MENIN をコードする *MEN1* 遺伝子が報告されている．CNC の原因は *PRKAR1A* 遺伝子であり，cAMP 経路の亢進によって GH 産生腫瘍を発症する（図1）[1]．また臨床的に MEN1 と類似した表現型を示すが，*MEN1* 遺伝子に異常を認めない症例において P27 をコードする *CDKN1B* 遺伝子変異が同定され，MEN4 として報告された．p27 ノックアウトマウスが下垂体腫瘍を呈することは 1996 年に報告されており，ヒトでもその病因としての意義が確認された（図2）[1]．家族性単独下垂体腺腫症の原因遺伝子として *AIP*（aryl hydrocarbon receptor interacting protein）が 2006 年にフィンランドのグループによって同定された．*AIP* 遺伝子異常ではおもに GH 産生腺腫を呈するが，PRL 産生腺腫や ACTH 産生腺腫の原因にもなる．AIP 蛋白の活性低下が PDE4A5，PDE2A との相互作用を介して cAMP シグナル亢進を呈する機序が推測されている（図1）[1]．GHRH 受容体とその下流の cAMP シグナルの亢進が GH 産生下垂体腺腫を呈することもマウスで示されており，下垂体腺腫の成因としての cAMP シグナル亢進の重要性が示唆されている[2]（図1）[1]．

その他，非常にまれな胚細胞変異としてコハク酸脱水素酵素（SDH）のサブユニットである *SDHD* 遺伝子変異が家族性パラガングリオーマと先端巨大症合併例として示され，GH 産生腺腫組織で *SDHD* 遺伝子のヘテロ接合性の消失を認めたことからその原因となっていた可能性が示されている．最近，幼児期に発症する巨人症が Xq26 の微小重複によって引き起こされる，X-linked acrogigantism（X-LAG）という病態として報告された．その原因として同部位に存在する *GPR101* 遺伝子の過剰発現が示唆されている．またわれわれは近年，*NF1* 変異を認める神経線維腫症1型に GH 産生腺腫を合併した症例を報告している．

2 体細胞変異によるもの

Gs 蛋白サブユニット（Gs）をコードする *GNAS* 遺伝子の変異は，GH 産生腺腫の 30〜50％ に認める．*GNAS* 変異によって GTPase 活性が低下することにより Gs が GTP と結合した恒常型活性化をきたし，cAMP 経路の亢進をきたす．また，症候性に GH 産生腺腫をきたす McCune-Albright 症候群は，*GNAS* 変異の胚細胞モザイシズムによって引き起こされ，思春期早発，線維性骨異形成症を合併する[1,2]．そのほかに GH 産生腺腫におけるまれな体細胞変異として *PIK3CA*，*VHL*，*MEN1*，*SDH*，*GPR101* 遺伝子の変異が報告されている．また，GH 産生腺腫を用いた全ゲノム解析，エクソーム解析研究が相次いで報告されたが，再現性のある遺伝子多型（SNPs）として同定

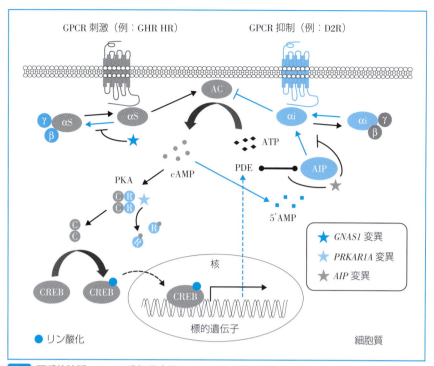

図1 下垂体腺腫における遺伝子変異とcAMPシグナル系の関係
〔Cooper O, et al.：Pituitary Gene Signalling Pathway. eLS. John Wiley&Sons, Ltd：2016：1-8 より引用〕

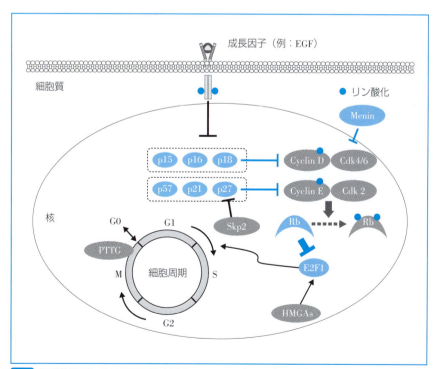

図2 下垂体腺腫における遺伝子変異とcAMPシグナル系の関係
〔Cooper O, et al.：Pituitary Gene Signalling Pathway. eLS. John Wiley&Sons, Ltd：2016：1-8 より引用〕

されたものは既存のGNAS変異のみであったが，多くのSNPsがcAMPシグナルに関連していた．われわれが行った日本人GH産生腺腫の検討ではGNAS遺伝子変異50.8%，AIP遺伝子変異4.9%でありGPR101遺伝子変異例は認めなかった[3]．これらのことから，GH産生腺腫の約40%は原因不明であり，遺伝子以外のエピジェネティック異常などの原因が存在している可能性が考えられる．

Cushing病の原因は永らく不明であったが，エクソーム解析より体細胞変異として2015年にUSP8（ubiquitin-specific protease 8）遺伝子の変異が同定され，35～62%のACTH産生腺腫で認められた．その機序として，本変異によってUSP8は14-3-3蛋白と結合できなくなり，脱ユビキチン化活性が亢進することによりEGF受容体（EGFR）のユビキチン化とそれに伴う蛋白分解が抑制され，EGFR蛋白量が増加することがACTH産生腫瘍の成因となっていると考えられている．このUSP8では幼少期にCushing病を呈する胚細胞変異症例も報告された．そのほか，まれなものとしてUSP48，BRAF V600E，TP53，CABLES1，NR3C1，DAXX，ATRX遺伝子の異常などが報告されており，特にTP53，ATRX変異では増殖性の高い腫瘍との関連性が示唆されている．

PRL産生腺腫の体細胞変異としての原因遺伝子は明らかでなかったが，2020年にSF3B1遺伝子異常が本腫瘍の19.8%に認めることが報告された．SF3B1遺伝子はestrogen related receptor gamma（ESRRG）のスプライシング異常を呈し，Pit1のPRLプロモーターへの結合が上昇し，PRL分泌が促進されると同時に細胞増殖も引き起こすことが示され，本遺伝子変異は比較的増殖性の高い腫瘍に認めると考えられている[4]．

下垂体腺腫におけるエピジェネティック異常とpituitary blastoma

1 DNAメチル化

様々な腫瘍において，プロモーター領域におけるCpGアイランドの局所的高メチル化が，がん抑制遺伝子や増殖制御因子の発現低下を呈し，腫瘍の成因となっていることが報告されている．下垂体腺腫腫瘍化の成因にretinoblastoma（Rb）機能低下が関連していることが知られているが，Rb遺伝子変異は下垂体腺腫で認めないものの，そのプロモーターに高メチル化を認める腫瘍では，Rb発現の低下が認められる（図2）[1]．また，GH産生腺腫ではRas-association domain family 3（RASSF3）プロモーターの高メチル化が，非機能性下垂体腺腫ではp16プロモーター，GADD45γプロモーターの高メチル化が認められた．そのほか，下垂体腺腫でFGF受容体（FGFR）2プロモーター，ニューロナチンをコードするNNATプロモーターの高メチル化が報告されており，いずれの遺伝子も細胞周期，増殖にかかわるものであることから，腫瘍発生の成因としての役割が考えられている（図2）[1]．これらのメチル化異常が起こる機序の1つとして，DNAメチルトランスフェラーゼ3B（DNMT3b）が下垂体腺腫で強発現していることが報告されている[2]．

2 マイクロRNA

マイクロRNA（miRNA）は約22塩基の1本鎖ノンコーディングRNAである．mRNAの3'非翻訳領域に結合することにより翻訳を抑制し，蛋白発現を調整している．多くの悪性腫瘍においてmiRNAの発現異常がその発生，進展に寄与していることが示されている．最近，下垂体腺腫において発現異常をきたしているmiRNAと，その標的遺伝子が数多く報告されている（表1）[2]．2008年，Acheithauerらはpituitary blastomaによるCushing症候群，尿崩症を呈した13か月の幼児症例を報告した．pituitary blastomaは病理学的に下垂体腺腫と異なり，ロゼットや腺構造のなかにRathke（ラトケ）上皮の存在を認め，folliculo-stellate細胞とACTH産生細胞を主体とした分化した下垂体腺細胞により特徴づけられている．その原因としてDicer1遺伝子の胚細胞ヘテロ接合変異が同定された．Dicer1はヘアピン構造をもつprecursor miRNAからmiRNAへのプロセシングに必要なエンドリボヌクレアーゼである．Dicer1症候群は，胸膜肺芽腫，嚢胞性腎腫，Sertoli-Leydig細胞腫，甲状腺腫などの多発腫瘍を呈する．詳細な機序は不明であるが，Dicer1変異によるmiRNAの合成異常が下垂体腫瘍の原因であると考えられている．

3 ロングノンコーディングRNA

ロングノンコーディングRNA（lncRNA）は200塩基以上の長さをもつ機能性のノンコーディングRNAである．lncRNAにはDNA，RNA，蛋白と結合する作用があることが知られており，エピジェネティックな調節因子として腫瘍浸潤性，転移などと関連していることが示されている．非機能性下垂体腺腫においてlncRNAであるmaternally expressed gene 3（MEG3）の発現が低下しているが，MEG3にはp53発現促進作用，腫瘍増殖抑制作用があり，本腫瘍の成因との関連が示唆されている[2]．そのほか，HOTAIR，Lnc-SNHG1，C50rf66-AS1，XISTの発現異常が腫瘍化，あるいは増殖性と関連していることが示されている．

表1 下垂体腺腫で異常発現する miRNA とその標的遺伝子

miRNA の標的遺伝子	発現上昇 miRNA	発現低下 miRNA
AIP	miR-107	
BMI1		miR-128
E2F1		miR-326, miR-603
HMGA1 and HMGA2		miR-15, miR-16, miR-26a, miR-34b, miR-548c-3p, miR-196a2, let-7a
HMGA2		miR-326, miR-432, miR-570
PRKCD	miR-26a	
PTEN	miR-26b	
RARS		miR-16-1
SMAD3	miR-135a, miR-140-5p, miR-582-3p, miR-582-5p, miR-938	
VEGF-R1		miR-24-1
Wee1	miR-128a, miR-155, miR-516-3p	
ZAC1	miR-26a	

〔Fukuoka H, et al.：The role of genetic and epigenetic changes in pituitary tumorigenesis. *Neurol Med Chir*（Tokyo）2014；**29**：943-957 より引用〕

下垂体腺腫と細胞周期異

細胞周期，特にG1/S 期移行の重要な調節因子であるRb の活性低下は動物モデルにおいて下垂体腫瘍を呈する．Rb の抑制因子にサイクリンD，サイクリンE がある．サイクリンD は下垂体腺腫発生の初期に発現が認められ，浸潤性下垂体腺腫で高発現を認める一方，正常下垂体では発現を認めない．サイクリンE はACTH 産生下垂体腺腫で高発現しており，pomc プロモーターによるサイクリンE トランスジェニックマウスはコルチコトロフの過形成や腺腫を呈する．また，動物実験でサイクリン依存性キナーゼ阻害因子（CDK-I）であるp18 の活性低下がGH 産生腺腫を呈すること，p27 ノックアウトマウスがACTH 発現腫瘍を呈することが示されている．このCDK-I の抑制因子としてEGFR，Skp2 活性亢進が下垂体腫瘍の成因と関連する．その他，下垂体腺腫の腫瘍化に関連する細胞周期調節因子として，pituitary tumor transforming gene（*PTTG*），high-mobility group A（*HMGA*），*MEN1* 遺伝子などが報告されている[2]（図2）[1]．

その他の下垂体腫瘍

1 頭蓋咽頭腫

頭蓋咽頭腫は鞍上部に発生するRathke 嚢遺残物由来の良性上皮性腫瘍であるが，下垂体茎，視交叉，視床下部への進展，圧排，浸潤Rathke 嚢をきたす．組織学的にはエナメル上皮腫型と乳頭型頭蓋咽頭腫に分けられるが，エクソーム解析によりエナメル上皮型の96%にβカテニンをコードする*CTNNB1* 遺伝子の活性化変異を，乳頭型の95%に*BRAF* 遺伝子の活性型V600E 変異を認め，その原因が組織型により異なることが明らかとなった[5]．

2 胚細胞腫

頭蓋内の胚細胞腫は小児頭蓋内腫瘍の11%を占め，近年その成因が明らかとなってきている．エクソーム解析により胚細胞腫で同定された体細胞変異として，*KIT* 遺伝子変異が26%と最も多く，KIT 受容体の下流に位置する*KRAS* や*NRAS* の変異を19%に認めた．またRING フィンガーユビキチンE3 リガーゼをコードするCaspase B-lineage lymphoma（*CBL*）遺伝子変異が10%で認められ，この腫瘍ではKIT が高発現しており，これらのKIT/RAS 系に関連する遺伝子変異が50%を超えていた．また，AKT の高発現が19%の腫瘍で認め，AKT/mTOR 系阻害薬が有用である可能性が示唆されている．

おわりに

分子生物学の進歩とともに下垂体腫瘍の成因が次々と明らかになってきた．これらの結果によって下垂体腫瘍における診断治療のためのバイオマーカーの発見や分子標的薬などの薬物療法開発につながることが期待される．

文献

1) Cooper O, et al.：Pituitary gene signalling pathway. eLS. John Wiley&Sons, Ltd：2016；1-8.
2) Fukuoka H, et al.：The role of genetic and epigenetic changes in pituitary tumorigenesis. *Neurol Med Chir（Tokyo）* 2014；**29**：943-957.
3) Matsumoto R, et al.：Genetic and clinical characteristics of Japanese patients with sporadic somatotropinoma. *Endocr J* 2016；**63**：953-963.
4) Chuzhong Li, et al.：Somatic SF3B1 hotspot mutation in prolactinomas. *Nat Commun* 2020；**11**：2506.
5) PK Brastianos, et al.：Exome sequencing identifies BRAF mutations in papillary craniopharyngiomas. *Nat Genet* 2014；**46**：161-167.

▶Column

Andrew V. Schally（1926 －）

"ノーベル賞の決闘"でよく知られる Andrew V. Schally と Roger Guillemin は，視床下部の放出因子を単離し化学構造を決定した史上最初の科学者であるという功績によって，1977 年，ノーベル生理学・医学賞の栄誉に輝いた．
　1926 年にプロの軍人を父にもちポーランドで生まれた Schally は，ナチス占領下の東ヨーロッパの過酷な環境で幼少時を過ごした後，イギリスに渡って高校生活を送り，大学では化学を勉強した．そして 23 歳のときに所属したロンドンの the National Institute of Medical Research（NIMR, MRC）で出会った多くの優秀な研究者たちに触発され，1950 年にカナダの McGill 大学へ移動し研究生活に入った．当時は，ウサギの視床下部に電気刺激を与えると排卵が起こることより視床下部が下垂体ホルモンの分泌を調節すること，下垂体茎を切断し門脈再生を妨げると下垂体前葉ホルモン分泌が障害されることより，視床下部からの液性因子が下垂体門脈を介して下垂体前葉ホルモンを調節するというハリス学説（Geoffrey W. Harris）が一世を風靡し，多くの研究者が液性因子の研究に向かおうとしていた時代であった．McGill 大学で Murray Saffran と一緒に発表した ACTH 放出因子の研究でかなりの評価を得たことから，Schally の興味は放出因子の単離，構造決定に絞られていく．Guillemin が都会的に洗練されて社交的であるのと対照的に，Schally は無遠慮で，ユーモアに欠け，社交に費やす時間などないという態度をあからさまに出すようなつき合いにくい人であったが，実験となると昼夜をいとわず物に憑かれたように働き，まるで仕事のためにのみ生きているかのような研究者で，数十万頭のブタの視床下部から数百 μg の視床下部ホルモンを抽出し精製していく後ろ姿には鬼気迫るものがあった．TRH に続き GnRH の単離，構造決定がノーベル賞の対象になったわけであるが，その過程で日本人研究者，特に有村　章教授，松尾寿之教授の大きな貢献は特記されるべきことである．

（社会医療法人愛仁会明石医療センター　千原和夫）

第2章 臨床知識——A 総論

5 下垂体腺腫の病理と分類

東海大学医学部付属大磯病院病理診断科　**井野元智恵**
日本鋼管病院病理診断科，慶應義塾大学医学部　**長村義之**

》》臨床医のための Point ▶▶▶

1. aggressive phenotype が存在する．
2. 機能性，非機能性にかかわらず組織亜型の診断を行う（WHO2017）．
3. 免疫組織化学的に下垂体前葉ホルモン陰性の症例では転写因子の解析も必要となる．
4. 治療反応性の推定が可能である．

はじめに

　下垂体腺腫の大部分は良性病変と考えられている．しかしながら，症例の約半数は海綿静脈洞や蝶形骨洞などの下垂体周囲の組織へと浸潤していることが知られており，浸潤の高度な症例では下垂体の位置する解剖学的部位の特殊性から完全切除が困難となることも多い．そのため，"clinically aggressive phenotype"とされる組織亜型の確認，腫瘍細胞の増殖能の推定，薬物療法に対する治療反応性の推定などを病理組織学的に適切に評価することが求められている．

　また，非機能性下垂体腺腫の場合はトルコ鞍部に発生する下垂体前葉細胞由来以外の病変（表1）も鑑別の対象となるため，病理組織学的な検索が必用となる（詳細は第2章 A. 総論 6. 傍鞍部腫瘍の病理と分類を参照）．

表1 非機能性下垂体腺腫との鑑別を有するトルコ鞍部腫瘍

craniopharyngiomass
　adamantomatous
　papillary
neuronal and paraneuronal tumors
　gangliocytoma and mixed gangliocytoma-adenoma
　neurocytoma
　paraganglioma
　neuroblastoma
tumors of posterior pituitary
　pituicytoma
　granular cell tumor of the sellar region
　spindle cell oncocytoma
　sellar ependymoma
mesenchymal and stromal tumors
　meningioma
　chordoma
　solitary fibrous tumor
hematological tumors
germ cell tumors
secondary tumors

下垂体腺腫の分類

　下垂体腺腫の病理組織学的分類は2017年に発表された内分泌腫瘍のWHO分類（以下WHO2017）やそれを加味したトルコ鞍部腫瘍の分類（脳腫瘍取扱い規約，2018）が用いられている．WHO2017では免疫組織化学的に下垂体前葉ホルモンやそれに関連する転写因子，low molecular weight cytokeratin（LMWCK；日常診療においてはCAM 5.2が頻用されている）などを検索し，それにより組織亜型を規定している（表2）．

　特に，"aggressive histological subtype"とされる，sparsely granulated somatotroph adenoma, densely granulated lactotroph adenoma, acidophil stem cell adenomas, thyrotroph adenoma, sparsely granulated corticotroph adenoma, Crooke's cell adenoma, plurihormonal PIT-1-positive adenoma, null cell adenomas などの組織亜型には，非機能性病変も含まれているため，機能性・非機能性にかかわらず組織亜型を診断することが求められている．

　WHO2017では大部分の組織亜型において電子顕微鏡的検索が必須ではなくなったものの，その名称の多くは電子顕微鏡所見に基づいている．

1 転写因子について（図1）

　下垂体前葉細胞の分化に関与する転写因子の一部を提示した．somatotroph や lactotroph, thyrotroph への分化には PIT-1 が，corticotroph への分化には TPIT や neuroD1 が，gonadotroph への分化には SF1 や GATA2 が関与している．

2 下垂体腫瘍（腺腫）について

　下垂体腫瘍は，産生されるホルモンおよび各種転写因子の発現により以下のように整理される．

- pituitary transcription factor 1（PIT-1）グループ：GH-PRL-TSH 群
- T-box transcription factor（TPIT）グループ：ACTH 群
- steroid genic factor 1（SF1）陽性グループ：ゴナドトロピン群
- 下垂体前葉ホルモン陰性，かつ転写因子陰性：null cell adenoma
- 多ホルモン産生腺腫（plurihormonal adenoma）

pituitary transcription factor 1（PIT-1）グループ：GH-PRL-TSH 群

図 1 に示すように，GH や PRL，TSH を産生・

表2 下垂体腺腫の病理組織学的分類（WHO2017 より改変）

転写因子	下垂体前葉ホルモン	組織亜型		その他
PIT-1	GH	somatotroph adenoma	densely granulated（DG）	LMWCK：perinuclear pattern
			sparsely granulated（SG）	LMWCK：dot-pattern 多数
	+PRL（同一細胞内）	mammosomatotroph adenoma		DG に類似，電子顕微鏡ないしは二重染色が必用
	PRL	lactotroph adenoma	DG	非常にまれ
			SG	
	+GH（SG に類似）	acidophil stem cell adenoma		空胞として認識可能な巨大ミトコンドリア
	TSH	thyrotroph adenoma		GATA3
	種々・少数	plurihormonal PIT-1 positive adenoma		LH や FSH が陽性となることも，LMWCK：ほぼ陰性
	（−）	hormone immunonegative PIT-1 positive adenoma		chromogranin A などの再確認が必用
TPIT	ACTH	corticotroph adenoma	DG	microadenoma が多い
			SG	ほとんどは macroadenoma
			Crooke's cell adenoma	LMWCK：ring pattern
SF1	FSH/LH	gonadotroph adenoma		GATA3
すべて（−）	すべて（−）	null cell adenoma		chromogranin A などの再確認が必用

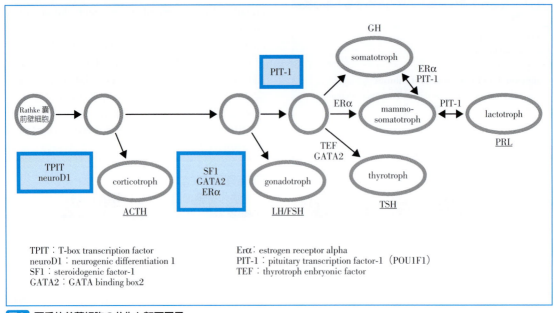

図1 下垂体前葉細胞の分化と転写因子

分泌する下垂体前葉細胞はいずれも転写因子 PIT-1 を発現しており、それらを由来とする腺腫も PIT-1 を発現している.

1 somatotroph adenoma(SA)

細胞質内に分泌顆粒を豊富に有する腫瘍細胞から構成される densely granulated(DG) somatotroph adenoma と fibrous body* とよばれる特徴的な細胞質内構造物を有し、細胞質内の分泌顆粒に乏しい腫瘍細胞から構成される sparsely granulated(SG) somatotroph adenoma に大別される. 本来は分泌顆粒の多寡や細胞質内構造物などの電子顕微鏡所見に基づいた分類であるが、WHO2017 では H&E 染色や免疫組織化学により両者の判別が可能、とされた.

* fibrous body は中間径フィラメントであるケラチンや滑面小胞体が分泌顆粒や細胞内小器官を巻き込んで凝集した構造物である(電子顕微鏡所見). H&E 染色標本においても核の近傍の淡好酸性球状構造物として認識可能である. 免疫組織化学的には LMWCK が細胞質にドット状に陽性となる. このドット状の陽性像が腫瘍細胞の 70～90% を占める場合を SGSA と判定している報告が多い. それ以下の場合は "intermediate type" とされるが、臨床的には DGSA に類似した腫瘍であるため、DGSA として取り扱われる. 近年、ソマトスタチンアナログ製剤(SSA)の使用により LMWCK の染色性や染色パターンが変化することも知られており、SGSA の診断時には GH や糖蛋白ホルモンの alpha subunit(αSU)の発現も併せて評価する必要がある.

・**densely granulated somatotroph adenoma(DGSA)**(図2)

年長者に多く、先端巨大症を呈する. 細胞質内の豊富な分泌顆粒の存在を反映し、H&E 染色標本では細胞質が好酸性細顆粒状を呈するため、以前は好酸性腺腫と称された. 免疫組織化学的にも GH が多数の細胞に陽性となり、αSU も陽性となる. LMWCK は細胞質内に陽性となるが、核縁に沿った三日月状にみえることもあり、perinuclear pattern とも称される. somatostatin receptor(SSTR)2A が細胞膜に陽性となる. そのため SSA に対する反応性は比較的良好とされる.

・**sparsely granulated somatotroph adenoma(SGSA)**(図3)

若年女性に好発する. 細胞質内の分泌顆粒が少数であることを反映し、H&E 染色標本では腫瘍細胞の細胞質が淡好酸性から嫌色素性を呈する. 免疫組織化学的にも GH 陽性細胞は少数で、αSU はおおむね陰性となる. LMWCK が核の横にドット状(小球状)に陽性となる. 細胞質内の fibrous body を有する細胞が多数を占める(70～90%). DGSA よりも細胞接着性が弱く、組織片の辺縁部では腫瘍細胞が個細胞性に存在する(E-cadherin は染色性低下もしくは陰性となる). SSTR2A の発現も DGSA に比して弱いが、SSTR5 は陽性とされる.

SGSA は腫瘍サイズが DGSA よりも大きく、浸潤傾向にあり、SSA に対する反応性も DGSA に比較して低いため、aggressive phenotype と考えられている.

2 lactotroph adenoma

下垂体腺腫の 30～50% を占める頻度の高い疾患であるが、機能性の症例では治療の第一選択が薬物療法であるため、手術により切除される症例はまれである(切除症例の多くは治療抵抗性症例となる). somatotroph adenoma と同様、細胞質内の分泌顆粒の多寡により SG と DG に大別される. 免疫組織化学的に PRL が陰性であっても、転写因子 PIT-1 陽性、estrogen receptor(ER)陽性の症例は lactotroph adenoma に分類可能である.

・**sparsely granulated lactotroph adenoma(SGLA)**

細胞質内の分泌顆粒が少なく、嫌色素性を呈す

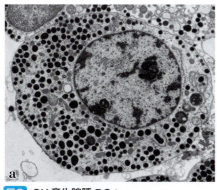
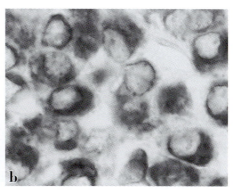

図2 GH 産生腺腫 DG type
a：電子顕微鏡. 細胞質内に分泌顆粒が豊富に認められる.
b：CAM5.2 免疫組織化学. 細胞質内にびまん性に陽性となる(核縁をに沿って、三日月状にもみえる)

る細胞が充実性に増殖する．血管周囲の硝子化像や砂粒体状の石灰化像（calcospherites），アミロイドの沈着像を伴うこともある．電子顕微鏡的に分泌顆粒は少数であり（SG），本来放出される場所ではない細胞間にまさに放出されたばかりの顆粒が認められる（misplaced exocytosis）とよばれる．Golgi 野の内側に位置する成熟過程の分泌顆粒が免疫組織化学的に PRL 陽性となるため，"Golgi pattern" として Golgi 野（核の近傍）に細顆粒状に観察される（図4）．H&E 染色標本においても核近傍の淡好酸性領域 "pale zone" として観察される（SGSA の fibrous body と混同しないこと）．男性例では浸潤性の macroadenoma や giant cell adenoma のことが多く，aggressive phenotype と考えられている．

- densely granulated lactotroph adenoma（DGLA）

細胞室内の豊富な分泌顆粒を反映し，H&E 染色標本では好酸性を呈する．免疫組織化学的にも PRL が細胞質にびまん性に陽性となる．非常にまれな組織型とされている．

3 thyrotroph adenoma

細胞突起の多い紡錘形細胞ないしは多角形の細胞からなる．高度な線維化を伴うことが多く，臨床的には "硬い腫瘍" として知られている（術中所見）．そのため，提出検体が挫滅変化を呈し，診断が困難となることもある．免疫組織化学的に TSH は細胞膜を縁取るような陽性像や細胞突起の線状陽性像を呈する．これらは細胞膜下に集簇する小型の分泌顆粒を反映している（電子顕微鏡所見）．GH や PRL 陽性細胞が混在していることもしばしばみられるが，mixed adenoma や plurihormonal adenoma とは診断しない．somatotroph adenoma や lactotroph adenoma とは異なり，分泌顆粒の多寡による亜型はない．臨床的に TSH 産生腫瘍が疑われても免疫組織化学的に TSH 染色不良となる場合は，プロテアーゼ処理による抗原賦活化などの前処理が有用である．

免疫組織化学的に TSH 陰性であっても，転写因子 PIT-1 陽性，GATA3* 陽性の症例は thyrotroph adenoma と分類可能である．

＊従来，thyrotroph adenoma や gonadotroph adenoma に関連する転写因子として GATA2 が知られていたが，下垂体腺腫において GATA3 が GATA2 と同様の染色性を呈することが近年報告された（GATA2 と GATA3 の相同性によるものか）．GATA3 は膀胱癌や乳癌などの上皮性悪性腫瘍の診断にも使用されるため，免疫組織化学を施行している施設も多く，診断に有用と期待される（Mete O, *et al. Modern Pathology* 2019）．

4 多ホルモン産生腺腫の取り扱い

WHO2017 では mixed（GH cell-PRL cell）adenoma, mammosomatotroph adenoma, acidophil stem cell adenoma, plurihormonal PIT1-positive adenoma が記載されている．

同一の細胞内で複数の下垂体前葉ホルモンが産生されている状態と個々の下垂体前葉ホルモンを産生する細胞が混在している状態が想定される．

- 同一細胞内で複数の下垂体前葉ホルモンが産生されている状態（monomorphic）

① mammosomatotroph adenoma

somatotroph adenoma に分類される．GH と PRL を産生する単一の細胞から構成される，との定義であるため，厳密にはホルモンの二重染色や電子顕微鏡的な検索が必要となる．TSH 陽性細胞が混在している症例の報告もある．SSA に対する反応性は DGSA と同等であり，臨床的に両者を区別する意義は乏しい，との記載もある．

② acidophil stem cell adenoma（ACSA）

高プロラクチン血症を呈する．末端肥大症の症状を伴うことはまれである．

Oncocyte 様の変化を示す細胞からなり，細胞質

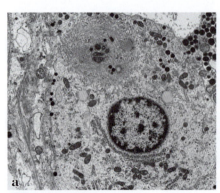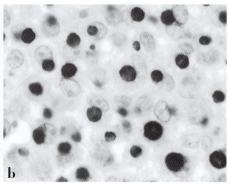

図3 GH 産生腺腫 SG type
a：電子顕微鏡．細胞質内に fibrous body が認められる．分泌顆粒は少ない．
b：CAM5.2 免疫組織化学．細胞質内にドット状（小球状）に陽性となる．

内の巨大ミトコンドリアを特徴とする(電子顕微鏡所見). 巨大ミトコンドリアはH&E染色標本において細胞質内空胞として認識できることがある. 電子顕微鏡による検索を抗ミトコンドリア抗体の免疫組織化学により代用可能, としている成書もある. fibrous bodyを有する細胞が少数混在していることもある. 侵襲性が強く, aggressive phenotypeとされている.

・個々の下垂体前葉ホルモンを産生する細胞が混在している状態(mixed adenoma, pleomorphic)

PIT-1陽性細胞由来の腺腫として, 理論上はGH-PRL, GH-TSH, PRL-TSH, GH-PRL-TSHのパターンが考えられる. GH産生腺腫に限った報告によれば, 多ホルモン産生腺腫はGH産生腺腫の55%を占めており, そのうちの77%をGH-PRLパターンが, 13%をGH-TSHパターンが, 10%がGH-PRL-TSHパターンを呈していた. PRL-TSH症例についての報告例は少ない. これらを厳密に分類する意義については議論の余地がある.

① plurihormonal PIT-1 positive adenoma

以前のsilent subtype 3 adenomaと考えられる. GH, PRL, TSHが種々の割合でわずかに陽性となる. LMWCKは多くが陰性とされるが, fibrous bodyを有する細胞が少数混在する症例や, ケラチン陽性症例も認められる. aggressive adenomaの一部と考えられている.

T-box transcription factor (TPIT)グループ:ACTH群

corticotroph adenomaもsomatotroph adenomaと同様, DGとSGとに大別される. 特徴的な細胞形態を呈するCrooke's cell adenomaの鑑別も重要である.

免疫組織化学的にACTH陰性の症例であっても, 転写因子TPIT陽性の症例はcorticotroph adenomaと分類可能である.

1 densely granulated corticotroph adenoma(DGCA)

Cushing病を呈し(機能性), 多くは腫瘍径が10mmに満たないmicroadenomaである. 病変が非常に小さいため, 提出された検体内に病変部を確認できないこともある. H&E染色標本では好塩基性細胞の充実性増殖像が認められる. 細胞質は顆粒状にPAS陽性で, 免疫組織化学的にACTH, LMWCKともに細胞質に強陽性となる.

2 sparsely granulated corticotroph adenoma(SGCA)

浸潤性のmacroadenomaとして発見されるまれな腺腫であるが, 大きさに比して内分泌活性の低いCushing病やサブクリニカルCushing病を呈する症例が多い. 免疫組織化学的にも少数のACTH陽性細胞が散見される. LMWCKは細胞膜に陽性で, 血管周囲に配列する細長い突起を伸ばすような形態が観察されることがある.

3 Crooke's cell adenoma

多くは浸潤性のmacroadenomaである. 再発率が高く, 臨床的に予後不良な症例が多いため, "aggressive phenotype"と考えられている. 腫瘍細胞の大多数(50%以上)がCrooke変性*を呈する(図5).

＊Crooke変性とは, 過剰な糖質コルチコイドに長期にわたりさらされたACTH産生細胞に認められる変化で, 非腫瘍性の

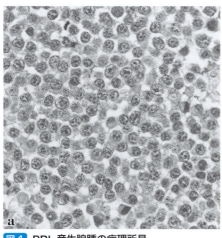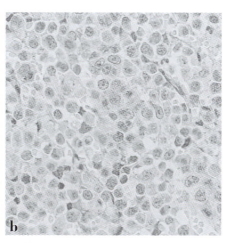

図4 PRL産生腺腫の病理所見
a: PRL産生腺腫H&E染色. 淡好酸性の細胞質に偏在核を有する細胞が密に増殖している.
b: PRL免疫組織化学. PRLは核の近傍に陽性となる(Golgi patternを呈する).

(▶口絵カラー③, p.iii参照)

ACTH産生細胞において観察される．H&E染色標本では核周囲を取り巻くように淡好酸性で均質な硝子様の細胞質が認められる．LMWCKはこの硝子様部に一致してドーナツ状(ring pattern)に強陽性となる．電子顕微鏡では核周囲に同心円状に分布するフィラメントが観察される．分泌顆粒がこの構造に圧排されるため，ACTHは細胞質辺縁部や核周囲に陽性となる．

steroidogenic factor 1(SF1)陽性グループ：ゴナドトロピン群

gonadotroph adenoma(GA)では血管周囲性配列の目立つ症例が多く，円柱状の極性を有する細胞がみられることもある．免疫組織化学的にβFSHやβLH，αSUが種々の割合で陽性となる(αSUが陽性となる例が多い)．これらの下垂体前葉ホルモンが腫瘍のごく一部に陽性(10%程度)となる症例も多く観察時には注意が必要である．電子顕微鏡的に分泌顆粒は小型(100〜300nm)で，少数，細胞膜下に分布する．ホルモン陰性例であっても，転写因子SF1(ないしはGATA2/GATA3)が陽性となればこのグループに分類される．

下垂体前葉ホルモン陰性，かつ転写因子陰性：null cell adenoma

免疫組織化学的に下垂体前葉ホルモンがすべて陰性で，かつ転写因子(PIT-1, TPIT, SF1)もすべて陰性となる腺腫と定義されている．転写因子の診断基準が適応されるまでは免疫組織化学的に下垂体前葉ホルモンが陰性となる腫瘍がnull cell adenomaとされてきたが(正確にはhormone immuno-negative adenoma)，その多くはSF1陽性でgonadotroph adenomaに分類されることとなった．

Nishiokaらの報告によれば真のnull cell adenomaが下垂体腺腫に占める割合は0.6%とまれである(Nishioka, et al, Endocr Pathol 2015)．aggressive phenotypeにあげられているが，狭義のnull cell adenomaについては症例数が少なく，議論の余地がある．

多ホルモン産生腺腫(plurihormonal adenoma)

GH-PRL-TSH群(PIT-1陽性グループ)で説明したものとは異なり，異なるグループに属する複数の下垂体前葉ホルモンの産生が確認される腺腫として定義されるまれな腺腫である．PRL-ACTHやPRL-FSH，ACTH-FSH/LHなどの様々な組合せが想定されており，転写因子の発現も複数確認される．非腫瘍性の下垂体前葉細胞の混在を除外する必要がある．

おわりに

WHO2017では下垂体腺腫の組織亜型を分類するため，下垂体前葉ホルモン(GH, PRL, TSH, ACTH, LH/FSH)に加え，関連する転写因子(PIT-1, TPIT, SF1ないしはGATA3)やLMWCKの免疫組織化学的検索が必用となった．SSTRの発現やKi-67 labeling indexなどの記載の必要性も明記されている．

文献

1) Osamura RY, et al.：Pituitary adenoma. In：Lloyd RV. et al.(eds)：WHO Classification of Tumours of Endocrine Organs,

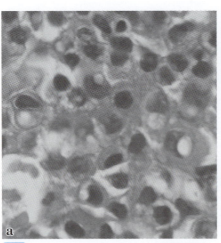 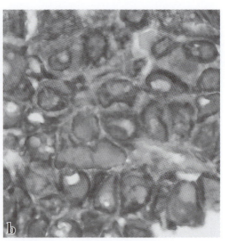

図5 Crooke's cell adenomaの病理所見
a：Crooke's cell adenoma. H&E染色．淡好酸性硝子様の細胞質が核を取り囲むように認められる．
b：CAM5.2免疫組織化学．CAM5.2は核を取り囲むようにドーナツ状(ring pattern)に強陽性となる．

(▶口絵カラー④，p.iii参照)

4th ed. IARC Press, Lyon, 2017；14-40.
2) Asa SL, *et al.*：Tumors of the pituitary gland. ARP press, Virginia, 2020；55-174,（AFIP Atlas of tumor and non-tumor pathology, Series 5).
3) 日本脳神経外科学会，日本病理学会編：臨床・病理 脳腫瘍取扱い規約 第4版．金原出版，2018；41, 147-156.
4) 井下尚子：下垂体．病理と臨床 臨時増刊号 免疫組織化学 実践的な診断・治療のために．2020；198-203.
5) Kleinschmidt-DeMasters BK, *et al.*：Histologic features of pituitary adenomas and sellar region masses. In：Perry A, *et al.*（eds）：Practical Surgical Neuropathology；A Diagnostic Approach. 2nd ed, Elsevier Philadelphia, 2018；453-491.

▶ Column

佐野壽昭先生（1949 - 2011）

　佐野壽昭先生との運命的出会いは，トロントのKovacs教授のもとで互いに下垂体腫瘍の研究を行っていたときである．それ以降，彼が下顎部歯肉癌で亡くなる2011年までの約24年間，"小さくても偉大な臓器"である下垂体の臨床と研究の道を二人三脚でともに歩んできた．

　先生は自身の2,000例を越える下垂体腫瘍の病理所見をもとに，下垂体腫瘍の臨床病理学の発展に多大な貢献をされてきた．第一は，Kovacs教授の免疫染色と超微形態像を基本とした分類を，細胞分化の系譜と容易に行える免疫染色の結果を中心に，より簡便で理解しやすい分類に再構成されたことである．分類は，下垂体腺腫を「GH・PRL・TSH」「ACTH」「LH・FSH」の3グループに大別し，グループ間にまたがって複数のホルモンが共存することは通常ないこと，各グループに機能性および非機能性の腺腫があることを骨格にしている．第二に，奇妙な細胞内構造変化（GH細胞腫のfibrous body，ACTH細胞腫のCrooke細胞，honeycomb-Golgiなど）に注目し，その構造と細胞機能の関係や，silent subtype 3 adenomaなど臨床診断と病理診断の乖離を示す腫瘍について，時に分子生物学的手法も駆使しつつ精力的に研究され内外でも注目される多くの成果を残された．さらに先生は，徳島大学旧第一病理学教授として教育・研究に従事する傍ら，日本内分泌病理学会の創設と運営にご尽力され，2009年秋には，国際下垂体病理学会を会長として立派に運営された．先生は最後まで，常に悠然と構え，笑顔を絶やさず，奥様思いで，われわれにいつも勇気を与えてくださった．心よりご冥福をお祈り申し上げる．

（森山脳神経センター病院間脳下垂体センター　山田正三）

第2章 臨床知識——A 総論

6 傍鞍部腫瘍の病理と分類

筑波大学附属病院脳神経外科 **木野弘善, 高野晋吾**

臨床医のためのPoint ▶▶▶

1. 下垂体腺腫以外の傍鞍部には多くの種類の腫瘍が発生し, 診断により治療方針が大きく違う.
2. 臨床症状, 画像所見, 年齢を考え, 早期の診断が必要である.
3. 開頭術, 内視鏡手術による確定診断が重要である.
4. 多くの腫瘍型で遺伝子異常, それに伴う特異的蛋白が同定されている.

はじめに

下垂体腺腫以外の代表的な傍鞍部腫瘍の病理と分類について概略を述べる. 発生頻度では頭蓋咽頭腫が多く, 脳実質内, 視神経に浸潤する腫瘍では治療に難渋する. 傍鞍部から間脳にかけての狭い領域に多くの種類の腫瘍がみられ, 胚細胞腫, 悪性リンパ腫では悪性度が高く, 正確な病理診断に基づかなければ治療に難渋する. glioma は浸潤性ではあるが悪性度が低く, 自然消褪の傾向もみられる経過の長い腫瘍である. 下垂体内分泌症状, 視神経症状, 視床下部症状, 水頭症に配慮してそれぞれの疾患ごとに適切なプロトコールによる治療(手術, 放射線, 化学療法)が必要な腫瘍群である. 近年注目されている遺伝子・蛋白異常についても概説する.

頭蓋咽頭腫(craniopharyngioma)

トルコ鞍部から第三脳室にかけて発生し, 日本脳腫瘍全国統計(2014)では頭蓋内腫瘍の2.5%を占める. エナメル上皮腫型(adamantinomatous type)と扁平上皮乳頭型(squamous papillary type)の2型がある. これらはいずれも頭蓋咽頭管の遺残組織(Rathke[ラトケ]囊)に由来すると考えられている.

1 エナメル上皮腫型頭蓋咽頭腫

若年者に多い型で, トルコ鞍上部に境界鮮明な石灰化を伴う囊胞性腫瘤が形成される. 腫瘍は脳底部から視床下部や第三脳室に向かって上方に進展増殖する. 囊胞腔には暗褐色の液体が含まれており, これは肉眼的に機械油様と表現されている. この液体中にはきらきらと輝く微細なコレステロール結晶が含まれている.
組織学的には重層扁平上皮様の形態を示す上皮細胞が線維性基質のなかに集団をつくって増殖している. 上皮胞巣から周囲に向かって上皮が舌状に伸び, 八つ頭状ないしクローバーの葉状構築と表現される. 上皮細胞は胞巣の周辺部では円柱上皮様で, 内部では細胞間隙が開いており, 網目状構造(stellate reticulum)をつくっている. 上皮胞巣内には角化物(wet keratin)がしばしば認められる. 間質にはコレステリン裂隙を伴う炎症性肉芽腫性反応と線維化がみられる. 脳実質に浸潤するところには, 著明なグリオーシスとRosenthal線維の形成が観察される.

2 扁平上皮乳頭型頭蓋咽頭腫

もっぱら成人にみられ, 石灰沈着の乏しい充実性の腫瘤を形成する. 表面は平滑で, 機械油様の内容物はみられない. 組織学的には, よく分化した重層扁平上皮が網目状に吻合しながら増殖している. 上皮の網目のあいだには血管結合織からなる間質が認められ, 乳頭状の構造をつくっている. 上皮には細胞間橋がみられるが, ケラトヒアリン顆粒や角化は認められない. まれに, 上皮内に杯細胞や有線毛細胞がみられることがある.

3 頭蓋咽頭腫の遺伝子解析

近年頭蓋咽頭腫のエナメル型(Adam型)と扁平上皮乳頭型(Pap型)2型での遺伝子異常が報告されている[1]. *BRAF*遺伝子変異と*CTNNB1*遺伝子変異である.

・*BRAF*遺伝子変異

BRAFはセリンスレオニンキナーゼで, 下流のMAPKカスケードをリン酸化, 活性化し, 細胞増殖, 細胞骨格の変化を起こす. *BRAF*遺伝子変異は点突然変異としてみられ, ほとんどがリン酸化活性領域内のコドン600のチミンがアデニンに変わり, バリンがグルタミン酸へ置換される(V600E). *BRAF V600E*遺伝子変異は, sanger法によるシークエンス解析, あるいは*V600E*変異特異的モノクローナル抗体(clone VE1)による免疫染色で検出する.

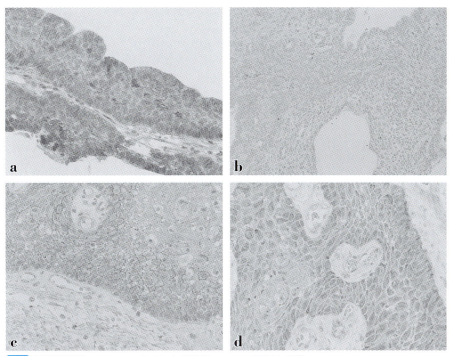

図1 頭蓋咽頭腫　a，b：エナメル上皮腫型，c，d：扁平上皮型
a, c：β-catenin 染色，a では細胞質/核内に局在，c では膜に局在．
b, d：BRAF V600E 変異抗体による染色

（▶口絵カラー⑤, p. iv 参照）

・CTNNB1 遺伝子変異

Wnt シグナル伝達経路において細胞膜の裏打ちタンパク質として機能する β-カテニンが細胞質に蓄積することによって，Wnt シグナルが活性化される．β-catenin をコードする CTNNB1 遺伝子の変異が様々な腫瘍でみられる．CTNNB1 遺伝子変異は sanger 法によるシークエンス解析，標的蛋白の β-catenin の免疫染色により，野生型では細胞膜での局在が，変異型では細胞質/核の局在になることで判定できる．

・頭蓋咽頭腫での遺伝子異常

BRAF V600E 遺伝子変異は Pap 型の 95％，Adam 型の 12％でみられた．CTNNB1 遺伝子変異は Adam 型では CTNNB1 変異がみられ，β-catenin の細胞質/核内発現がみられる．Pap 型では CTNNB1 変異はみられず，β-catenin は細胞膜に発現がみられる（図1）．このように，CTNNB1 と BRAF 変異は排他的で，各組織タイプに特異的であると報告されている．ただし，BRAF V600E 変異の免疫染色は Adam 型でも少数に陽性所見がみられ，非特異的染色に注意が必要である．また BRAF V600E 変異に対する分子標的薬が開発されており，頭蓋咽頭腫でもその効果が期待される[2]．Hara ら[1]は CTNNB1 変異が Wnt/β-catenin シグナルの標的遺伝子を活性化するかどうかさらに予後に影響があるかどうかを 31 例の aCP で調べた．CTNNB1 exon 3 変異は 21/31（68％）の aCP でみられた．標的遺伝子である Axin2 mRNA 発現は CTNNB1 変異のある aCP では変異のない aCP に比べて有意に高かった．術後放射線照射を受けた症例を除くと，aCP で変異のある群はない群に比べて有意に PFS が短かった．aCP における CTNNB1 遺伝子変異は，疾患の再発に関係し，Wnt/β-catenin シグナル伝達に関係する遺伝子は治療標的となりうることを報告している．

胚細胞腫瘍（germ cell tumor）

この腫瘍群には5種類の組織型があり，それぞれ単独で発生することもあるが，複数の組織型が同一腫瘤内に混在していることもある．西欧に比べわが国に多い腫瘍で，頭蓋内腫瘍の 2.1％ を占める．

1 胚細胞腫（germinoma）

精巣の精上皮腫（seminoma）と卵巣の未分化胚細胞腫（dysgerminoma）に類似の腫瘍である．若年男性に好発する，最も頻度の高い（1.5％）胚細胞腫瘍である．

組織学的には，核小体の明瞭な大型類円形核と

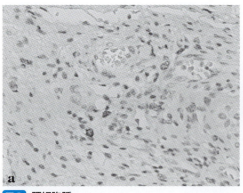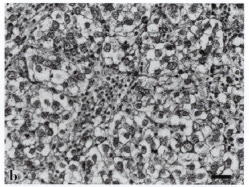

図2 胚細胞腫
大型の多角形腫瘍細胞が C-kit(a), podoplanin(b) 免疫染色で陽性である.

(▶口絵カラー⑥, p.iv 参照)

淡明な細胞質をもつ多角形細胞が敷石状に配列している. 細胞には核分裂像が多数認められる. 腫瘍組織は血管に富む結合組織性間質により小葉状に区画される傾向があり, 間質にはTリンパ球の浸潤がみられる. 腫瘍細胞はグリコーゲンに富み, periodic acid-Schiff(PAS) 反応が陽性である. 免疫組織化学的には胎盤性アルカリホスファターゼ, C-kit, podoplanin が腫瘍細胞に検出される(図2). 腫瘍内に巨細胞(syncytiotrophoblastic giant cell : STGC)の出現や, 肉芽腫の形成がみられることもある.

2 胎児性癌(embryonal carcinoma)

胎生外胚葉の細胞配列に類似した上皮様ないし充実性の構造をつくる腫瘍である. 頭蓋内ではほかの組織型と混在して出現することが多い. 上皮様の腫瘍細胞が不完全な腺管構造やシート状の細胞集団をつくって増殖する. 腫瘍細胞はサイトケラチンが陽性である.

3 卵黄嚢腫瘍(yolk sac tumor)

卵黄嚢の胎生内胚葉の形態を模倣する腫瘍であり, ラット胎盤の endodermal sinus との類似性から内胚葉洞腫瘍(endodermal sinus tumor)ともよばれている. 組織像は多彩で, 内皮様あるいは上皮様の細胞が網目状, 小嚢状, 乳頭状あるいは充実性に増殖している. 診断的価値がある Schiller-Duval body は小嚢状構造のなかに, 中心に血管があり周囲を上皮様腫瘍細胞で覆われた房が突出した構造である. PAS 陽性の好酸性硝子滴は腫瘍細胞の内外にみられる. 免疫組織化学的には腫瘍細胞に α-fetoprotein(AFP)の局在が証明される.

4 絨毛癌(choriocarcinoma)

異型的な syncytiotrophoblast と cytotrophoblast が混在して増殖する悪性腫瘍であり, 頭蓋内に純粋型として原発することはまれである. 免疫組織化学的には human chorionic gonadotropin(hCG)が証明される.

5 奇形腫(teratoma)

三胚葉性の構成成分からなる腫瘍であり, 構成要素が未熟な形態を示すものは未熟奇形腫(immature teratoma), いずれもよく成熟分化しているものは成熟奇形腫(mature teratoma)である. 腫瘍を構成する成分は, 表皮, 毛嚢, 皮脂腺, 汗腺, 平滑筋, 脂肪組織, 神経組織, 軟骨, 骨, 気管支などである. 未熟奇形腫ではしばしば神経管様の構造が観察される. 成熟奇形腫の一部の成分が悪性化したものは, 悪性転化を伴う奇形腫(teratoma with malignant transformation)や, growing teratoma syndrome とよばれる病態に注意が必要である.

膠腫(glioma)

第三脳室壁や視床下部に発生する glioma はほとんどが astrocytoma であり, fibrillary astrocytoma と pilocytic astrocytoma が多い(図3). 視神経の astrocytoma がこの領域に浸潤することもある. 経過の長い腫瘍で長期間の化学療法での縮小や, 自然消退する場合もみられる.

TTF-1 陽性傍鞍部腫瘍

下垂体腺腫以外で細胞起源が同一と考えられている鞍内から鞍上部にかけて, 正確には neurohypophysis(下垂体後葉, 下垂体柄, 漏斗)にできる腫瘍群が注目されている. pituicytoma, spindle cell oncocytoma(SCO), granular cell tumor of neurohypophysis で, すべて合わせた頻度は頭蓋内腫瘍の 0.1% と少ないが, いずれも正常後葉の pituicyte にみられる thyroid transcription factor-1 (TTF-1)核内発現がみられる[3]. 3種類の腫瘍の区別は臨床的, 画像的, 病理学的にむずかしいが, 細胞起源である正常 neurohypophysis の pituicyte

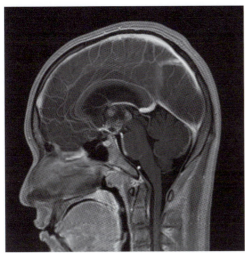

図3 hypothalamic pilocytic astrocytoma
15歳男児．水頭症による頭蓋内圧亢進で発症．開頭術により摘出．

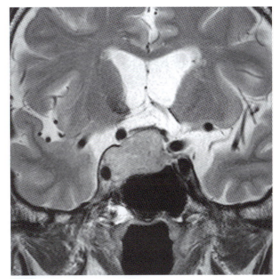

図4 TTF-1陽性傍鞍部腫瘍
62歳　男性．右眼瞼下垂で発症．TSAで手術，硬い，易出血性腫瘍．

のタイプの違いで説明されている．

　3種類とも，臨床的には腫瘍の圧迫症状で，視機能障害，頭痛，下垂体前葉機能低下，下垂体柄の圧迫による高PRL血症であり，3種類のあいだでの区別だけでなく，非機能性下垂体腺腫との区別もむずかしい．ただし，TTF-1陽性腫瘍では尿崩症が3.9～4.6%と少ないながらみられる点が非機能性下垂体腺腫とは異なっている．

　画像的にも3種類の腫瘍と非機能性下垂体腺腫の区別はむずかしい．3種類の腫瘍は均一な造影効果を示し，充実性であるが（図4），下垂体腺腫では不均一な造影効果，囊胞性である場合が異なる．発生部位は3種類とも鞍内，鞍上部，両者にまたがる場合がある．鞍上部だけの場合もあり，この場合には下垂体腺腫と区別できる．術中所見は3種類の腫瘍とも，比較的硬く血管に富み，易出血性であり，止血に難渋し部分摘出にとどまることもある．臨床的には部分摘出で再増大してくる場合には定位的放射線治療の報告がみられる．転移，悪性化は報告されていない．

　病理学的にはいずれもWHO grade 1の緩徐に増大する腫瘍である．それぞれTTF-1陽性の腫瘍細胞から形成される．正常の後葉とは細胞密度で区別する．TTF-1陽性腫瘍（pituicytoma, SCO, granular cell tumors of neurohypophysis）はこの部位に発生するTTF-1陰性腫瘍（髄膜腫，pilocytic astrocytoma, schwannoma）と区別できる．ただし，TTF-1は正常後葉のpituicyteでも陽性であるので，小さい生検材料では正常後葉との区別に注意が必要である．mitotic figuresはまれで，MIB-1 LIは数%以下

である．免疫染色では一般的にvimentin, S100 protein, GFAPが陽性, synaptophysin, chromogranin, 下垂体前葉ホルモンが陰性, EMAは様々である．SCOではpituicytomaと比べて，電子顕微鏡で豊富な細胞質のミトコンドリアあるいは抗ミトコンドリア抗体での発現がみられる．遺伝子検索の報告は少ないが，pituicytoma, SCO, granular cell tumorでは*IDH1*変異，*BRAF*遺伝子異常（*V600E*変異，融合蛋白）とも現在までみられない．

悪性リンパ腫 (malignant lymphoma)

　クロマチンに富む核と狭い細胞質をもつ類円形の細胞が充実性に増殖する．血管周囲に浸潤する傾向が強い．免疫組織化学的にはB細胞の形質をもつ．多発する場合が多い．まれではあるが，術前診断がむずかしく，病状の進行が速いため管理に注意が必要な悪性腫瘍である．

視床下部過誤腫 (hypothalamic hamartoma)

　第三脳室の底面から視床下部の神経細胞とグリアが結節状に脳表に突出したもので，直径1cm以下の小さなものが多い．若年者にみられ，笑い発作，頭痛，視力障害，思春期早発症や先端巨大症などの内分泌症状を示すことがある．腫瘍内の神経細胞やグリアはほぼ正常の形態を示し，核分裂像はみられない．過誤腫の部位，大きさ，症状との詳細な検討が報告されている[4]．思春期早発症をきたすものは大きいものが多い（図5）．

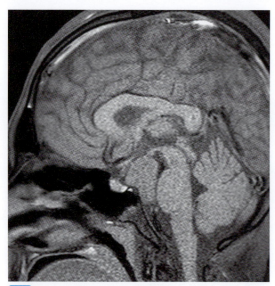

図5 hypothalamic hamartoma
10歳男児．思春期早発症で発症．

脊索腫（chordoma）

　脊索腫はおおよそ100万人に1人発症する非常にまれな成長速度の遅い悪性骨腫瘍である．外科的最大限の摘出に加え，陽子線や重粒子線といった高線量放射線治療が標準治療となるが，10年間無再発期間は50%程度と予後不良で再発を繰り返す腫瘍として知られている．外科手術については近年内視鏡手術の技術向上に伴い摘出率の向上が報告されている．病理学的にはclassical chordoma，chondroid chordoma，dedifferentiated chordomaに分類され粘液様基質を背景とした空胞腫瘍細胞の柵状配列をもつ分葉状の腫瘍である．軟骨基質を背景とした軟骨肉腫様の病理像を混在するものがchondroid chordomaとされ，核異型が強く，紡錘形細胞の増殖を伴うものがdedifferentiated chordomaとされる．chondroid chordomaにおいては軟骨肉腫との鑑別が問題となるが，脊索腫細胞はbrachyuryとよばれる脊索腫に特異的な転写因子が高発現していることが鑑別点となる．このbrachyhuryはT遺伝子によってコード化された蛋白で，中胚葉の形成に関与する20以上の遺伝子が存在するT-box遺伝子複合体の転写因子である（第6染色体）．正常な脊索の分化，遊走に関係しているとされ，胎生期に発現しているこの転写因子は，通常成人期には発現がなくなるため脊索腫治療における分子標的としても注目されている．実際にbrachyury高発現の腫瘍細胞ほど，予後不良とされ，in vivo実験においてbrachyury発現を抑制することが腫瘍の増殖抑制につながることが報告されている．brachyuryの発現経路についてはいまだ未解明ながら，近年ではCDK7/12/13，PI3K/Akt経路，MEK/ERK経路等報告されており[5]，いずれも脊索腫細胞の増殖抑制を示すことが明らかとなっており，今後手術，放射線治療に加えて，新規の分子標的治療が導入されることが期待されている．

おわりに

　前述7種類のほかの傍鞍部腫瘍の鑑別診断を列挙しておく．Rathke囊胞，リンパ球性下垂体炎，サルコイドーシス，髄膜腫，神経鞘腫，類表皮囊胞，Langerhans細胞組織球症，結核腫，転移性下垂体腫瘍，頭蓋底腫瘍の浸潤，くも膜囊胞があげられ，いずれも臨床症状，画像所見，年齢，ほかの部位の腫瘍の存在による情報に加えて，新しい遺伝子・蛋白異常の発現解析が大きな診断の助けとなる．前述した頭蓋咽頭腫でのCNTTB1，BRAF V600E変異，TTF-1に加えて，脊索腫に対するbracyury発現は重要である．

文献

1) Hara T, et al.：Clinical and biological significance of adamantinomatous craniopharyngioma with CTNNB1 mutation. J Neurosurg 2018；**131**：217-226.
2) Brastianos PK, et al.：Dramatic Response of BRAF V600E Mutant Papillary Craniopharyngioma to Targeted Therapy. J Natl Cancer Inst 2015；**108**：djv310.
3) Kleinschmidt-DeMasters BK, et al.：Update on hypophysitis and TTF-1 expressing sellar region masses. Brain Pathol 2013；**23**：495-514.
4) Parvizi J, et al.：Gelastic epilepsy and hypothalamic hamartomas：neuroanatomical analysis of brain lesions in 100 patients. Brain 2011；**134**：2960-2968.
5) Sharifnia T, et al.：Small-molecule targeting of brachyury transcription factor addiction in chordoma. Nature medicine 2019；**25**：292.

第2章 臨床知識——A 総論

7 下垂体腫瘍の症候

日本医科大学大学院医学研究科内分泌糖尿病代謝内科学　**福田いずみ**

>> 臨床医のための Point ▶▶▶

1. 症候性下垂体腫瘍の症状は腫瘍周辺の正常組織の圧排による症状と機能性腺腫によるホルモン過剰症状に大別される．
2. 下垂体卒中では突然の頭痛など重篤な症状を呈する．

はじめに

わが国の脳腫瘍全国統計（2009年度）[1]によると下垂体～視交叉に生じる頭蓋内腫瘍は全脳腫瘍の約17%を占める．下垂体部腫瘍の内訳では下垂体腺腫76%，頭蓋咽頭腫16%，胚細胞腫瘍3%であるが，別項目の髄膜腫のなかにトルコ鞍周辺に発生した例が計上されており，これらを合算すると下垂体領域に発生する腫瘍は下垂体腺腫が最も多く，次いで頭蓋咽頭腫，髄膜腫の順となる．一方，日本人の剖検1,000例を対象とした調査ではMRIで検出しうる2 mm以上の下垂体病変（下垂体偶発腫：pituitary incidentaloma）が約6.1%の頻度でみられ，無症候性のまま経過する下垂体腫瘍も少なからず存在することを示している．

下垂体腫瘍の症候は大別すると腫瘍自体のmass effectにより近傍の正常組織が影響を受けて生じる症状，機能性下垂体腺腫のホルモン過剰に基づく症状がある．さらに一部の下垂体腫瘍では下垂体卒中による急性症状を呈することがある．

周辺正常組織への圧迫による症候

下垂体はトルコ鞍内に位置し，下方に蝶形骨洞，上方に視交叉，左右に海綿静脈洞が存在する．海綿静脈洞内には脳神経（動眼神経，滑車神経，三叉神経，外転神経）が走行し，近傍には内頸動脈も存在する．

下垂体腫瘍が上方進展すると視交叉を圧排し，視野障害を生じる．視交叉の下方からの圧排はまず両耳側上部の視野欠損，次いで両耳側半盲に進行する（図1）．腫瘍が長期に視神経を圧迫すれば視神経乳頭は萎縮し失明に至ることもある[2]．

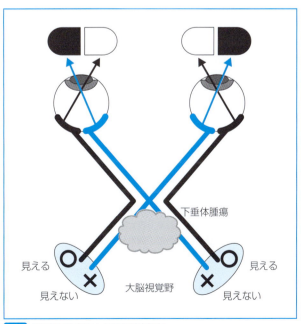

図1 下垂体腫瘍による両耳側半盲

下垂体腫瘍の側方進展は海綿静脈洞浸潤をきたす．この部分に存在する脳神経が障害されると複視，眼瞼下垂，顔面の知覚異常などを起こすことがある．下垂体卒中を併発すると，より高率に脳神経障害が出現する．

　腫瘍の下方進展ではトルコ鞍底部の骨侵食が生じ，侵襲性の強い腫瘍では鼻閉，髄液漏，それに伴う感染症がみられる[2]．

　トルコ鞍領域から発生した腫瘍が側頭葉や前頭葉に至ればけいれん発作や嗅覚障害の原因となる．

　頭痛は下垂体腫瘍にしばしばみられ，その頻度は約67.8%である[3]．トルコ鞍内圧が高まり，硬膜が引き延ばされることが一因とされるが，頭痛の強さは下垂体腫瘍のサイズや鞍上進展の度合いとは必ずしも一致せず，トルコ鞍内に留まる小さな病変であっても頭痛の原因となることがある[2]．

　腫瘍が正常下垂体を圧排すると下垂体機能低下症をきたす．トルコ鞍内圧の上昇，下垂体正常組織の虚血性壊死などの機序が考えられている[2]．腫瘍による下垂体茎の圧排も同部の血流障害の原因となる．下垂体茎の圧排では，下垂体ホルモン分泌を調節する視床下部ホルモンの作用不全により下垂体機能低下や高プロラクチン血症が生じる．PRLは視床下部からのドパミンにより抑制的に制御されているため，腫瘍により下垂体茎が影響を受けると，PRLの抑制的な調節が損なわれ，軽度の高PRL血症（< 100 ng/mL）となる．

　下垂体腫瘍の25～30%を占める非機能性下垂体腺腫では下垂体機能低下症は緩徐に進行し，軽度の障害では自覚症状に乏しいため本人も気付か

表1 下垂体前葉機能低下症の症状

下垂体ホルモン	ホルモン欠乏による臨床症状
ACTH	全身倦怠感，食欲不振（非特異的消化器症状），体重減少，低血圧，意識障害 <成人女性>腋毛・陰毛の脱落（副腎アンドロゲン欠乏による）
TSH	寒がり，不活発，うつ，便秘，皮膚乾燥，徐脈，脱毛（頭髪，眉毛）
GH	<小児>低身長，低血糖 <成人>内臓脂肪型肥満，除脂肪体重減少，易疲労感，不活発
PRL	<産褥期>乳汁分泌低下
LH, FSH	<成人男性>性欲低下，性器の萎縮，不妊，腋毛・陰毛の脱落 <成人女性>無月経，乳房・性器の萎縮，不妊

表2 機能性下垂体腺腫にみられるホルモン過剰症状

GH産生腺腫 （先端巨大症，下垂体性巨人症）	手足の容積増大 先端巨大症様顔貌（眉弓部の膨隆，鼻・口唇の肥大，下顎の突出など） 巨大舌 著明な身長の増加（下垂体性巨人症の場合） 月経異常，睡眠時無呼吸症候群，耐糖能異常，高血圧，不正咬合 変形性関節症，手根管症候群
ACTH産生腺腫 （Cushing病）	1. 特異的症候 　　満月様顔貌，中心性肥満または水牛様脂肪沈着 　　皮膚の伸展性赤紫色線条，菲薄化および皮下溢血 　　近位筋萎縮による筋力低下 　　肥満を伴った成長遅延（小児例） 2. 非特異的症候 　　高血圧，月経異常，痤瘡（にきび），多毛，浮腫 　　耐糖能異常，骨粗鬆症，色素沈着，精神障害
PRL産生腺腫 （プロラクチノーマ）	男女共通：頭痛，視力視野障害 女性：月経不順・無月経，不妊，乳汁分泌 男性：性欲低下，インポテンス，女性化乳房，乳汁分泌
TSH産生腺腫	甲状腺中毒症（動悸，頻脈，発汗増加，体重減少） びまん性甲状腺腫大

〔有馬　寛，他：厚生労働科学研究費補助金難治性疾患政策等研究事業間脳下垂体機能障害に関する調査研究班：間脳下垂体機能障害の診断と治療の手引き（平成30年度改訂）．日本内分泌学会雑誌 2019；95（Suppl）：1-4, 8-13, 29をもとに作成〕

ず，ホルモン測定により明らかになる場合もある．37～85%の症例で何らかの下垂体機能障害を伴うとされる[4]．

報告により幅があるが，非機能性下垂体腺腫に伴う分泌障害の頻度ではGH 61～100%，ゴナドトロピン36～96%の頻度が高い．次いでACTH欠乏17～62%，TSH欠乏8～81%の頻度である[4]．下垂体腺腫の発見時に下垂体後葉障害を伴うことはまれであり，中枢性尿崩症を呈する場合には下垂体腺腫以外の原因を考慮する．各下垂体前葉ホルモンの欠落症状を表1に示す．

機能性下垂体腺腫による ホルモン過剰症状

下垂体腺腫は臨床的にホルモンの過剰所見を認めるかで機能性と非機能性に大別されるが，この境界は明確には分けられないこともある．各機能性腺腫のホルモン過剰による症状を表2[5]に示す．ゴナドトロピン産生腺腫は明らかなホルモン過剰症状を伴うことはまれであり，臨床的には非機能性腺腫として扱われる．

下垂体卒中

下垂体腫瘍内に出血や梗塞が生じて下垂体卒中をきたすことがある．腫瘍体積の急激な増大により突然の激しい頭痛，視野視力障害，複視，意識障害，下垂体機能低下症などが生じる．原疾患では下垂体腺腫によるものが多く，腺腫における併発頻度は2～12%である[6]．

文献

1) Report of brain tumor registry of Japan(1984-2000)12th edition Part I, II. *Neurologia medico-chirurgica* 2009；**49**(Supple)：S1-34.
2) Melmed S, *et al.*：Pituitary Masses and Tumors. In：Melmed S, *et al.*(eds)：Williams Textbook of Endocrinology.14th ed, Elsevier, 2020；236-302.
3) Ferrante E, *et al.*：Non-functioning pituitary adenoma database：a useful resource to improve the clinical management of pituitary tumors. *Eur J Endocrinol* 2006；**155**：823-829.
4) Ntali G, *et al.*：Epidemiology, clinical presentation and diagnosis of non-functioning pituitary adenomas. *Pituitary* 2018；**21**：111-118.
5) 有馬 寛，他：厚生労働科学研究費補助金難治性疾患政策等研究事業間脳下垂体機能障害に関する調査研究班：間脳下垂体機能障害の診断と治療の手引き(平成30年度改訂)．日本内分泌学会雑誌 2019；**95**(Suppl)：1-4, 8-13, 29.
6) Briet C, *et al.*：Pituitary Apoplexy. *Endocr Rev* 2015；**36**：622-645.

第2章　臨床知識——A　総論

8　下垂体嚢胞性病変の鑑別

虎の門病院間脳下垂体外科　**岡田満夫**

> **臨床医のための Point ▶▶▶**
> 1. 下垂体嚢胞性病変には，治療方針・予後の異なる多彩な病変があり，特に頭蓋咽頭腫と Rathke 嚢胞の鑑別は重要である．
> 2. 鑑別診断には症状・経過や内分泌所見に加えて，CT/MRI は必須である．
> 3. 画像上の鑑別点は，実質成分の有無，嚢胞内容液の信号強度，病変と正常下垂体を含めた周囲正常組織との位置関係などである．

概念・病態

下垂体の嚢胞性病変には，頭蓋咽頭腫や嚢胞性下垂体腺腫などの腫瘍性病変，Rathke（ラトケ）嚢胞やくも膜嚢胞などの腫瘍性病変が含まれ，治療方針や経過・予後が大きく異なるため確実な鑑別診断が求められる．鑑別には，年齢，症状や内分泌所見などに加えて詳細な画像評価，特に MRI（可能であれば造影）が必須である．画像所見では病変の位置，下垂体や下垂体茎との位置関係，実質成分の有無，嚢胞内容液の性状（信号），嚢胞壁の造影所見，石灰化の有無などが鑑別のポイントとなる[1,2]．

疫学・症状

嚢胞性病変に固有の症状はなく，一部の機能性腺腫を除くと，他の腫瘍性病変と共通の症状を呈する．すなわち病変の mass effect による視機能障害，頭痛，下垂体機能低下症や高プロラクチン血症などである．一方，Rathke 嚢胞や頭蓋咽頭腫では病変または周囲に炎症性の変化を伴うことがあり，下垂体腺腫と比較して頭痛，下垂体機能低下症や尿崩症をきたす頻度はわずかに高い傾向がある．頭蓋咽頭腫の多くを占めるエナメル上皮腫型は二法制の年齢分布（ピークは 5〜15 歳と 45〜60 歳）を示すが，他の嚢胞性病変は成人以降にみられることが多い．Rathke 嚢胞は女性に多い（男性：女性 = 1：2）．

頭部 CT 検査

石灰化は頭蓋咽頭腫（エナメル上皮腫型）では高率に認められ，他の嚢胞性病変では極めてまれなため鑑別に非常に有効である．トルコ鞍の変形は腺腫（風船状拡大）や頭蓋咽頭腫（平皿様変形）で認められる．

トルコ鞍部 MRI（表1）

1 頭蓋咽頭腫

石灰化と嚢胞形成合併が特徴的な腫瘍．嚢胞は特に多房性のことが多く，実質成分を伴うことが多い．嚢胞内容は蛋白濃度，コレステリン，血腫成分を反映した信号強度を示す．腫瘍の実質成分と嚢胞壁に造影効果が認められる．トルコ鞍内や第三脳室内に限局することもあるが，下垂体茎に接してトルコ鞍内・鞍上部に発生する．視交叉，視索に沿っての浮腫性の変化を認めることがある（図 1a，b）．

2 嚢胞性下垂体腺腫

嚢胞壁を裏打ちするような腫瘍の実質成分を画像上認めることが最も有用な所見である．この嚢

表1　下垂体嚢胞性病変の画像所見による鑑別点

	頭蓋咽頭腫	嚢胞性腺腫	Rathke 嚢胞	くも膜嚢胞	empty sella
単・多房性	単・多	単まれに多	単	単	単房様
実質成分	＋・＋−	＋	−	−	−
石灰化	＋＋・−	−	−	−	−
嚢胞内容信号強度	不均一・均一	不均一・均一	均一・まれに不均一	均一（髄液様）	均一（髄液）
下垂体の位置関係	辺縁部	上・鞍背・側	前	鞍底・鞍背	鞍底

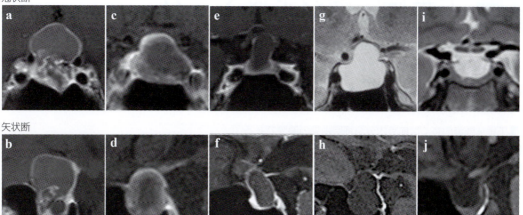

図1 各種下垂体嚢胞性病変のMRI像
a, b：頭蓋咽頭腫，c, d：嚢胞性下垂体腺腫，e, f：Rathke嚢胞，g, h：くも膜嚢胞，i, j：トルコ鞍空洞症

胞周囲に存在する腫瘍実質成分は，造影効果を認め，さらに周囲の正常下垂体より造影効果は乏しい．嚢胞は時に多房性である．嚢胞はその内容を反映した信号強度を示し，血腫や古い血漿成分があればniveauを形成することもある．病変はトルコ鞍内を主座としながら鞍上部へ進展したり，トルコ鞍の拡大や破壊を認めることもある（図1c, d）．

3 Rathke嚢胞

嚢胞は単房性である．実質成分を欠き，嚢胞壁に薄い造影効果を認める．嚢胞内にはwaxy nodule（intracystic nodule，mucin clump）とよばれる球状塊が認められることがある（T2WIで低信号）．嚢胞内容は蛋白濃度をおもに反映した様々な信号強度を示す．病変は前葉と後葉の間に存在することが多く，矢状断において下垂体前葉は嚢胞の前方に認められることが鑑別に有用な所見である．まれにトルコ鞍上部に下垂体茎に接する嚢胞として認められることがある．嚢胞壁に慢性炎症や重層扁平化をきたすと嚢胞壁の肥厚・造影効果の増強などの非特異的な所見を呈し，頭蓋咽頭腫との鑑別が困難になることがある[3]（図1e, f）．

・くも膜嚢胞

嚢胞は単房性である．実質成分はなく，嚢胞壁はうすく造影されないのが特徴である．嚢胞内容は髄液とほぼ同様な信号強度を示す．病変の主座はトルコ鞍内・鞍上部であり，下垂体はトルコ鞍底・鞍背へ圧排されていることが多い（図1g, h）．

・empty sella（トルコ鞍空洞症）

くも膜がトルコ鞍内に下降し，下垂体を鞍底部に圧排した状態をいう．画像上はトルコ鞍内の嚢胞様病変にみえるが，くも膜下腔と連続した腔であり真の嚢胞性病変ではない．原発性または下垂体腫瘍術後などが原因となる二次性に分けられる．多くは治療を要さないが，下垂体機能低下や視交叉の下方への牽引により視機能障害を呈することがある（図1i, j）．

文献

1) Tafreshi AR, et al.：Differential clinical presentation, intraoperative management strategies, and surgical outcomes after endoscopic endonasal treatment of cystic sellar masses. World Neurosurg 2020；**133**：e241-e251.
2) Andrysiak-Mamos E, et al.：Cystic lesions of the sellar-suprasellar region-diagnosis and treatment. Endokrynologia Polska 2018；**69**：212-228.
3) Nishioka H, et al.：Magnetic resonance imaging, clinical manifestations, and management of Rathke's cleft cyst. Clinical endocrinology 2006；**64**：184-188.

第2章 臨床知識──A 総論

下垂体腫瘍の予後マーカー
～臨床および病理学的観点から～

東京都健康長寿医療センター病理診断科　井下尚子

≫ 臨床医のための Point ▶▶▶

1. 下垂体腫瘍の多くは前葉内分泌細胞由来の腺腫である．
2. 髄膜播種や遠隔転移をもって「がん」と臨床的に診断するため，病理所見から予後予測できない．
3. 良性扱いの「腺腫」から「PitNET」に病理診断名を変更する動きが強くなっている．

下垂体腫瘍

下垂体腫瘍には，①前葉内分泌細胞由来の下垂体腺腫および下垂体癌（あるいは PitNET），②pituicytoma，③嚢胞性病変があげられ，以下に示した．④その他；悪性腫瘍には胚細胞腫瘍，間葉系腫瘍（脊索腫，血管周皮腫など），血液系腫瘍などがある．良性では神経性腫瘍（中枢神経細胞腫など），髄膜腫などが散見される．

それぞれの概説，予後マーカー

1 下垂体腺腫

病理学総論では一般に，腫瘍細胞そのものの悪性度，すなわち核異型，間質浸潤などをもって悪性腫瘍，がんと判断をするが，内分泌腫瘍はこの判断がむずかしい腫瘍の1つであり，良悪の確定はせず，細胞増殖活性（核分裂像や Ki-67 LI）などをもって予後予測する grading が一般的である．下垂体では，Ki-67 LI 3％以上，変異型 p53 が免疫組織学的に陽性を示す腺腫を，非定型腺腫（atypical adenoma）としてがんに移行する可能性が高い腫瘍と位置づけてきたが[1]，この定義は十分な予後予測につながらないことから，2017年 WHO 分類では削除された[2]．なお，Ki-67 LI 3％以上という数字は，全身のその他の悪性腫瘍に比し明らかに低い．大きく3％を超えるような場合には，他臓器腫瘍の転移なども鑑別にあげるだけでなく，リンパ球や血管内皮細胞などをカウントして過大評価していないか確認する必要がある．なお，「Ki-67」は，細胞周期に関連するタンパクで休止期（G 0）以外の細胞核に発現する．MIB-1 は抗 Ki-67 抗体のクローンの1つ．

下垂体では手術全摘が困難な腫瘍も多く，これが再発リスクにかかわる．このため，初診時に周囲浸潤性が高い傾向にある病理組織型を示す腫瘍，あるいは薬物治療に抵抗性の腫瘍は，難治性腫瘍となる可能性が高い．臨床的な周囲浸潤性の評価には，海綿静脈洞への浸潤性を評価した Knosp 分類が代用されることが多い[3]．2017年 WHO 病理分類では，sparsely granulated somatotroph adenoma，男性の lactotroph adenoma，Crooke's cell adenoma，silent corticotroph adenoma，plurihormonal PIT-1-positive adenoma が予後不良となる可能性が高い病理組織型として列記されたが，これらはホルモン症状が出にくく，他の組織亜型を呈する腫瘍に比し，大きな（macroadenoma）周囲浸潤性（invasive adenoma）腫瘍として見つかることが多い．またソマトスタチンアナログ等の薬物反応性が低い，あるいは，その効果予測判定にある程度有用なソマトスタチンレセプター発現も低い傾向にある．

下垂体癌（約0.2％）は，髄膜播種あるいは他臓器に遠隔転移を生じたときに臨床的に診断される．臨床的に癌となった腫瘍は，病理学的に ACTH 細胞腺腫や PRL 細胞腺腫の頻度が高い．

このように，摘出標本の病理組織学的検査から十分な予後予測を前向きに評価することが困難な腫瘍を，たとえ，そのほとんどがコントロール不良とならなくても，良性と診断しない，という考え方が強くなっており，PitNET という診断名への変更が提案されている[4]．

2 pituicytoma

下垂体後葉グリア細胞由来の low grade glioma に位置づけられ，一般に予後良好とされるが手術全摘はむずかしいといわれる[5]．今まで顆粒細胞腫，紡錘形 oncocytoma とよばれた類似の紡錘形細胞腫瘍も，TTF-1（後葉細胞のマーカー，クローン SPT24 を用いることが多い）陽性という共通の性質から pituicytoma に含む傾向にある[6]．pituicytoma でも Ki-67 は予後マーカーの1つで，再発例では＞10％の報告がある[7]．

3 嚢胞性病変

頭蓋咽頭腫には adamantinomatous type と papillary type の2つの組織型があり，adamantinomatous type

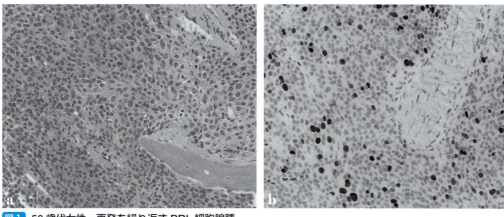

図1 50歳代女性 再発を繰り返すPRL細胞腺腫
a：HE染色，骨浸潤あり．b：Ki-67免疫染色．10％を超える陽性率である．

（▶口絵カラー⑦, p. v参照）

は，周囲破壊性に浸潤する傾向にある．病理学的にはいずれも良性腫瘍で長期生存例が多いが，QOLを含めると良性とはいいがたい[8]．悪性頭蓋咽頭腫の報告例には，放射線治療後症例が多く含まれ，唾液腺癌類似の病理組織所見を呈する．

まとめ

下垂体腫瘍は，脳底部にあるため，外科切除において十分な切除範囲を確保することが困難である．このため，病理学的特徴などよりも，周囲浸潤性の有無，根治的切除が可能であるか，などの臨床所見が予後に大きく影響する．Ki-67 LIで示す腫瘍細胞増殖活性の評価がある程度役立つことは事実であるが，いずれも閾値は定まっておらず，十分な予後マーカーとはいえない．PitNETという良性と言い切らない分類名が提唱されており，全身のNETと同様に，Ki-67 LIに従った分類が今後提唱される可能性がある．

文献

1) Lloyd RV, et al.：Pituitary tumours. In：DeLellis RA, et al.(eds)，World Health Organization classification of tumours of endocrine organs, 3rd ed., IARC Press, Lyon, 2004；10-35.
2) Osamura RY, et al.：Pituitary adenoma. In：Lloyd RV, et al. (eds)，World Health Organization classification of tumours of endocrine organs, 4th ed., IARC Press, Lyon, 2017；14-18.
3) Knosp E, et al.：Pituitary adenomas with invasion of the cavernous sinus space：a magnetic resonance imaging classification compared with surgical findings. *Neurosurgery* 1993；**33**：610-617.
4) Asa SL, et al.：Pituitary adenoma to pituitary neuroendocrine tumor (PitNET)：an international pituitary pathology club proposal. *Endocr Relat Cancer* 2017；**24**：C5-C8.
5) Fernando GP, et al.：Primary tumors of the posterior pituitary：A systematic review. *Rev Endocr Metab Disord* 2019；**20**：219-238.
6) Mete O, et al.：Spindle cell oncocytomas and granular cell tumors of the pituitary are variants of pituicytoma. *Am J Surg Pathol* 2013；**37**：1694-1699.
7) Hagel C, et al.：Immunoprofiling of glial tumours of the neurohypophysis suggests a common pituicytic origin of neoplastic cells. *Pituitary* 2017；**20**：211-217.
8) Müller HL, et al.：Craniopharyngioma. *Nat Rev Dis Primers* 2019；**5**：75.

第2章 臨床知識──B 検査

1 下垂体機能検査の実際と解釈

京都医療センター内分泌・代謝内科 立木美香, 田上哲也

> **臨床医のための Point**
> 1. ホルモンは日内変動, 食事, 薬剤, 体位, 睡眠などに影響を受けるため, 採血条件に注意する.
> 2. いずれの機能検査も薬剤投与による副作用の可能性があるため, 患者に対して十分に説明し同意を得たうえで施行する.

はじめに

内分泌機能は単一のホルモンの高低のみでは評価できず, 調節系全体として評価する必要がある. また刺激試験や抑制試験などの機能検査による評価も重要である. 各疾患の詳細については各項を参照していただき, 本項では下垂体疾患におけるおもな機能検査について述べる.

検査条件

多くのホルモンは日内変動があり, また食事, 薬剤, 体位, 睡眠などに影響を受けるため, 採血条件に注意する. 多くの機能検査は午前中の朝食前, 安静臥床で行うが, 結果の評価にはこれら種々の影響を考慮する.

検査の危険性・注意点

いずれの機能検査も薬剤投与による副作用の可能性がある. 副作用の程度は薬剤の種類や個人により差があるが, 常に重大な副作用が起こりうる可能性を理解したうえで施行する必要がある. 重大な副作用としては, 下垂体前葉機能検査(特にTRH試験)による下垂体卒中や, インスリン低血糖試験による低血糖昏睡がある. それゆえ機能検査は必要性と副作用を十分に検討し, 患者への説明と同意を得たうえで施行する必要がある.

下垂体前葉機能検査

おもな検査を表1に示す[1].

1 GH系

GHは脈動的に分泌されており, また食事, ストレス, 運動などの影響により変動するため, 1回のGH測定のみではその分泌動態を正確に評価することは困難である. 病態の判定のために分泌刺激試験, 抑制試験を行う.

a) 分泌刺激試験

GH分泌不全症の診断のために行う機能検査で, GHRP-2試験, アルギニン試験, インスリン低血糖試験などがある. GHRP-2試験は安全性・簡便性・再現性にすぐれた試験である. インスリン低血糖試験はGH分泌不全症の診断に関して感度・特異度が高く, 診断のゴールドスタンダードと考えられている. しかし低血糖を引き起こす検査のため, 虚血性心疾患を有する患者や痙攣発作の既往のある患者では禁忌であり, またそれ以外の患者でも施行に際し注意が必要である.

b) 分泌抑制試験

先端巨大症の確定診断のために行う機能検査で, 75g経口ブドウ糖負荷試験がある. 健常者では血糖上昇によりGH分泌は抑制されるが, 先端巨大症ではGHの抑制がみられない. 通常, 空腹時血糖200 mg/dL以上の糖尿病を合併している症例では施行しない. 肝硬変, 腎不全, 神経性食欲不振症, 若年者では偽陰性を示すことがある.

c) 奇異性反応を確認する検査

先端巨大症において, 健常者ではみられない奇異性反応を確認し診断の補助とする. 検査にはブロモクリプチン試験, TRH試験, GnRH試験, CRH試験がある. ブロモクリプチン試験は健常者ではGHの増加がみられるが, 先端巨大症の30〜65%で奇異性低下を認める. TRH試験, GnRH試験, CRH試験は, 健常者ではGHの増加を認めないが, 先端巨大症では各々約60%, 約30%, 約30%に奇異性増加を認める.

d) 治療を前提とした機能検査

先端巨大症において, GH抑制作用の強いオクトレオチド酢酸塩が治療に使用されるが, その効果判定の検討のためにオクトレオチド試験を行う. GHが前値の1/2以下に減少した場合を有効と判定し, 先端巨大症の約70%で効果を認める.

2 PRL

PRLは生理的要因(妊娠, 運動, ストレス), 薬剤などにより変動する. 臨床的には高プロラクチン血症の鑑別診断が問題となることが多く, PRLの

表1 おもな下垂体機能検査と判定基準一覧

疾患	機能検査	病態の判定基準
先端巨大症	75gOGTT	GH：底値≧1 ng/mL
	TRH試験	GH：奇異性上昇
	GnRH試験	GH：奇異性上昇
	ブロモクリプチン試験	GH：前値の1/2以下に減少（奇異性低下）
	オクトレオチド試験	GH：前値の1/2以下に減少した場合に有効と判定
プロラクチノーマ	TRH試験	PRL：頂値は前値の2倍未満
	ブロモクリプチン試験	PRL：前値の1/2以下に減少した場合に有効と判定
Cushing病	デキサメタゾン抑制試験（over-night法）	0.5 mg：コルチゾール≧5 μg/dL 8 mg：コルチゾールは前値の1/2以下に低下
	CRH試験	ACTH：頂値は前値の1.5倍以上
	DDAVP試験（保険適用外）	ACTH：頂値は前値の1.5倍以上
	メチラポン試験	ACTH：増加
TSH産生腺腫	TRH試験	TSH：無反応または低反応
下垂体機能低下症	CRH試験	ACTH：頂値は前値の2倍以下または≦30 pg/mL（ただし視床下部障害の場合は頂値が過大反応となることがある） コルチゾール：頂値＜18 μg/dL
	GHRP-2試験	GH：頂値は≦9 ng/mL [*1, *2]
	アルギニン試験	GH：頂値は≦3 ng/mL [*1]
	インスリン低血糖試験	ACTH：頂値は前値の2倍未満 コルチゾール：頂値＜18 μg/dL GH：頂値は≦3 ng/mL [*1]
	GnRH試験	LH：頂値は前値の5倍以下 FSH：頂値は前値の1.5倍以下（ただし視床下部性ではLH・FSHの頂値は遅延するが正常反応の場合がある）
	TRH試験	TSH：頂値≦6 μU/mL（ただし視床下部性では頂値は遅延、または過大反応の場合がある） PRL：頂値は前値の2倍以下
中枢性尿崩症	水制限試験	尿浸透圧≦300 mOsm/kg．AVP低値，無反応
	5%高張食塩水負荷試験	血清Naと血漿AVPがそれぞれ，① 144 mEq/L：1.5 pg/mL以下，② 146 mEq/L：2.5 pg/mL以下，③ 148 mEq/L：4 pg/mL以下，150 mEq/L：6 pg/mL以下 高張食塩水負荷試験　正常反応（有馬　寛先生，他作成）
	DDAVP試験	尿量減少，尿浸透圧≧300 mOsm/kg

*1：リコンビナントGHを標準品としたGH測定キットを用いた場合の値．
*2：重症成人GH分泌不全症の基準．
*3：GH分泌不全性低身長症および成人GH分泌不全症の診断の手引には含まれていない．

〔立木美香：内分泌機能検査の判定基準一覧．成瀬光栄，他（編），内分泌機能検査実施マニュアル．改訂第3版，診断と治療社，2011；10-11 より改変〕

基礎値に加えて TRH 試験を鑑別の補助とする．

a)TRH 試験

PRL 分泌刺激試験である．下垂体機能低下症によるプロラクチン分泌障害の診断，または高プロラクチン血症の患者におけるプロラクチノーマと機能性(薬剤性や特発性など)高プロラクチン血症の鑑別のために施行する．下垂体機能低下症では PRL の基礎値は低〜正常で，頂値は前値の2倍未満となる．高プロラクチン血症の患者において，機能性高プロラクチン血症では頂値が前値の2倍以上となるのに対して，プロラクチノーマでは2倍未満となることが多い．

b)ブロモクリプチン試験

プロラクチノーマにおいて治療を前提として施行する．PRL が前値の 1/2 以下に減少した場合を有効と判断する．プロラクチノーマの 80〜90% で効果を認める．

3 ACTH 系

ACTH，コルチゾールは日内変動があり，食事，ストレス，運動などの影響により変動するため，基礎値の測定のみではその分泌動態の評価は困難で，分泌刺激試験，抑制試験が必要となる．

a)分泌刺激試験

CRH 試験，インスリン低血糖試験がある．CRH 試験は視床下部ホルモンである CRH により下垂体を刺激する検査で，比較的容易かつ安全に施行できる検査である．下垂体性障害では低反応となるが，視床下部性障害では過大反応を認めることがある．また Cushing 病と異所性 ACTH 症候群との鑑別にも用いられ，Cushing 病では ACTH が前値の 1.5 倍以上になるのに対し，異所性 ACTH 症候群では無反応となる．インスリン低血糖試験は低血糖ストレスによる視床下部を介した試験であり，下垂体性障害と視床下部性障害の両者で低反応となる．低血糖を引き起こす検査のため，虚血性心疾患を有する患者や痙攣発作の既往のある患者では禁忌であり，またそれ以外の患者でも施行に際して十分な注意が必要である．

b)分泌抑制試験

Cushing 病のスクリーニングと確定診断のために行う検査で，デキサメタゾン抑制試験がある．Cushing 病ではデキサメタゾン 0.5 mg 抑制試験でコルチゾールの抑制を認めず，8 mg 抑制試験で抑制を認める．また異所性 ACTH 症候群では 0.5 mg，8 mg ともにコルチゾールの抑制がみられないことから，両者の鑑別に有用である．

c)その他の検査

DDAVP 試験は Cushing 病の診断のために行う検査で，健常者では無反応だが，Cushing 病では ACTH が前値の 1.5 倍以上に増加する．ただし DDAVP は検査薬として保険適用外である．異所性 ACTH 症候群でも増加反応を示す例があり鑑別にはあまり有用ではない．メチラポン試験は Cushing 病と異所性 ACTH 症候群の鑑別のため施行する検査で，Cushing 病では ACTH が増加し，異所性 ACTH 症候群では無反応である．CRH 試験と同様の診断的意義であるため現在ではあまり行われない．

4 ゴナドトロピン系

LH，FSH は律動的に分泌されており，1回の測定のみではその分泌動態を正確に評価することは困難である．また女性では月経周期により評価が異なるため，注意が必要である．視床下部または下垂体疾患による続発性性腺機能低下症の診断のため，GnRH 試験を施行する．また連続 GnRH 刺激により視床下部性障害と下垂体性障害の鑑別が可能となる場合がある．

5 甲状腺系

下垂体ホルモンの TSH と甲状腺ホルモンである T_3, T_4 を合わせて評価することにより，甲状腺機能異常を起こす病態の多くは評価できる．しかし軽度の中枢性甲状腺機能低下症，また TSH 不適合分泌症候群(syndrome of inappropriate secretion of TSH：SITSH)の鑑別診断に TRH 試験を必要とする例もある．中枢性甲状腺機能低下症では，TRH 試験で TSH は低反応を示す．SITSH の鑑別においては，TSH 産生腺腫では TSH は無反応または低反応であり，甲状腺ホルモン不応症では正常反応を示す．

下垂体後葉機能検査

AVP 分泌は水代謝の状況により変化するため，その評価は AVP 分泌を規定する因子である血清 Na や血漿浸透圧と合わせて評価することが重要である．AVP 分泌の低下による疾患である中枢性尿崩症において，AVP 分泌が完全に障害されている例においては診断は容易であるが，部分的に障害されている例においては基礎値のみではほぼ正常と判断される場合がある．そのような場合，尿崩症の診断のために水制限試験や高張食塩水負荷試験を施行する．検査の際には脱水に注意が必要である．中枢性尿崩症と腎性尿崩症の鑑別のために，DDAVP 試験を行う．中枢性尿崩症では尿浸透圧の上昇がみられる．DDAVP 試験では水中毒に注意が必要である．

文献

1) 立木美香：内分泌機能検査の判定基準一覧．成瀬光栄，他(編)，内分泌機能検査実施マニュアル．改訂第3版，診断と治療社，2011；10-11．

第2章 臨床知識——B 検査

2 下垂体機能検査の留意点とピットフォール

奈良県立医科大学糖尿病・内分泌内科学　髙橋　裕

> **臨床医のための Point ▶▶▶**
> 1. 下垂体機能の正確な評価には，刺激試験や負荷試験が必要である．
> 2. ホルモン基準値だけで機械的に判断せず，症状，画像検査，器質的疾患の有無などから総合的に判断することが重要である．

はじめに

　下垂体機能を正確に評価するためには，下垂体機能検査（刺激試験，負荷試験）が必要である．一方，機能検査で定量的にみれば正常，異常がはっきりするように錯覚しがちであるが，その作用機序や意義をよく理解せずに機械的にいわゆるホルモン基準値だけで判断すると，診断を誤ることがある．必ず画像検査などによる器質的疾患の有無と障害部位，症状，理学所見，治療効果などを踏まえて総合的に判断することが重要である．本項では機能検査の留意点と陥りがちなピットフォールについて解説する．

視床下部-下垂体-副腎軸（HPA axis），GH軸の評価のゴールドスタンダードはインスリン低血糖試験である

　そもそもストレスに対する ACTH や GH 分泌は視床下部を介して下垂体が刺激され引き起こされる．つまり日常におけるストレスに対する予備能をみるときには視床下部機能および視床下部と下垂体の連携（下垂体茎）も合わせて評価する必要があり，検査として視床下部を刺激するインスリン低血糖試験が最も優れている．実際，視床下部や下垂体茎が障害されていても障害が軽度の場合や比較的早期の場合には CRH や GHRH などで直接下垂体を刺激すると十分反応を認めることはよく観察される．しかしその場合に正常と判断すると，ストレスに対しては十分な反応が起こらずクリーゼを起こすリスクを見誤ることになる．

機能検査の選択，結果の解釈は時間的空間的背景を踏まえて判断する

　放射線療法後の視床下部障害や比較的直近に発症した視床下部，下垂体茎の障害の場合には上記のように CRH や GHRH に対して正常反応を示すことがある．これは視床下部機能が低下してから下垂体機能が低下するまで一定のタイムラグがあるからである．このような時期に迅速 ACTH 試験で副腎機能をみても正常に反応するので注意が必要である．一方 Cushing 病術後の回復期なども視床下部，下垂体，副腎の回復はそれぞれタイムラグがあることを念頭において評価する必要がある．空間的にも器質的異常が下垂体，茎，視床下部どこに主座をおいているのかを念頭において適切な機能試験を選択し，時系列におけるタイミングも踏まえて結果を解釈する必要がある．

機能検査の感度，特異度は100%ではない

　インスリン低血糖試験ですら感度，特異度は100% ではない．インスリン低血糖に対するコルチゾールのピークのカットオフ値にも議論があり，正常人でもカットオフを満たさない症例が存在する．たとえ正常に反応しても器質的異常の存在が明らかな場合や副腎不全の症状がはっきりしている場合には，診断的治療でヒドロコルチゾンを補充してその効果をみることが有効なときがある．一方で，うつ病，神経性食思不振症では基礎値が比較的高く，反応不良をきたすこともあるのでそのような背景の有無を確認する．また胚細胞腫や下垂体炎などの原因で経時的に進展している場合に，初期のころは正常反応でも時間とともに予備能が低下することもあるので，定期的に画像とともに下垂体機能も評価することが重要である．

副腎皮質機能評価の注意点

　CRH 試験，迅速 ACTH 試験は簡便，安全であり，全身状態が悪くても可能であるという利点があるが，上記のようにそれぞれ下垂体，副腎を直接刺激していることから病態をリアルタイムに反映していない可能性は念頭においておく必要がある．また通常の迅速 ACTH 試験は副腎の最大反

応に必要なACTHの1,000倍の刺激であることから，生理的な反応ではない可能性もあり，通常の250μgではなく1μgによる刺激がより有用であるという報告もある．

コルチゾール自律性分泌の診断における注意点

Cushing症候群におけるコルチゾール自律性分泌の診断にはデキサメタゾン抑制試験（dexamethasone supression test：DST）が用いられる．日本では，下垂体性が疑われる場合には0.5mg，副腎性が疑われる場合には1mgが用いられるが，欧米ではいずれの場合にも1mgが用いられる．これは日本人の体格や1mgDSTの感度・特異度を考慮して日本で0.5mgDSTの臨床試験を行った結果によるが，0.5mgはコルチゾールの1日の生理的分泌量に相当することから合理性はある一方で，検討された症例数は多数ではないこと，後ろ向きの観察研究であり本当に0.5mgが優っているかどうかには議論がある．

現状では，DSTにおけるコルチゾールカットオフ値については，0.5mgで3μg/dL以上でサブクリニカルCushing病を，5μg/dL以上でCushing病を疑い[1]，副腎性の場合1mgで3μg/dL以上で自律性分泌ありと診断される[1]．最近の報告では後ろ向き試験ながら多数例の検討で，1mgDSTにおけるコルチゾール値1.8μg/dL以上の場合には心血管合併症の増加，生命予後の悪化が認められることから，米国内分泌学会ガイドラインでは下垂体性，副腎性いずれも1mgが用いられ，血中コルチゾールカットオフ値は1.8μg/dLとなっている．このような検査の背景を十分に理解し，Cushing徴候はなくても非特異的症候である肥満，糖尿病，高血圧，脂質異常症，骨粗鬆症の合併が重積している場合には，コルチゾール自律性に関連している可能性を考慮して合併症，生命予後も念頭においた適切なカットオフ値で判断することが必要である．総合的に考慮すると現状のエビデンスからは，ACTH依存性Cushing症候群では0.5mgDSTで3μg/dL未満，ACTH非依存性Cushing症候群では1mgDSTで1.8μg/dL未満に抑制された場合には自律性を否定してもよいと考えられる．

DST施行の際に服用している薬物のなかでCYP3A4を誘導するものがある場合には，デキサメタゾンの代謝を促進するため偽陽性となりやすい（リファンピシン，カルバマゼピン・フェニトイン，ピオグリタゾンなど）ので注意が必要である[1]．またコルチゾールのアッセイ系は10%程度の誤差はありうるため，カットオフ値を少し下回っていても直ちに否定せず誤差の可能性も念頭において臨床症状なども含めて総合的に判断することが重要である．

GH分泌刺激試験の背景

GH分泌刺激試験のゴールドスタンダードはインスリン低血糖試験であるが，その他の機能試験においては感度，特異度，副作用の点でオールマイティなものはない．欧米ではインスリン低血糖試験の次に推奨されるのはアルギニン-GHRH（Arg-GHRH）試験である．Arg-GHRH試験はインスリン低血糖試験に匹敵した感度，特異度，再現性をもっている．一方問題点として，肥満の影響を受けやすくそのカットオフ値はBMIに強く依存している．たとえば正常体重者のカットオフ値は11.5 ng/mL（感度98.7%，特異度83.7%）だが，肥満者の場合には4.2 ng/mL（感度93.5%，特異度78.3%）である．また10年以内に発症した視床下部障害（放射線照射などによる）の場合には，偽陽性の反応を示すことがあり注意が必要である．その次に推奨されているのはグルカゴン試験である．欧米においてアルギニン単独試験は推奨されていない．分泌刺激試験を比較した報告では，インスリン低血糖試験を標準として，Arg-GHRH試験の場合カットオフを5.1 ng/mLにすると感度96%，特異度92%だが，その他のアルギニン試験，クロニジン試験，L-DOPA試験ではいずれも適切なカットオフ値を設定することができなかった．グレリンアゴニストの注射剤であるGHRP-2試験は安全で信頼できる検査であるが，年齢，肥満に影響を受けうること，重症型AGHDの基準しか設定されていないこと，現段階では日本でしか施行されていないという問題点がある[2]．最近欧米では経口グレリンアゴニストのマシモレリンが承認されているが日本では使用できない．これらのことから，成人GH分泌不全症を疑う場合にはインスリン低血糖試験あるいはGHRP-2試験をまず試みる．

GH分泌刺激試験の実施上の注意点

GH分泌刺激試験は他の下垂体ホルモンの評価を同時に行う場合が多いが，中枢性甲状腺機能低下症，中枢性尿崩症を合併している場合にはGH反応性が低下していることがあるので，先に甲状腺ホルモン，DDAVPを補充した状態で刺激試験を行う必要がある[1]．また薬理量の糖質コルチコイド，α-遮断薬，β-刺激薬，抗ドパミン作動薬，抗うつ薬，抗精神病薬，抗コリン作動薬，抗セロトニン作動薬，抗エストロゲン薬が投与されている場合にはできる限り中止したうえで，刺激

試験を行うことが望ましい.

　成人 GH 分泌不全症の診断基準において，頭蓋内器質性疾患の合併ないし既往歴，治療歴または周産期異常の既往がある場合に，GH を含めて複数の下垂体ホルモンの分泌低下があれば，1 種類の GH 分泌刺激試験で診断が可能である．これは下垂体炎を除く多くの視床下部下垂体の器質的疾患，放射線療法など物理的障害では，下垂体ホルモンのなかで GH が最も脆弱で障害されやすいことによる．

先端巨大症における経口ブドウ糖負荷試験の底値の問題点

　そもそも GH は抗インスリンホルモンとして作用することから血糖が上昇すると分泌が抑制されるという性質をもっているため，先端巨大症における GH の自律性分泌の評価として経口ブドウ糖負荷試験(75 gOGTT)が行われる．最近まで，先端巨大症診断基準の OGTT の GH 底値は GH ＜ 1 ng/mL が基準とされてきた．しかし治癒した先端巨大症患者や健常人では 0.4 ng/mL 未満に抑制されることが明らかになり[3]，米国臨床内分泌学会(AACE)の 2010 年のガイドラインにおける診断および術後の治癒基準として GH ＜ 0.4 ng/mL に改訂[4]され，日本でも平成 26 年に診断の手引きが改訂された．ただし薬物療法中の治療目標は，IGF-I の正常化とともにランダム GH ＜ 1.0 ng/mL である．

文献

1) 有馬　寛, 他：成長ホルモン分泌不全性低身長症の診断の手引き. 厚生労働科学研究費補助金難治性疾患等政策研究事業間脳下垂体機能障害に関する調査研究班：間脳下垂体機能障害の診断と治療の手引き(平成 30 年度改訂). 日本内分泌学会雑誌 2019；**95**(Suppl)：31-34.

2) Chihara K, et al.：A simple diagnostic test using GH-releasing peptide-2 in adult GH deficiency. Eur J Endocrinol 2007；**157**：19-27.

3) Arafat A M, et al.：Growth hormone response during oral glucose tolerance test：the impact of assay method on the estimation of reference values in patients with acromegaly and in healthy controls, and the role of gender, age, and body mass index. J Clin Endocrinol Metab 2008；**93**：1254-1262.

4) Giustina A, et al.：A consensus on criteria for cure of acromegaly. J Clin Endocrinol Metab 2010；**95**：3141-3148.

3 下垂体疾患の画像検査
～3T MRI 画像を中心に～

鳥取大学医学部脳神経医科学講座脳神経外科学分野　**黒﨑雅道**

≫ 臨床医のための Point ▶▶▶

1. GH 産生腺腫では下方進展することが多く，empty sella を呈することもあり，腺腫を見落とさないよう注意が必要である．
2. 下垂体卒中例では蝶形骨洞粘膜の肥厚がしばしばみられるので，副鼻腔炎と誤診しないようにしなければならない．
3. Rathke 囊胞では，激しい頭痛のあとで自然縮小するものがあり，MRI による追跡が必要である．

はじめに

傍鞍部には下垂体腺腫をはじめとする多彩な疾患がみられ，MRI を中心とした画像による鑑別診断が重要となる．

近年，超高磁場 MRI 装置の導入に伴い，従来よりも空間分解能のすぐれた鮮明な画像が臨床の場において得られるようになった[1, 2]．本項では，下垂体疾患の画像診断に関する臨床に役立つ知見について 3T MRI を中心に概説する．

撮像法

3T MRI 装置(Discovery MR750W 3.0T, GE Healthcare)での通常の撮像法として，当院では T1 強調画像(T1WI)で 3D-spoiled gradient recalled acquisition(SPGR)法(repetition time〈TR〉7 〜 11 msec，echo time〈TE〉2 msec，matrix 512 × 320，field of view〈FOV〉210 mm)と fast spin echo(FSE)法(TR/TE 550 〜 620/20 〜 21 msec，matrix 512 × 320，FOV 210 mm)を，T2 強調画像(T2WI)では FSE 法(TR/TE 4,500 〜 5,500/94 〜 106 msec，matrix 512 × 320，FOV 210 mm)を用いている．

下垂体腺腫

長径 1 cm を境に微小腺腫(microadenoma)と大型腺腫(macroadenoma)とに分けられる．macroadenoma の場合，MRI による存在診断は比較的容易であり，視交叉や海綿静脈洞との関係も明瞭に描出される．一般的に，T1 強調画像(T1WI)において腺腫は低〜等信号域，T2 強調画像(T2WI)では中等度高信号域を呈する．腺腫は，造影後の T1WI において，著明に造影される前葉に比べ，比較的低信号域(less enhanced area)として描出される(図 1a)．

Cushing 病をきたす ACTH 産生下垂体腺腫の約 90% は microadenoma であり，このなかには 3 mm 以下の minute adenoma もしばしば存在し，これらは術前の画像診断が困難である．このような症例に対して SPGR 法の有用性を説いた報告があるが，3T MRI で小病変を検出する際にも同様に本法は有用である．従来，microadenoma の検出にはダイナミック MRI が有用であるとされてきた．しかしながら，通常施行される冠状断のダイナミック MRI は限られた断面の高速撮影であるため，ノイズの多い画像となり，スライス間に存在する病変や下垂体前葉の辺縁にみられる病変は検出不可能となり，必須の検査とは考えにくい．むしろ，3T MRI の造影 SPGR-T1WI のほうが microadenoma の検出には適していると思われる．

GH 産生下垂体腺腫

GH 産生腺腫では下方進展例が多く，時に empty sella を呈することがあり，この特徴を知らないと腺腫の存在を見落とすことがある(図 2)．densely granulated somatotroph adenoma(内分泌顆粒の豊富な GH 細胞腫)は T2WI では低信号，sparsely granulated somatotroph adenoma(内分泌顆粒の乏しい GH 細胞腫)は高信号を呈するという特徴がある[3]．T2 コントラストは病態変化を反映させる最も基本的な要素であることが知られている．3T MRI では，高い信号雑音比(signal-noise ratio：S/N)と T2 緩和時間の見かけ上の短縮により，T2WI を高解像度で撮像することが可能となる．そのため，densely granulated type の低信号域が明瞭となり(図 1b)，腺腫内部の出血や囊胞のみならず，正常下垂体，海綿静脈洞と腺腫の関係も良好に描出され，造影 T1WI が不要のものもある．最近では，T2WI 信号強度に基づいて追加薬剤を考慮する治療法が提唱されている[4]．すなわち，T2WI 高信号(sparsely granulated type)症例はソマトスタチンアナログに対して薬剤抵抗性であ

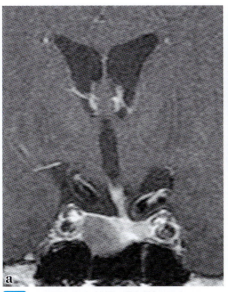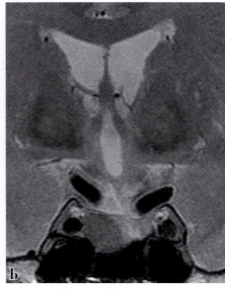

図1 先端巨大症患者（70歳女性）の3T MRI
a：造影T1強調画像，冠状断．腺腫は比較的低信号域として描出される．
b：T2強調画像，冠状断．腺腫が低信号域として描出され，aの比較的低信号域と一致する．

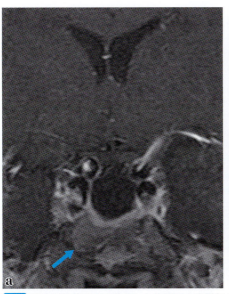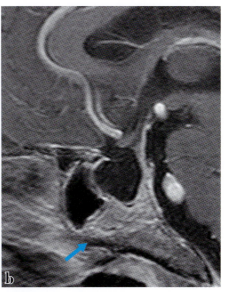

図2 高血圧性脳出血で発症した先端巨大症例（64歳女性）の3T MRI
高血圧性脳出血にて当院へ緊急搬送された．先端巨大症様顔貌であったため，3T MRI を施行．これまでに頭部 MRI の精査が何度か行われていたが，異常所見を指摘されていなかった．腫瘍（矢印）は蝶形骨洞内へと下方進展しており，empty sella を呈していた．
a：造影T1強調画像，冠状断．b：造影T1強調画像，矢状断

る可能性が高いため，GH受容体拮抗薬の単独または併用療法を推奨するといったものである．

下垂体卒中

下垂体卒中とは，狭義には腺腫内の出血や梗塞を原因とした突然の激しい頭痛や嘔気，嘔吐，動眼神経麻痺，意識障害などの症状を呈する急性症候群を意味する．

下垂体卒中の頻度に関しては下垂体腺腫の2〜28%と様々な報告があるが，MRI画像上，出血所見を呈する無症候性のものも含めればその頻度は約半数となる．

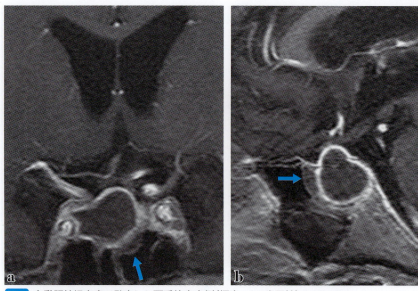

図3 右動眼神経麻痺で発症した下垂体卒中例（梗塞，75歳男性）の 3T MRI
a：造影 T1 強調画像，冠状断，b：造影 T1 強調画像，矢状断
病変は増強されないが，腫瘍辺縁部の造影効果は保たれており，右海綿静脈洞への浸潤がみられた．また，蝶形骨洞粘膜肥厚も認めた（矢印）．

超急性期には出血性，梗塞性ともに T1WI で低信号，T2WI で高信号の非特異的な所見を呈する．出血性の場合は急性期に T2WI で低信号となり，亜急性期には血腫は囊胞化され，T1WI で高信号が出現する．さらに時間が経過すると血球成分が沈殿し，液面形成を伴う場合もある．出血性，梗塞性ともに病変は増強されないが，造影後の腫瘍辺縁部や正常下垂体の造影効果は保たれる．隣接する硬膜の肥厚や蝶形骨洞粘膜肥厚がしばしば認められる[5]（図3）．これを化膿性副鼻腔炎と誤診し，経蝶形骨洞手術の時期を逸しないようにしなければならない．

3T MRI では磁化率効果による間接的な T2 短縮効果が増強するため，組織内鉄や出血病変の信号低下が 1.5 T に比し明瞭となることが知られている[1,2]．位相情報を用いて磁化率を強調する susceptibility-weighted imaging（SWI）法，phase sensitive imaging（PSI）法が腫瘍内出血の検出などに応用されているが，3T MRI にこれらの方法を加えることにより，無症候性下垂体卒中例の検出力は向上する[2]．

Rathke 囊胞

胎生期の Rathke（ラトケ）囊の遺残による囊胞性疾患である．鞍内に限局する小さなものは大抵下垂体前葉と後葉とのあいだで正中に存在しており，このことは microadenoma との鑑別点になる．囊胞内容液の信号強度は，その性状により様々（T1WI で高信号となる症例が比較的多い）であるが，囊胞内の結節の信号は低信号で造影剤で増強されないという特徴をもつ．また Rathke 囊胞では，激しい頭痛のあとで自然縮小するものがあり，画像による追跡が必要である（図4）．

通常，Rathke 囊胞では囊胞壁は造影剤により増強されないが，時に厚く造影される症例をみる．このような場合，囊胞壁には組織学的に重層扁平上皮あるいは慢性の炎症細胞の浸潤が認められることが多く，手術後の再発危険因子となるので注意が必要である．

頭蓋咽頭腫

典型例は囊胞，充実および石灰化の3成分を有する腫瘍で，主座は鞍上部にみられ，鞍内に限局することはまれである．T1WI ではやや低〜高信号，T2WI では高信号を示す．コレステロールやメトヘモグロビンが多い場合には T1WI で高信号域，ヘモジデリンや石灰化のある部分は T1WI および T2WI ともに低信号域を示す．また，正常下垂体はトルコ鞍内に存在することが多い．

視索に沿った浮腫（T2WI にて高信号域）は頭蓋咽頭腫に特徴的な所見とされていたが，その他の疾患でも同様の所見がみられることがある．石灰化の描出には CT が有用であるが，squamous papillary type では石灰化を伴わないことも多い．造影により充実成分の有無がわかり，Rathke 囊胞との鑑別に役立つ．

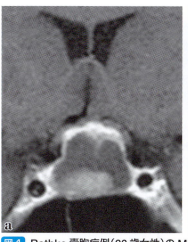 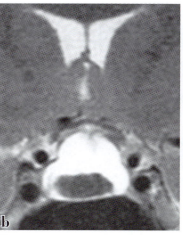 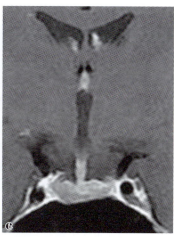

図4 Rathke 嚢胞症例（22 歳女性）の MRI
激しい頭痛と視野障害があり，精査を施行，Rathke 嚢胞と診断された．嚢胞内の結節の信号は低信号を呈し，造影剤で増強されない．その後のフォローで病変は自然縮小した．
a：初診時造影 T1 強調画像（1.5T MRI），b：初診時 T2 強調画像（1.5T MRI），c：11 か月後の造影 T1 強調画像（3T MRI）

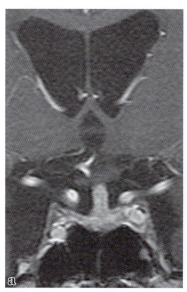 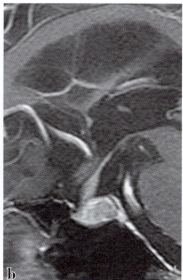 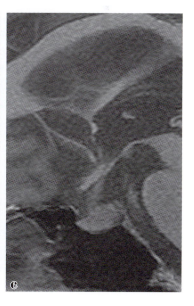

図5 IgG 4 関連疾患症例（76 歳男性）の 3T MRI
頸部腫瘤（リンパ腫）の精査のため PET/CT を施行．下垂体部に病変を指摘された．膵臓，肺，後腹膜にも病変を認め，血中 IgG4 も高値であるため，IgG4 関連疾患と診断された．下垂体茎に腫大を認め，造影剤により均一に強く増強される．T1WI での後葉の高信号は不明瞭である．
a：造影 T1 強調画像，冠状断，b：造影 T1 強調画像，矢状断，c：T1 強調画像，矢状断

鞍結節部髄膜腫

鞍結節部髄膜腫を下垂体腺腫から鑑別する MRI 所見として，①ガドリニウム（Gd）による均一な増強効果，②トルコ鞍内よりもむしろ鞍上部に腫瘍の中心がある，③頭蓋内に dural tail を伴う，④トルコ鞍内に正常下垂体が同定可能なことが多い，などがあげられる．

視神経管への腫瘍の進展の有無を調べるためには，視神経管と平行な断面での撮影が有用である．最近では高分解能脳槽撮影である fast imaging employing steady state acquisition（FIESTA）法や constructive interference in the steady state（CISS）法を用いることで腫瘍と視交叉との解剖学的位置関係や腫瘍の進展形態などの有用な情報を得ることができる．また造影 FIESTA 法を用いると，髄膜腫

の付着部位がわかりやすくなる．

神経下垂体部胚細胞腫

以前は鞍上部胚細胞腫とよばれていたが，MRIにより神経下垂体から発生することが見出され，神経下垂体胚細胞腫（neurohypophyseal germinoma）とよばれるようになった[6]．ほとんどの例で尿崩症を認め，画像上も下垂体茎-後葉の腫大がみられ，T1WIでの後葉の高信号は消失する．松果体部の病変を合併していれば診断は容易である．

リンパ球性下垂体炎

リンパ球性下垂体炎は，リンパ球を主体とする下垂体の慢性炎症疾患で，妊娠や分娩を契機に発症することが多く，自己免疫がその原因であると考えられている．前葉に限局するリンパ球性下垂体前葉炎と，下垂体茎から後葉を主座とし尿崩症を呈するリンパ球性漏斗下垂体後葉炎およびリンパ球性汎下垂体炎が知られている．MRI所見としては，リンパ球性下垂体前葉炎では，前葉が著明に腫大するものの，T1WIでの後葉の高信号は保たれるが，リンパ球性漏斗下垂体後葉炎では，下垂体茎に腫大を認め，後葉の高信号は不明瞭となる．造影剤により均一に強く増強されることが多い（図5）．

最近では，血清学的に高IgG4血症を示し，病理組織学的に膵，後腹膜，涙腺，甲状腺，腎などにIgG4陽性形質細胞浸潤を示すIgG4関連疾患との関連性が注目されている（IgG4関連漏斗下垂体炎）．

文献

1) 佐々木真理，他：脳の画像診断におけるピットフォール：3T MRIの臨床応用における課題と展望．画像診断 2004；**24**：1042-1051.
2) Kurosaki M, et al.: Application of phase sensitive imaging (PSI) for hemorrhage diagnosis in pituitary adenomas. *Neurol Res* 2010; **32**: 614-619.
3) Hagiwara A, et al.: Comparison of growth hormone-producing and non-growth hormone-producing pituitary adenomas: imaging characteristics and pathologic correlation. *Radiology* 2003; **228**: 533-538.
4) Domingo MP, et al.: Treatment of acromegaly in the era of personalized and predictivemedicine. *Clin Endocrinol (Oxf)* 2015; **83**: 3-14.
5) Arita K, et al.: Thickening of sphenoid sinus mucosa during the acute stage of pituitary apoplexy. *J Neurosurg* 2001; **95**: 897-901.
6) Fujisawa I, et al.: Magnetic resonance imaging of neurohypophyseal germinomas. *Cancer* 1991; **68**: 1009-1014.

第2章 臨床知識──B 検査

4 下垂体疾患の眼科的検査

近畿大学医学部眼科　**中尾雄三**

> **臨床医のための Point ▶▶▶**
>
> 1. 下垂体腺腫の早期の視野異常は内部の両耳側半盲性暗点から始まる.
> 2. 下垂体腺腫の視機能障害は視力よりも中心フリッカー値の低下が鋭敏で特異的である.
> 3. 下垂体腺腫に類似の他疾患(IgG4関連漏斗下垂体炎・正常眼圧緑内障)にも注意する.

はじめに

下垂体は解剖学的に視交叉の下方のトルコ鞍内に位置するため,下垂体疾患(腫瘍,囊胞,膿瘍,卒中,萎縮,炎症)はしばしば近くの視神経・視交叉を障害し,特徴的な視機能障害が生じる.このため神経眼科的検査は,下垂体疾患の正確な早期診断,治療法の選択と決定,治療の効果判定,経過観察に重要な役割を果たしている.ここでは下垂体疾患を下垂体腺腫とその他の疾患に分け,眼科的検査とその異常所見について述べる.

下垂体腺腫の眼科的検査とその異常

1 視野検査

下垂体腺腫の最も特徴的な視野異常は両耳側半盲である.左右眼球の鼻側網膜から発した神経線維(網膜神経節細胞の軸索)は視交叉で交叉し,反対側の視索に走行する.このため,視交叉の障害は両眼の鼻側網膜に投影する耳側の視野欠損,すなわち両耳側半盲を生じる.

解剖学的に視交叉は下垂体上面に対しゆるやかに弛みながら前傾斜して存在している.そのため,下垂体腺腫が増大し視交叉に接触しても,少し持ち上げる程度では何も視野異常は出現しない.視交叉が上方へ突出し視交叉線維にある程度の緊張を生じて,ようやく早期の視野異常がみられる.下垂体腺腫のごく早期にみられる視野異常は,視野の中央付近にわずかな半盲性変化(両耳側半盲性変化)として始まり,テキストに載っているような周辺に及ぶきれいな半盲ではない.実際に下垂体腺腫の早期視野異常は,動的量的視野計(Goldmann 視野計)の測定では内部イソプターの I-1 や I-2 の小さな視標で検出される微妙な両耳側半盲性変化である[1].このためこの早期視野異常の検出には,視野測定に熟練した検者の技術や被検者の集中力が必要である.

このような視野内部の微細な異常を正確に捉えるには,静的量的視野計(コンピュータ制御の自動視野計)のほうが優れている[2].日常,両眼で見ていると(両眼開放視野),耳側の欠損は健常な鼻側の視野に消されて見えていると錯覚するため,相当に悪化するまで視野異常の自覚はなく発見が遅れやすい(図1a〜c).診察室では対面して指を動かし視野検査を行うが(対座法),この方法では大きな V-4 イソプターの視野欠損よりも小さな視野変化は検出不可能である.視野異常が早期であっても,下垂体腺腫としては視神経・視交叉を圧迫するまでに増大していて決して腫瘍早期ではない.腫瘍の増大とともに両耳側半盲性の視野欠損はさらに悪化し,増大方向が左右にぶれると視野欠損に左右差を生じ,後方へ進展すると視索障害の同名半盲(左右で欠損の大きさが異なる非協調性同名半盲)を示す.前方進展し視神経を障害した例は中心暗点を示すため,球後視神経炎と誤らないよう注意がいる.内分泌症状のない非分泌性(非機能性)の下垂体腺腫は視野異常の発現まで気づかないので,一般に眼科で発見時の腫瘍サイズは大きい.

2 中心フリッカー値検査

視神経の機能を最も正確に表現するものとして中心フリッカー値がある.視神経障害の早期では,たとえ視力や視野がまだ異常を示さない時期でも,すでに中心フリッカー値は低下(近畿大式中心フリッカー値測定器では正常は 35 Hz 以上,35 Hz 未満は異常)を示している[3].下垂体腺腫の早期(初診時)や再発時の視神経・視交叉障害を敏感に察知するためには必須の検査である.この中心フリッカー値は simple, sensitive, specific (3S) と視神経疾患のみに特徴的な所見で,他の眼疾患(白内障,網膜出血,黄斑疾患など)では低下しないため,原因疾患の鑑別に極めて有用でありその測定を推奨する.

3 視力検査

下垂体腺腫の早期では,中心部視野に両耳側半

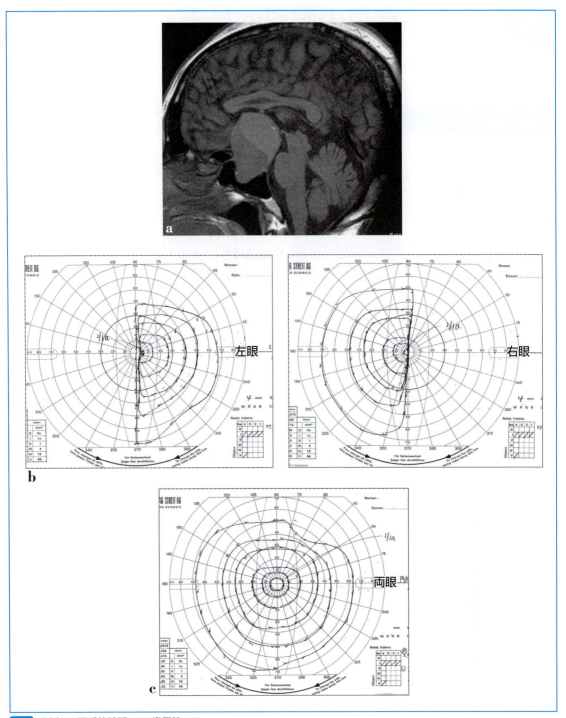

図1 症例1：下垂体腺腫，62歳男性
a：脳MRI(T1強調画像)．b：Goldmann視野計を用いて測定した視野で両耳側半盲を示している．c：同症例の両眼で見た視野(両眼開放視野)で，両耳側半盲は消失している．

盲性暗点があっても鼻側の健常な視野で視力表を見て答えるため，視力は低下しないことが多い．視力は腫瘍がさらに増大して耳側から鼻側にまで暗点が拡大したときに(中心部障害になってから)初めて低下する．中心部視野を障害すると，たちまち著しい視力低下(0.1以下)を示すのが特徴である．

Goldmann視野計®による動的視野測定法では，

視標を周辺から中央に向かって動かし(全方向から),感知した点を記録し結んだ円形の線を視覚の等感度線(イソプター)とよぶ.イソプターは,視標が大きく明るいと外側に(低い感度),小さく暗くなると内側に(高い感度)になる.条件(大きさ・明るさ)を変えた指標の数だけイソプターは同心円状に得られる.健常人のイソプターは楕円形で,病的視野には欠損,半盲,暗点,狭窄などがある.

4 瞳孔検査

下垂体腺腫での視神経障害の存在やその障害程度を他覚的に知り評価するために,この瞳孔対光反応検査は重要である.特にベッド上安静時,意識状態の悪いとき,高齢者で視機能検査が不可能な場合には唯一の判断所見となる.高齢者では生理的に瞳孔が小さいため(検査者が老視のときも),視線をさえぎらないように側方からルーペを用い拡大して対光反応をみるとよい.瞳孔対光反応の障害程度と視機能障害(特に中心フリッカー値低下)とはほぼ相関している.

5 眼球運動検査

下垂体腺腫では,腫瘍が側方(海綿静脈洞)進展し眼球運動関与の神経を障害したときに眼球運動が障害されるが,その頻度は少ない.鞍隔膜が強靭なケースやプロラクチノーマに眼球運動障害を示す例が多い印象がある.下垂体卒中(下垂体腺腫内出血)による動眼神経麻痺もしばしば経験するが,発症時には内頸動脈－後交通動脈分岐部動脈瘤によるくも膜下出血(subarachnoid hemorrhage:SAH)に類似した症状所見(激しい頭痛・意識障害)を示すことがある.

6 眼底検査

下垂体腺腫は長期間にわたって視交叉を圧迫するため,眼底検査では緩徐に進行する視神経乳頭の蒼白化を認める.この蒼白は下垂体腺腫の大きさと圧迫期間に関連し,大部分の視神経線維が不可逆な萎縮に陥っているため,著しい場合には手術による減圧でも視機能回復はみられない.一方,視力低下や視野異常が重度であるのに乳頭所見が軽微な場合は,急速な病態悪化の存在(腫瘍増大・下垂体卒中)を示しており,迅速・適切に手術などで対応すれば視機能回復は期待できる.

視神経萎縮の評価として視神経乳頭の色調(蒼白)は重要であるが,その定量的評価はむずかしい.筆者はMRIのshort TI inversion recovery(STIR)法を用いて視神経を観察しているが,視神経萎縮

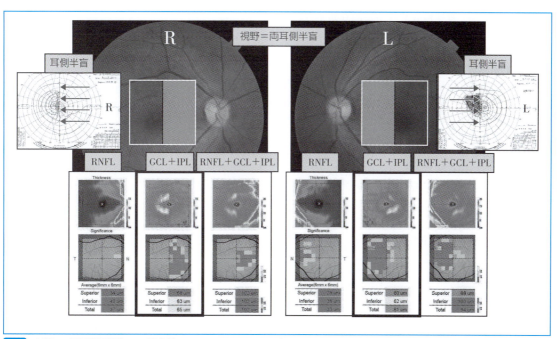

図2 症例2:下垂体腺腫,56歳女性
視交叉障害により視野は両耳側半盲を呈した.視交叉から眼球に向かって逆行性の神経萎縮が生じ,耳側半盲に対応する眼底の黄斑鼻側網膜(赤色部分)に到達する.このため実測のOCT所見では両眼性に黄斑中心窩を通る垂直経線で境されて,網膜神経線維層(retinal nerve fiber layer:RNFL),神経節細胞層(ganglion cell layer:GCL),内顆粒層(inner plexiform layer:IPL)厚の鼻側菲薄(=萎縮)が耳側半盲に一致してみられる(赤色表示).特にGCL+IPLで最も明瞭に描出される.OCTでは下垂体腺腫の視神経障害を手術前に定量的(層厚:μm)に把握することができる.

(▶口絵カラー⑧,p.v参照)

では高信号を示す[4]．解像力の良好な画像であれば，信号輝度比（視神経/脳白質）を測定することにより視神経萎縮の程度が推測できる．下垂体腺腫のMRI・STIR法では，視神経の信号輝度は視交叉での障害のため頭蓋内視神経で高く，眼球後部に向かって次第に低下している．近年では眼底の光干渉断層撮影(optical coherence tomography：OCT)により視神経乳頭の萎縮を網膜神経線維層の厚さの減少として定量的に捉えることができる．すなわち視神経線維の萎縮が逆行性に眼底の網膜神経節細胞の軸索と細胞体の集合組織まで届き，結果として厚さは薄くなる．両耳側半盲を示す視神経萎縮例では，乳頭周囲と黄斑部で鼻側の網膜神経線維層（視野の耳側半盲に一致の部分）が有意に薄くなる（図2）．

その他疾患の眼科的検査とその異常

1 下垂体卒中

下垂体腺腫の増大により自らの血管の破綻をきたし腫瘍内出血を生じたものである．突然の腫瘍体積の拡張(ballooning)による視交叉の圧迫増加と出血の腫瘍外漏出のため激しい頭痛，意識障害，下垂体失調とともに急性に視野欠損，視力低下，眼筋麻痺（多くは動眼神経麻痺）による複視を生じる．即時の腫瘍摘出術が望まれるが，自然治癒の傾向もある．視野検査では急な両耳側半盲の悪化，Hess Chartでの複視の確認がいる．球後視神経炎とまぎらわしいケースもある．

2 IgG4関連漏斗下垂体炎

炎症性腫瘤形成があり，血液中のIgG4高値，組織内へのIgG4免疫染色陽性形質細胞の多数浸潤をみるものはIgG4関連疾患とよばれ，その発現組織は全身に及ぶことが明らかになった．下垂体にも同様の病変が発生して，画像検査では下垂体腺腫に類似の腫大所見があり，眼科的検査でも両耳側半盲を主とした眼所見が得られ，ステロイド内服で改善することが報告されている．脳外科手術前に下垂体腺腫と鑑別する必要があり，血液中のIgG4測定が重要である．

3 正常眼圧緑内障

正常眼圧緑内障は，眼圧が正常範囲内にあるにもかかわらず緑内障性の視野異常（暗点，狭窄，欠損）が進行し，緑内障特有の視神経乳頭の萎縮と陥凹がみられる疾患である．中年以降での発症が比較的多く，緩徐に視機能が進行悪化するため，脳腫瘍による視神経・視交叉圧迫の視野異常や乳頭蒼白を「正常眼圧緑内障」と誤って診断しやすい[5]．間違えやすい危険な脳腫瘍としては鞍結節部髄膜腫が最も多いが，次いで下垂体腺腫が多い．眼科的検査では，視野所見と眼底の乳頭陥凹・網膜神経線維層欠損などが，緑内障の所見として正しく一致するかを確認するのがポイントである．

おわりに

下垂体疾患ではその解剖学的特徴から特異な眼症状と眼所見がみられる．下垂体疾患の正確な診断と経過観察を行ううえで眼科的検査は重要であり，今回その方法と得られる異常所見を具体的に解説した．

文献

1) 中尾雄三：下垂体腫瘍の眼症状・眼所見．機能性下垂体腫瘍．2006；89-96．（最新医学別冊　新しい診断と治療のABC，43）．
2) 中尾雄三：IV．疾患別にみた視野異常の特徴　4．視路疾患．理解を深めよう視野検査．金原出版，2009；65-73．
3) 中尾雄三：視神経疾患と中心フリッカー値．神経眼科 2000；**17**：225-229．
4) 中尾雄三：視神経疾患の画像診断．臨床眼科 2007；**61**：1624-1633．
5) 中尾雄三：緑内障と間違われやすい視神経病変．日本の眼科 2005；**76**：1169-1174．

第2章 臨床知識——B 検査

5 下垂体疾患のQOL評価

神戸大学医学部附属病院糖尿病・内分泌内科　**福岡秀規**

臨床医のためのPoint ▶▶▶

1. 日本人先端巨大症におけるQOL低下に影響した因子について重回帰分析を行ったところ，若年であること，放射線治療歴を有することが示された．
2. CushingQoLを用いた2年間の研究では，QOLと相関をもつ因子として「うつ」が示されている．
3. 成人GH分泌不全症ではGH補充療法によって自覚的なQOLが改善するだけでなく，自覚していなくても家族による評価が改善したり，病欠を減らす効果があることも報告されている．

はじめに

下垂体の障害は慢性的な内分泌異常を生じ，長期にわたって患者のQOLに大きな影響を与える．下垂体疾患のなかで，QOLに影響する因子として，機能性下垂体腺腫によるホルモン過剰分泌に伴う症状，腫瘍の圧迫や物理障害による正常下垂体ホルモン分泌の障害に伴う症状，そして頭痛，眼球運動障害，視野欠損など，鞍部局所での腫瘍効果よる症状が考えられる．本項では機能性下垂体腺腫として先端巨大症とCushing病，そして汎下垂体機能低下症のなかでも成人GH分泌不全症を中心に，それぞれの疾患とその治療がQOLに与える影響について述べる．

QOL指標

健康関連QOL指標には，普遍的な項目からなる「包括的尺度」と，疾患特有な症状を評価する「疾患特異的尺度」の2種類がある．前者としてはShort Form 36(SF36)が世界的に汎用されており，170か国語以上の言語に翻訳され，広く用いられている．その他，Nottingham Health Profile, The Psychological General Well Being Scale, The EuroQol (including the EQ-5 Dimensions and EQ-Visual Analog Scale)などがある．一方，機能性下垂体腺腫や汎下垂体機能低下症における疾患特異的尺度として開発されたものには先端巨大症用にAcroQoLやPatient-Assessed-Acromegaly Symptom Questionnaire (PASQ), Cushing病対象にCushingQoLやTuebingen CD25，そしてGH分泌不全症を含めた汎下垂体機能低下症を対象にQoL-AGHDA, The Questions on Life Satisfaction-Hypopituitarism(QLS-H)がある．またわが国でも日本人汎下垂体機能低下症患者を対象にAdult Hypopituitarism Questionnaire(AHQ)が開発され，広く用いられている[1]．

先端巨大症

先端巨大症においては，GH, IGF-1過剰に伴う多汗，顔貌変化，末端肥大，関節痛そして腫瘍に伴う頭痛，視力視野障害などQOLに直接影響する因子が多い．本疾患においてQOL評価のために世界で最も汎用されているのがAcroQoLである．顔貌変化や手の肥大による症状など，先端巨大症特異的な症状の項目を含め，身体面18項目，心理面（外見関係，対人関係）14項目からなり，0～100点で計算され，スコア高値がQOL良好であることを示す．活動性先端巨大症ではQOLの低下を認め，治療に伴いQOLが改善することが系統的レビューにより示されている．しかし，治療によって，GH/IGF-1の治癒基準を満たした患者もQOLの改善は非機能性腺腫術後患者や一般健常者までには至らない（図1a）[2]．

われわれはAcroQoLの開発者であるWebbらと共同研究でAcroQoL日本語版を作成した．この質問票を用い，日本人先端巨大症患者でその妥当性を確認したところ，Cronbach α係数は0.76-0.93とAcroQoL日本語版の信頼性が確認された．これまで欧米でいわれていた外見についてのQOL低下は，日本人先端巨大症患者でも認められ，IGF-I SDスコア0.8 ± 1.5のコントロールされた集団においても，外見に関連するスコアが57.1点と低値を示し，治療後でも先端巨大症患者では外見によるQOL低下が存在することが明らかとなった．QOL低下に寄与した因子について重回帰分析を行ったところ，若年者，放射線治療歴を有すること，が寄与因子として示された．また，内分泌学的コントロール良好群において，手術のみで治療した患者に比べ，薬物療法中の患者ではQOLは低く，特に外見面で低いことが示された[3]．

これまで先端巨大症患者のQOLに影響を与え

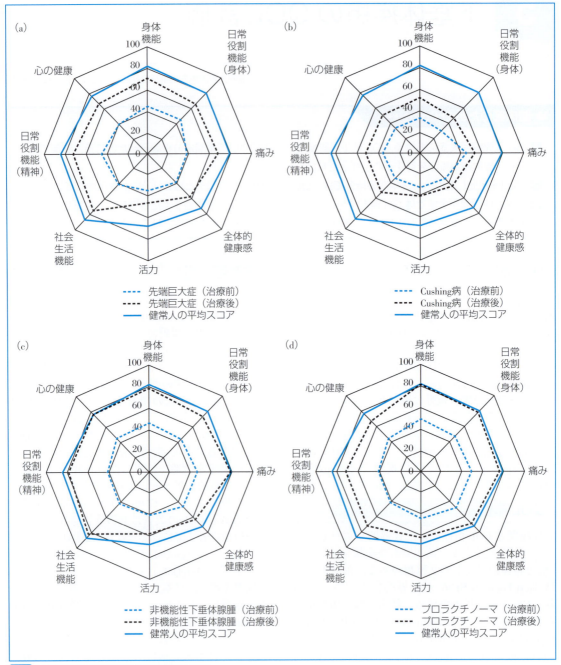

図1 下垂体腺腫患者における術前後のQOL

〔Andela CD, et al.: Quality of life(QoL)impairments in patients with a pituitary adenoma: a systematic review of QoL studies. *Pituitary* 2015；**18**：752-776 より引用〕

る因子として，疾患活動性，罹病期間，年齢（特に高齢），性別（特に女性），痛みの存在，身体能力の低下，外見などに加え，放射線療法，長期の注射投与，下垂体機能低下などが知られている[1,2]．また，先端巨大症治療後に約10%で認められる成人GH分泌不全に対して，GH補充療法によりQOLが改善することが最近報告されている．Neggersら[4]はソマトスタチンアナログ投与中の患者にGH受容体拮抗薬を週1回追加することにより，血中IGF-1に変化がなくてもQOLの改善を認めることを報告した．その理由として，ソマトスタチンアナログが肝臓でGH抵抗性を生

じ，血中 IGF-1 は低下させるものの，GH 過剰の作用が他の組織ではよくされておらず（extra-hepatic acromegaly），GH 受容体拮抗薬が各組織において血中 IGF-1 非依存性に GH 過剰の作用を抑制したことで QOL 改善を認めた可能性があると考察している．先端巨大症において，GH/IGF-1 などの血中バイオマーカーのみならず，臨床徴候，症状を含めた，患者の QOL 改善も意識した治療戦略が求められている．特に近年先端巨大症患者の高齢化を認めており，QOL を重視した治療はさらにその重要性を増すものと考えられる．

Cushing 病

下垂体腺腫のなかで生命予後に対する深刻な影響だけではなく，QOL 低下が最も顕著な疾患が Cushing 病である．これは高コルチゾール血症による様々な作用が QOL 低下を導く症状を引き起こすこと，あるいはコルチゾールの脳への作用によると考えられる．Cushing 病患者の実際の訴えとして，全身倦怠感/虚弱（85％），外見の変化（63％），精神的な不安定性（61％），認知能低下（49％），うつ（32％），不眠（12％）などがあり，これらは社会生活上，あるいは家族を含めた対人関係において，大きな障害となる．CushingQoL を用いて評価した 2 年間の研究では，QOL と相関をもつ因子として「うつ」が示された[1]．また，臨床上よく経験するが，治療により Cushing 病の寛解が得られても QOL 低下が継続することが多くの研究から明らかになっている（図 1b）[2]．Cushing 病における高コルチゾールは前頭葉における大脳皮質の菲薄化，海馬の萎縮などの脳の構造的変化をきたすとともに，決断力の低下やうつ状態などをもたらすことが示されている[5]．Cushing 病患者における治療後の QOL を予測する因子についての検討では，実際の生化学的な寛解よりも，患者自身が寛解したと感じているかどうかのほうが QOL に与える影響が大きかったと結論づけている．このことは，生化学的寛解よりもかなり遅れて生体が回復していく可能性を示唆している一方，医師の病状説明なども影響しているのかもしれない．また，Cushing 病は副腎性コルチゾール産生腫瘍による Cushing 症候群よりも QOL が低いことが知られており，高コルチゾール血症を介さない Cushing 病特異的な QOL 低下因子があるものと考えられる．

その他の下垂体腫瘍

非機能性腺腫やプロラクチノーマにおいては今のところ疾患特異的尺度は開発されていない．包括的尺度による非機能性腺腫の検討では視野障害，不眠，高齢，女性，腫瘍再発，下垂体機能低下症，放射線療法が QOL の低下と関連していた[1]．プロラクチノーマにおける QOL 低下には血中 PRL レベルよりも不妊，性腺機能低下が，特に女性で寄与していた．系統的レビューでは非機能性腺腫，プロラクチノーマ，ともに治療後の QOL は健常者のレベル近くまで回復することが示されている（図 1c, d）[2]．

成人 GH 分泌不全症

下垂体疾患に伴う汎下垂体機能低下症のなかでも最も障害を受けやすいのは GH 分泌不全である．成人 GH 分泌不全症では，内臓肥満，脂質異常などの代謝異常とともに QOL 低下を認めるが，GH 補充療法の効果のなかで最も多くのエビデンスがあるのが体組成と QOL の改善である．わが国の AHQ を用いた研究では「うつ気分」，「気力・活力」，「全般的体力」が GH 補充療法によって回復することが示された．また，成人 GH 分泌不全症患者に対する GH 投与によって SF36 の「精神的側面の QOL サマリースコア」の変化が IGF-I 変化と，「身体的側面の QOL サマリースコア」の変化が体脂肪変化と，「役割/社会的側面の QOL サマリースコア」の変化がウエスト周囲系変化と関連していた[6]．GH 補充療法によって自覚的な QOL が改善するだけでなく，自覚していなくても家族による評価が改善することや，仕事，学校などの病欠を減らす効果があることも報告されている．GH 分泌不全症以外にも性腺機能低下症は患者の人生に大きく影響するが，本人が QOL 低下を訴えないために表面化しない可能性もあるため，パートナー，家族，隣人を含めた総合的な評価が必要である．

まとめ

治療における最も重要な目的の 1 つは QOL の改善である．下垂体疾患においても QOL に影響する因子に疾患特異性があることから，治療戦略や治療目標を立てる場合に，それぞれの因子を意識しながら適切に評価することが重要である．忙しい外来診療において，診察前の QOL 指標に記入してもらうことは有用であると考える．

文献

1) Crespo I, *et al*.：Health-Rlated Quality of Life in Pituitary Disease. *Endocrinol Metab Clin North Am* 2015；**44**：161-170.
2) Andela CD, *et al*.：Quality of life（QoL）impairments in patients with a pituitary adenoma：a systematic review of QoL studies. *Pituitary* 2015；**18**：752-776.
3) Yoshida K, *et al*.：The quality of life in acromegalic patients with biochemical remission by surgery alone is superior to that in those

with pharmaceutical therapy without radiotherapy, using the newly developed Japanese version of the AcroQoL. *Pituitary* 2015；**18**：876-883.
4）Neggers SJ, *et al.*：Quality of life in acromegalic patients during long-term somatostatin analog treatment with and without pegvisomant. *J Clin Endocrinol Metab* 2008；**93**：3853-3859.
5）Romijn JA：The chronic syndromes after previous treatment of pituitary tumors. 2016；*Nat Rev Endocrinol* 2016；**12**：547-556.
6）Shimatsu A：Possible predictors for QOL improvement following GH replacement therapy in adult GHD. *Endocr* J 2015；**62**：749-756.

▶Column

Harvey W. Cushing（1869 − 1939）

　1869年8月8日，のちの天才脳神経外科医 Harvey W. Cushing がクリーブランドに誕生した．Yale 大学医学部を卒業後，Massachusetts General Hospital，Johns Hopkins Hospital 等を経て，1933年から母校の Yale 大学でキャリアをまっとうした．もちろん，1932年に発表した Cushing 病でその名を知られているが，第1例目は，1910年に Johns Hopkins Hospital で経験した23歳の Minnie G という女性であった．その後20年かけて11例を加え"Pituitary Basophilism"として報告されている．この報告が出てからすでに100年以上が経つが，いまだ研究途上の疾患である．彼は，Irish Giant として知られた Charles Byrne(1761-1783)の遺骨を1909年にイギリスから入手して研究し，トルコ鞍が拡大していることから下垂体の疾患(pituitary gigantism)であることを見出したことでも知られる．

図1 Cushing の記念切手

　Hardy 法として知られる経蝶形骨洞的下垂体手術も，実はすでに1914年，彼によって発案されていた．文才にも優れ，彼の師である Sir William Osler についての伝記を出版し，ピュリッツァー賞を受賞している．
　私事ではあるが，Cushing 症候群の診断法を確立した Dr. Liddle や Dr. Orth にあこがれて Vanderbilt 大学へ留学した初日に購入した切手は，偶然にもその年(1987年)に発行された Dr. Cushing の記念切手であった．下垂体を専門とする者にとって，神様であり永遠の憧れ的存在でもある．

（医療法人社団盛翔会浜松北病院　沖　　隆）

第2章 臨床知識──B 検査

下錐体静脈洞・海綿静脈洞サンプリング

森山記念病院脳神経外科　**石田敦士**

> **≫ 臨床医のための Point ▶▶▶**
>
> 1. 本検査はACTH依存性Cushing症候群の症例で，詳細な内分泌学的検査，最新の画像検査を施行しても下垂体性か異所性か鑑別が困難な場合のゴールドスタンダードである．
> 2. 侵襲的で重篤な合併症のリスクもあり，また検査の精度を上げるため確実なカニュレーションが必要なため，脳血管内治療に習熟した施設において，確立されたプロトコールで行うことが望ましい．
> 3. クリアカットな結果ばかりではなく，また偽陽性・偽陰性の可能性もあるため，結果の解釈が困難なことも少なくない．周期性Cushingの症例は特に注意が必要である．

検査の適応と目的

ACTH依存性Cushing症候群と診断した場合，下垂体性（Cushing病：CD）か異所性ACTH症候群（ectopic ACTH syndrome：EAS）の鑑別診断に用いる．臨床的にCDの診断基準を満たし，MRIで下垂体に腺腫を疑う腫瘍を認める場合には，基本的に行わない．画像診断の進歩は日進月歩であり，診断の精度が上がれば，本検査の必要性は低下していくと考えられる．最近，1.5T，3TMRI診断においてnegativeだったCD病変が，7Tで同定できたという症例報告がなされた[1]．さらに最近では，いかにしてこの侵襲的な検査を回避して診断するか，という報告がみられる．後方視的研究で，CRHおよびデスモプレシンテストで閾値を設けて分類したうえで，MRIでnegativeな症例に，全身のthin-slice CTを追加するというアルゴリズムを用いれば47%の症例でこの検査を回避できたという興味深い報告がなされた[2]．しかし依然として本検査の重要性は高く，必要と判断すればわれわれは躊躇せず施行している．その際は，侵襲性のある検査であり，十分なインフォームドコンセントを得る必要がある．またメチラポン（メトピロン）内服患者等では，検査数日前にこれらの薬剤をあらかじめ中止しておく必要がある．検査は，指示に従えないケースを除いて原則局所麻酔下に行う．

実施方法

検査であり手技料を算定できないため，使用するデバイスはすべて病院の負担となる．必要最低限の侵襲とデバイスで行うようにしている．より低侵襲で施行するため，基本的に動脈穿刺はしていない．

1 両側IPS/CSへマイクロカテーテル誘導

両側大腿静脈に6Frのシースを挿入し，ヘパリン化する．6Frガイディングカテーテル（GC）を，両側内頸静脈（internal jugular vein：IJV）まで誘導し，還流ラインにつなぐ．この際，上大静脈に入るところでワイヤーが心房に入らないように外側に向けておく．右のIJVの選択は通常上大静脈からほぼ直線的であるため，選択に苦労することは少ない．左のIJVの鎖骨下静脈への合流部は鎖骨の先端部を目安にするとよいが，わかりにくい場合，右の下垂体静脈洞（inferior petrosal sinus：IPS）に誘導したマイクロカテーテル（MC）から撮影するとわかりやすい（図1）．頭蓋内静脈，静脈洞と同様，IJVには静脈弁は存在しないが，約90%の症例では鎖骨下静脈への合流部の直前にのみ弁が存在する．この弁の影響でガイドワイヤーが通過困難になることがある．このときは吸気時に合わせて挿入すると通過しやすくなる．続いて，MCを両側IPS〜海綿静脈洞（cavernous sinus：CS）に誘導する．MCの選択においては，細径の場合，誘導はしやすいが，採血に時間がかかりすぎてしまい，プロトコールどおりに行えないことがある．IPSの入口部と頸静脈球部・IJVの位置関係はバリエーションが豊富である（図2）．Millerの分類ではType 1・2は1本のIPSがIJVに還流するが，Type 2はIPSの椎骨静脈叢（vertebral venous plexus：VVP）への吻合が発達している．Type 3はIPSが細い数本に静脈に分かれている．Type 4はIPSとIJVの連絡がないものである（図2）．Type 1であればIPSへのカニュレーションは比較的容易であるが，Type 4であれば困難である[3]．Type 4が片側であれば，対側のIJVから海綿間静脈洞を介して同側のCSにMCを誘導することが可能である．両側ともType 4であることは極めてまれ

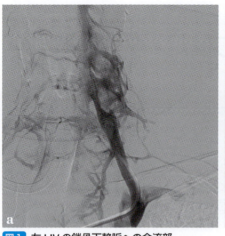 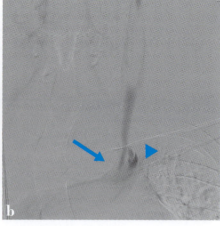

図1 左 IJV の鎖骨下静脈への合流部
a：最初に左内頸静脈（IJV）にカテーテルが誘導されず，vertebral vein に入っている．
b：右 IPS のマイクロカテーテルからの造影を追っていくとそれらの合流部が明瞭になる（矢印：IJV，矢頭：vertebral vein）．

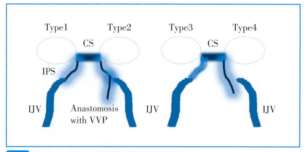

図2 IPS と IJV の関係の模式図（正面図）
できる限り IPS 上流部から CS にカテーテル先端を留置する（Type 4 では困難である）
IPS：inferior petrosal sinus，CS：cavernous sinus，IJV：internal jugular vein，VVP：vertebral venous plexus

であるが，両側の外頸静脈からサンプリングすることで診断できたという報告が最近なされた[4]．IJV 遠位に誘導した GC を前内側に向け，造影することで合流部が同定できれば，そこを慎重にマイクロガイドワイヤーで選択し，MC を追従させる（図3）．合流部が通常より下方にある場合など合流部がわかりにくいこともあり，左右どちらかわかりやすい側からカニュレーションし，その MC から撮影することで反対側の合流部が明確になり誘導しやすくなる．できるだけ下垂体静脈血を反映できるようにできる限り IPS 上流部から CS にカテーテル先端を留置する（図3）．MC からの撮影で左右どちらかで反対側の還流路が造影されなかった場合，その撮影した側が静脈還流の優位側と考えられる．

2 採血

末梢血用の採血はあらかじめ肘皮静脈に確保しておいたものを用いてもよいが，あらかじめ少し太いシースを留置することでそこから採血することもできる．まず左右の GC から CRH 投与前のコントロールとして左右の IJV の採血を行う．続いて，左右の IPS に留置した MC から CRH 投与前の採血を行う．MC は採血するたびにヘパリン化生理食塩水でフラッシュするため，dead space を考慮し，採血直前に約 1mL 脱血する．ヒト CRH 100μg を静脈内注射し，末梢静脈，左右の MC から 3 人の術者が同時に，2 分後，5 分後，10 分後に採血を行う．2.5mL のシリンジで ACTH 用と PRL 用に約 2mL ずつ採血し，速やかに EDTA 管に移し，氷冷下に検査室に届ける．CRH

刺激がゴールドスタンダードであるが，比較的高額であり，その10分の1以下の薬価であるデスモプレシン刺激でも，代用できるとする報告も散見される[5]．

診断

1 一般的な解析方法

各々のサンプルで得られたACTH値を測定し，中枢/末梢比（C/P比）を比較する（図4）．IPSサンプリング（IPSS）の場合にはCRH刺激前にC/P比≧2（CSサンプリング〔CSS〕の場合は≧3），もしくは刺激後≧3（CSSの場合は≧5）のどちらかを満たせばCDと診断する．そのどちらの基準も満たさず，静脈還流に明らかな異常がない場合は，PRLの値で再検討する．ACTH高値側の負荷前のC-PRL/P-PRL＞1.8の場合にはEASを強く疑う．それも満たさない場合は，ACTH値をPRL値で補正した値を参考にする[6]．つまり，CRHの負荷後のC-ACTHの最高値を，同時刻に採血した末梢血のP-ACTH値で除した値を，同側の負荷前のC-PRL/P-PRLで除して算出する．この値≧1.3であればCDを，≦0.8ならEASを考える（図4）．腫瘍の局在については，ACTH値の左右の比≧1.4の場合，そのサイドに微小腺腫が存在すると判断する[7]．最近の327例の大規模な報告では，この基準を用いると，約半分でのみ実際の局在と一致したとしており，本検査で局在を確定することは困難であるとしている[7]．ほかにも種々報告あるが，その左右一致率は58.7～100%とばらつきが大きい．左右不一致の原因としては，静脈還流には左右差があり，必ずしも腫瘍と同側のIPSに産生されたホルモンが多く還流するわけでないことが考えられる[8]．

本検査において下垂体性が否定的であれば原則

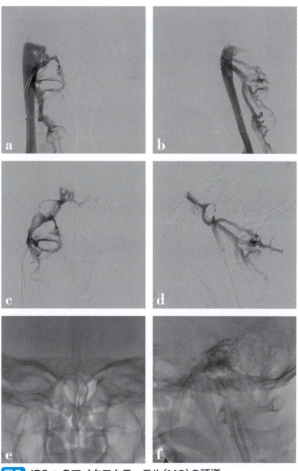

図3 IPSへのマイクロカテーテル（MC）の誘導
正面（a, c, e），側面（b, d, f）．
GCからの撮影ではcondylar veinのみが描出（a, b）．そこにMCを入れて撮影するとIPSが同定された（c, d）．最終的に両側CSまでMCを誘導（e, f）．

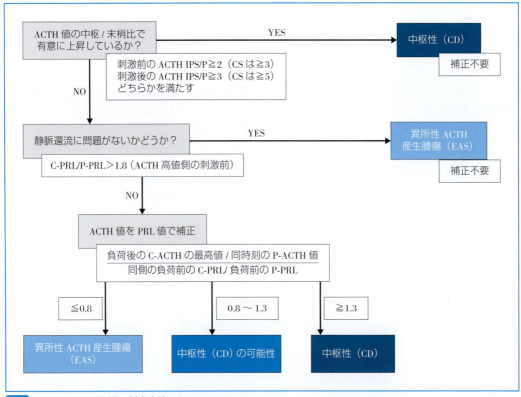

図4 IPSS/CSS の評価・判定方法
〔Perlman JE, et al.：Pitfalls In Performing And Interpreting Inferior Petrosal Sinus Sampling：Personal Experience And Literature Review. *J Clin Endocrinol Metab* 2021：dgab012 より引用・改変〕

として手術適応はない．一方下垂体性と診断されれば，原則手術適応としているが，MRI で腺腫を認めない場合は，寛解率は 50% 程度であることを十分に説明する必要がある[9]．

2 自験例の解析

当院にて下垂体センターが発足した 2018 年 4 月より 2020 年 12 月までに CD の疑いで紹介された 65 例のうち，詳細な画像検査にても確実に下垂体病変と診断できなかった 19 例について本検査が施行された．その結果，ACTH の値で C/P 比が基準を満たしていたものが 15 例で，このうち，手術においてはっきりした腫瘍が見つからなかったもの（偽陽性）が 3 例あった．残り 12 例は腫瘍性病変を明らかに認め，腫瘍の偏側性と本検査のそれと一致しなかったのは 1 例のみであった．最初の基準を満たさなかった 4 例のうち 2 例は，ACTH 高値側の負荷前の C-PRL/P-PRL > 1.8，つまり静脈還流に問題がなく，EAS が強く疑われた．このうち 1 例は経鼻手術を行わず，全身検索で肺カルチノイドが同定された．もう 1 例は本人とよく相談したうえ経鼻手術が施行されたが，腫瘍は見つからなかった．残り 2 例はさらに ACTH を PRL で補正した結果，中枢性が示唆された症例である．結果ともに手術で腫瘍が同定された．まとめると偽陽性 3 例，偽陰性はなかった．偽陽性の 3 例は術後の内分泌学的改善はみられなかった．

検査に伴う副作用と対処

一般的な造影剤によるアレルギー反応やカテーテル操作による合併症については前項を参照．最近の 327 例を対象とした報告では，穿刺部皮下血腫（2.5%）以外は重篤な合併症はなく，比較的安全に行える手技であるとしている[7]．また，最近のレビューにおいても重篤な合併症は 1% よりはるかに低い[10]．しかし，くも膜下出血や脳幹梗塞など種々の合併症が発生することがあり，細心の注意が必要である．

その他

小児における本検査の報告は少ないが，成人同様 CD 診断において重要である[8]．本検査の精度は非常に高いという報告が多いが，前述のように，偽陽性，偽陰性も存在する．特に偽陰性に関しては手術で寛解する機会を喪失するものとして

問題であるが，その原因としては周期性CDや蝶形骨洞内の異所性腫瘍などが報告されている[10]．

文献

1) Law M, et al.：Value of pituitary gland MRI at 7 T in Cushing's disease and relationship to inferior petrosal sinus sampling：case report. *J Neurosurg* 2019；**130**：347-351.
2) Frete C, et al.：Non-invasive diagnostic strategy in ACTH-dependent Cushing's syndrome. *J Clin Endocrinol Metab* 2020；**105**：dgaa409.
3) Miller DL, et al.：Anatomy of the junction of the inferior petrosal sinus and the internal jugular vein. *AJNR Am J Neuroradiol* 1993；**14**：1075-1083.
4) Peterson KA, et al.：External jugular venous sampling for Cushing's disease in a patient with hypoplastic inferior petrosal sinuses. *J Neurosurg* 2020；1-4.
5) Feng M, et al.：Tumour lateralization in Cushing's disease by inferior petrosal sinus sampling with desmopressin. *Clin Endocrinol (Oxf)* 2018；**88**：251-257.
6) Perlman JE, et al.：Pitfalls in performing and interpreting inferior petrosal sinus sampling：personal experience and literature review. *J Clin Endocrinol Metab* 2021；**106**：e1953-e1967.
7) Deipolyi A, et al.：Bilateral inferior petrosal sinus sampling：experience in 327 patients. *J Neurointerv Surg* 2017；**9**：196-199.
8) Chen S, et al.：The effects of sampling lateralization on bilateral inferior petrosal sinus sampling and desmopressin stimulation test for pediatric Cushing's disease. *Endocrine* 2019；**63**：582-591.
9) Yamada S, et al.：Therapeutic outcomes in patients undergoing surgery after diagnosis of Cushing's disease：A single-center study. *Endocr J* 2015；**62**：1115-1125.
10) Zampetti B, et al.：Bilateral inferior petrosal sinus sampling. *Endocr Connect* 2016；**5**：R12-R25.

第2章 臨床知識——C 治療総論

1 下垂体腫瘍の外科治療

森山脳神経センター病院間脳下垂体センター　山田正三

臨床医のためのPoint ▶▶▶

1. 術前画像で腫瘍の鑑別のみならず，腫瘍の性状，形状，大きさ，進展方向の評価，周囲組織との関係を十分に評価する必要がある．
2. 腫瘍の状況に応じた手術アプローチ（通常の経鼻手術，拡大経鼻手術，開頭・経鼻同時手術）を選択する．
3. 機能性下垂体腺腫では細胞レベルでの腫瘍の完全摘出が理想であるが，それが不可能な場合でもできるだけ腫瘍を摘出するための手術操作が必要である．
4. 海綿静脈洞浸潤は最も予後に影響する腫瘍側の因子であるが，積極的な手術が近年行われるようになってきた．

はじめに

手術の観点からは腫瘍をその大きさ（微小腺腫，macro腺腫，巨大腺腫），進展方向（鞍上部，側方進展，蝶形骨洞進展），浸潤（海綿静脈洞浸潤，脳実質浸潤），鞍上部進展腫瘍の形状（平滑，分葉状）などの特徴をもとに，最適な手術方法を検討することとなる．その際腫瘍の硬度については，従来からMRIでいろいろと検討されてきたが，必ずしも意見の一致をみていない[1]．

経蝶形骨洞手術（TSS）内視鏡か顕微鏡か？

内視鏡下経鼻手術の最大の利点は広角な視野が得られることである．そのほか，術者，助手，すべてのスタッフが同じ視野（モニター）で手術が遂行できる，術者への姿勢による頸部への負担が顕微鏡手術に比べ軽度であるなどの利点があげられる．一方技術の習得に時間がかかる，得られる画像が2次元であるなどの欠点もあげられる．従来の顕微鏡下の経鼻的手術（microscopic transsphenoidal surgery：mTSS）と内視鏡下のTSS（endoscopic endonasal TSS：eTSS）のどちらが優れているのかについては種々の観点から多数の報告がなされてきた．その結果，機能性腺腫の内分泌学的完全寛解率（CR）については，基本有意差はないと報告されている．一方macroadenomaである非機能性腺腫では，全体としてeTSSのほうが全摘率は高いと報告され，海綿静脈洞浸潤腫瘍ではKnosp分類Grade 3, 4の腫瘍では，その根治はeTSSでも困難とされるが，腫瘍の切除率は有意にeTSSのほうが高いと報告されている．これに対し，手術の合併症（下垂体機能低下，術後尿崩症，髄膜炎，鼻腔内合併症など）の発生率も比較されているが，報告者によって意見が分かれる[2]．ただしどちらの手術法もそれぞれ確立された方法であり，優劣ではなく，それぞれの利点欠点を常に考え，また自身の経験と技量を秤にかけ，症例ごとに取捨選択することが重要である[2]．実際のeTSSでは，鞍底までを耳鼻科が施行し，腫瘍の切除は脳外科が行う方法，手術操作は両鼻腔を使用し，2人の術者で行う（four hands surgery）方法や，内視鏡は支持機で固定保持し，1人の術者で行う方法など施設によって異なっている．

腫瘍の切除方法

内視鏡下，顕微鏡下いずれであれ，基本は直視下にmicrosurgical techniqueを用いて確実に切除していくということである．そのことが最も重要な点である．そしてアプローチから腫瘍の切除まで，これを達成するためにはどのような手術戦略で臨むのがよいのかを考えて手術の計画を立てる．

TSSのアプローチ

顕微鏡下のTSS（mTSS）か内視鏡下のTSS（eTSS）かによってそのアプローチは異なるが，わが国も含め，全世界的にeTSSの頻度が増加傾向にある[3]．eTSSでは通常両方の鼻腔を使用し，鼻中隔粘膜を深部で両側に切開反転し，鼻中隔を露出し，蝶形骨洞前壁を露出，これを切除して蝶形骨洞内部を露出（図1）．この際蝶形骨洞前壁の下方への十分な骨の削除がその後の手術操作を支障なく行うために有用である．また側方への開窓に際し，蝶口蓋動脈を損傷することがあるが，その際に

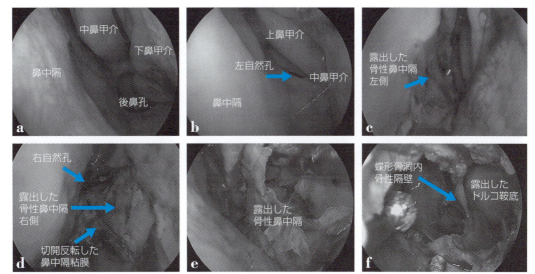

図1 トルコ鞍底に至るまでの手術操作手順（a → f）
詳細は本文参照．

（▶口絵カラー⑨，p.vi 参照）

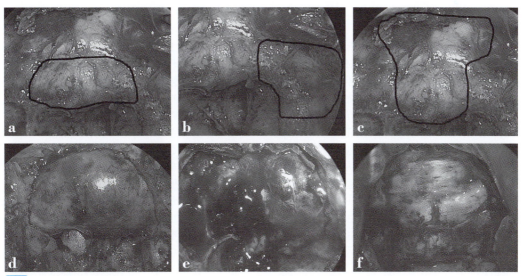

図2 種々の経蝶形骨洞経由のアプローチ（a, b, c）とその際の骨切除範囲（黒線で囲まれた領域），および硬膜の露出部位（d, e, f）

a：通常の鞍底へのアプローチ（transsphenoidal transsellar approach），b：海綿静脈洞へのアプローチ（transsphenoidal transcavernous approach），c：拡大経蝶形骨洞手術（transsphenoidal transplanum approach）．

（▶口絵カラー⑩，p.vi 参照）

は，十分に焼灼しておく必要がある．蝶形骨洞内は時に骨性隔壁が複雑に走行し，orientation を間違うことがあるので，初心者は navigation を使用して，手術を行うことが重要である．また時に蝶形骨洞内の含気が不十分で，極端な場合には concha type というほとんど含気がない蝶形骨洞に遭遇するが，若年者の場合には骨髄で形成され，柔らかく，削除は容易であるが，成人や線維性骨異形成の場合には骨皮質で形成され注意深い骨の削除が必要となる．鞍底骨が露出できたら，これを切除し，鞍底硬膜を露出するが macroadenoma では基本，左右は海綿静脈洞内側が露出するまで，上下方向は anterior, inferior の海綿静脈洞間静脈洞（intercavernous sinus：ICS）が露出するまで骨を切除する（図2）．ただし eTSS は鼻腔の粘膜の観点からは必ずしも低侵襲的な手術とは言い難

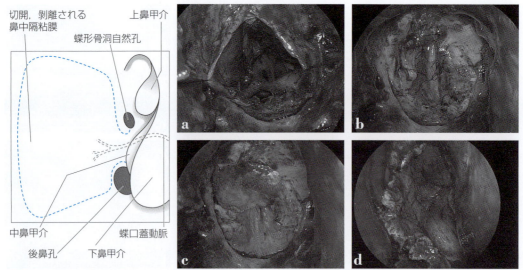

図3 鼻中隔粘膜flap作成方法（左側模式図，左鼻腔での）とGrade3（7 閉創の項参照）の術中髄液漏の術後髄液漏予防のための閉創術
a：再発頭蓋咽頭腫瘍術後の大きな硬膜欠損．b：欠損部を右大腿筋膜から採取した筋膜を充填，これをinlayにし硬膜と数針縫合．c：骨片で支持（鞍底形成）．d：最後に全体を有茎の鼻中隔粘膜flapで覆う．　　　　　（▶口絵カラー⑪，p.vii参照）

く，微小腺腫やくも膜囊胞などの手術では鼻腔粘膜温存の観点から片鼻（多くは右側鼻腔）のみでのアプローチも必要となる．また海綿静脈洞全体を大きく露出したい場合にはethmoid-pterygo-sphenoidal approach（lateral extended transsphenoidal approach）が有用であるし，鞍上部を大きく開放，露出する必要があるような腫瘍（頭蓋咽頭腫など）では鞍結節からさらに前方の蝶形骨洞稜も十分に露出しその部の骨の切除が必要となる（いわゆる拡大経蝶形骨洞手術）（図2）．ただし，この場合には嗅裂部の粘膜の損傷が生じないような細心の注意が必要となる．また鼻中隔粘膜flapが必要となる症例では最初の鼻中隔粘膜切開の時に作成し，後鼻腔に温存しておく（図3）．

腫瘍の状況に応じた手術

1 微小腺腫あるいは非浸潤性の比較的小さなmacroadenoma

このタイプの腫瘍は基本，機能性の下垂体腺腫である．したがってその主目的は内分泌学的な治癒であるため，細胞レベルでの完全摘出が要求される．露出された硬膜を切開し，鞍底を十分露出するが，その際大きな腫瘍と異なり，微小腺腫では鞍底硬膜内の静脈やICSが温存されており，時に思わぬ激しい静脈性の出血に遭遇することがあるので，特に初心者は注意が必要である．多くの下垂体腫瘍では腫瘍と正常下垂体とのあいだに結合組織とその周囲の薄い正常下垂体からなるいわゆる偽被膜とよばれる被膜を有する．この被膜を含めて切除すれば細胞レベルでの腫瘍の摘出が可能となる[4]（図4）．また明らかな偽被膜をもたず，細胞レベルでもその境界が不明確な腫瘍も存在するが，そのときには周囲の正常下垂体を含めた切除が必要となる．その場合，術後の下垂体機能低下が危惧されるが，通常その程度で新たな術後の機能低下を呈することはない．したがってまずこの手の腫瘍では被膜の存在を腫瘍切除の早期に確認することが重要である．ただし，明瞭な被膜がなくても正常下垂体との境界は通常明瞭なことが多いが，不明瞭な場合には，腫瘍と正常下垂体との肉眼的な性状の違いを参考に周囲の1層の正常下垂体を全周にわたり腫瘍と同時に切除していくのがよい．その際，可能であれば迅速病理診断を行い，客観的に境界を確認し，切除を遂行することも有用である．

手術のアプローチについては，術後の鼻腔内合併症（鼻閉感，嗅覚障害など）をできるだけ少なくする意味からも操作性は多少落ちるが，片鼻からのアプローチも有用である．

2 MRI invisible adenoma

機能性腺腫のなかでもCushing病の症例では最新のMRI検査にても，画像上腫瘍が明瞭でない場合が10％前後ある．そのような場合でもCushing病が強く疑われる場合には手術を行う必要がある．その際には鞍底硬膜を切開し，露出した下垂体底面を十分に観察し，表面上明らかな腫

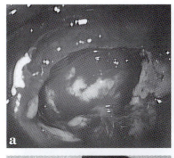
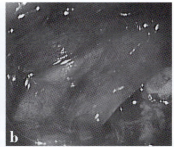
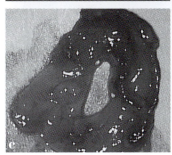
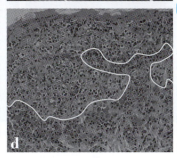

図4 比較的小さな enclosed macroadenoma （GH 産生腺腫）における顕微鏡下の腫瘍の被膜外切除

a：腫瘍内部の柔らかい実質性腫瘍を切除（内減圧），b：周囲の腫瘍外郭部分を被膜外に周囲から切除，c：切除された外郭部分，d：外郭部分の組織像．外側の腫瘍被膜（正常下垂体前葉と結合組織からなる）と内部に存在する腫瘍組織との境界（黄線）部は直線上の明瞭な境界ではなく入り組んでおり，全摘のためには被膜外切除が有用であることが理解できる．（▶口絵カラー⑫，p.vii 参照）

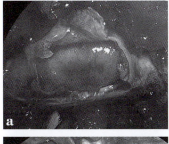
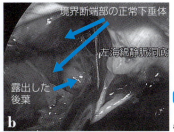

図5 invisible tumor（Cushing 病）の検索手順

a：露出された下垂体底面．b：この症例ではサンプリング上，左側に腫瘍の局在が疑われたため，下垂体左側を検索．海綿静脈洞内側壁を露出し，下垂体の外側部分を切除．切除断端部には正常下垂体前葉，後葉が認められる．c：下垂体右側を海綿静脈洞内側壁から剥離，割を加え内部を検索．d：残った下垂体に水平に割を加え，さらにその両側の下垂体を 1～2mm 幅で短冊状に割を加え腫瘍を検索する．最後にこの症例では右側外側の一部を追加切除した．

（▶口絵カラー⑬，p.viii 参照）

瘍の局在を示唆する所見がない場合には，まず静脈洞サンプリングで疑わしい側の lateral wing の検索を行う．十分にその外側を海綿静脈洞内側壁から剥離し，内側壁に腫瘍のないことを確認し，剥離した lateral wing に縦に割を加え腫瘍を検索する．腫瘍がなければ同じ操作を対側の lateral wing に行い，次いで残りの下垂体にまず水平に大きく割を加え，それにより上下に 2 分された前葉部分をそれぞれ 1～2mm の厚さで短冊状に割を加えて腫瘍を探す（図 5）．それでも明らかなものが見つからない場合には下垂体周囲を検索する（peri-glandular exploration）[5]．

3 視力視野異常を呈するような大きな macroadenoma の手術

多くは非機能性の下垂体腺腫であるが，時に機能性腺腫のこともある．いずれの腫瘍でも，術後の補助療法の観点から，可能な限りの腫瘍の切除を行うことが重要である．この type の腫瘍でも，常に正常下垂体の位置を意識した手術が重要である．通常正常下垂体は左右どちらかに変位していることが多く，さらに後方から後上方に圧迫されている．明らかにどちらかに正常下垂体が変位している場合には，最初にその部位で正常下垂体との境界を見つけ，ある程度剥離を行ったうえ

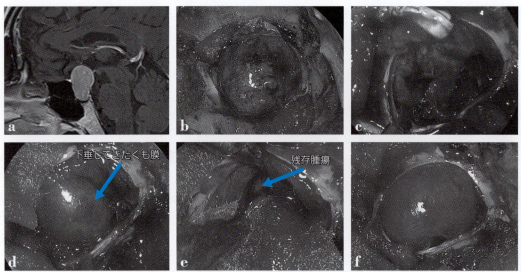

図6 鞍上部進展を伴い両耳側半盲，GH分泌不全を呈した非機能性macroadenoma症例(56歳男性).
a：術前T1強調造影MRI矢状断撮影，b：腫瘍は柔らかい実質性(一部嚢胞あり)の腫瘍，c：まず鞍内の腫瘍を十分に郭清，d：鞍内，外側方向の腫瘍の切除が終了したのち，鞍上部へ進展する腫瘍の切除に移る．鞍上部の腫瘍を左右前後から剝離，切除していくと，やがて上面のくも膜が下垂してきた，e：下垂が不良な部分(fold)があれば，通常腫瘍がその奥に残存していることが多く，これを丁寧に露出し切除する必要がある．f：以上の操作で上面を覆っていたくも膜が大きく，半球状に下垂してきた．
(▶口絵カラー⑭，p.viii参照)

で，鞍内の腫瘍の切除を行う．鞍内，左右の外側と腫瘍を切除し，左右外側で腫瘍が海綿静脈洞に浸潤している場合にはこの時点でその処理を行うことが重要である．次いで鞍上部に進展する腫瘍の切除に移る．多くの下垂体腺腫は柔らかく，鞍内の腫瘍を切除すると，鞍上部の腫瘍は鞍内に徐々に下垂してくる．これらの腫瘍を左右，前後から切除していくとやがてこれを覆うくも膜が露出してくる．くも膜を破かないように，丁寧に腫瘍を剝離していくが，この際，下垂反転したくも膜が一部十分に反転してこない場合には残存腫瘍が隠れている場合が多く，反転の不良な部位の残存腫瘍の丁寧な検索と切除が重要である．以上の操作にて，くも膜が半球状に下垂してくれば腫瘍が肉眼的に切除されたことが確認できる(図6)．最後にもう1度，全周にわたり腫瘍の残存のないことを確認し，手術を終了する[6]．

時に腫瘍が硬い場合があるが，そのような場合には鞍内の腫瘍を切除しても鞍上部の腫瘍はまったく下垂してこない．これを無理に鞍内から吸引管と，ring curetteで剝離操作することは腫瘍の切除が困難なばかりか，危険である．このような場合には後述する，拡大法に切り替えて鞍上部の腫瘍を切除すべきである．以上の操作は基本すべて直視下で施行されるべきである．十分な鞍内の切除を行うことなく，鞍内から，鞍上部にあたかもトンネルを掘るように腫瘍を切除していく方法は腫瘍内出血や，頭蓋内のくも膜下出血など重篤な合併症を生じる恐れがあり，厳に慎むべき切除方法である．

4 拡大経鼻手術

前述したように通常のTSSで切除が困難な下垂体腫瘍に対し下方から鞍上部腫瘍をring curetteなどで無理に切除しようとすると，術後に腫瘍内出血や，穿通枝梗塞など，重篤な合併症を引き起こすことがある．したがって以前は鞍上部に主座する頭蓋内の腫瘍(鞍結節髄膜腫や頭蓋咽頭腫)はもちろん，鞍上部部分が鞍内に比べ極端に大きい腫瘍，鞍隔膜で狭小化した結果，砂時計型の鞍上部進展を呈する腫瘍，分葉状進展を示す大きな腫瘍，極端な前方，側方進展を呈する下垂体腫瘍などでは，通常のTSSは禁忌で，開頭術が適応とされてきた．これに対し，意図的2 staged TSS(鞍上部の腫瘍をあえて切除せず，鞍内の腫瘍の切除後に鞍上部の腫瘍が下垂するのを待って再度手術を行うというもの)などが報告されてきた[7]．確かに意図的TSSは安全を重視した場合，1つの戦略である．しかし自身の経験からいえば，数か月待って，鞍内に下垂するような腫瘍は元来一期的に取りに行っても大きな問題となるような腫瘍ではない．一方Weissらは，presellar transtuberculum approach(いわゆる拡大経蝶形骨洞手術)を考案した[8]．これは通常のTSSでのトルコ鞍底の骨の切除に加え，鞍結節から蝶形骨平板までの骨と硬膜

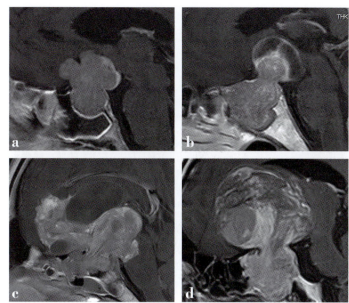

図7 T1強調造影MRI矢状段撮影
上段の2症例はすべて拡大経蝶形骨洞法にて腫瘍が切除された症例．下段2例は開頭術と経蝶形骨洞手術の同時手術が施行された症例．
c：GH産生腫瘍，そのほかはいずれも非機能性腺腫．

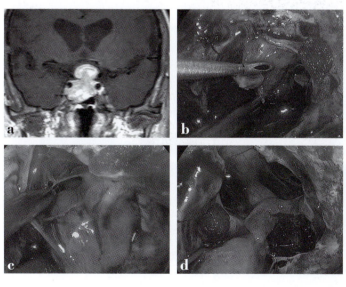

図8 再発非機能性下垂体腺腫（78歳男性）
a：腫瘍は，dumbbell状に鞍上部に進展．b：鞍上部に進展する腫瘍は硬く，周囲に癒着．c：硬膜切開を上方に加え，拡大経蝶形骨洞手術に変更．鞍上部腫瘍を直視下に被膜外に周囲から剝離．d：下垂体茎と連続する薄くなった後方の正常下垂体を温存し，腫瘍は選択的に全摘された．
（▶口絵カラー⑮，p.ix参照）

の解放を加え，鞍上部を露出する方法である（図2）．この方法の第一の利点は，開頭術では視交叉腹側，脳幹前面，トルコ鞍内の腫瘍の切除は困難であったが，これらの部位の腫瘍を周囲の脳組織への圧迫・剝離操作などを行うことなく露出できることである．そしてこの方法は以前開頭術が適応と考えられてきた条件を有する下垂体腫瘍のアプローチにも使用されるようになり現在に至っている[9]（図7）．拡大経蝶形骨洞（extended transphenoid surgery：extTSS）は，内視鏡が導入され，広い視野が得られるようになり，ようやく一般的な手術法の1つとなった．また下垂体腺腫においては，通常のTSSで切除が可能と思われて手術を行っても，術中の腫瘍の状況（予想外に腫瘍が硬く鞍上部の腫瘍が切除できない）によっては適宜extTSSに変更する柔軟性も必要である（図8）．

5 経蝶形骨洞法と開頭術の同時combined approach

extTSSの臨床応用により，トルコ鞍部およびその周辺の腫瘍へのTSSの適応範囲は大きく拡大した．しかしまれではあるが，extTSSを用いても，腫瘍切除が困難あるいは不可能な，下垂体腫瘍に遭遇することがある（図7）．このような症例に対する対処法が，経鼻手術と開頭術を同時に行

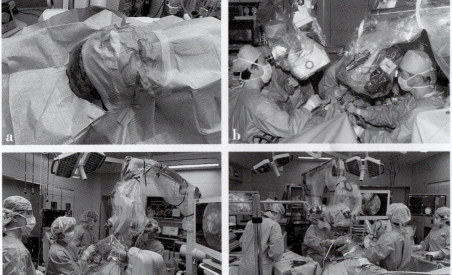

図9 開頭,経蝶形骨洞同時手術

a:ドレーピング後の術野.b:当初は2台の手術用顕微鏡を使用して行われていた.c:現在は経鼻側は内視鏡下の手術に変わっている.左開頭(c),右開頭の際のそれぞれの術者,機械出し看護師の立ち位置,および機械台などの位置を示す術中風景.

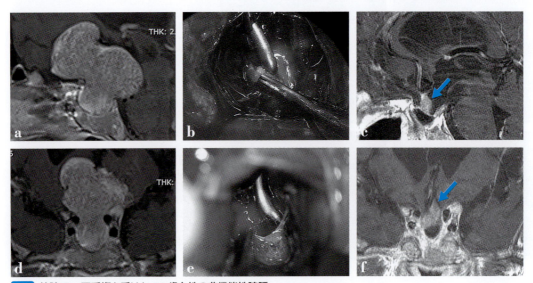

図10 他院で5回手術を受けた70歳女性の非機能性腺腫

腫瘍は大きく鞍上部に進展し(a, d),開頭,経鼻,同時手術の方針とした.術中の経鼻側(b),開頭側(e)からの術中写真.ともに両方(鼻側,開頭側)から器具が挿入され,協力し合いながら腫瘍を切除している.術後腫瘍は鞍上部にごく一部残存(矢印)するのみでほぼ切除されている(c, f).術後視機能の改善が得られた.

(▶口絵カラー⑯,p.ix 参照)

う combined approach(simultaneous combined transsphenoidal and transcranial approach)である[10](図9).この方法は腫瘍の全摘を最終目的とするものではなく,できる限り安全に,最大限の腫瘍の切除を行うというものである.開頭側と経鼻側の術者が協力しあいながら手術を遂行できることで,一方からのみでは安全な切除が困難な部位の切除も,より安全にかつ最大限の腫瘍の切除が可能となる(図10).

6 海綿静脈洞浸潤腫瘍に対する手術療法

腫瘍の海綿静脈洞浸潤(cavernous sinus invasion:CSI)は手術成績に最も悪影響を与える腫瘍側の因子である.したがってCSI腫瘍の切除率を向上させることが,手術成績,特に機能性腺腫の手術成

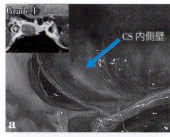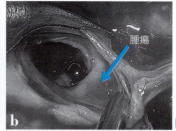
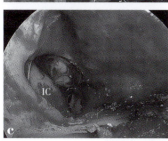

図11 56歳男性の先端巨大症 Knosp 分類 Grade1

a：やや硬い鞍内の腫瘍を被膜外に切除．右側外側は海綿静脈洞内側壁に達し内側壁は一見腫瘍の浸潤はないように見受けられた．b：内側壁を海綿静脈洞から剥離すると内側壁と一部内部に腫瘍の浸潤が認められた．c：内側壁と浸潤腫瘍を切除した．d：切除した内側壁の病理でも線維性組織のなかに挫滅した腫瘍細胞が浸潤していた．この症例では血管の硝子化も目立つ．

（▶口絵カラー⑰，p. x 参照）

績向上に寄与する．CSI は機能性腺腫の 2～3 割程度で認められる[11]．

しかしながら海綿静脈洞は解剖学的に複雑で，内部には内頸動脈（internal carotid artery：IC）や脳神経（Ⅲ，Ⅵ，Ⅴ，Ⅵ）が走行している．したがって，以前は No man's land とされてきた．しかし近年，特に内視鏡が TSS に用いられるようになり，CSI の腫瘍に対しても積極的にアプローチを行う術者が増えてきている[12]．われわれもすでに顕微鏡下にて，先端巨大症の CSI 腫瘍に対し，積極的アプローチと腫瘍の切除を 2003 年ごろより始めた[13]．CSI は外科治療の観点からは部分浸潤型（PIT）と完全浸潤型（CIT）（Knosp 分類 Grade 4 の相当）に分類するのが便利である．

・部分浸潤型（PIT）

このタイプは通常 Knosp 分類の Grade 2，3 を呈するタイプであることが多いが，従来 CSI がほとんどないと考えられてきた Grade 0，1 でも GH 産生腫瘍の 14％で認められる[13]．したがって重要なことは，腫瘍の外側の切除に際し，腫瘍が海綿静脈洞内側壁に浸潤しているかどうかを直視下に全長にわたり観察し浸潤の有無を確認することである．もし疑いのある場合には，必ず内側壁を海綿静脈洞本体から剥離し，海綿静脈洞内部を観察，腫瘍の内部への浸潤が確認できれば，これを切除し，同時に海綿静脈洞の剥離された内側壁も鋭的に切除する．このタイプの腫瘍では最近 Knosp 分類 Grade 3B（lower compartment 方向へ進展するもの）での浸潤を示す腫瘍が Grade 3A（upper compartment 方向へ進展するもの）形式の浸潤よりも切除が困難で治療成績が不良であると報告されている[14]．海綿静脈洞部分浸潤腫瘍を術中に見落とすことなく，適切に対処することが機能性下垂体腺腫の手術成績を向上させる意味からも重要である（図11）．

・完全浸潤型（CIT）

このタイプは Knosp 分類 Grade 4 に相当し，したがって術前に画像で評価することが可能である．この腫瘍では，術中の ICA 損傷を想定し，術前あらかじめ ICA の虚血に対する血行動態を baloon occlusion test などで評価しておく[15]．鞍底に至るアプローチも，蝶形骨洞外側（lateral recess of sphenoidal sinus）および海綿静脈洞外側が十分に露出できるような，ethmoid-pterygo-sphenoidal approach（lateral extended transsphenoidal approach）が時に必要となる．腫瘍の切除操作はまず鞍内の腫瘍を切除し，海綿静脈洞の内側の腫瘍，次いで外側の腫瘍の切除を行う．一般にこのタイプの腫瘍は柔らかく，腫瘍切除に際しても激しい静脈性出血に遭遇することはない．腫瘍を十分に IC 周囲で露出して，可能な限りの腫瘍の切除を行うこととなるが，常に Ⅲ，Ⅳ，Ⅵ の位置とそれに対する手術操作の影響を考えながら手術を行う必要がある（図12）．しかし現在このタイプの腫瘍を手術のみで完全に切除することはいまだ困難で，さらなる工夫が今後も引き続き必要である[11]．

7 閉創

通常切除腔には止血を兼ね，gelform を挿入し，切開した鞍底硬膜はもとに戻し，これを上下で 1～2 針縫合し，これを支えるように骨片で鞍底形成を行う．この際重要なことは髄液漏に対する対応である．髄液漏はその程度により，認めないもの（Grade 0）から大きな硬膜欠損を伴うもの（Grade 3）に分類されるが[16]，特に extTSS や combined 法

で生じる Grade 3 の髄液漏が問題となる．これらの手術の成否は術後髄液漏が生じないような再現性のある髄液漏閉鎖を手術終了時にできるかどうかにかかっているといっても過言ではない．Grade 3 の術中髄液漏については色々な閉鎖方法が考案されているが，基本は多層による閉鎖方法である．われわれは，大きな硬膜欠損部分には大腿筋膜を採集し，これを inlay にて縫合し骨片で鞍底形成とし，最後に鼻中隔の粘膜 flap で全体を覆う方法を行っている[17]（図 3）．近年の報告では腰椎ドレナージは髄膜炎の原因となり，基本不要であること，髄液漏，髄膜炎は 1% 以下とすること，支持材の使用（骨片などによる鞍底形成）は有用であること，Grade 3 では septal flap が有用であることなどが報告されている[16]．

8 下垂体手術の今後の発展

今後の下垂体手術の発展として種々のものがあるが，手術についていえば内視鏡のさらなる改善と robotic surgery である．内視鏡についていえば 3D 内視鏡のさらなる改良もさることながら近未来的には 8K の導入が重要である．4K 内視鏡（829 万画素）の 4 倍の解像度（3,300 万画素）で，結果超高精細画像が得られる．その結果，臓器や組織を直接見ているような感覚（立体感，実物観に優れる）が得られ，血管，神経の鑑別，腫瘍と正常組織の見分けが今以上に容易となると考えられる[18]．一方 robotic surgery については，正確な手術ができること，微細な手術ができること，狭所での手術ができること，遠隔での手術ができることが特徴としてあげられるが，まさに深くて狭い術野である下垂体手術にはうってつけの手術である．robotic surgery は泌尿器科を皮切りに産婦人科，消化器外科領域にその適応は拡大し，2018 年度には世界で 100 万件以上の robotic surgery が施行されている．下垂体の領域でも cadaver を使用しての経口腔ロボット支援手術（transoral robotic surgery）を経て，2017 年最初の clinical trial が施行，報告されている[19]．依然解決すべき問題点は多々あるものの，今後は確実にこの分野にもロボット支援手術が導入されていくのは間違いない時代の流れと考えられる[20]．

文献

1) Cuocolo R, et al.：Prediction of pituitary adenoma surgical consistency：radiomic data mining and machine learning on T2-weighted MRI. *Neuroradiology* 2020；**62**：649-1656.
2) 山田正三：下垂体腫瘍の手術選択〜内視鏡手術 vs. 顕微鏡手術〜．*No Shinkei Geka* 2019；**47**：139-145.
3) Solari D, et al.：Multicenter study. A survey on pituitary surgery in Italy. *World Neurosurg* 2019；**123**：e440-e449.
4) Jagannathan J, et al.：Outcome of using the histological pseudocapsule as a surgical capsule in Cushing disease. *J Neuro-*

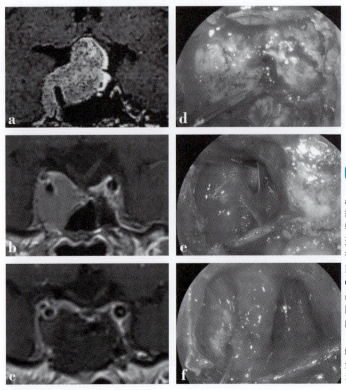

図12 Knosp 分類 Grade 4 の GH 産生腫瘍（39 歳，女性）

a〜c：初回術前の造影 T1 強調 MRI（a）．術後海綿静脈洞内を中心に右側外側に腫瘍が残存（b）．薬物療法で IGF-1 の正常化が得られないとのことで追加切除の可否を求め紹介受診となり，再手術施行．海綿静脈洞内を含め十分に腫瘍を切除（c）．IGF-1 は正常化し現在に至っている（再手術前の GH，IGF-1 は 9.5，775ng/mL．術後同 0.6，265 ng/mL．d：鞍底から，右側海綿静脈洞底面の硬膜を大きく露出，e：海綿静脈洞底の硬膜を切開し内部を露出．腫瘍は比較的柔らかい実質性腫瘍でトルコ鞍内から内頸動脈周囲の腫瘍を切除した．f：内頸動脈周囲の腫瘍をできるだけ切除したが，外側に神経が露出してきたため，この時点で切除を終了した． （▶口絵カラー⑱，p. x 参照）

surg 2009 ; **111** : 531-539.
5) Yamada S, et al. : Therapeutic outcomes in patients undergoing surgery after diagnosis of Cushing's disease : A single-center study. *Endocr J* 2015 ; **62** : 1115-1125.
6) Taylor DG, et al. : Resection of pituitary macroadenomas via the pseudocapsule along the posterior tumor margin : a cohort study and technical note. *J Neurosurg* 2018 ; **128** : 422-428.
7) Saito K, et al. : The transsphenoidal removal of nonfunctioning pituitary adenomas with suprasellar extensions : the open sella method and intentionally staged operation. *Neurosurgery* 1995 ; **36** : 668-676.
8) Weiss M : The transnasal transsphenoidal approach, in Apuzzo MLJ(ed) : Surgery of the Third Ventricle. Baltimore : Williams & Wilkins, 1987 ; 476-494.
9) Cappabianca P, et al. : Endoscopic endonasal extended approaches for the management of large pituitary adenomas. *Neurosurg Clin N Am* 2015 ; **26** : 323-331.
10) 山田正三, 他 : 巨大下垂体腺腫. 佐伯直勝(編) : 脳神経エキスパート 間脳下垂体. 中外医学社, 2008 ; 244-258.
11) Dhandapani S, et al. : Cavernous sinus invasion in pituitary adenomas : systematic review and pooled data meta-analysis of radiologic criteria and comparison of endoscopic and microscopic surgery. *World Neurosurg* 2016 ; **96** : 36-46.
12) Park HH, et al. : Outcomes of aggressive surgical resection in growth hormone-secreting pituitary adenomas with cavernous sinus invasion. *World Neurosurg* 2018 ; **117** : e280-e289.
13) Nishioka H, et al. : Aggressive transsphenoidal resection of tumors invading the cavernous sinus in patients with acromegaly : predictive factors, strategies, and outcomes. *J Neurosurg* 2014 ; **121** : 505-510.
14) Micko A, et al. : Challenging Knosp high-grade pituitary adenomas. *J Neurosurg* 2019 ; 31 : 1-8.
15) Fukuhara N, et al. : Magnetic resonance angiography-based prediction of the results of balloon occlusion test. *Neurol Med Chir (Tokyo)* 2019 ; **59** : 384-391.
16) Conger A, et al. : Evolution of the graded repair of CSF leaks and skull base defects in endonasal endoscopic tumor surgery : trends in repair failure and meningitis rates in 509 patients. *J Neurosurg* 2019 ; **130** : 861-875.
17) Horiguchi K, et al. : A new multilayer reconstruction using nasal septal flap combined with fascia graft dural suturing for high-flow cerebrospinal fluid leak after endoscopic endonasal surgery. *Neurosurg Rev* 2016 ; **39** : 419-427.
18) Ohigashi S, et al. : Fruitful first experience with an 8K ultra-high-definition endoscope for laparoscopic colorectal surgery. *Asian J Endosc Surg* 2019 ; **12** : 362-365.
19) Chauvet D, et al. : Transoral robotic surgery for sellar tumors : first clinical study. *J Neurosurg* 2017 ; **127** : 941-948.
20) Chauvet D, et al. : The French world premiere of transoral robotic surgery for pituitary tumors with the Da Vinci apparatus : Promises and pitfalls. *Neurochirurgie* 2020 ; **66** : 282-283.

第2章 臨床知識――C 治療総論

2 手術合併症とその対策

千葉大学医学部脳神経外科 堀口健太郎

> **》 臨床医のための Point 》》》**
>
> 1. 術前は，画像検査にて病変の鑑別および正常解剖構造の変位の評価を適切に行い，また内分泌学的検査にてホルモンや電解質の評価を行う．
> 2. 術中は，ナビゲーションや超音波ドプラを使用し，内頸動脈損傷に代表される重篤な合併症の回避を行い，適切な再建方法を選択する．
> 3. 術後は，詳細な内分泌学的評価や電解質管理を行うと同時に，鼻出血や髄液漏などの経鼻手術に特有な合併症に対して注意を払う．

はじめに

下垂体病変に対する手術の多くは経蝶形骨洞手術である．本法はHardyらの顕微鏡導入から始まり，近年では神経内視鏡が導入され，さらに周辺機器の進歩に伴い，急速に発展してきている．しかしながら，経蝶形骨洞手術においては開頭手術とは異なる特有の合併症があり，これを熟知する必要がある[1]．また，内視鏡の導入により頭蓋底全般に対する経鼻手術も行われ始め，より重篤な合併症が起こる可能性も報告されている[2]．本項では下垂体手術の合併症対策について術前，術中，術後に分けて概説する．

術前対策

術前対策において重要なことは適切な画像診断を行うことである．CT検査では鼻腔内構造や副鼻腔構造（特に蝶形骨洞の含気化や隔壁構造）を3方向（水平断，冠状断，矢状断）にて確認することと，同時に対象病変の石灰化の有無や周辺骨構造の破壊なども確認することが重要である．術前MRI検査においてはT1強調画像（T1WI），T2強調画像（T2WI），造影T1WI，MRAの撮影を少なくとも2 mmでのスライス厚で，できれば3 T MRIで行うことが望まれる．MRI検査により，病変の大きさ，形状，性状の把握のほかに，正常前葉の位置，後葉信号の描出の有無，周辺解剖構造を確認することが肝要である．また，MRA検査により脳動脈瘤の合併の有無を含め，頭蓋内血管評価を行うことも重要である．さらに，海綿静脈洞浸潤例などで内頸動脈を操作する症例では，内頸動脈損傷をきたした際に母血管の閉塞をやむなく選択する可能性を考慮し，術前に内頸動脈バルーン閉塞試験を行っておく場合もある．

内分泌学的評価に関しては術前の下垂体前葉機能を適切に評価し，周術期のステロイドカバーや電解質管理の指標とする．また，ホルモン産生下垂体腺腫では循環器，呼吸器，消化器などの全身の合併症精査を行うことも重要であり，一部の症例では術前の薬物治療を行うことにより，腫瘍縮小のみならず，周術期合併症の低減につながると報告されている[3]．

術中対策

1 内頸動脈損傷

下垂体手術における最も重篤な合併症は内頸動脈損傷である．このため，本手術においてナビゲーションの使用は必須となってきている．さらに，超音波ドプラの使用やメスの先端形状の違いにより，内頸動脈損傷を回避できるとの報告もある[4]．万一の損傷があった場合は，出血点を見失うことなく，圧迫止血を行い，バルーン閉塞試験の結果に基づいて，内頸動脈の閉塞を判断する．

2 腫瘍内出血

大型‐巨大下垂体腺腫における術後腫瘍内出血の問題は依然残っており，開頭‐経鼻術同時手術[5]，拡大経鼻内視鏡手術，術中MRIの使用などが解決方法として提唱されている．このような腫瘍では頭蓋内血管の穿通枝が巻き込まれている症例も多く，全摘出を最終目的とせずに，機能的改善を目指し，術前に摘出範囲をあらかじめ決めておくことが重要である．

3 髄液漏

術後の髄液漏は通常の経蝶形骨洞手術ではおおむね4%前後とされているが，近年の拡大経鼻手術ではさらに危険性が高くなる．術後髄液漏を予防するには術中髄液漏の程度に応じて適切な再建方法を選択することが重要で，特に拡大経鼻手術

においては筋膜縫合と有茎鼻中隔粘膜弁による多層性再建方法が有用である[6]．

4 視力・視野障害

1％前後で術後視力・視野障害が出現するとされる．下垂体腺腫においては術中の視覚誘発電位（visual evoked potential：VEP）の使用は議論の余地が残るが，髄膜腫や頭蓋咽頭腫などでは術中VEPを使用するほうがより安全である．

5 外眼筋麻痺（複視）

海綿静脈洞部に浸潤した腫瘍の摘出では外眼筋麻痺を避けるため，術中眼球運動モニタリングを行う場合がある．通常，神経の切断がなければ3〜6か月以内に回復する場合がほとんどであり，ビタミンB12の内服を行い，経過を観察する．

6 正常下垂体損傷

近年，下垂体腺腫の摘出に際して仮性被膜を同定する方法が提唱されている．本法は正常下垂体機能を温存し，摘出率も優れている[7]．ただし，仮性被膜がない症例や再発症例などではかえって正常下垂体を損傷する危険性もあり，境界が不明瞭な場合は境界面が判別できる部位を丹念に探索し，無理な剝離操作を回避するのが肝要である．また，境界面の迅速病理を提出し，組織を確認することも有用である．

術後対策

1 術後出血・遅発性脳血管攣縮・水頭症

大型-巨大下垂体腺腫などでは術後出血が問題となるため，基本的に術直後にCT検査を施行することが望ましい．また，術後血腫やくも膜下出血をきたした症例では遅発性脳血管攣縮や水頭症をきたす場合があり，神経症状の変化に注意し，術後MRA検査やCT検査を行い，脳血管攣縮や水頭症の有無を評価する．

2 術後髄液漏

術後髄液漏が認められた場合は安静臥床とし，腰椎ドレナージおよび耳鼻咽喉科外来での閉鎖処置を行うが，髄液漏が止まらない場合は再手術による髄液漏閉鎖術を施行する．

3 術後髄膜炎

髄膜炎の多くの原因は上述の髄液漏であり，髄液漏の閉鎖を確実に行い，適切な抗菌薬治療を行うことが重要である[8]．近年の拡大経鼻手術では鼻腔と頭蓋内が術中に広く交通するため，比較的スペクトラムが広い抗菌薬の使用が考慮される．

4 下垂体前葉機能障害

術後ホルモン基礎値を測定し，機能低下が疑われる症例は負荷試験を行う．特に副腎機能不全に対するステロイド補充継続の有無を適切に判断する．

5 尿崩症

術後に低張性多尿が出現する場合，尿崩症の合併が危惧される．したがって，術後は時間単位で尿量および尿比重の測定を行い，適切にバソプレシン製剤を使用する．大多数は渇中枢が保たれ，一過性である．頭蓋咽頭腫などでは渇中枢が保たれていない場合もあり，より慎重な電解質管理が必要である．

6 低ナトリウム血症

術後1週間程度で問題となり，20％程度の症例に合併する．基本的には水制限および塩分負荷にて対応する．大多数は術後4日程度から変化が起こるとされ，その時期における電解質，尿量，体重変化に注意を払う必要がある．

7 遅発性鼻出血

術後1か月程度で遅発性に大量の動脈性鼻出血をきたす例が数％程度に存在し，退院前にその旨を患者にしっかりと伝えておく必要がある．多くは蝶口蓋動脈が原因であり，内視鏡での止血または血管内治療での顎動脈塞栓術などで対応する．

8 鼻腔合併症

術後，鼻腔内痂皮や通気障害による嗅覚低下などが一定の割合で認められる．術後に鼻腔内洗浄・清掃を行うことが推奨され，一定期間鼻腔内処置を行うことが望ましい．

おわりに

合併症対策の基本は感染症分野で提唱されているstandard precaution（標準予防策）の概念であり，下垂体手術の際も上述した想定しうる合併症に対して，各施設にてあらかじめ対応策を構築しておくことが重要である．また，下垂体手術における周術期合併症の回避・対応には内分泌内科，耳鼻咽喉科，血管内治療科，放射線科，眼科などの関連各科の協力が必須であり，関連各科との連携を常に心掛けておくことが極めて重要である．

文献

1) Amano K, et al.：Complications of transsphenoidal surgery. No Shinkei Geka 2012；40：1119-1129.
2) Kassam AB, et al.：Endoscopic endonasal skull base surgery：analysis of complications in the authors' initial 800 patients. J Neurosurg 2011；114：1544-1568.
3) Fukuhara N, et al.：Short-term preoperative octreotide treatment for TSH-secreting pituitary adenoma. Endocr J 2015；62：21-27.
4) Dusick JR, et al.：Avoidance of carotid artery injuries in transsphenoidal surgery with the Doppler probe and micro-hook blades. Neurosurgery 2007；60：322-328.
5) Nishioka H, et al.：Simultaneous combined supra-infrasellar approach for giant/large multilobulated pituitary adenomas. World Neurosurg 2012；77：533-539.
6) Horiguchi K, et al.：A new multilayer reconstruction using nasal septal flap combined with fascia graft dural suturing for high-flow

cerebrospinal fluid leak after endoscopic endonasal surgery. *Neurosurg Rev* 2016;**39**:419-427.
7) Yamada S, *et al.*:Clinicopathological characteristics and therapeutic outcomes in thyrotropin-secreting pituitary adenomas:a single-center study of 90 cases. *J Neurosurg* 2014;**121**:1462-1473.
8) Kono Y, *et al.*:One thousand endoscopic skull base surgical procedures demystifying the infection potential:incidence and description of postoperative meningitis and brain abscesses. *Infect Control Hosp Epidemiol* 2011;**32**:77-83.

▶Column

Jules Hardy（1932 －）

　経鼻的下垂体手術は20世紀の初頭に誕生し，ボルチモアのCushing（上口唇下法）とウィーンのHirsch（直接鼻腔法）によって，そのプロトタイプが完成したとされる．奇しくも両者はともに1910年6月4日に手術を実施している．その後，10年ほどは経鼻手術が盛んに行われたが，感染の多さと術野の暗さなどから，次第に開頭手術へと移っていった．しかし，Cushingの教えを受けたエディンバラのDottは経鼻手術を継承し，様々な工夫を考案した．それを見学したパリのGuiotは，経鼻手術にX線透視装置を導入して術中のオリエンテーションを良好なものにした．モントリオールの脳神経外科医HardyはGuiotの弟子として，透視装置のみならず手術用顕微鏡を用いることにより，この手術を安全で確実な術式へと近づけた（1967年）．
　その後，Hardyは，それまでのtotal hypophysectomyという考えからselective tumor removalという新しい概念を生み出した．さらに，microadenomaという用語を提唱したり，腺腫をその大きさと発育様式に応じて分類した（Hardyの分類）．すなわち，Hardyは，経蝶形骨下垂体手術を近代化するとともに，下垂体外科の理論的基盤を確立した．これが，経蝶形骨手術をHardyの手術とよぶゆえんである．

（湘南医療大学副学長　寺本　明）

第2章 臨床知識──C 治療総論

3 下垂体機能低下症のホルモン補充療法

東京女子医科大学内分泌内科学分野　大月道夫

》》臨床医のための Point ▶▶▶

1. 下垂体機能低下症の治療は，原則標的内分泌腺ホルモンの補充である（GH補充および妊孕性を目的とする場合以外）．
2. 補充ホルモンの相互作用に注意する．通常は ACTH 分泌低下症に対するグルココルチコイド補充を第一に行う．
3. 下垂体機能低下症患者の周術期，妊娠・出産に関しては健常者の生理的ホルモン変化に準じてホルモン補充量を調整する．

はじめに

下垂体機能低下症は，下垂体ホルモンの分泌低下が起こり，これらの標的臓器から分泌されるホルモンの欠落症状が生じる疾患である（表1）．本項では，個々の下垂体ホルモン分泌不全に対するホルモン補充療法，各ホルモン補充療法の相互作用，また特殊な病態として周術期，妊娠・分娩時のホルモン補充に関して紹介する．

下垂体機能低下症のホルモン補充療法

1 ACTH 分泌低下症

ヒドロコルチゾンまたは他のグルココルチコイドを経口投与する．投与回数は1日1～2回とし，1日投与量の2/3を朝，1/3を夕に投与する（例：コートリル® 15 mg/日の場合，朝10 mg，夕5 mg）．感冒による発熱などのシックデイの際には服用しているグルココルチコイド量を2～3倍とするように指示する[1]．

併用薬剤として注意すべきものとして，ケトコナゾールや麻酔薬エトミデートなどのアゾール系薬剤はステロイド合成を阻害，チロシンキナーゼ阻害薬はコルチゾールレベルを低下，カルバマゼピン，フェニトイン，トピラマート，リファンピシン，リファブチンは肝薬物代謝酵素であるCYP3A4を誘導し，コルチゾール代謝を促進するため，グルココルチコイドの増量を，逆に抗レトロウイルス薬であるリトナビルは，少量のステロイドにおいても Cushing 様症候，副腎抑制を引き起こすため，グルココルチコイドの減量を検討する[2]．

2 TSH 分泌低下症

レボチロキシン（チラージン® S）を経口投与し，血中 FreeT$_4$ レベルが基準値内上半分となるように投与量を調整する[1]．

3 ゴナドトロピン分泌低下症

・男性

エナント酸テストステロン 125 mg/回を2～3週ごとに筋注または 250 mg/回を3～4週ごとに筋注する．妊孕性獲得のためにはヒト絨毛性性腺刺激ホルモン（hCG）-遺伝子組み替え FSH（rFSH）（ヒト下垂体性性腺刺激ホルモン〔hMG〕）療法（hCG 1,500～3,000 単位/回，週2回皮下注，rFSH 75～150 単位/回，週2回皮下注または hMG 75～150 単位/回，週2回筋注）を投与する[1]．

・女性

原則産婦人科に紹介する．挙児希望がない場合には，ホルムストローム療法，カウフマン療法を行う．また挙児希望がある場合には，クロミフェン療法，ゴナドトロピン療法を行う[1]．

4 成人 GH 分泌低下症

重症成人 GH 分泌不全症の診断基準を満たした

表1 下垂体ホルモンとその標的臓器ホルモン

下垂体前葉ホルモン	標的臓器ホルモン	
ACTH	副腎　コルチゾール	
TSH	甲状腺　FreeT$_3$，FreeT$_4$	
ゴナドトロピン（LH，FSH）	女性　卵巣	エストラジオール プロゲステロン
	男性　精巣	テストステロン
GH	肝臓　IGF-1	
PRL	なし	
下垂体後葉ホルモン	標的臓器ホルモン	
バソプレシン	なし	

患者のみが保険適用となる．毎日就寝前にGHを皮下注射する．GH投与は少量（3μg/kg/日）から開始し，臨床症状，血中IGF-1レベルを参考に4週間単位で増量し，血中IGF-1レベルが年齢・性別基準範囲内になるように調整する．また他の下垂体ホルモンの分泌不全がある場合には，該当ホルモンの補充を優先する．原則，グルココルチコイド，甲状腺ホルモン，GHの順で行う[1]．

5 PRL分泌低下症

現在のところ特別な治療法はない[1]．

6 中枢性尿崩症（バソプレシン分泌低下症）

バソプレシン誘導体であるデスモプレシン（デスモプレシン®〔点鼻スプレー〕，ミニリンメルト® OD錠）を使用する．経鼻製剤では2.5μg/回，錠剤では60μg/回を1日1回より投与し，尿量，尿浸透圧（または比重），血清ナトリウムレベル，体重をチェックし，適正使用量を決定する．その際に血清ナトリウムレベルが基準値以下とならないように注意する[1]．

下垂体機能低下症における補充ホルモンの相互作用

下垂体ホルモンの分泌低下が複数認められる場合には以下の補充ホルモンの相互作用を考慮し，順番にホルモン補充を行う（表2）[3]．通常はACTH分泌低下症に対するグルココルチコイド補充を第一に行う．

1 グルココルチコイドとGH

GHはコルチゾンからコルチゾールへの変換を抑制するため，グルココルチコイド補充中のACTH分泌低下症患者では，GH補充開始後にグルココルチコイド補充必要量が増加する可能性がある[4]．

2 グルココルチコイドと甲状腺ホルモン

TSH分泌低下症患者にレボチロキシン（チラージン® S）を補充する場合，ACTH分泌低下症を必ず除外しておく必要がある．その理由は，甲状腺ホルモンがコルチゾールの肝臓での代謝を促進し，副腎不全を引き起こすことがあるためである．つまりACTH分泌低下症の有無が評価されていない場合には，レボチロキシン（チラージン® S）に加え，グルココルチコイド補充を併用する[4]．

3 グルココルチコイドとエストロゲン

約95％の血中コルチゾールは，おもにcortisol binding globulin（CBG）と少量であるがアルブミンと結合しており，両者と結合していない遊離コルチゾールが生理活性を有している．経口エストロゲン製剤は，肝臓でのfirst-pass effectを介して血中CBGを上昇させるため，血中総コルチゾールレベルが上昇する（貼付型エストロゲン製剤では，肝臓のfirst-pass effectがないため血中CBG上昇は認めない）．したがって経口エストロゲン製剤が投与されている場合，副腎機能の評価には血中CBG上昇による血中総コルチゾールレベルの上昇を考慮する[4]．

4 GHと甲状腺ホルモン

GH分泌不全症患者にGHを補充すると，血中FreeT4レベルが低下する．つまり未治療GH分泌不全症患者では，TSH分泌低下症の存在がマスクされている可能性がある．したがって血中FreeT4レベル正常のGH分泌不全症患者にGH補充を開始後，血中FreeT4レベルが正常範囲以下に低下した場合には，速やかにレボチロキシン（チラージン® S）補充を開始する．すでにTSH分泌低下症に対してレボチロキシン（チラージン® S）補充が行われている場合でも，血中FreeT4レベルが治療目標値（基準値内上半分）より低下した場合には，その補充量を増やす．また逆にTSH分泌低下症では，IGF-1レベルが低下し，インスリンやGHRH負荷によるGH分泌反応が低下する可能性が報告されており，GH分泌不全症診断前にTSH分泌低下症の治療を行ったうえでGH分泌刺激試験を行う[4]．

5 エストロゲンと甲状腺ホルモン

原発性甲状腺機能低下症において，血中エストロゲンレベルの上昇（妊娠，エストロゲン療法，経口避妊薬）により，レボチロキシン（チラージン® S）補充必要量が増加する．これはエストロゲンにより肝臓でのthyroid-binding globulin（TBG）産生が増加するためである．したがってTSH分泌低下症患者にエストロゲン療法を行う場合には，レボチロキシン投与量を増量する必要がある[4]．

6 GHとエストロゲン

経口エストロゲン製剤は，GH代謝作用に拮抗，つまり食後脂質酸化を促進し，蛋白合成を抑制するため，血中IGF-1レベルを低下させる．したがってGH分泌不全女性にGHを補充する場

表2 複数の下垂体ホルモン分泌不全時のホルモン補充の順番

分泌不全ホルモンの組合せ	ホルモン補充の順番
ACTHとTSH	グルココルチコイド→レボチロキシン
ACTHとGH	グルココルチコイド→GH
ACTHとバソプレシン	グルココルチコイド→デスモプレシン
TSHとGH	レボチロキシン→GH

合，より高用量とする必要がある[4]．

7 グルココルチコイドと中枢性尿崩症

グルココルチコイド欠乏状態は，腎臓での自由水クリアランスを障害するため，尿崩症による多尿がマスクされていることがある．そのためACTH分泌低下症にグルココルチコイド補充を開始する際には尿崩症の顕在化に注意する必要がある[4]．

下垂体機能低下症患者の周術期管理

1 下垂体手術

ACTH分泌低下症を有する患者の下垂体手術の場合，以下に示す下垂体以外の手術のグルココルチコイド補充を行う．術前に副腎機能が正常と判断される患者の場合でも，術後に視床下部・下垂体・副腎(HPA)系を評価できるようになるまでグルココルチコイド補充を行う．術後の早朝血中コルチゾールが15μg/dL以上の場合，グルココルチコイド補充量の減量を考慮する[4]．

TSH分泌低下症が存在する場合，緊急手術でなければ，レボチロキシン(チラージン®S)により適切に補充してから手術を行う．周術期に補充量を変更する必要はなく，術後6週で血中FreeT4レベルをチェックし，補充量を調整する[4]．

2 下垂体以外の手術

成人において大手術では75〜100 mg/日，小手術では50 mg/日のコルチゾールが分泌される．術後の24時間のコルチゾール分泌は200 mgを超えることはまれで，手術時間，侵襲の程度に相関する．したがってACTH分泌低下症患者の周術期のグルココルチコイド補充量は，原疾患の重症度とストレスの程度により決定する．実際には，大手術ではヒドロコルチゾン100mgを静注後，200 mg/24時間で持続静注するか，50mgを6時間ごとに静注または筋注する．小から中程度の手術では，ヒドロコルチゾン25〜75 mg/24時間投与を1〜2日行う[4]．

下垂体機能低下症患者の妊娠・出産におけるホルモン補充

下垂体機能低下症患者が妊娠した場合，妊娠初期，中期まではヒドロコルチゾン補充量の変更は必要ない．しかし健常妊婦者において妊娠後期では血中遊離コルチゾールが上昇するため，ACTH分泌不全患者ではヒドロコルチゾン補充量を20〜40%増やす必要がある．ヒドロコルチゾンは11β-hydroxysteroid dehydrogenase 2により代謝され，胎盤を通過しないため，妊娠中はヒドロコルチゾンを使用する．デキサメタゾンは逆に胎盤で不活化されないため，使用するべきではない．分娩時には，第2期(娩出期)にヒドロコルチゾン50mgを静注する．また帝王切開の場合には，ヒドロコルチゾン100mgを6〜8時間ごとに投与する．原発性副腎不全と異なりACTH分泌不全症ではミネラロコルチコイド補充は必要ない[4]．

TSH分泌低下症に対するホルモン補充は，妊娠の維持および胎児の脳発達に重要である．原発性甲状腺機能低下症において，妊娠初期の高エストロゲン血症により，TBGレベルが上昇する．したがって正常の甲状腺ホルモンレベルを維持するために20〜50%のレボチロキシン(チラージン®S)補充量増加が必要である．また原発性甲状腺機能低下症と異なり，TSH分泌低下症では血中TSHレベルをレボチロキシン(チラージン®S)補充量の指標とすることができないこと，妊娠中の治療目標血中FreeT4レベルは設定されていないため，TBG上昇を考慮し，非妊娠時の治療目標より50%高く設定する[4]．

妊娠によりバソプレシン分泌および口渇閾値が低下するため，血清ナトリウムレベル，血漿浸透圧は低下する．また胎盤よりバソプレシンを分解する酵素vasopressinaseが大量に産生されるため，バソプレシン分泌が増加する．したがって軽症の中枢性尿崩症が妊娠により顕在化することがある．中枢性尿崩症治療薬であるデスモプレシンの妊娠中および授乳中の使用は安全であるとされている．通常はその必要量は変化を認めない[4]．

文献

1) 有馬 寛, 他：厚生労働科学研究費補助金難治性疾患等政策研究事業間脳下垂体機能障害に関する調査研究班：間脳下垂体機能障害の診断と治療の手引き(平成30年度改訂). 日本内分泌学会雑誌 2019；**95**(Suppl)：1-60.
2) Kampe O, et al.：Adrenal insufficiency. *Lancet* 2021；**397**：613-639.
3) Alexandraki K, et al.：Management of hypopituitarism. *J Clin Med* 2019；**8**：2153.
4) Fleseriu M, et al.：Hormonal replacement in hypopituitarism in adults：An Endocrine Society Clinical Practice Guideline. *J Clin Endocrinol Metab* 2016；**101**：3888-3921.

第2章 臨床知識——C 治療総論

4 放射線治療

岡山旭東病院脳神経外科 **佐藤健吾**

> **≫ 臨床医のための Point ▸▸▸**
>
> 1. 定位放射線治療はSRS（1回治療）とSRT（分割治療）に分類される．
> 2. 周囲正常組織に囲まれる分裂能の高い悪性腫瘍に対しては，SRTのほうが周囲の有害事象を減弱し，対腫瘍効果を上げることができる．

放射線治療の歴史

放射線治療は1895年のレントゲン（Röntgen）によるX線の発見に始まる．1896年には頭頸部癌に対してのX線治療が行われている．1898年キュリー夫人（Curie）によりラジウムからγ線が発見された．当時のX線発生のパワーは低く，ラジウムを用いたγ線による高エネルギー治療が皮膚癌に対して行われていた．1913年クーリッジ（Coolidge）が真空熱陰極X線管を発明し，さらに1950年直線加速器が発明され，X線の高エネルギー化が実用された．1951年コバルト遠隔照射装置が完成し，コバルトを用いたγ線治療が普及し，一般社会でもコバルト治療が放射線治療の代名詞として呼称されるほど普及した．発見直後にX線，γ線は光子線であることが判明し，この2種類の光子線が放射線治療に用いられていった．

1968年定位脳手術が専門であったレクセル（Leksell）がコバルト60の線源を201個半球状のヘルメットのなかに埋め込みγ線を球中心に集光させるガンマナイフを開発した．患者の頭部を金属フレームで固定し，集光部位に脳腫瘍をもっていくという，定位治療器の発想から生まれた機器は画期的なものであった．のちに定位放射線治療といわれる分野はレクセルが開拓し，発展させたといっても過言ではない．

直線加速器によるX線治療は，位置精度が問題であった．1960年高橋は原体照射を発表した．CTの原理と同じであるが，より正確にX線を当てたいとの思いが原体照射から伝わる．この考えがのちの強度変調放射線治療，サイバーナイフ（CyberKnife：CK）を初めとする直線加速器による定位放射線治療器への発展に寄与した．

CKであるが，開発者アドラー（Adler）は1980年代後半レクセルの下でガンマナイフの研究に従事していた．彼はガンマナイフの卓越した治療成績に驚くとともに大きな不満を抱えていた．金属フレームで頭蓋骨を固定する方法により，脳内の病変を1回の治療で完結しなければならない．脳以外の病変を治療したい．彼は，小型軽量化された直線加速器をロボットアームに搭載し，患者の動きを病変認識装置で確認しながら治療するロボット誘導型定位放射線治療器のアイデアをもち，それを1994年に現実化した[1]．

定位放射線治療

定位放射線治療はSRS（stereotactic radiosurgery：1回治療）とSRT（stereotactic radiotherapy：分割治療）に分類される．SRTの利点として4Rがある[2]．
① Repair（亜致死損傷からの回復）
　細胞に生じた放射線障害が軽減される．正常組織のほうが回復がよい．
② Reoxygenation（再酸素化）
　放射線の生物作用は，組織の酸素分圧により増強される．酸素がまったくない状態に比べて，感受性は3倍になる（酸素効果）．分割照射を行うことで，組織の再酸素化が起こる．
③ Redistribution（細胞周期の再分布）
　分割照射をすることにより，生き残ったS期の細胞が他の感受性の高い細胞周期に移行していく．
④ Regeneration, Repopulation（再増殖）
　照射後，細胞は一時的な分裂遅延（おもにG2ブロック）後再増殖することが知られている．1回の照射時間が長くなると，腫瘍の再増大が問題になる（加速再増：accelerated repopulation）．非分裂組織の神経系ではこの現象は起こらないが，細胞再生系の粘膜，皮膚，造血組織では問題になる．これを相殺するため，照射時間を短縮して照射回数を増やすaccelerated fractionationが開発された．

regenerationに関しては，照射期間中の再増殖を抑制する目的で，1回大線量を用いて短期間で照射するSRSはメリットと考えられるが，残り

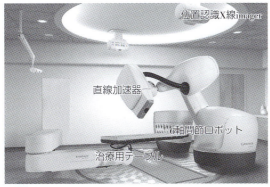

図1 サイバーナイフの外観
小型軽量化された直線加速器が6軸間節を有するロボットアームに搭載されている．患者の動きは天井懸架のX線imagerで監視されており，病変を追尾し，X線のnarrow beamを最大で約1,200方向から照射できる．

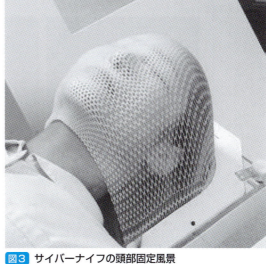

図3 サイバーナイフの頭部固定風景
熱可塑性高分子ポリマー製のマスクの固定だけで，満足できる固定と再現性を得られる．

の3Rを生かすことができない．

4Rの要素を総合的に考慮すれば，3～7回程度の寡分割照射（SRT）のほうが，regenerationの問題もほとんど起こらず，残りの3Rを生かせる．

周囲正常組織に囲まれる分裂能の高い悪性腫瘍に対しては，SRTのほうが周囲の有害事象を減弱し，対腫瘍効果を上げることができる．近年のガンマナイフはSRTにも対応できるが，一般的ではない．CKは開発当初からSRS SRTに柔軟に対応できている．

CKの構造　患者固定方法，治療の実際

現代のCKは第5世代になる（図1）．この機器からmulti leaf collimator（MLC）（図2）を搭載しており，定位放射線治療，強度変調放射線治療に柔軟に対応できるようになっている．

CK治療のportal image（治療計画に必ず必要な画像）は造影CTになる．0.75～1.5 mm厚のthin slice CTまたはhelical CTを撮影する．この際，脳腫瘍，頭頸部腫瘍の治療の場合は，熱可塑性の

✦固定コリメーター
・12サイズ
　5, 7.5, 10, 12.5, 15, 20, 25, 30, 35, 40, 50, 60mm

✦Iris 可変コリメーター
・固定コリメーターの特徴を踏襲
・腫瘍の形状に合わせた線量分布
・各照射ポジションで最大12サイズを利用可
・単一照射パスでの治療により時間短縮

✦InCise MLC
・41対82枚
・SAD 800mmで2.5mm幅
・M6シリーズ
・Step-and-Shoot

図2 サイバーナイフのコリメーター
固定コリメーターは5～60 mmの12種類．Iris可変コリメーターはカメラの絞り状の動きをする．InCise MLCは最新のM6に搭載されている．厚さ2.5 mmのタングステン製コリメーターが最大10 cm×10 cmの照射野を照射でき，より強度変調放射線治療に近い照射が可能になった．

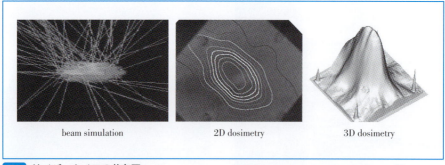

図4 サイバーナイフの分布図
beam simulation サイバーナイフは病変部に向けて，病変部の形状に合わせてbeamを収束させる．その二次元，三次元の分布図を示す．
（▶口絵カラー⑲，p.xi 参照）

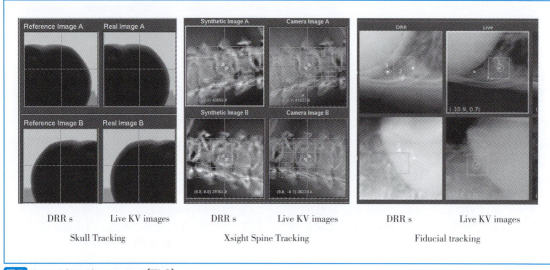

図5 target locating system（TLS）
治療計画用CTから左右斜位45度のdigitally reconstructed radiograph（DRR）を作成し，治療中はXray imagerでlive KV imageと位置照合を行う．Skull tackingでは，骨構造を照合する．Xsight spine trackingでは，9×9の監視ポイントを設定し，骨構造，ねじれを照合する．TLSは前後上下左右の位置情報と，ねじれを3方向示し，位置のずれをロボットアームへ返し，病変を追尾する．Fiducial trackingでは，純金製マーカー（fiducial）を腫瘍中心，近傍に留置し，それを追尾する．通常呼吸同期（Synchrony）とともに用いられ，呼吸により動く臓器に対しての治療に用いられる．
（▶口絵カラー⑳，p.xi 参照）

高分子ポリマー製固定用マスクを作成し，患者の固定を行う（図3）．頭蓋骨をねじ固定する金属フレームは不要である．

CKの治療計画には，MRI，PET-CT，3D-DSA（three-dimensional digital subtraction angiography）の画像の取り込みが可能で，傍鞍部腫瘍の治療の際には，造影MRIを撮影し，CTにimage fusion softwareを用い，MRIを重ねている．この際，問題になるのは，MRIの画像のゆがみである．特に傍鞍部では，蝶形骨洞の空気の存在のため，ゆがみが出ることが多い．その際には，CTが信頼できるimageになる．

治療計画PCのうえで，腫瘍，隣接する視路，内頸動脈，海綿静脈洞内脳神経等を重要組織（organ at risk：OAR）とし，腫瘍に対しては治療線量，OARに対しては安全な治療となるように処方線量を決定している．線量分布を図4に示す．

CK治療は，固定用マスクを着用し，image guide systemが患者の動きをreal timeに追尾し，X線を約1,200方向から照射し，治療を行っている．1回の治療時間は20〜30分である．CKの追尾方法を図5に示す．治療に伴う痛みはなく，ほとんどの患者が外来通院で治療を行っている．

傍鞍部腫瘍への治療

図6にこれまで在籍した3施設でのCK治療の患者数、内訳を示す。治療当初より傍鞍部腫瘍に対して積極的に治療を行ってきた。ただし、この部位の腫瘍は組織学的に良性腫瘍が多く、症状を有する症例に対しては、手術により、できるだけのmass reductionが優先されるべき治療と考える。海綿静脈洞浸潤、視路に強く癒着した術後残存腫瘍の増大例に対しては、好適応と考える。

年齢、全身状態より、手術が適応にならない症例に対しては相対的適応と考える。

下垂体腺腫へのCK治療

2000年6月～2014年9月、436例（男性173例、女性263例）、年齢5～91歳（中央値51歳）を治療した。非機能性下垂体腺腫307例（腫瘍容積0.7～64.3 mL〔中央値5.1 mL〕）、GH産生下垂体腺腫62例（腫瘍容積0.2～19.7 mL〔中央値12.7 mL〕）、ACTH産生下垂体腺腫46例（腫瘍容積0.3～36.7 mL〔中央値2.5 mL〕）、PRL産生下垂体腺腫13例（腫瘍容積3.3～126 mL〔中央値3.9 mL〕）、TSH産生下垂体腺腫6例、FSH産生下垂体腺腫2例。これらの腫瘍をSRTで治療し、辺縁線量（D95処方）で21.0 Gy/3分割、25.0 Gy/5分割を照射した。

無増大生存率を図7に示す。非機能性下垂体腺腫の60か月での制御率は95.0%でホルモン産生下垂体腺腫に比べ有意に制御できていた[3]。60

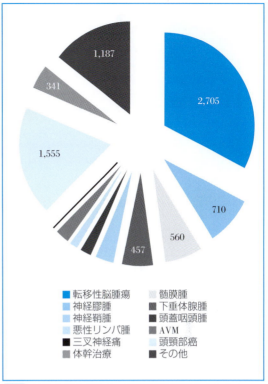

図6 これまで在籍した3施設での症例のまとめ8,152例（2000年6月～2014年12月）

転移性脳腫瘍2,705例、神経膠腫710例、髄膜腫560例、下垂体腺腫457例、神経鞘腫274例、頭蓋咽頭腫155例、脳動静脈奇形204例、悪性リンパ腫118例、三叉神経痛13例、頭頸部癌1,555例、体幹部治療341例であった。近年、体幹部治療（肺腫瘍、肝腫瘍、脊柱管病変等）が増加している。

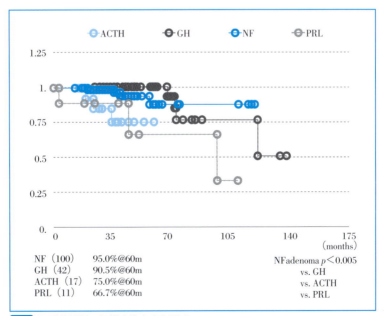

NF (100)　95.0%@60m
GH (42)　90.5%@60m
ACTH (17)　75.0%@60m
PRL (11)　66.7%@60m

NFadenoma $p<0.005$
vs. GH
vs. ACTH
vs. PRL

図7 下垂体線種の無増大生存率を示す
非機能性腺腫は、ホルモン産生腫瘍に比較し有意に制御できていた。

（▶口絵カラー㉑, p.xii 参照）

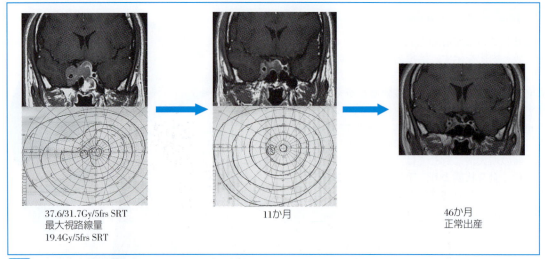

図8 GH産生下垂体腺腫 partial response（PR）例
25歳女性，治療後3年で妊娠，出産．GH，IGF-Iは正常化していないが，腫瘍の制御はできている．

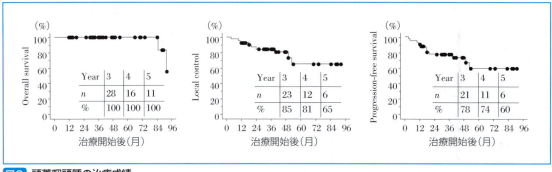

図9 頭蓋咽頭腫の治療成績

か月での内分泌学的寛解（薬物療法なし）はGH産生下垂体腺腫17％，ACTH産生下垂体腺腫44％，PRL産生下垂体腺腫18％であった．この数字を受け，現在はホルモン産生下垂体腺腫では処方線量を上げ，照射回数を増やす方法（28.0 Gy/7分割）で治療をしている．有害事象は，36か月後に視力低下（CTCAE；Gr II），新たな前葉機能障害3例，一過性嚢胞形成2例，髄液鼻漏1例であった．

PRL産生下垂体腺腫は薬物療法無効例がCK治療に紹介されており，治療が困難な印象をもっている．GH産生下垂体腺腫のCK治療例を図8に示す．

頭蓋咽頭腫

78例（男性38例，女性40例），年齢3〜85歳（中央値44歳），腫瘍容積0.09〜20.8 mL（中央値2.7 mL）をSRS 3例，3〜5分割のSRTで治療した．辺縁線量（D95処方）はSRSで14.0 Gy SRTで21.0 Gy/3分割，25.0 Gy/5分割だった．3年での制御率は85％であった．

有害事象は嚢胞拡大に伴う視野障害を2例に認め，新たな前葉機能障害を2例に認めた[4]（図9）．この成績に満足できず，現在は28.0 Gy/7分割の治療としている．

近年，第3脳室に主座をおき，下垂体機能が維持できている頭蓋咽頭腫に対して内視鏡的嚢胞開放ののちにCK治療を28.0 Gy/7分割で行っている．最長4年の経過観察で再発例はなく，下垂体機能も維持できている．

まとめ

傍鞍部腫瘍に対するCK治療を16年間行ってきた．腫瘍制御の点では満足できる成績と考えているが，ホルモン産生下垂体腺腫の内分泌学的寛解では苦戦している．今後の課題と考えている．

文献

1) Adler JR Jr, et al.：Image-guided robotic radiosurgery. *Neurosur-*

gery 1999 ; **44** : 1299-1306.
2) Steel GG, et al. : The 5Rs of radiobiology. *Int J Radiat Biol* 1989 ; **56** : 1045-1048.
3) Iwata H, et al. : Hypofractionated stereotactic radiotherapy with CyberKnife for nonfunctioning pituitary adenoma : high local control with low toxicity. *Neuro Oncol* 2011 ; **13** : 916-922.
4) Iwata H, et al. : Single and hypofractionated stereotactic radiotherapy with CyberKnife for craniopharyngioma. *J Neurooncol* 2011 ; **23** : 562-566.

▶Column

有村　章先生（1923 − 2007）

　有村章博士は神経内分泌学創生期の1960年代から四半世紀にわたって国際的に活躍した著名な日本人神経内分泌学者である．論文の引用数は1961～1975年で全世界の生理学者のうち第13位，1965～1972年の期間では世界中で論文を最も引用された日本人科学者である．1923年に神戸市で出生，幼少時を鹿児島で過ごし，旧制七高を経て，名古屋大学医学部に進学，卒業後名古屋大学医学部生理学教室で研究生活を開始，1957年下垂体後葉ホルモンの研究で学位を取得した．その後，戦後第1回のフルブライト留学生として，米国エール大学医学部生理学教室に留学，その後いったん帰国，北海道大学医学部生理学教室の助手の職に就いたが，1960年マイアミでのThe Endocrine Society学会の帰途，Andrew V. Schally（1977年ノーベル生理学・医学賞受賞者）と意気投合，共同研究の熱心な勧誘を受けて，1965年よりTulane大学に在籍（1970年より同大学医学部内科学教授），Schallyラボのコーディネーターとして Schally のノーベル賞受賞の基になったLHRHの分離，同定，一次構造決定に著明な貢献をした．内分泌学者・生理学者として逸早くradioimmunoassayを用いた感度のよいホルモンの生物活性測定系を確立したのみならず，豊富な人脈を駆使して日本から数多くの有能な研究者を招聘しSchallyラボを活性化した．

　Roger Guillemin（1977年ノーベル生理学・医学賞受賞者）が，SchallyグループにLHRHの構造決定競争で敗れた後，天才化学者と尊敬した松尾寿之教授をSchallyラボに招聘したのも有村教授であった．新規の視床下部因子の発見を自らのアイデアで成し遂げる強い願望と次世代を担う若手研究者の育成を目指して，有村教授はSchallyグループから独立，1985年にTulane大学・日米協力生物医学研究所を設立，その初代所長となった．サンシャイン・プロジェクトと名付けられた日米両国の科学研究交流の大きな架け橋には，日米の研究者以外に，ハンガリー，中国，メキシコなど世界各国から研究者が集い，多くの人材が育った．このプロジェクトの研究成果の1つが，有村教授のアイデアで単離され，松尾教授の弟子であった宮田篤郎教授（現鹿児島大学大学院医歯学総合研究科）によって構造決定された下垂体アデニル酸シクラーゼ活性化ペプチド（PACAP）の発見である．長年にわたる神経内分泌学分野における国際的貢献および人材育成が評価され，1995年に勲三等旭日中綬章を叙勲された．晩年，多発性骨髄腫に罹患，腎透析治療中もラボワークを続けられたが，2007年ニューオーリンズで肺炎のため死去（享年83歳）．米国在住ながら心底日本を愛し，米国的合理主義を楽しみながら日本人的精神を持ち続け，どんな苦境にも常に前向きに立ち向かっていった世界に誇るべき稀有な日本人神経内分泌学者である．

（社会医療法人愛仁会明石医療センター　千原和夫）

第2章 臨床知識——D　下垂体前葉疾患各論

1　先端巨大症

奈良県立医科大学糖尿病・内分泌内科学　髙橋　裕

≫ 臨床医のための Point ▶▶▶

1. 先端巨大症の診断は，GH，IGF-1 の分泌過剰とそれによる症状に基づいて行う．
2. 98％は GH 産生下垂体腺腫によって引き起こされ，70％は macroadenoma である．
3. 経蝶形骨洞的下垂体腫瘍摘出術が治療の基本であり，経験豊富な脳神経外科医に依頼する．
4. コントロール不良の場合に心血管合併症の増加などにより予後が不良になるため，手術，薬物，放射線療法によって GH，IGF-1 を正常化させることが重要である．

概念・病態・疫学

　GH，IGF-1 の過剰により，特有の顔貌および合併症，予後の悪化をきたす疾患である．骨端線が閉鎖する以前に発症した場合には，身長の著明な増加をきたして下垂体性巨人症となり，骨端線閉鎖後に発症した場合には，先端巨大症となる．

　先端巨大症の 98％は GH 産生下垂体腺腫によって引き起こされるが，ごくまれに異所性 GH 産生腫瘍，異所性 GHRH 産生腫瘍が報告されている．散発性 GH 産生腫瘍の 30～50％は，体細胞における Gsα（$GNAS$）の持続型活性化変異による．家族性（遺伝性）GH 産生腫瘍の原因としては，多発性内分泌腫瘍症（multiple endocrine neoplasia：MEN）-1 に合併したもの（$MEN1$），Carney complex に合併したもの（$PRKAR1A$），aryl hydrocarbon receptor-interacting protein（AIP）の変異によるものが報告されている．AIP 変異は家族性だけではなく若年性 macroadenoma の散発性先端巨大症において 10～20％の頻度で認め，男性に多く，浸潤性，治療抵抗性を示す[1]．その他，McCune-Albright 症候群に合併したもの（$GNAS$ のモザイク変異）がある．また幼児期の巨人症の原因として Xq26 の微小重複による X-LAG（X 染色体連鎖性巨人症症候群）が報告されている．

　GH-IGF-1 系は軟骨，骨に対する成長促進作用のみならず糖，脂質，蛋白，骨，水・電解質代謝・免疫機能調節などにかかわっている．一般に GH，IGF-1 は，成長については協調的に働き，代謝作用の一部については拮抗的に作用する[2]．たとえば GH は直接作用として，絶食時にインスリンのカウンターホルモンとしてインスリン抵抗性を惹起し血糖を上昇させたり，脂肪分解を引き起こす．

　血中 IGF-1 の 75％は肝臓で産生されるが，局所で産生された IGF-1 によるオートクリン / パラクリン作用も重要な役割を果たしている．先端巨大症においては，GH および IGF-1 両方の作用過剰による症状が出現する．

　有病率について，欧米では 3.8～8.0 人 /10 万人，男女比 1：1，診断時平均年齢 42.7 歳という報告がある．わが国では，令和元年度の指定難病（下垂体性 GH 分泌過剰症）としての登録者数は 4,303 人であり 3.4/10 万人の有病率となるが，非登録者や診断されていない潜在的な症例を含めるとさらに多いと推測される．

主要症状・身体所見

　先端巨大症の症状には GH，IGF-1 過剰によって生じるものと，下垂体腫瘍による局所症状がある．GH 分泌過剰の症状については特異的な所見である手足の容積の増大（97％），先端巨大症様顔貌（眉弓部の膨隆，鼻・口唇の肥大，下顎の突出，巨大舌など，97％）に加えて発汗過多（70％），月経異常（43％），睡眠時無呼吸症候群，耐糖能異常，高血圧，不正咬合，手根管症候群，変形性関節症などがある．また局所症状として，頭痛，視力・視野障害がみられる．特徴的な先端巨大症様顔貌の所見は重要であるが，自覚していないことが多く著明ではないこともあり，過去の写真と比較して変化を確認することが重要である．特有の顔貌に気づかれず歯科，整形外科，循環器内科など様々な診療科を受診して，診断までに 4～10 年かかる場合がある．自覚症状として，全身倦怠感，靴や指輪のサイズの増加，発汗過多，頭痛，いびき，鼻声，視力障害，手根管症候群による手のしびれ，月経異常などを呈する．その他，はれぼったく，厚いグローブのような汗ばんだ手足が特徴的な所見である．GH，IGF-1 過剰による代謝への影響の結果，高血圧，耐糖能異常・糖尿病，

脂質異常を高率に合併する．

検査所見

1 一般検査

血清 P 上昇，尿糖陽性(33%)，空腹時血糖高値(39%)，ブドウ糖負荷試験では 74% に糖尿病型あるいは境界型を認める．

2 内分泌学的検査

GH の自律性，過剰分泌および血中 IGF-1 高値を認める．75 g 経口ブドウ糖負荷試験(OGTT)によって血中 GH 値が正常(0.4 ng/mL 未満)に抑制されないことは，GH の自律的分泌の証明となる．GH 分泌(作用)の過剰は，尿中 GH 排泄の増加，年齢性別ごとの正常値と比較した血中 IGF-1 値の上昇によって判断する．ブドウ糖負荷で GH が正常域に抑制されたり臨床症候が軽微な場合でも，IGF-1 高値の症例は，subclinical GH 産生腺腫を念頭に画像検査を行い総合的に診断する．血中 GH 値が TRH，GnRH，CRH 刺激で増加(奇異性上昇)することや，ブロモクリプチンなどのドパミン作動薬で血中 GH 値が増加しないことがある．30% の症例は高プロラクチン血症を呈し，乳汁分泌をきたすことがある．半数は中枢性腺機能低下症を呈し，約 20% で中枢性甲状腺機能低下症，副腎機能低下症を合併している．

画像所見

CT または MRI で下垂体腺腫の所見を認める．一般に腫瘍組織は正常下垂体組織に比べて血流が乏しくガドリニウム造影効果が低い(図1)．70% は macroadenoma であり，まれに empty sella の合併や明らかな腫瘍を認めない場合や，異所性 GHRH 産生腫瘍に伴う下垂体過形成によるものがある．特徴的な所見を欠く silent GH 産生腺腫や，プロラクチノーマの特徴がおもにみられる症例，診断基準を満たさない subclinical GH 産生腺腫も報告されている．頭蓋単純 X 線像ではトルコ鞍の拡大，前頭洞の拡大を認め，手足の単純 X 線像では，手指末節骨の花キャベツ様変形，heel pad の肥厚(22 mm 以上)を認める．

診断・鑑別診断

厚生労働省間脳下垂体機能障害に関する調査研究班によって策定された「先端巨大症および下垂体性巨人症の診断の手引き(平成 30 年度改訂)」を表1に示す[3]．75 gOGTT の GH 底値は平成 26 年版より 1 ng/mL から 0.4 ng/mL に改訂された．GH 過剰の症候を評価し，GH 過剰分泌を証明することが重要である．まず疑うことが重要で，診断は多くの場合困難ではない．先端巨大症の

98% は GH 産生下垂体腺腫によるが，まれに蝶形骨洞や傍咽頭の異所性下垂体に発生したものが報告されている．組織学的には電顕およびサイトケラチン染色パターンによって densely と sparsely に分類され，より高齢者に発症し進展の遅い densely granulated adenoma が 30%，若年に発症，進展が早く，浸潤性で，ソマトスタチンアナログに反応性の悪い sparsely granulated adenoma が 30% を占める．

異所性 GH 産生腫瘍としては膵ラ氏島腫瘍，non-Hodgkin リンパ腫によるものがあり，その場合には下垂体は小さい．異所性 GHRH 産生腫瘍は，過誤腫などの視床下部腫瘍，膵腫瘍，肺小細胞癌，副腎腫瘍，褐色細胞腫，甲状腺髄様癌，子宮内膜癌，乳癌などの報告があり，下垂体は過形成によって均一に腫大している．家族性 GH 産生腫瘍の原因として MEN-1 では副甲状腺機能亢進症，膵腫瘍の合併を，Carney complex では皮膚色素沈着，粘液腫(心臓，皮膚，乳房など)，原発性色素性副腎結節性異形成(primary pigmented adrenocortical nodular displasia：PPNAD)，大細胞石灰化セルトリ細胞腫などの合併を，McCune-Albright 症候群では思春期早発症，カフェオレ斑，骨の線維性骨異形成(fibrous dysplasia)を合併する．AIP 遺伝子異常に伴う GH 産生腫瘍は男性に多く，浸潤性，若年発症，薬剤および治療抵抗性を示すが，浸透率は約 30% で，散発性も存在する．

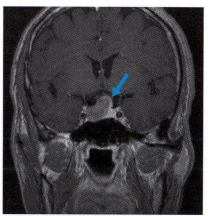

図1 ガドリニウム造影 T1WI 画像
67 歳，男性，先端巨大症．GH 59 ng/mL，IGF-1 660 ng/mL．下垂体茎の左方への偏倚とトルコ鞍内右側から鞍上部に進展する 2 cm 大の腫瘤を認める．強く造影されている正常下垂体組織を左側方，上方に圧排した macroadenoma である．Knosp 分類 Grade 2 の海綿静脈洞浸潤を認める．

表1 先端巨大症および下垂体性巨人症の診断の手引き(平成30年度改訂)

1. 先端巨大症の診断の手引き

I. 主症候(注1)
  1. 手足の容積の増大
  2. 先端巨大症様顔貌(眉弓部の膨隆,鼻・口唇の肥大,下顎の突出など)
  3. 巨大舌
II. 検査所見
  1. 成長ホルモン(GH)分泌の過剰
    血中GH値がブドウ糖75g経口投与で正常域(0.4 ng/mL)まで抑制されない(注2)
  2. 血中IGF-1(ソマトメジンC)の高値(注3)
  3. MRIまたはCTで下垂体腺腫の所見を認める(注4)
III. 副症候および参考所見
  1. 発汗過多
  2. 頭痛
  3. 視力・視野障害
  4. 月経異常
  5. 睡眠時無呼吸症候群
  6. 耐糖能異常
  7. 高血圧
  8. 不正咬合
  9. 変形性関節症,手根管症候群
  10. 頭蓋骨および手足の単純X線の異常(注5)

[診断の基準]
  確実例:Iのいずれかと II のすべてを満たすもの

(注1)発病初期例や非典型例では症候が顕著でない場合がある
(注2)正常域とは血中GH底値0.4 ng/mL(現在のGH測定キットはリコンビナントGHに準拠した標準品を用いている.キットによりGH値が異なるため,成長科学協会のキットごとの補正式で補正したGH値で判定する)未満である.糖尿病,肝疾患,腎疾患,甲状腺機能亢進症,褐色細胞腫,低栄養状態,思春期・青年期では血中GH値が正常域まで抑制されないことがある.また,本症では血中GH値がTRHやLHRH刺激で増加(奇異性上昇)することや,ブロモクリプチンなどのドパミン作動薬で血中GH値が増加しないことがある
(注3)健常者の年齢・性別基準値を参照する(附表).栄養障害,肝疾患,腎疾患,甲状腺機能低下症,コントロール不良の糖尿病などが合併すると血中IGF-1が高値を示さないことがある
(注4)明らかな下垂体腺腫所見を認めないときや,ごくまれにGHRH産生腫瘍や異所性GH産生腫瘍の場合がある
(注5)頭蓋骨単純X線でトルコ鞍の拡大および破壊,副鼻腔の拡大,外後頭隆起の突出,下顎角の開大と下顎の突出など,手X線で手指末節骨の花キャベツ様肥大変形,足X線で足底部軟部組織厚heel padの増大(22 mm以上)を認める
(附)ブドウ糖負荷でGHが正常域に抑制される場合や,臨床症候が軽微な場合でも,IGF-1が高値の症例は,画像検査を行い総合的に診断する

2. 下垂体性巨人症の診断の手引き

I. 主症候
著明な身長の増加:発育期にあっては身長の増加が著明で,最終身長は男子185 cm以上,女子175 cm以上であるか,そうなると予測されるもの(注)
II. 検査所見
  先端巨大症に同じ
III. 副症候
  先端巨大症に同じ
IV. 除外規定
  脳性巨人症ほかの原因による高身長例を除く

[診断の基準]
  確実例:IおよびIIを満たすもの
  ただし,いずれの場合もIV(除外規定)を満たす必要がある

(注)年間成長速度が標準値の2SD以上.なお両親の身長,時代による平均値も参考とする.先端巨大は発育期には必ずしも顕著ではない

〔有馬 寛,他:先端巨大症および下垂体性巨人症の診断と治療の手引き.厚生労働科学研究費補助金難治性疾患等政策研究事業間脳下垂体機能障害に関する調査研究班:間脳下垂体機能障害の診断と治療の手引き(平成30年度改訂).日本内分泌学会雑誌 2019;95(Suppl):1-7より引用〕

治療・予後

無治療の先端巨大症患者では予後が悪く，IGF-1が高値の場合標準化死亡率は2.5倍であり，IGF-1を正常化することによって1.1倍と正常人と同等まで改善する[4]．死因は心血管疾患が多く，呼吸器疾患，脳血管疾患が続く．20%に糖尿病を合併し，その場合には死亡率はさらに上昇する．高血圧は半数に合併し予後の悪化に関連している．

治療の目的として，原因が下垂体腫瘍による場合には，まず腫瘍自体の除去（あるいは退縮）および腫瘍による周辺正常組織への圧迫を取り除くことによって，GH分泌過剰に起因する症候の是正と合併症の罹病率減少を図り，死亡率を一般人口の平均まで引き下げるとともに腫瘍周辺正常組織の障害を軽減する．また分泌障害に陥った他の下垂体ホルモンに対して適切なホルモン補充療法を行う．治療法には，手術療法，薬物療法，放射線療法があるが，第一選択は，経蝶形骨洞的下垂体腫瘍摘出術（transsphenoidal surgery：TSS）である．合併症などで手術の危険性が高い場合は，薬物療法，放射線療法を行う．術前のソマトスタチンアナログ投与により腫瘍縮小が期待されることがある．また重症心不全やコントロール困難な高血圧，麻酔困難が予想されるような軟部組織肥大が著明な睡眠時無呼吸症候群を合併している場合にも術前薬物療法が考慮される．

薬物療法の中心はソマトスタチンアナログ投与であり，手術後コントロール不良または手術により十分な腫瘍摘出ができない場合に行う．可能であればオクトレオチド酢酸塩皮下注製剤を投与して効果および安全性をチェックしたのち，オクトレオチド酢酸塩徐放性製剤（4週間に1回，10〜40 mg）を投与する．ランレオチド酢酸塩徐放性製剤（4週間に1回，60〜120 mg）も効果は同等で，多くの症例でIGF-1が低下し17〜35%で正常化を認める．パシレオチドパモ酸塩徐放性製剤（4週間に1回，20〜60 mg）は第一世代ソマトスタチンアナログ抵抗性腫瘍に対する効果が認められるが，約70%に耐糖能悪化をきたすため注意が必要である．ソマトスタチンアナログでコントロールが不十分な場合には，GH受容体拮抗薬，ドパミン作動薬による単独あるいは併用療法について考慮する．GH受容体拮抗薬については，1日1回ペグビソマント10〜30 mgを皮下注射するが，63%でIGF-1が正常化する．この場合には血中GH値は指標にならない．ドパミン作動薬は経口投与で，カベルゴリンが一般的に使われ（ただし，保険適用は高プロラクチン血性下垂体腺腫に限る），1回1 mgを週に1〜2回就寝前に経口投与する．週に2回以上でさらに多くの投与量が有効という報告もある．カベルゴリンでは34%の症例でIGF-1が正常化すると報告されている．カベルゴリンは長期大量投与では心臓弁膜症の懸念があるが，週2 mgまでは安全とされている．また最近衝動制御障害に対する注意が喚起されている．単剤で効果が不十分な場合には，ソマトスタチンアナログとGH受容体拮抗薬の併用，ソマトスタチンアナログとドパミン作動薬の併用療法も検討する．

手術ができない場合や手術後コントロール不良で薬物療法の効果がない場合，薬物が使用できない場合に放射線療法を行う．従来の少量分割照射法は晩発性の下垂体機能低下症や脳血管障害のリスクがあるためあまり行われず，定位放射線治療（ガンマナイフ，サイバーナイフ）が用いられる．

尿崩症や下垂体前葉機能低下症を伴う場合には，それぞれに応じた薬剤による補充を行う．特に副腎皮質ホルモンの過剰な補充は予後の悪化と関連しているため，過量にならないよう注意が必要である．また先端巨大症には糖尿病，高血圧，脂質異常症，心疾患，変形性関節症，睡眠時無呼吸症候群，悪性腫瘍（甲状腺癌，大腸癌）などの合併症を伴うことが多く予後に影響しうるので，個々の合併症についても十分評価し適切に治療することが重要である．特に大腸癌を中心に悪性腫瘍については積極的なスクリーニングが必要であ

表2 治療効果の判定

手術の治癒基準
1. 寛解
   IGF-1値が年齢・性別基準範囲内であり，かつブドウ糖75 g経口投与後抑制された血中GH底値が0.4 ng/mL未満である．臨床的活動性を示す症候がない
2. 部分寛解
   1および3のいずれにも該当しないもの
3. 非寛解
   IGF-1値が年齢・性別基準範囲を超え，かつブドウ糖75 g経口投与後抑制された血中GH底値が0.4 ng/mL以上である．臨床的活動性を示す症候がある

薬物治療のコントロール基準
1. コントロール良好
   IGF-1値が年齢・性別基準範囲内であり，臨床的活動性を示す症候がない
2. コントロール不良
   IGF-1値が年齢・性別基準範囲を超え，臨床的活動性を示す症候がある

放射線治療のコントロール基準
手術の基準に準ずる

る．治療効果については臨床的活動性，血清GH，IGF-1値から表2に従って判定し，良好なコントロールが得られなければ，薬物療法の追加，併用などを行う．

文献

1) Daly AF, et al.：Clinical characteristics and therapeutic responses in patients with germ-line AIP mutations and pituitary adenomas：an international collaborative study. *J Clin Endocrinol Metab* 2010；**95**：E373-E383.
2) Melmed S：Acromegaly pathogenesis and treatment. *J Clin Invest* 2009；**119**：3189-3203.
3) 有馬 寛, 他：先端巨大症および下垂体性巨人症の診断と治療の手引き．厚生労働科学研究費補助金難治性疾患等政策研究事業間脳下垂体機能障害に関する調査研究班：間脳下垂体機能障害の診断と治療の手引き（平成30年度改訂）．日本内分泌学会雑誌 2019；**95**（Suppl）：1-7.
4) Holdaway IM, et al.：A meta-analysis of the effect of lowering serum levels of GH and IGF-I on mortality in acromegaly. *Eur J Endocrinol* 2008；**159**：89-95.

2 小児GH分泌不全症

帝京大学医学部小児科　磯島　豪
福島県立医科大学ふくしま国際医療科学センター甲状腺・内分泌センター　横谷　進

臨床医のためのPoint ▶▶▶

1. 小児GH分泌不全症の症状は成長障害（低身長や成長率低下）のみであることも多い．
2. 診断は，厚生労働省間脳下垂体機能障害に関する調査研究班による「成長ホルモン分泌不全性低身長症の診断の手引き（平成30年度改訂）」に従う．
3. 成長ホルモン治療による成人身長予後は，諸外国と比べて十分といえるものではないのが現状である．

概念・病態・疫学

小児GH分泌不全症（growth hormone deficiency：GHD）は，GHの分泌不全による症状を呈する疾患である．小児では低身長が主症状であることが多く，GH分泌不全性低身長症ともよぶ．GHは，視床下部からのGHRHやソマトスタチンの調節により下垂体から分泌される．GHの受容体は，肝臓をはじめ軟骨，骨，脂肪組織，筋肉，腎臓，性腺など全身の組織に発現している．GHは，各組織でのインスリン様成長因子（IGF-1）合成を促進するが，血中IGF-Iの約80％は肝臓由来である．骨端線の軟骨組織には，GH受容体およびIGF-1受容体が豊富に存在し，GH刺激により血液を介して運ばれたIGF-1だけでなく，軟骨細胞が自ら産生したIGF-1のパラクリンおよびオートクリン作用により細胞増殖が起こる．GHが欠乏すると，この軟骨内骨形成が進まないために低身長となる．さらにGHは，軟骨内骨形成以外にも，蛋白代謝，糖質代謝，脂質代謝にも関与している．肝臓においては糖新生と糖原分解を促進し，末梢では糖消費を減少させる．そのため，重症GHD（後述）では，新生児・乳児期に低血糖，小児期に肥満傾向を示す．

GHDの原因の大部分は，病因がはっきりしない特発性（約90％以上）であるが，そのほかに，頭蓋咽頭腫，胚細胞腫，下垂体腫瘍などの器質性（5～10％）と，非常にまれな遺伝子異常によるものがある．特発性GHDは，成長率の低下を伴った低身長が唯一の病態であるが，重症例のなかには，骨盤位分娩，仮死，黄疸遷延などの周産期異常が認められてそれらが病因と推測される場合もある．また，乳児期の症状として低血糖がみられたり，ほかの下垂体ホルモンの分泌不全を伴ったりすることもある．器質性GHDは，大部分がGH以外の下垂体ホルモン欠乏を伴った複合型下垂体機能低下症を呈する．最近では小児がん経験者に伴う例が増加しており，頻度は不明であるが，頭部外傷後，くも膜下出血後の下垂体機能低下症も注目されている．遺伝子異常によるGHDのなかで，下垂体発生に関与する転写因子，たとえば POU1F1（PIT-1），PROP1，HESX1，LHX3，LHX4 遺伝子の異常によるGHDは，複合型下垂体機能低下症を示し，GH-1 や GHRHR（GHRH受容体）遺伝子の異常ではGH単独欠損症をきたす．しかしながら，GH-1 遺伝子変異の患者で経過観察中にACTHやTSHの分泌不全を呈した報告も存在するため[1]，GH単独欠損症の児を経過観察するときには，他のホルモン分泌不全が生じないかについても考えておく必要がある[2]．

GHDのわが国での正確な頻度は不明であるが，小児慢性特定疾病医療費助成制度（小慢）には1年間に新規のGHD患者が1,500人程度登録される．デンマークからの報告[1]では，GH Research Society のガイドラインの定義[2]によるGHDで，18歳未満で1年に発症するのは10万人当たり，男児で2.58人，女児で1.70人，男女合わせて2.15人であった．

主要症状・身体所見

GHDの主要症状は成長障害である．身長が標準身長の-2SD以下で，特に成長率の低下がみられる場合にはGHDが鑑別に重要である．乳幼児期を超えて途中で成長率が低下してきた場合には，器質性GHDや後天性甲状腺機能低下症などの内分泌疾患による成長障害を考える必要がある．その他，GHDを疑う病歴・身体所見で大切なものとして，①新生児期の低血糖，遷延性黄疸，新生児仮死，②放射線の頭蓋内照射，③頭部外傷や中枢神経感染症の既往，④家族歴や血族婚

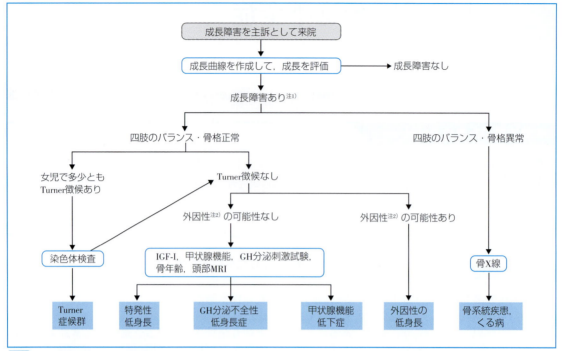

図1 成長障害を主訴として来院した児の鑑別
注1)身長が，年齢，性別の標準身長に対して－2SD以下，または成長率が2年以上にわたり標準成長速度の－1.5SD以下(頭蓋内器質性疾患や他の下垂体ホルモン分泌不全がある場合は2年以上でなくてもよい)であることを指す．
注2)ステロイドの内服，極端な食事制限，ストレス，虐待などを指す．

の存在，⑤正中低形成(前額突出や鼻根部低形成など)があげられる[2]．

検査所見

1 一般検査

GHは脈動的分泌を反映した日内変動があり，1回の採血ではGH分泌低下判定はできない．そのため，単回採血の場合には，GH分泌の代替指標としてIGF-1やインスリン様成長因子結合蛋白(insulin-like growth factor-binding protein：IGFBP)-3の測定(現在，IGFBP-3値の測定は保険診療ではできない)を行う．IGF-1が，性別年齢別の基準値に対して－2SDを下回る場合には，GHDを強く示唆する．逆にIGF-1値が，0SDを上回る場合には，GHDの可能性は低い．また重症GHDの場合には，新生児・乳児期にしばしば低血糖を伴う．

2 内分泌学的検査

GHDの診断には，GH分泌刺激試験が必要である．具体的には，インスリン低血糖試験，アルギニン試験，グルカゴン試験，クロニジン試験，L-DOPA試験，GHRP-2試験があげられる．機能検査は早朝空腹時(少なくとも4時間以上の絶食)に行う．2つ以上の機能検査でGH頂値が6 ng/mL以下(GHRP-2機能検査だけは頂値が16 ng/mL以下，本項ではすべてリコンビナントGHを標準品としたキットによる)の場合，GHDと診断される．GH測定値は，キットによる差が存在するので，成長科学協会のキットごとの補正式で補正したGH値で判定する．機能検査の頂値がすべて3 ng/mL以下(GHRP-2試験では10 ng/mL以下)は重症GHDとされる．重症GHDは，成人になったあとにもGH治療が必要となる高リスク群である．また特に，重症の場合や器質性の場合は，ほかの下垂体ホルモン(TSH，ACTH，LH，FSH)の分泌低下の有無をTRH試験，CRH試験，GnRH試験などで検査し，分泌低下があれば必要に応じてそれらのホルモン補充を行わなければならない．

画像所見

左手の単純X線撮影による骨年齢の評価が重要である．骨成熟が遅れていること(骨年齢/暦年齢0.8以下)はGHDを疑う所見の1つである．また，GHDのうち約5～10%は頭蓋咽頭腫などの器質的な原因によるもので，成長曲線上成長率の低下が著しい場合(成長曲線上で1チャネル以上をまたいでいる場合)には，頭部MRIを撮影するべきである．特発性GHDと考えられているなかにも，骨盤位分娩，仮死，黄疸遷延などの周産

表1 成長ホルモン分泌不全性低身長症の診断の手引き（平成30年度改訂）

I. 主症候
  1. 成長障害があること
    通常は，身体のつりあいはとれていて，身長は標準身長(注1)の−2.0SD以下，あるいは身長が基準範囲であっても，成長速度が2年以上にわたって標準値(注2)の−1.5SD以下であること．ただし，頭蓋内器質性疾患(注3)や他の下垂体ホルモン分泌不全がある場合は，成長速度の観察期間は2年未満でもよい(注4)
  2. 乳幼児で，低身長を認めない場合であっても，成長ホルモン分泌不全が原因と考えられる症候性低血糖がある場合
  3. 頭蓋内器質性疾患(注3)や他の下垂体ホルモン分泌不全がある場合

II. 検査所見
    成長ホルモン（GH）分泌刺激試験(注5)として，インスリン負荷，アルギニン負荷，L-DOPA負荷，クロニジン負荷，グルカゴン負荷，またはGHRP-2負荷試験を行い，下記の値が得られること(注6, 注7)：インスリン負荷，アルギニン負荷，L-DOPA負荷，クロニジン負荷，またはグルカゴン負荷試験において，原則として負荷前および負荷後120分間（グルカゴン負荷では180分間）にわたり，30分ごとに測定した血清（血漿）中GH濃度の頂値が6 ng/mL以下であること．GHRP-2負荷試験で，負荷前および負荷後60分にわたり，15分ごとに測定した血清（血漿）GH頂値が16 ng/mL以下であること

III. 参考所見
  1. 明らかな周産期障害がある
  2. 24時間あるいは夜間入眠後3〜4時間にわたって20分ごとに測定した血清（血漿）GH濃度の平均値が正常値に比べ低値である
  3. 血清（血漿）IGF-1値が正常値に比べ低値である
  4. 骨年齢(注8)が暦年齢の80％以下である

[診断基準]
確実例：
  1. 主症候がIの1を満たし，かつIIの2種類以上の分泌刺激試験において，検査所見を満たすもの
  2. 主症候がIの2あるいは，Iの1と3を満たし，IIの1種類の分泌刺激試験において検査所見を満たすもの

疑い例：
  1. 主症候がIの1または2を満たし，かつIIIの参考所見の4項目のうち3項目以上を満たすもの
  2. 主症候がIの1を満たし，IIの1種類の分泌刺激試験において検査所見を満たし，かつIIIの参考所見のうち2項目を満たすもの
  3. 主症候がIの1と3を満たし，かつIIIの参考所見のうち2項目以上を満たすもの

[病型分類]
成長ホルモン分泌不全性低身長症は，分泌不全の程度により次のように分類する

重症成長ホルモン分泌不全性低身長症
  1. 主症候がIの1を満たし，かつIIの2種類以上の分泌刺激試験におけるGH頂値がすべて3 ng/mL以下（GHRP-2負荷試験では10 ng/mL以下）のもの
  2. 主症候がIの2または，Iの1と3を満たし，かつIIの1種類の分泌刺激試験におけるGH頂値が3 ng/mL以下（GHRP-2負荷試験では10 ng/mL以下）のもの

中等症成長ホルモン分泌不全性低身長症
  「重症成長ホルモン分泌不全性低身長症」を除く成長ホルモン分泌不全性低身長症のうち，すべてのGH頂値が6 ng/mL以下（GHRP-2負荷試験では16 ng/mL以下）のもの

軽症成長ホルモン分泌不全性低身長症(注9)
  成長ホルモン分泌不全性低身長症のうち，「重症成長ホルモン分泌不全性低身長症」と「中等症成長ホルモン分泌不全性低身長症」を除いたもの

注意事項
(注1) 横断的資料に基づく日本人小児の性別・年齢別平均身長と標準偏差値を用いること
(注2) 縦断的資料に基づく日本人小児の性別・年齢別標準成長率と標準偏差値を用いること．ただし，男児11歳以上，女児9歳以上では暦年齢を骨年齢に置き換えて判読すること
(注3) 頭蓋部の照射治療歴，頭蓋内の器質的障害，あるいは画像検査の異常所見（下垂体低形成，細いか見えない下垂体柄，偽後葉）が認められ，それらにより視床下部−下垂体機能障害が生じたと判断（診断）された場合
(注4) 6か月〜1年間の成長速度が標準値(注2)の−1.5SD以下で経過していることを目安とする
(注5) 正常者でも偽性低反応を示すことがあるので，確診のためには通常2種以上の分泌刺激試験を必要とする．ただし，乳幼児で頻回の症候性低血糖発作のため，早急に成長ホルモン治療が必要と判断される場合等では，この限りでない
(注6) 次のような状態においては，成長ホルモン分泌が低反応を示すことがあるので，下記の対応を行ったうえで判定する

- ・甲状腺機能低下症：甲状腺ホルモンによる適切な補充療法中に検査する
- ・中枢性尿崩症：DDAVPによる治療中に検査する
- ・成長ホルモン分泌に影響を与える薬物（副腎皮質ホルモンなど）投与中：可能な限り投薬を中止して検査する
- ・慢性的精神抑圧状態（愛情遮断症候群など）：環境改善などの原因除去後に検査する
- ・肥満：体重をコントロール後に検査する

(注7)現在のGH測定キットはリコンビナントGHに準拠した標準品を用いている．キットによりGH値が異なるため，成長科学協会のキットごとの補正式で補正したGH値で判定する

(注8)Tanner-Whitehouse-2(TW2)法に基づいた日本人標準骨年齢を用いることが望ましいが，Greulich & Pyle法，TW2原法またはCASMAS(Computer Aided Skeletal Maturity Assessment System)法でもよい

(注9)諸外国では，非GH分泌不全性低身長症として扱う場合もある

(附1)診断名は，1993年改訂前は下垂体性小人症．ICD-10では，下垂体性低身長または成長ホルモン欠損症となっている

(附2)遺伝性成長ホルモン分泌不全症（type IA，IB，typeIIなど）は，家族歴あり，早期からの著明な低身長（−3SD以下），GHRH負荷試験を含むGH分泌刺激試験で，GH値の著明な低反応，血中IGF-1，IGFBP-3値の著明な低値などを示す．遺伝子診断により確定診断される

(附3)新生児・乳児早期には，分泌刺激試験の頂値が6 ng/mL（GHRP-2負荷試験では16 ng/mL）を超えていても，成長ホルモン分泌不全を否定できない

(附4)成長ホルモン分泌不全性低身長症のうちで，特に主症候が3を満たす重症例を中心にして，その後に成人成長ホルモン分泌不全症と診断される場合があるので，思春期以降の適切な時期に成長ホルモン分泌能および臨床所見を再評価することが望ましい

〔有馬　寛，他：成長ホルモン分泌不全性低身長症の診断の手引き．厚生労働科学研究費補助金難治性疾患等政策研究事業間脳下垂体機能障害に関する調査研究班：間脳下垂体機能障害の診断と治療の手引き（平成30年度改訂）．日本内分泌学会雑誌2019；**95**(Suppl)：31-33より引用〕

期異常がある場合には，MRIで下垂体茎が見えない(invisible stalk)，下垂体低形成，異所性後葉などの所見を認めることもある．

診断・鑑別診断

　成長障害を主訴として来院した児における鑑別のためのフローチャートを図1に示す．成長障害を起こす疾患は，GHD以外にも，甲状腺機能低下症，Turner症候群，くる病，骨系統疾患，愛情遮断症候群など様々なものがある．

　GHDの診断手順は，厚生労働省間脳下垂体機能障害に関する調査研究班による「成長ホルモン分泌不全性低身長症の診断の手引き（平成30年度改訂）」[5]に従う（表1）．成長障害があり（身長が標準身長の−2SD以下，または身長が正常範囲であっても成長速度が2年以上にわたり標準値の−1.5SD以下であること，頭蓋内器質性疾患や他の下垂体ホルモン分泌不全がある場合には2年以上にわたるか否かは問わない），前述のとおり，2つ以上のGH分泌刺激試験にてGH分泌不全を認めた場合にGHDと診断できる．ただし，乳幼児でGH分泌不全が原因と考えられる症候性低血糖が存在する場合と頭蓋内に器質性疾患や他の下垂体ホルモン分泌不全がある場合には，1種類のGH分泌刺激試験の結果でGHDと診断できる．

　なお小慢による助成を受けるためには，前述の診断基準よりも厳しい適応基準を満たさなければならない．したがって，診断基準を満たしても助成を受けられないことがあるので注意が必要である．診断基準とのおもな相違点は，小慢の適応基準で，①器質性疾患以外の治療開始のための身長SDスコアが，−2.5SD以下であること，②IGF-1値が200 ng/mL未満（5歳未満では150 ng/mL未満）であること，③GH分泌刺激試験のGHの頂値が，すべての機能検査で6 ng/mL以下（GHRP-2試験では16 ng/mL以下）であること，の3点である．

治療・予後

　在宅自己注射により就寝前にGH注射が施行されるのが原則である．ソマトロピン（遺伝子組換え）0.175 mg/kg/週を標準治療量として用い，週6〜7回皮下注射により投与する．患者の体重にあわせて0.175 mg/kg/週を下回らないように，半年ごとに投与量を検討することが大切である．副作用の早期発見や骨成熟の評価のために，3〜6か月ごとに甲状腺機能検査，末梢血液検査，尿検査，一般生化学検査，HbA1c，骨年齢などの検査を行う．外来受診時には，身長，体重，思春期の有無（Tanner stage）についての診察を必ず行う．通常，初年度の身長SDスコアの改善は0.5〜1SD程度であり，2年目からの身長SDスコアの改善度は減弱する．もしも効果が不十分であれば，診断について再考したり，用量，コンプライアンスについて確認したりする必要がある．またTSHの不足などによる甲状腺機能低下症がGH治療中に顕在化してくることがあるので，注意が必要である．複合型下垂体機能低下症の場合には，GH

だけでなく，ほかの欠乏しているホルモンの補充を行う．

治療の目標は，短期的には身長増加を促進してなるべく早く身長を正常化することにより，低身長に伴う心理社会的問題の改善を図ることであり，長期的には成人身長を正常化し，社会的に良好に適応することである．GHD に対する GH 治療による成人身長の平均値は，成長科学協会のデータによる報告では男子が 160.3 cm，女子が 147.8 cm [6]，KIGS データベースによる報告では男子が 161.8 cm，女子が 147.8 cm [7] であった．身長 SD スコアの改善度については，KIGS データベースの報告では重症 GHD で男児 2.13SD，女児 1.66SD でそれ以外の GHD では 1SD 程度と報告されている [8]．これらの結果は諸外国の結果と比べるとやや不十分であり，人種差の影響も考えられるが，治療量の差や診断年齢などの差によることも考えられている．

文献

1) Mullis PE, et al.：Isolated autosomal dominant growth hormone deficiency：an evolving pituitary deficit? A multicenter follow-up study. *J Clin Endocrinol Metab* 2005；**90**：2089-2096.
2) Cerbone M, et al.：Progression from isolated growth deficiency to combined pituitary hormone deficiency. *Growth Horm IGF Res* 2017；**37**：19-25.
3) Stochholm K, et al.：Incidence of GH deficiency-a nationwide study. *Eur J Endocrinol* 2006；**155**：61-71.
4) GH Research Society：Consensus guidelines for the diagnosis and treatment of growth hormone（GH）deficiency in childhood and adolescence：summary statement of the GH Research Society. *J Clin Endocrinol Metab* 2000；**85**：3990-3993.
5) 有馬　寛，他：成長ホルモン分泌不全性低身長症の診断の手引き．厚生労働科学研究費補助金難治性疾患等政策研究事業間脳下垂体機能障害に関する調査研究班：間脳下垂体機能障害の診断と治療の手引き（平成30年度改訂）．日本内分泌学会雑誌 2019；**95**（Suppl）：31-33.
6) 田中敏章，他：成長ホルモン分泌不全性低身長症における遺伝子組み換え成長ホルモン治療による最終身長の正常化の割合．日本小児科学会雑誌 2001；**105**：546-551.
7) 田中敏章，他：成長ホルモン分泌不全性低身長症における遺伝子組み換え成長ホルモンの短期的および長期的治療効果～KIGS データベースの解析～．日本成長学会雑誌 2010；**16**：69-75.
8) Fujieda K, et al.：Adult height after growth hormone treatment in Japanese children with idiopathic hormone deficiency：analysis from the KIGS Japan database. *J Pediatr Endocr Metab* 2011；**24**：457-462.

第2章 臨床知識——D 下垂体前葉疾患各論

3 成人GH分泌不全症

奈良県立医科大学糖尿病・内分泌内科学 髙橋 裕

臨床医のためのPoint ▶▶▶

1. 成人GH分泌不全症とは，成人においてGHの分泌不全により，内臓肥満など体組成異常とそれに関連した脂質異常症，NAFLDなどの代謝障害とQOLの低下を呈し，生命予後が悪化する疾患である．
2. 診断にはGH分泌刺激試験が必要である．
3. GH補充療法は，体組成・代謝異常を是正しQOLを改善する．

疾患概念

成人GH分泌不全症(adult growth hormone deficiency：AGHD)は，成人期の成長ホルモン(GH)の分泌不全によって引き起こされる疾患で，易疲労感，スタミナ低下，集中力低下，気力低下，うつ状態，性欲低下などの自覚症状および生活の質(QOL)の低下をきたし，皮膚の乾燥と菲薄化，体毛の柔軟化，ウエスト／ヒップ比の増加などの身体所見を認める．検査所見として体脂肪(内臓脂肪)の増加，除脂肪体重の減少，筋肉量減少，骨塩量減少，脂質代謝異常，耐糖能異常，脂肪肝を認める．おもに心血管合併症の増加に伴い死亡率が上昇する．

原因として頭蓋内器質性疾患，手術および放射線治療歴，頭部外傷歴やくも膜下出血の既往，抗PIT-1抗体症候群(抗PIT-1下垂体炎)，周産期異常(骨盤位分娩，出生時仮死など)，遺伝子異常，小児がん経験者，特発性などがある．

GH補充療法によって自覚症状およびQOLの改善，体組成異常・脂質代謝異常の改善，骨塩量増加および骨折リスクの低下，脂肪肝の改善を認める．後ろ向きの観察研究では生命予後の改善が示唆されている．

病態・疫学

わが国においては，1年当たり約1,140人の新規患者の発症，患者総数36,000人と欧米の疫学をもとに推計されている．平成30年度の下垂体前葉機能低下症患者の指定難病受給者数は16,609人であり，そのなかの多くが成人GH分泌不全症を合併している可能性がある．

主要症状・身体所見

易疲労感，スタミナ低下，集中力低下，うつ状態などの自覚症状およびQOLの低下を認める．身体所見として，皮膚の乾燥と菲薄化，体毛の柔軟化，体脂肪(内臓脂肪)の増加，ウエスト／ヒップ比の増加，筋力低下を認める[1]．

検査所見

1 一般検査

成人GH分泌不全症では体脂肪量，特に内臓脂肪が増加しており，総コレステロール，LDLコレステロール，ApoB，中性脂肪の増加，インスリン抵抗性，耐糖能異常を認める．また軽度の肝障害が多く，非アルコール性脂肪性肝疾患(non-alcoholic fatty liver disease：NAFLD)を高頻度に合併し，非アルコール性脂肪肝炎(non-alcoholic steatohepatitis：NASH)，肝硬変に進行していることもある．内頸動脈中膜が肥厚しており心および脳血管合併症リスクが増加する[2]．骨密度低下を認め，骨折リスク(特に椎体骨折)が増加する．また活力の低下，情緒不安定，性的関係の困難，自尊心の低下，日常生活への適応性の低下，集中力，記憶力の低下，社会的孤立傾向が認められQOLが有意に低下している[3]．

2 内分泌検査

GH分泌刺激試験で評価されるGH分泌予備能が低下している．一般にIGF-Iも低値を示す場合が多いが，正常範囲の症例も存在することから，参考所見にはなるが，診断にはGH分泌刺激試験が必須である．インスリン低血糖試験またはGHRP-2試験をまず試みる．インスリン低血糖試験は最も感度特異度が高く診断のゴールドスタンダードであるが，虚血性心疾患やけいれん発作をもつ患者では禁忌である．GHRP-2試験は安全に施行することが可能である．必要なときには追加の検査としてアルギニンあるいはグルカゴン試験を行う．クロニジン試験，L-DOPA試験とGHRH試験は偽性低反応を示すことがあるので診断に用いることはできない．

3 画像所見

成人期発症の成人 GH 分泌不全症では，間脳下垂体領域の器質的疾患の所見を認めることが多い．一方で小児期発症 GH 単独欠損症では多くの場合明らかな異常を認めない．

診断・鑑別診断

成人 GH 分泌不全症の診断においては，成長障害の既往，頭蓋内器質性疾患の合併ないし既往歴，治療歴または周産期異常の存在があり，上記の自覚症状，身体・検査所見を認めたときに積極的に疑い GH 分泌刺激試験，画像検査を進める（表1）．また小児期の器質性疾患によらない GH 分泌不全症の多くは成人 GH 分泌不全症に移行しないため，骨端線が閉鎖した段階での再評価が必要であるが，2 種類の GH 分泌刺激試験による確認が必要となる．一方で器質性疾患（下垂体炎を除く）の際に最も障害されやすいのは GH であることから，明らかな器質性疾患があり GH を含めて他の複数のホルモン欠損がある場合には 1 種類の

表1 成人成長ホルモン分泌不全症の診断の手引き

I. 主症候および既往歴
1. 小児期発症では成長障害を伴う（注2）
2. 頭蓋内器質性疾患の合併ないし既往歴，治療歴（注3）または周産期異常の既往がある

II. 内分泌検査所見
1. GH 分泌刺激試験として，インスリン負荷，アルギニン負荷，グルカゴン負荷，または GHRP-2 負荷を行い（注4），下記の値が得られること（注5, 注6）：
   1) インスリン負荷，アルギニン負荷，またはグルカゴン負荷において，負荷前および負荷後 120 分間（グルカゴン負荷では 180 分間）にわたり，30 分ごとに測定した血清 GH の頂値が 3 ng/mL 以下である（注5, 注6）
   2) GHRP-2 負荷において，負荷前および負荷後 60 分にわたり，15 分ごとに測定した血清 GH 頂値が 9 ng/mL 以下である（注5, 注6, 注7）
2. GH を含めて複数の下垂体ホルモンの分泌低下がある（注8）

III. 参考所見
血清（血漿）IGF-1 値が年齢および性を考慮した基準値に比べ低値である（注9）

［診断基準］
成人成長ホルモン分泌不全症：
1. I の 1 または 2 を満たし，かつ II の 1 で 2 種類以上の GH 分泌刺激試験において基準を満たすもの
2. I の 2 および II の 2 を満たし，かつ II の 1 で 1 種類の GH 分泌刺激試験において基準を満たすもの

［病型分類］
重症成人成長ホルモン分泌不全症（GH 補充療法の保険適用）：
成人成長ホルモン分泌不全症のうち，下記を満たすもの
1. I の 1 または 2 を満たし，かつ II の 1 で 2 種類以上の GH 分泌刺激試験における血清 GH の頂値が 1.8 ng/mL 以下（GHRP-2 負荷では 9 ng/mL 以下）のもの
2. I の 2 および II の 2 を満たし，かつ II の 1 で 1 種類の GH 分泌刺激試験における血清 GH の頂値が 1.8 ng/mL 以下（GHRP-2 負荷では 9 ng/mL 以下）のもの

重症以外の成人成長ホルモン分泌不全症（GH 補充療法の保険適用対象外）：
成人成長ホルモン分泌不全症の診断基準に適合するもので，重症成人成長ホルモン分泌不全症以外のもの

注意事項
(注1) 単純性脂肪肝だけではなく，非アルコール性脂肪肝炎，肝硬変の合併にも注意が必要である
(注2) 適切な GH 補充療法後や頭蓋咽頭腫の一部（growth without GH とよばれる）では成長障害を認めないことがある．また，性腺機能低下症の存在，それに対する治療の影響も考慮する
(注3) 頭蓋内の腫瘍，炎症，自己免疫，肉芽腫，感染，嚢胞，血管障害などの器質性疾患，頭部外傷歴やくも膜下出血の既往，手術および放射線治療歴，小児がん経験者（視床下部下垂体系に影響のある病態や治療を受けた者）あるいは画像検査において視床下部下垂体系の異常所見が認められ，それらにより視床下部下垂体機能障害の合併が強く示唆された場合．原因疾患によって画像検査では軽微な所見の場合がある
(注4) 重症成人 GH 分泌不全症が疑われる場合は，インスリン負荷試験または GHRP-2 負荷試験をまず試みる．インスリン負荷試験は虚血性心疾患やけいれん発作をもつ患者では禁忌である．追加検査としてアルギニン負荷あるいはグルカゴン負荷試験を行う．クロニジン負荷，L-DOPA 負荷は偽性反応を示すことがあり，GHRH 負荷試験は視床下部障害や放射線療法後に偽性反応を示すことがあるため診断基準には含まれていない
(注5) 現在の GH 測定キットはリコンビナント GH に準拠した標準品を用いている．キットにより GH 値が異なるため，成長科学協会のキットごとの補正式で補正した GH 値で判定する

(注6) 次のような状態においては，GH分泌刺激試験において低反応を示すことがあるので注意を必要とする
  1. 甲状腺機能低下症：甲状腺ホルモンによる適切な補充療法中に検査する
  2. 中枢性尿崩症：DDAVPによる治療中に検査する
  3. 成長ホルモン分泌に影響を与える下記のような薬剤投与中：可能な限り投薬中止して検査する
     薬理量の糖質コルチコイド，α-遮断薬，β-刺激薬，抗ドパミン作動薬，抗うつ薬，抗精神病薬，抗コリン作動薬，抗セロトニン作動薬，抗エストロゲン薬
  4. 高齢者，肥満者(アルギニン負荷，グルカゴン負荷試験の場合)，中枢神経疾患やうつ病に罹患した患者
(注7) 重症型以外の成人GH分泌不全症を診断できるGHRP-2負荷試験の血清(血漿)GH基準値はまだ定まっていない
(注8) 器質性疾患による複数の下垂体前葉ホルモン分泌障害を認める場合には，下垂体炎など自己免疫機序によるものを除いて，ほとんどの場合GH分泌が障害されている
(注9) 栄養障害，肝障害，コントロール不良な糖尿病，甲状腺機能低下症など他の原因による血中濃度の低下がありうる
(附1) 本手引きは原則として18歳以上で用いるが，18歳未満であってもトランジション期には本疾患の病態はすでに始まっているため，適切な時期に評価および治療の継続を検討する
(附2) 小児期にGH分泌不全性低身長症と診断されてGH投与による治療歴があるものでも，成人においてGH分泌刺激試験に正常な反応を示すことがあるので再度検査が必要である
(附3) 再検査によって重症成人GH分泌不全症が診断された小児期発症成人GH分泌不全症においては，トランジション期にシームレスなGH補充を継続することが重要である

〔有馬 寛，他：成人成長ホルモン分泌不全症の診断の手引き．厚生労働科学研究費補助金難治性疾患等政策研究事業間脳下垂体機能障害に関する調査研究班：間脳下垂体機能障害の診断と治療の手引き(平成30年度改訂)．日本内分泌学会雑誌 2019；**95**(Suppl)：36-39〕

表2 成長ホルモン分泌不全症の小児期から成人期への移行・トランジションの診断と治療の手引き(平成30年度作成)

1. 「成長ホルモン分泌不全症治療におけるトランジション」とは，小児期の成長促進を主たる目的とした治療から，成人期の代謝およびQOL改善，合併症予防を主たる目的とした治療へと移行する期間を指し，思春期年齢がこれにあたる
2. 成長ホルモン分泌不全症においては，小児期からトランジション期を経て成人期にシームレスに治療を継続することが重要である
3. 小児期の成長が完了(成長率≦1cm/年，ないし，骨端線閉鎖を認めた時点)あるいは完了に近くなった時点で，すべての症例においてなるべく早期に成長ホルモン治療の継続が必要かどうかの再評価を行う．
   (小児成長ホルモン分泌不全症のなかで，いわゆる特発性のものの多くにおいてトランジション期には成長ホルモン分泌不全の回復を認めることがある)
4. 再評価は成人成長ホルモン分泌不全症の診断基準に基づく
5. トランジション期の評価に際して，1か月以上，GH治療中止期間をもうける．そして測定したIGF-1値が，年齢および性を考慮した基準値の−2SD以下の場合は，重症成人成長ホルモン分泌不全症の可能性が高い．ただし重症成人成長ホルモン分泌不全症において，IGF-1値が正常範囲内の症例もありうることを念頭におき，原因疾患などを総合的に考慮してGH分泌刺激試験の必要性について検討する

〔有馬 寛，他：成長ホルモン分泌不全症の小児期から成人期への移行・トランジションの診断と治療の手引き．厚生労働科学研究費補助金難治性疾患等政策研究事業間脳下垂体機能障害に関する調査研究班：間脳下垂体機能障害の診断と治療の手引き(平成30年度改訂)．日本内分泌学会雑誌 2019；**95**(Suppl)：35〕

GH分泌刺激試験で診断が可能である[1]．また器質性疾患が存在し明らかに病態が持続する可能性が高い症例では，トランジション期にシームレスな補充ができるように注意が必要である(表2)．

治療・予後

成人GH分泌不全症と診断された患者のうち，重症成人GH分泌不全症の診断基準を満たした患者がGH補充療法の適応となる．GHだけでなく他の欠乏ホルモンの適切な補充療法が必要である．治療の目的は，GH分泌不全に起因する自覚症状およびQOLを改善し，体組成異常および血中脂質高値などの代謝障害を是正することである．糖尿病患者(daily GH製剤)，悪性腫瘍のある患者や，妊婦または妊娠している可能性のある女性は禁忌とされている．

実際には，自己注射にて毎日就寝前にGHを皮下注射する．GH投与は少量から開始し，臨床症状，血中IGF-1値をみながら4週間単位で増量し，副作用がみられずかつ血中IGF-1値が年齢・

性別基準範囲内に保たれるように適宜増減する.成人では少量（3μg/kg/日）から開始し,臨床症状,血中IGF-1値をみながら4週間単位で増量し,副作用がみられずかつ血中IGF-1値が年齢・性別基準範囲内に保たれるように適宜増減する.高齢者ではより少量から開始する.最近では体重当たりよりも個体当たりで調節する場合も多く,男性・閉経後女性0.1〜0.3mg/日,閉経前女性0.2〜0.4mg/日（特に経口エストロゲン製剤服用中）,高齢者0.1mg/日から開始すると副作用が出にくい場合が多い.

最近長時間作用型GH製剤も成人GH分泌不全症に対して日本で承認された（この場合は糖尿病合併は慎重投与）.週に1度自己注射でやはり少量から投与し血中IGF-1値をみながら用量を調節するが,IGF-1値は注射後2日後に頂値,4日後に平均値をとるので,採血のタイミングを考慮するとともに頂値で血中IGF-1値が2SDを超えないようにする.通常は1.5mg/週,60歳以上では1.0mg/週,経口エストロゲン製剤服用中女性では2.0mg/週から開始する.カウフマン療法などで経口エストロゲン製剤服用中はより大量のGHが必要となるので可能な限り貼付剤に変更することが望ましい.

有害事象として治療開始時にGHの体液貯留作用に関連する手足の浮腫,関節痛,筋肉痛などがみられるが,その多くは減量あるいは継続中に消失する.治療効果について,血中IGF-1値,体組成の改善,代謝障害の是正,QOLの改善などを評価する.

予後について,GH補充が行われていない汎下垂体機能低下症では標準化死亡率は約2倍で生命予後が不良であり,おもに心血管疾患の増加による.これまでGH補充療法による生命予後改善に関する前向き試験のエビデンスは得られていないが,大規模な後ろ向き試験,メタ解析では生命予後改善の可能性が示唆されている.2009年よりGH分泌不全症を含む下垂体機能低下症が指定難病に認定され患者の経済負担が軽減されたが,手術や外傷など成因により認められない場合もあるため注意が必要である.

文献

1) 有馬 寛,他：成人成長ホルモン分泌不全症の診断と治療の手引き.厚生労働科学研究費補助金難治性疾患等政策研究事業間脳下垂体機能障害に関する調査研究班：間脳下垂体機能障害の診断と治療の手引き（平成30年度改訂）.日本内分泌学会雑誌 2019；**95**(Suppl)；36-39.

2) Molitch ME, et al.：Evaluation and treatment of adult growth hormone deficiency：an Endocrine Society clinical practice guideline. J Clin Endocrinol Metab 2011；**96**：1587-1609.

3) Melmed S, et al.：Pathogenesis and diagnosis of growth hormone deficiency in adults N Engl J Med 2019；**380**：2551-2562.

第2章 臨床知識──D　下垂体前葉疾患各論

4　IGF-1異常症とIGF-1受容体異常症

鳥取大学医学部周産期・小児医学分野　**藤本正伸**

≫ 臨床医のための Point ▶▶▶

1. IGF-1異常症およびIGF-1受容体異常症は，胎児発育不全と出生後の成長障害を特徴とし，SGA性低身長症に含まれることが多い．
2. GH基礎値の高値あるいはGH分泌刺激試験での過大反応や血清IGF-1値の異常を示す例があり，診断の参考になる．
3. IGF-1受容体異常症は，特徴的な身体・検査所見を示さない例が多く，最終診断は遺伝子解析による．

概念・病態・疫学

インスリン様成長因子-1（insulin like growth factor-1：IGF-1）は，内在性の成長，代謝，細胞分裂促進作用があり，出生前後の成長発達に重要な役割をもつ．出生前はGH非依存的に胎児発育，神経細胞の髄鞘化を促進し，出生後はGH依存的な成長促進作用を示す[1]．IGF-1受容体（insulin like growth factor 1 receptor：IGF1R）は，IGF-1に加え胎内発育に重要なIGF-2の作用も仲介している．したがって，典型的なIGF-1異常症やIGF1R異常症では，胎児発育不全と出生後の成長障害（低身長），小頭症，精神運動発達遅滞，感音性難聴をきたす[2]．

IGF-1異常症，IGF1R異常症の原因は，それぞれ*IGF1*遺伝子，*IGF1R*遺伝子の異常によって生じる．本症では，GH分泌の亢進やGH分泌刺激試験での過大反応を示すことがある．IGF-1異常症では，IGF-1の質的もしくは量的異常のために様々なIGF-1値を示す．IGF1R異常症では，IGF-1抵抗性を示しIGF-1値は正常〜上昇する．また，本症では耐糖能障害を合併した症例が報告されている[3]．しかし，糖代謝への影響は変異IGF-1またはIGF1Rによるものか，代償性に増加したGHによるものか，詳細に解明されていない．

IGF-1異常症は非常にまれであり，これまでに10例程度の報告にすぎないが[4]，IGF1R異常症は低身長症のおよそ1%程度，Small for gestational age（SGA）性低身長症の2%未満とされ[1]，多くがヘテロ接合性変異例である．

主要症状・身体所見

典型的な症例では，胎児発育不全，低身長，小頭症，精神運動発達遅滞，感音性難聴をきたす．加えて，弯指症，小顎症，三角様顔貌など小奇形を伴う場合がある．多くの症例で，胎児発育不全の程度はSGAの基準を満たし，その後の成長ではcatch-upを認めず低身長（身長SDS＜−2.0）を示す．診断時の身長は，ホモ接合性IGF-1異常症では身長SDS−4.9〜−8.5，ホモ接合性IGF1R異常症では身長SDS−3.2〜−4.5と著明な低身長を呈する．一方，ヘテロ接合性遺伝子異常を伴う症例では，表1に示すようにホモ接合性症例よりも比較的軽症である．表現型には差があり，必ずしも出生時身長や体重がSGAの基準を満たさない症例や，小頭症，感音性難聴，精神運動発達遅滞などを認めない症例がある．

その他，IGF-1異常症では眼瞼下垂や低い毛髪線，IGF1R異常性では乳児期の嘔吐や食物を受け付けないといった栄養障害を認める場合がある[1, 2]．また，*IGF1R*遺伝子の遺伝子座（15q26.3）と近傍の*NR2F2*遺伝子の欠失を伴う場合，心室中隔欠損，心房中隔欠損，大動脈縮窄などの先天性心疾患を合併する[3]．

検査所見

1　内分泌学的検査

・**血中GH値**

GH分泌をnegative feedbackするIGF-1の作用が低下・消失するため，GH基礎値は正常〜上昇し，GH分泌刺激試験で過大反応を示す例が多い．

・**血清IGF-1値**

GH分泌が亢進している本症では，血清IGF-1値はGHの分泌動態を反映しており，正常〜高値を示すと考えられるが，変異によって測定感度未満〜異常高値（＋7.3 SD）を示すものまで様々である．IGF-1異常症で，*IGF1*遺伝子のハプロ不全あるいは大部分を欠失した場合，IGF-1値は低値あるいは測定感度未満となる．ただし，IGF-1値の測定方法の違いによって，同一症例においても測

表1 IGF-1異常症およびIGF1R異常症の臨床像と検査所見

	IGF-1異常症		IGF1R異常症	
	ホモ接合性	ヘテロ接合性	ホモ接合性	ヘテロ接合性
出生時体重(SDS)	－4.1～－2.4	－2.9～－1.2	－4.7～－4.1	－3.7～－0.4
出生時身長(SDS)	－6.5～－3.7	－3.8～－0.6	－4.5～－3.2	－5.0～－1.0
診断時身長(SDS)	－8.5～－4.9	－4.6～－2.7	－4.5～－3.2	－3.8～－1.7
診断時頭囲(SDS)	－8.0～－2.5	－3.4～－1.6*	－5.5～－3.3	－4.3～－0.5
GH分泌(基礎値)	正常～↑	正常	正常	正常
（頂値）	正常～↑	正常	NA	正常～↑
IGF-1	検出感度未満～↑↑↑	↓～正常	↑	正常～↑
骨年齢	遅延	遅延～正常	遅延	遅延～正常

*小頭症なしとする報告もあり

〔Walenkamp MJE, et al.：Phenotypic features and response to GH treatment of patients with a molecular defect of the IGF-1 receptor. J Clin Endocrinol Metab 2019；**104**：3157-3171, 鞁嶋有紀：IGF-1異常症, IGF-1受容体遺伝子異常症. 日本小児内分泌学会：小児内分泌学, 改訂第2版. 診断と治療社, 2016：185-189, Keselman AC, et al.：A homozygous mutation in the highly conserved Tyr60 of the mature IGF1 peptide broadens the spectrum of IGF1 deficiency. Eur J Endocrinol 2019；**181**：K43-K53, van Duyvenvoorde HA, et al.：Short stature associated with a novel heterozygous mutation in the insulin-like growth factor 1 gene. J Clin Endocrinol Metab 2010；**95**：E363-367, Walenkamp MJ, et al.：Genetic disorders in the growth hormone-insulin-like growth factor-I axis. Horm Res 2006；**66**：221-230を統合し改変〕

定値が感度未満～＋2SDと変動することが報告されており，評価にあたって注意する．

2 手根骨単純X線検査

骨年齢は暦年齢よりも遅延する．

3 その他の検査

耐糖能異常を示す症例がある．また，聴覚検査で感音性難聴をきたす症例や，知能検査で精神運動発達遅滞を示す症例がある．

診断・鑑別診断

低栄養，肝疾患，慢性炎症疾患，腎不全等の一般的なスクリーニング検査で異常がなく，頭部MRI検査で視床下部・下垂体病変を認めないことを確認する．均整の取れたSGA性低身長症やGH分泌刺激試験で正常～過大反応を示す特発性低身長のうち，出生時の体重および身長，低出生体重の家族歴，精神運動発達遅滞といった情報，GH値とIGF-1値を考慮して鑑別を進める．本症では，典型的な症状や検査所見を示さない場合があることに留意する．鑑別疾患として，Silver-Russell症候群があげられるが，相対的大頭の有無や片側肥大などで判断する[1]．

確定診断は，*IGF1*遺伝子または*IGF1R*遺伝子の解析を行う．IGF1R異常症診断のために*IGF1R*遺伝子解析を検討する臨床スコアでは，①出生体重SDSかつ/または出生身長SDSが－1.0SD未満，②現在の身長SDSが－2.5SD未満，③頭囲が－2.0SD未満，④IGF-1 SDS＞0.0SDのうち，3項目以上を満たす場合は感度76%，特異度87%とされる[1]．なお，IGF1R異常症を疑う症例で，先天性心疾患を合併した場合，*IGF1R*遺伝子欠失の可能性があるため，MLPA法やマイクロアレイ法による微小欠失の検索も検討する[3]．

治療・予後

ホモ接合性IGF-1異常症に対して，遺伝子組換えヒトIGF-1(rhIGF-1)の皮下注射が有効で成長率の改善が得られたとする報告がある[4]．rhIGF-1の副作用として低血糖や注射部位のlipohypertrophy，リンパ組織の肥大などを認めることがある．ヘテロ接合性IGF-1異常症や一部のホモ接合性症例に対しては，GH投与が成長率の改善が得られたとの報告がある[5]．

ヘテロ接合性IGF1R異常症では，出生身長および出生体重と診断時の低身長から，GH治療適応のあるSGA性低身長症と診断され，GH補充療法(0.23～0.47mg/kg/週)が行われていることが多い．治療による副作用の報告はなく身長増加は得られるも，*IGF1R*遺伝子異常のないSGA性低身長症の症例に比べると治療反応性は不良であることが多い(治療3年間でのΔ身長SDS；*IGF1R*遺伝子異常あり＋0.9 vs. 異常なし＋1.8)[1]．よって，治療反応性からIGF1R異常症の診断につながることもある．

IGF-1異常症，IGF1R異常症とも，ホモ接合性症例は数が少なく，長期的な予後については不明な点が多い．一方，いずれのヘテロ接合性症例は，成長障害のみを呈する予後良好な症例が存在する．

文献

1) Walenkamp MJE, et al.：Phenotypic features and response to GH treatment of patients with a molecular defect of the IGF-1 receptor. *J Clin Endocrinol Metab* 2019；**104**：3157-3171.
2) Walenkamp MJ, et al.：Molecular IGF-1 and IGF-1 receptor defects：from genetics to clinical management. *Endocr Dev* 2013；24：128-137.
3) 鞍嶋有紀：IGF-1 異常症，IGF-1 受容体遺伝子異常症．日本小児内分泌学会：小児内分泌学，改訂第2版．診断と治療社，2016：185-189.
4) Keselman AC, et al.：A homozygous mutation in the highly conserved Tyr60 of the mature IGF1 peptide broadens the spectrum of IGF1 deficiency. *Eur J Endocrinol* 2019；**181**：K43-K53.
5) van Duyvenvoorde HA, et al.：Short stature associated with a novel heterozygous mutation in the insulin-like growth factor 1 gene. *J Clin Endocrinol Metab* 2010；**95**：E363-367.
6) Walenkamp MJ, et al.：Genetic disorders in the growth hormone-insulin-like growth factor-I axis. *Horm Res* 2006；**66**：221-230.

▶Column

鎮目和夫先生（1924－2015）

　鎮目和夫先生は私が大学5年生の時（1972年8月）に東京女子医科大学の内科学第二講座の主任教授として着任された．私は内分泌学に新しい息吹を感じて鎮目先生の主宰された医局に入局し，先生から熱意をもってご指導いただき，育てていただいたことを深く感謝している．

　先生は1946年に東京大学医学部を卒業後，冲中内科に入局され，1951年にガリオア留学生として米国カンザス大学に留学された．そこでMSHに関心をもち，その作用に着目していたDr LernerとDr Fitzpatrickに手紙を書き，両先生から乞われて，オレゴン大学でMSH研究に着手した．MSHには皮膚色素増加作用があることを証明し，1954年に米国医師会大会で両先生とともにヘクトン・ブロンズ・メダルを日本人として初めて受賞した．1954年に帰国後は東京大学，虎の門病院，そして東京女子医科大学において，内分泌の研究を強力に推し進め，わが国の内分泌学会をリードする（内分泌学会理事長，学会長など歴任）とともに，国際的に活躍し内分泌学会をけん引する数多くの内分泌研究者を育成された．

　先生が女子医大に着任されてから，先生ご自身が特に力を入れられた下垂体領域の研究はGHであった．その1つにGH分泌不全性低身長症（小児GHD）のGH治療があげられる．1957年のDr Rabenがヒト下垂体より精製したGH製剤の有効性を発表したが，先生はわが国での治療を模索され，1961年にDr Rabenの研究室で精製されたGH製剤を用いて試験的に治療を開始し，GH治療の有効性を報告した．さらにGH製剤のわが国での使用に尽力し，1975年には小児GHDに対するGH治療薬が承認に至ったが，ヒト下垂体より抽出精製されるためにGH製剤の供給不足の問題が生じた．そこでヒト下垂体を集めることを事業の1つとする財団（成長科学協会）を1977年に設立した．その後，遺伝子工学によるGH製剤の臨床開発や小児GHD以外の他の病態・疾患に対するGH製剤の適応拡大に尽力された．その他，GH，IGF-Iを含むGH作用機構の研究を指導した．また1973年より6年間，厚生省下垂体機能障害調査研究班の初代班長として責務を果たされ，わが国の間脳下垂体疾患の疫学，病態生理，診断と治療の発展に寄与された．

　先生の内分泌学における偉大な功績は枚挙のいとまがないが，先生は国際的視点に立ち，先見性，すばやい行動力と経済性を身につけられた先生であり，当時より女性医師・研究者が活躍できるように支援してくださった先生であった．先生の内分泌学への熱い思いは教え子らにより脈々と受け継がれている．

（東京女子医科大学常務理事・名誉教授　肥塚直美）

第2章 臨床知識──D 下垂体前葉疾患各論

5 中枢性思春期早発症

岡山大学大学院医歯薬学総合研究科医療教育センター　**越智可奈子**
岡山大学大学院医歯薬学総合研究科総合内科学　**大塚文男**

≫ 臨床医のための Point ▶▶▶

1. 思春期早発症は女児に多く，特発性の割合が高い．
2. 思春期早発症が疑われる場合は，まずは器質的疾患のスクリーニングを行う．
3. LHRHアナログによる治療の有効性は6歳前後までであることが多く，早期診断のうえ治療適応を慎重に検討する必要がある．

概念・病態

　思春期の発来には個人差・性差を認めることが知られるが，性ホルモンの分泌増加により健常児と比較して平均から2SDまたは95パーセンタイルよりも早期に二次性徴が発現し，児の成長と成熟のバランスが崩れた病態を思春期早発症(性早熟症；precocious puberty：PP)と定義する．通常思春期においては，視床下部よりも中枢の"成熟時計"とよばれる体内時計により視床下部から視床下部ゴナドトロピン放出ホルモン(gonadotropin releasing hormone：GnRH)の脈動的分泌の振幅増大により，下垂体前葉からのゴナドトロピン(gonadotropin：Gn)である黄体化ホルモン(luteinizing hormone：LH)，卵胞刺激ホルモン(follicle-stimulating hormone：FSH)の分泌増加を介して性腺が成熟し，女児では卵巣からのエストラジオール(estradiol：E_2)の分泌増加，男児ではテストステロン(testosterone)の分泌増加により二次性徴の出現や身長増加のスパート等の身体的な変化とともに，社会的・心理的な成熟を伴う．思春期発来の促進・抑制のメカニズムに関しては，近年，キスペプチン/ニューロキニンB/ダイノルフィン(kisspeptin/neurokinin B/dynorphin：KNDy)ニューロンとよばれる神経ネットワークや転写因子，グリア間の神経内分泌因子等の関与や，末梢のインスリン，IGF-I，グレリン，レプチン等のホルモンの関与が明らかとなっている(図1)[1]．思春期には成長ホルモン(growth hormone：GH)の分泌量増加とともに骨成熟が進み，成人身長に向けて成長する．

　本症では年齢に不相応の身体成熟により児に心理的な苦痛を与えるほか，骨成熟が骨成長を上回って進行することにより最終身長が低下することが明らかとなっており，患児の精神発達・身体発達の両側面を考慮しつつ早期診断を行ったうえで，治療介入に関して慎重に検討する必要がある．

分類・疫学

　思春期早発症の分類を表1[2]に示す．本症はGnの増加を伴う中枢性(Gn依存性)と，性ホルモンのみが増加する末梢性(Gn非依存性)，部分的思春期早発症，異性思春期早発症に分類される．中枢性思春期早発症(central precocious puberty：CPP)はその原因により特発性(体質性・機能性)，器質性(脳腫瘍・腫瘍以外の頭蓋内病変)，遺伝性に分類される．

　CPPは女児に多く，女児の罹患は男児の8倍程度に上る．本症女児のうち75～90％，本症男児のうち25～60％は特発性とされる[3]．器質的疾患を原因とするCPPの割合は女児で25％前後，男児で60％前後と男児に多い傾向にあり，いずれも6歳までに診断されることが多い．原因疾患としては，奇形腫，視床下部過誤腫，鞍上部腫瘍がその多くを占める．奇形腫のうちヒト絨毛性ゴナドトロピン(human chorionic gonadotropin：hCG)産生性腫瘍は大部分が男児での発症で，女児はまれである．また，視床下部過誤腫は発生頻度に男女差は認めず，CPPをきたす症例は約半数が1歳未満に発症しほとんどの症例が3歳未満である．好発部位は第3脳室の灰白隆起部であり，特徴的な笑い発作(てんかん発作)を伴うことがある．胚細胞腫瘍は，腫瘍から分泌されるhCGにより精巣からのテストステロン分泌増加から性早熟をきたす一方で，頭蓋内胚細胞腫瘍では直接視床下部へ影響することにより性早熟をきたす．頭蓋外hCG産生腫瘍として肝芽腫やKlinefelter症候群に合併する縦隔腫瘍がみられるが，男児のhCG産生腫瘍は8歳をピークとして3～13歳に分布する．

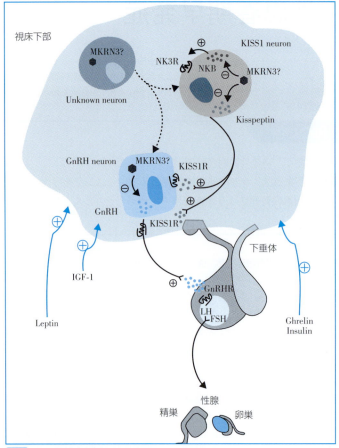

図1 思春期発来に関与する調節因子
GnRH 脈動的分泌の振幅増大による，LH，FSH の分泌増加を介して E_2，testosterone 分泌増加，性腺成熟をきたす．思春期発来の促進・抑制には kisspeptin/neurokinin B/dynorphin(KNDy)ニューロンとよばれる神経ネットワークや転写因子，グリア間の神経内分泌因子，インスリン，IGF-1，グレリン，レプチン等が関与する．
〔Ana Paula Abreu, et al.：Pubertral development and regulation. Lancet Diabetes Endocrinol 2016；4：254-264 より引用・改変〕

特発性と考えられる症例においては，単一遺伝子異常による CPP が明らかとなっている．いずれも GnRH 分泌を促進する遺伝子に異常を認め，G 蛋白共役受容体 54(G protein-coupled receptor 54：GPR54)，KISS1，父系発現の MKRN3，DLK1 遺伝子の活性型変異が報告されている．本症は重度の甲状腺機能低下症との関連も知られており，本来軽度〜中程度の甲状腺機能低下症では性早熟は遅れることが多いが，重度で長期にわたる甲状腺機能低下症では，著しく増加した TSH の一部が女児では性腺の FSH 受容体を刺激することにより卵巣囊胞を伴う E_2 増加きたし，男児では FSH 刺激によりテストステロン増加を伴わない精巣腫大をきたすことで性早熟を起こす．

主要症状・身体所見

「中枢性思春期早発症の診断の手引き」(平成30年度改訂：厚生労働省間脳下垂体機能障害に関する調査研究報告書)を表2[4]に示す．

本症の主症状は二次性徴の早期出現であるため，まずは Tanner 分類(図2)[1]を用いて性早熟の段階を評価する[3]．通常の性早熟においては女児では乳房発育，陰毛発生，月経発来の順に進行し，男児では精巣容量増大，陰茎発育，陰毛発生，変声，ひげの発生の順に進行する．乳房発育が Tanner 2 度以上，精巣容量増大が 4mL 以上を思春期発来の目安とするが(図2[1]，表3[5])，本症では，男児では 9 歳未満での精巣・陰茎・陰囊の発育，10 歳未満での陰毛発生，11 歳未満での

表1 思春期早発症（性早熟症）の分類

中枢性思春期早発症（Gn依存性）	2）副腎，精巣からのアンドロゲン過剰分泌
1. 特発性 　（sustained or slowly progressive precocious pubertyを含む） 2. 器質性 　視床下部過誤腫（neurofibromatosis type I） 　視神経膠腫 　星状細胞腫（視床下部，小脳） 　頭蓋咽頭腫 　脳炎，髄膜炎 　水頭腫 　くも膜嚢胞 　myelomeningocele 　ムコ多糖症 IIIA 　perinatal asphyxia, cerebral palsy 　外傷，血管障害，膿瘍，放射線照射 　慢性性ホルモン曝露後（先天性副腎過形成症，性ホルモン投与） 　甲状腺機能低下症（不完全性成熟） 3. 染色体異常・遺伝子変異 　GPR54（KISS1受容体）活性型変異 　MKRN3遺伝子欠損・変異（家族性） 　Williams症候群（7q11.23欠損） 　性染色体異常（47,XXY，48,XXXY）	先天性副腎過形成症（CYP21欠損，CYP11B1欠損，POR異常症） 　男性化副腎腫瘍 　Leydig細胞腺腫 　家族性男性思春期早発症 　cotisol resistance症候群 　外因性（医薬品などによるアンドロゲン暴露） 3. 女性 　機能性卵巣嚢腫 　エストロゲン分泌性副腎腫瘍，卵巣腫瘍 　Peutz-Jeghers症候群 　アロマターゼ過剰症候群 　外因性（医薬品，化粧品，食べ物によるエストロゲン曝露）
	部分的思春期早発症
	早発乳房 早発月経 早発陰毛 思春期女性化乳房 macro-orchidism
末梢性思春期早発症（Gn非依存性）	異性思春期早発症
1. 両性 　McCune-Albright症候群 2. 男性 　1）hCG産生腫瘍 　　中枢神経系腫瘍（絨毛上皮腫，胚細胞腫，奇形腫） 　　中枢神経系以外の腫瘍（肝腫，絨毛上皮腫，奇形腫）	1. 男性のエストロゲン過剰 　エストロゲン産生腫瘍 　アロマターゼ産生腫瘍 　外因性エストロゲン曝露 2. 女性のアンドロゲン過剰 　先天性副腎過形成症（CYP21欠損，CYP11B1欠損，3β-HSD欠損 POR異常症） 　アンドロゲン産生腫瘍（副腎，卵巣） 　アロマターゼ欠損 　外因性アンドロゲン曝露

〔大塚文男：視床下部機能障害．矢崎義雄：新臨床内科学 改訂第10版．医学書院，2020；841-845より引用・一部抜粋〕

腋毛，ひげの発生や変声等が指標となり，女児では7歳6か月未満での乳房発育，8歳未満での陰毛発生，10歳6か月未満での初潮が指標となる．

そのほか，本症の鑑別に確認が必要な症候としては，中枢神経系異常に関連した症状（頭痛，嘔吐，視力障害，けいれん発作，多尿など）や皮疹（副腎成熟による面皰，McCune-Albright症候群に特徴的な皮膚のカフェオレ斑），卵巣腫瘍などによる腹部腫瘤などがあげられる．

検査所見

本症が疑われる症例においては，まずは器質的疾患の除外と血清ホルモン基礎値の測定によりスクリーニングを行う（図3）[2,6]．画像検査は頭部MRIによる頭蓋内病変の検索と腹部エコー・胸腹部CT検査による腫瘍性病変の検索が優先される．また，血中Gn（LH，FSH），E_2，テストステロン，IGF-1，TSH，FT_4の測定を行い，いずれも思春期レベルまで上昇していることを確認する．思春期前のLHは高感度測定法で測定感度以下（< 0.1 mIU/mL）であり性早熟とともに上昇するが，LH基礎値が0.3～0.4 mIU/mLとなった時点で思春期発来と考える．FSHは思春期前後を通じて変化が少ないため診断には用いられない．E_2は乳房発達がTanner 2度の段階では上昇していないことも多く，逆にE_2が100 pg/mL以上に上昇している症例では卵巣嚢胞や卵巣腫瘍を想起する．また，性ステロイドホルモンは夜間のLHパルス刺激後に性腺から分泌されるため，採血時間帯が午後の場合は評価が困難な場合がある．採血時間帯には注意を要するとともに，判定がむずかしい場合は複数回の測定にて慎重に診断を行う必要がある．

GnRH負荷試験（黄体形成ホルモン放出ホルモン；luteinizing hormone-releasing：LHRH負荷試験）実施は必須ではないが，鑑別や治療方針決定

表2 中枢性思春期早発症の診断の手引き

I. 主症候
  1. 男児の主症候
    1) 9 歳未満で精巣，陰茎，陰嚢の明らかな発育が起こる
    2) 10 歳未満で陰毛発生をみる
    3) 11 歳未満で腋毛，ひげの発生や声変わりをみる
  2. 女児の主症候
    1) 7 歳 6 か月未満で乳房発育が起こる
    2) 8 歳未満で陰毛発生，または小陰唇色素沈着等の外陰部成熟，あるいは腋毛発生が起こる
    3) 10 歳 6 か月未満で初経をみる
II. 副症候 発育途上で以下の所見をみる場合[注1]
  1. 身長促進現象：身長が標準身長の 2.0 SD 以上，または年間成長速度が標準値の 1.5 SD 以上
  2. 骨成熟促進現象：骨年齢－暦年齢 ≧ 2 歳 6 か月を満たす場合
     または暦年齢 5 歳未満は骨年齢／暦年齢 ≧ 1.6 を満たす場合
  3. 骨年齢／身長年齢 ≧ 1.5 を満たす場合
III. 検査所見
  下垂体性ゴナドトロピン分泌亢進と性ステロイドホルモン分泌亢進の両者が明らかに認められる[注2]
IV. 除外規定[注3]
以下のすべてを否定する
  副腎性アンドロゲン過剰分泌状態（未治療の先天性副腎皮質過形成[注4]，副腎腫瘍など）
  性ステロイドホルモン分泌性の性腺腫瘍
  McCune-Albright 症候群
  テストトキシコーシス
  hCG 産生腫瘍
  性ステロイドホルモン（蛋白同化ステロイドを含む）長期投与中（注射・内服・外用）[注5]
  性腺刺激ホルモン（LHRH，hCG，hMG，rFSH を含む）長期投与中（注射・内服・外用）
  性ステロイドホルモン含有量の多い食品の大量長期摂取
V. 参考所見
  中枢性思春期早発症をきたす，特定の責任遺伝子の変異（*GPR54*，*KISS-1*，*MKRN3*，*DLK1*）が報告されている

[診断基準]
確実例：
  1. I の 2 項目以上と III，IV を満たすもの
  2. I の 1 項目および II の 1 項目以上と III，IV を満たすもの
疑い例：
  I の年齢基準を 1 歳高くした条件で，その確実例の基準に該当するもの．なお疑い例のうちで，主症状発現以前の身長が標準身長の－1SD 以下のものは，治療上は確実例と同等に扱うことができる

[病型分類]
  中枢性思春期早発症が診断されたら，脳の器質的疾患の有無を画像診断などで検査し，器質性，遺伝子異常に起因する，特発性の病型分類をする

(注1) 発病初期には，必ずしもこのような所見を認めるとは限らない
(注2) 各施設における思春期の正常値を基準として判定する
(注3) 除外規定に示すような状態や疾患が現在は存在しないが，過去に存在した場合には中枢性思春期早発症をきたしやすいので注意する
(注4) 先天性副腎皮質過形成の未治療例でも，年齢によっては中枢性思春期早発症をすでに併発している場合もある
(注5) 湿疹用軟膏や養毛剤等の化粧品にも性ステロイドホルモン含有のものがあるので注意する

〔有馬 寛，他：中枢性思春期早発症の診断と治療の手引き．厚生労働科学研究費補助金難治性疾患等政策研究事業 間脳下垂体機能障害に関する調査研究班：間脳下垂体機能障害の診断と治療の手引き（平成 30 年度改訂）．日本内分泌学会雑誌 2019；95（Suppl）：25-28 より引用・抜粋〕

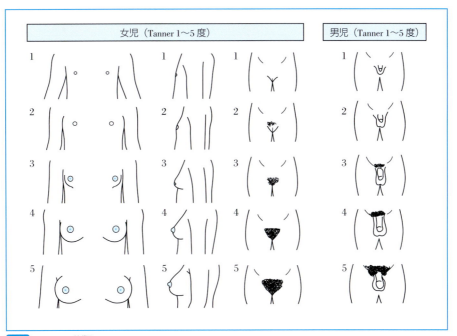

図2 Tanner 分類
〔Ana Paula Abreu, et al.：Pubertral development and regulation. *Lancet Diabetes Endocrinol* 2016；**4**：254-264 より引用・改変〕

表3 日本人小児の二次性徴発現時期

男児	精巣 3 mL 以上	平均 10.8 歳，SD 1.3 年，$n=25$
	陰毛 Tanner 2 度	平均 12.5 歳，SD 0.9 年，$n=25$
	成長のピーク	平均 13.05 歳，SD 0.94 年，$n=439$
女児	乳房 Tanner 2 度	平均 10.0 歳，SD 1.4 年，$n=58$
	陰毛 Tanner 2 度	平均 11.7 歳，SD 1.6 年，$n=28$
	初経	平均 12.36 歳，SD 0.98 年，$n=42$
	成長のピーク	平均 11.05 歳，SD 1.05 年，$n=483$

〔有阪 治，他：中枢性思春期早発症（ゴナドトロピン依存性思春期早発症）．小児科診療 2018；**81**：589-592 より引用・一部改変〕

には有用であり，可能であれば実施する．LHRH 負荷により，LH が FSH より優位な反応パターンを示し，LH 頂値が 5 〜 6 mIU/mL を超えた場合は本症が疑われる．しかし，LH 測定結果は測定方法にて差がみられることや，乳児期から 2 歳頃までは健常児においても LH，FSH の亢進を認めることが多いこと，特に低出生体重児ではそれらの傾向が顕著であること等も考慮し，測定したホルモン検査結果および負荷検査結果の評価は慎重に行われるべきである．「中枢性思春期早発症の診断の手引き」に記載の LH，FSH 基準値を表4[4)]に示す．

生化学検査項目としては，胚細胞腫瘍のマーカーとして hCGβ，胎盤型アルカリフォスファターゼ（placental alkaline phosphatase：PLAP）の測定を行う．

また，二次性徴進行の指標として手の単純 X 線写真撮影を行い，骨年齢の評価を行うことも重要である．成長曲線作成により身長の増加促進の有無を確認し，骨年齢・骨成熟の進行と血液検査を合わせて総合的に判断する．

診断

本症診断の手順を図3[2, 6)]に示す．「中枢性思春期早発症の診断の手引き」（表2）[4)]に記載される主症候・副症候に合致し本症が疑われる場合には，詳細な問診により家族歴・既往歴の確認のみならず，成長曲線の作成を含めた成長歴や身長スパートの有無の確認，家族の成長歴の確認等により出生から現在に至るまでの経過を十分に把握し，性早熟にかかわる外的要因が存在しないかを確認したうえで鑑別を進めていくことが重要であ

```
※「中枢性思春期早発症の診断の手引き」(表2) の症候より性早熟が疑われる場合の診断手順
■ 問診での確認事項
   外因性ホルモンの曝露 (内服薬, 外用薬, 化粧品, 養毛剤, 入浴剤など)
   放射線照射, 脳炎・髄膜炎・水頭症, 交通事故など頭部打撲の既往
   成長歴 (成長曲線の作成, 身長スパートの有無, 早発乳房既往, 低出生体重出生
   両親の成長歴 (母親の初経年齢, 成長曲線 / 父親の陰毛発生・精通・変声年齢, 成長曲線)
                                    ↓
■ 診察
   Tanner 分類, 精巣容量, 色素沈着, カフェオレ斑, 甲状腺腫, 腹部腫瘤
                                    ↓
■ 検査
   骨X線写真, 骨年齢測定, 線維性骨塩像の有無
   頭部 MRI (視床下部過誤腫, 視神経膠腫, 視床下部星状細胞腫, 松果体腫瘍, 水頭症など)
   腹部超音波・胸腹部 CT (卵巣・精巣腫瘍, 副腎腫瘍, 縦隔腫瘍 [Klinefelter 症候群], hCG
      産生腫瘍など)
   ホルモン測定 (testosterone [男児], E2 [女児], LH, FSH, TSH, FT4, hCGβ, PLAP, IGF-1)
   LH-RH 負荷試験
```

図3 思春期早発症の診断手順

〔大塚文男:視床下部機能障害. 矢崎義雄:新臨床内科学 改訂第10版. 医学書院, 2020;841-845, 越智可奈子, 他:視床下部性性腺機能異常症. 南学正臣:内科学書 改訂第9版. 中山書店, 2019;28-33 より引用〕

表4 血清ゴナドトロピンの基準値

●男児

	前思春期		思春期	
	10歳未満	10歳以上	Tanner 2〜3度	Tanner 4〜5度
LH 基礎値 (mIU/mL)	0.02〜0.15	0.04〜0.25	0.44〜1.63	1.61〜3.53
LH 頂値 (mIU/mL)	1.70〜3.77	2.03〜11.8	10.9〜20.6	21.7〜39.5
FSH 基礎値 (mIU/mL)	0.38〜1.11	0.95〜3.57	1.73〜4.27	4.21〜8.22
FSH 頂値 (mIU/mL)	4.38〜9.48	4.69〜16.6	4.68〜10.8	11.2〜17.3
基礎値 LH/FSH	0.03〜0.24	0.03〜0.08	0.16〜0.63	0.24〜0.70
頂値 LH/FSH	0.28〜0.55	0.26〜0.99	1.4〜3.4	1.3〜3.3

●女児

	前思春期		思春期
	10歳未満	10歳以上	Tanner 2〜3
LH 基礎値 (mIU/mL)	0.01〜0.09	0.02〜0.11	0.05〜2.44
LH 頂値 (mIU/mL)	1.93〜4.73	2.14〜7.82	5.70〜18.5
FSH 基礎値 (mIU/mL)	0.54〜2.47	1.16〜3.65	1.49〜5.95
FSH 頂値 (mIU/mL)	10.7〜38.1	13.2〜21.1	6.98〜14.3
基礎値 LH/FSH	0.01〜0.08	0.02〜0.03	0.03〜0.42
頂値 LH/FSH	0.09〜0.25	0.15〜0.41	0.74〜1.4

〔有馬 寛, 他:中枢性思春期早発症の診断と治療の手引き. 厚生労働科学研究費補助金難治性疾患等政策研究事業 間脳下垂体機能障害に関する調査研究班:間脳下垂体機能障害の診断と治療の手引き (平成30年度改訂版). 日本内分泌学会雑誌 2019;**95** (Suppl):25-28 より引用・抜粋〕

る. 診察では特徴的な症候の有無を確認し, 画像評価により器質的疾患による性早熟の除外を行う. 画像評価による子宮・卵巣サイズは骨年齢との相関が報告されている[3]. また, 骨年齢や骨成熟進行の評価を行い, ホルモン検査にて Gn 分泌亢進と性ステロイドホルモン分泌亢進を確認する. 本症と鑑別がむずかしい疾患として早発乳房 (premature thelarche) や特発性思春期早発症に含ま

れる slowly progressive precocious puberty（SPPP）があげられる．SPPP では乳房発育・身長スパート・性器出血を認めるが性早熟や骨年齢の進行が緩徐であり，成人身長が正常と変わらないため治療適応とはならない．SPPP が疑われる場合は 3 か月〜半年間程度の経過観察を行う必要がある[5]．

治療・予後

本症鑑別の過程で器質的疾患による性早熟が明らかとなった場合はその治療が最優先であるが，内科治療開始時の検討事項で重要な点として，①早期骨端線閉鎖による成人身長低下の防止，②身体的成熟と精神的成熟の不均衡是正による心理社会的問題の改善，の 2 点があげられる．前述のとおり特発性思春期早発症では経過観察にて治療が不要な症例も少なくなく，二次性徴の進行や骨成熟進行が遅い緩徐型思春期早発症の場合には無治療で経過をみることもあり，治療適応の判定は慎重に行われるべきである．

また，視床下部過誤腫は，重症笑い発作や腫瘍増大による障害を有する場合にのみ外科的治療が検討され，性早熟に対しては GnRH アナログによる治療が行われる．また，脳腫瘍における放射線照射の影響による思春期早発症の場合，一過性の性早熟をきたしたのちに長期的には Gn 分泌不全症をきたすことに注意が必要であり，治療開始時の家族への十分な説明が必要となる．

進行性の CPP に対しては，GnRH アナログ（LHRH アナログ）が用いられ，6 歳までの治療開始において有効性が認められている．女児の特発性思春期早発症では，乳房腫大の開始が 6 歳以降，あるいはその進行が緩徐である場合には，LHRH アナログによる成人身長の改善に乏しいことが多い．また，予測身長予後が良好で，心理社会的問題がない場合には治療を積極的に行う必要はない．LHRH アナログによる治療は低年齢発症や発症から治療開始までの期間が短い症例で治療の有効性が高いとされ[3]，適切な段階での治療開始が望まれる．LHRH アナログの本症の治療薬としては，リュープロレリン酢酸塩をマイクロカプセル化し徐放剤としたリュープリン®があり，通常 4 週間間隔で 1 回 30 μg/kg（皮下注射）にて開始する．ブセレリン酢酸塩（スプレキュア®）の点鼻液も存在するが，効果が不安定になりやすく近年はあまり使用されない．治療開始後は二次性徴の進行停止，E_2 抑制（< 10 pg/mL），テストステロン抑制（< 0.3 ng/mL），LH 抑制（< 0.5 mIU/mL）を認めるが，臨床症状と合わせて効果を判定し，効果不十分な場合は 1 回 180 μg/kg までの範囲で増量を検討する．

LHRH アナログの副作用としては，注射部位の発疹・硬結に加え，初回 LHRH アナログ開始直後の Gn 分泌刺激により治療開始 1 週間前後に一時的な二次性徴の進行や消退出血が起こることがあり，患児や家族には十分な説明が必要である．また，治療中の体重増加傾向もこれまで報告されている．

治療中止年齢には明確な基準がなく，現状では個々の症例に応じて決定されることが多いが，骨年齢が女児で 13 歳前後，男児で 15 歳前後に達した場合は治療継続による成人身長増加が期待できないことから治療中止の目安となる．治療中に認められる骨密度の低下は治療再開後には改善が得られ，通常 LHRH アナログによる治療中止後数か月程度にて二次性徴が出現し，約 1 年で月経が発来・再開する．低出生体重児に性早熟を合併した症例では成長ホルモンと LHRH アナログの併用を行う場合もある．近年では LHRH アナログ製剤はより半減期の長い製剤の開発が進んでおり，筋注・皮下注では 4 週間〜 24 週ごとの投与，皮下 histrelin implant では約 1 年ごとのデバイス交換による投与なども開発され，治療効果が報告されつつある．

LHRH アナログによる治療終了後の性腺機能に回復は良好であり，治療後には最終成人身長が改善する．女児の場合，治療前に性器出血のあった症例では 3 〜 6 か月以内，性器出血のなかった例では 2 年以内にほぼ全例で月経が発来し，LH サージも確認されるほか，これまでの報告では，妊孕性に関しても特に問題ないとされている．性早熟は肥満，糖尿病，乳癌，心血管障害，精巣腫瘍発症などのリスク因子でもあり，必要な症例には積極的に治療介入を検討する必要がある．

文献

1) Ana Paula Abreu, et al.：Pubertral development and regulation. Lancet Diabetes Endocrinol 2016；4：254-264.
2) 大塚文男：視床下部機能障害．矢崎義雄：新臨床内科学 改訂第 10 版．医学書院，2020；841-845.
3) Cheuiche AV, et al.：Diagnosis and management of precocious sexual maturation：an updated review. Eur J Pediatr 2021；online ahead of print.
4) 有馬 寛，他：中枢性思春期早発症の診断と治療の手引き．厚生労働科学研究費補助金難治性疾患等政策研究事業間脳下垂体機能障害に関する調査研究班：間脳下垂体機能障害の診断と治療の手引き（平成 30 年度改訂）．日本内分泌学会雑誌 2019；95（Suppl）：25-28.
5) 有阪 治，他：中枢性思春期早発症（ゴナドトロピン依存性思春期早発症）．小児科診療 2018；81：589-592.
6) 越智可奈子，他：視床下部性性腺機能異常症．南学正臣：内科学書 改訂第 9 版．中山書店，2019；28-33.

第2章 臨床知識——D 下垂体前葉疾患各論

6 プロラクチノーマ

日本医科大学大学院医学研究科内分泌糖尿病代謝内科学　杉原　仁

> **臨床医のための Point**
>
> 1. プロラクチノーマは若い女性に多く，高プロラクチン血症による症状と下垂体腫瘍による症状を把握する．
> 2. 治療の第一選択はドパミン作動薬で，これによりプロラクチンの低下と腫瘍の縮小を認める．
> 3. 2年間は薬物療法を続けるが，妊娠が判明すれば薬物を中止する．特別な場合には手術療法も考慮する．

概念・病態・疫学

　下垂体腫瘍のなかで一番多いのは非機能性腺腫であるが，機能性腺腫のなかではプロラクチノーマが約40％を占める．生殖年齢層の女性に多く，ピークは20〜30歳代であるが，閉経後の女性にもみられる．男性患者は少ないが（男女比0.38：1以上），20〜60歳代にかけて幅広く分布し，下垂体腫瘍が大きいことが特徴である．多くは散発性であるが，家族内発症として多発性内分泌腫瘍症1型（multiple endocrine neoplasia type 1：MEN1）の下垂体病変として発症することがある．最近，aryl hydrocarbon-interacting protein（AIP）遺伝子の変異による家族性GH，PRL産生腫瘍が明らかとなった．症状には高プロラクチン血症によるものと下垂体腫瘍によるものがある．

主要症状・身体所見

　高プロラクチン血症の症状は乳汁漏出と視床下部のGnRHの分泌抑制による性腺機能低下症であり，下垂体腫瘍による症状には頭痛，視力・視野障害がある．女性の場合は腫瘍の直径が1 cm未満のmicroadenomaが多く，月経不順，無月経，不妊を訴えて婦人科を受診する．男性の場合は発見が遅れるためか1 cm以上のmacroadenomaが多い．圧迫による頭痛，視力障害，視野狭窄（耳側半盲）を伴い，性欲低下，陰萎を訴えることが多く，女性化乳房を認めることもある．macroadenomaでは圧迫による下垂体機能低下症も合併する．性腺機能低下症による重要な合併症に骨粗鬆症があり，性ホルモンの欠乏による骨密度低下が原因で起こる．

検査所見

1 一般検査

　血液生化学検査ではプロラクチノーマに特異的な所見はない．むしろ肝機能障害，脂質異常症，腎機能障害の有無などから肝硬変，甲状腺機能低下症，腎不全による高プロラクチン血症を鑑別する．

2 内分泌学的検査

　採血時間は問わないが，なるべくストレスを少なくした状態で採血する．高プロラクチン血症に加えて無月経を伴う場合はLH，FSHの低値を認め，男性の場合はテストステロンが低い．プロラクチンとGHの同時産生腫瘍の場合には，プロラクチンに加えてGH，IGF-Iの増加を認める．プロラクチノーマが巨大になると圧迫により下垂体機能低下症を合併することがあり，プロラクチン以外の下垂体ホルモンの低値を認める．

画像所見

　下垂体腫瘍，視床下部病変の有無を調べるためにMRIを行う．下垂体腫瘍のなかでプロラクチノーマに特徴的な所見はないが，下垂体の側方に認めることが多い．T1強調画像では腺腫は正常下垂体に比較してガドリニウム造影の程度が低いため区別でき，腺腫の反対側に下垂体茎が偏位する間接所見も参考になる．腺腫が大きい場合は，側方の海綿静脈洞に浸潤，上方の視神経の圧迫に注意する必要がある（図1）．腫瘍は充実性であるが，一部嚢胞性のこともある．

　頭部のX線写真ではトルコ鞍の拡大，トルコ鞍底の二重底を認めることがある．

診断・鑑別診断

　検査によるプロラクチノーマの確定診断法はない．プロラクチン値と腺腫の大きさには相関があり，プロラクチン値が200 ng/mL以上で下垂体にmacroadenomaを認めれば，プロラクチノーマと診断できるといわれている．以前はTRH試験がプロラクチノーマの診断に有用であるといわれていた．TRHに対するプロラクチンの反応がプロ

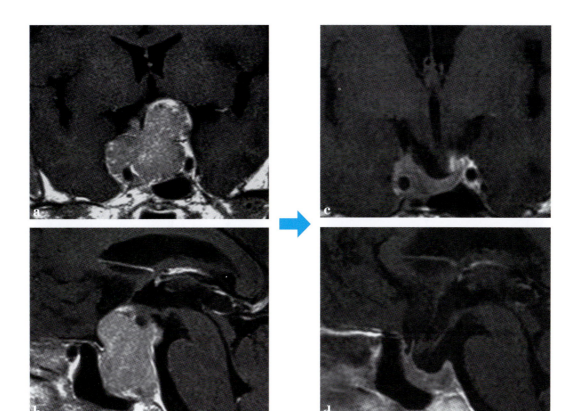

a, b：カベルゴリン投与前
　　　プロラクチン　21,694.7 ng/mL

c, d：カベルゴリン投与後
　　　プロラクチン　12.6 ng/mL

図1　薬物療法(カベルゴリン)によるプロラクチンの低下と腫瘍の縮小
56歳男性例．上段(a, c)：T1強調冠状断像，下段(b, d)：T1強調矢状断像
〔日本医科大学脳神経外科　田原重志先生より提供〕

ラクチノーマでは低く，ほかの原因の高プロラクチン血症と区別できるとされていたが，特異的ではなく，補助的検査として用いるべきである[1,2]．診断的価値はないが，ブロモクリプチン試験によりプロラクチンの抑制度をあらかじめ調べておくと治療の参考になる．診断に際し，妊娠は除外しておく必要がある．鑑別診断では薬剤性，甲状腺機能低下症，腎不全による高プロラクチン血症があげられ，多くはプロラクチン値が100 ng/mL以下である[1]．また非機能性下垂体腺腫，頭蓋咽頭腫，胚細胞腫などによる下垂体茎の圧迫，浸潤による高プロラクチン血症があげられるが，200 ng/mLを超えることはない．正確な診断には摘出した組織標本，免疫染色が必要となる．下垂体腫瘍を認めるが，プロラクチンがそれほど高くない場合は，前述の下垂体茎の圧迫以外に偽低値(hook effect)を示すプロラクチノーマであることがある[1,2]．これは実際にはプロラクチンが過剰に存在しているが，抗原抗体反応の形成が低下するため偽低値を示すものである．このような場合には血清を希釈して測定すると正しい値が得られる．逆に自己抗体が存在するため偽高値を示す原因としてマクロプロラクチン血症があげられる．詳細は次項「7．高プロラクチン血症」を参照していただきたい．

治療・予後

1 治　療

PRL産生腫瘍の治療の目標は高プロラクチン血症の改善，性腺機能低下症の回復と腫瘍の縮小である．すべての患者を治療する必要はなく，microadenomaのなかで性腺機能低下症のない患者，閉経後の患者などは経過観察してもよい(図2)[2]．

治療には薬物療法，手術療法，放射線療法がある．原則的にはドパミン作動薬による薬物療法が第一選択である．ドパミン作動薬にはテルグリド，ブロモクリプチン，カベルゴリンがあり，副作用に消化器症状，起立性低血圧，鼻づまりなどがある．特にテルグリド，ブロモクリプチンの場合に多いが，夕食後，就寝前に少量から開始し，漸増することで継続投与が可能となる．投与量は

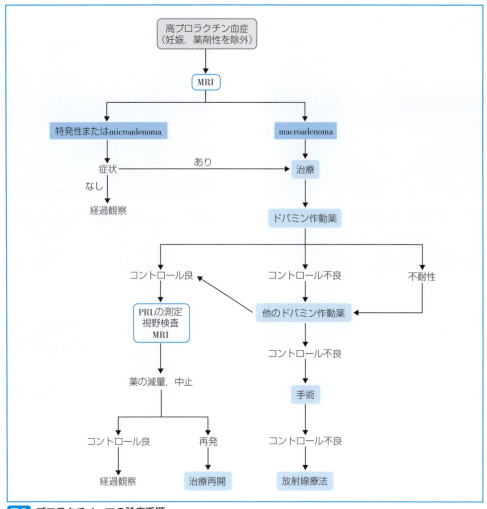

図2 プロラクチノーマの診療手順
〔Casanueva FF, et al.: Guidelines of the Pituitary Society for the diagnosis and management of prolactinomas. *Clin Endocrinol (Oxf)* 2006；**65**：265-273 より改変〕

ブロモクリプチン 0.625～1.25 mg/日，カベルゴリンは週1～2回（0.25～0.5 mg/週）で開始し，プロラクチン値が正常化するまで漸増する．保険医療での最大用量はブロモクリプチンで 7.5 mg/日，カベルゴリンで 1 mg/週までとなっているが，しばしばそれ以上の投与量を必要とする．ブロモクリプチンよりカベルゴリンのほうが効果は強いといわれているので，ブロモクリプチンでプロラクチンの正常化が得られない場合，明らかな腫瘍の縮小がない場合にはカベルゴリンに変更する（図2）[2]．治療によりプロラクチンの低下とともに下垂体腫瘍の縮小を認めるが（図1），急激な腫瘍縮小に伴い髄液鼻漏（髄膜炎）をきたすことがあるので注意が必要である．長期間，大量のカベルゴリン治療による副作用として心臓弁膜症の発症があげられている（第2章 C. 治療総論 3. 下垂体機能低下症のホルモン補充療法参照）．治療期間については患者ごとに異なるが，少なくとも2年間は薬物療法を継続し，MRIで下垂体腫瘍が消失すれば，投与量を漸減し，中止できることもある[1]（図2）[2]．

ドパミン作動薬と impulse control disorder（ICD）の関係が報告されており，ドパミン作動薬により高プロラクチン血症，性腺機能低下症が回復することよりもドパミン作動薬自体が性欲亢進，衝動買い，ギャンブル依存などを誘発する可能性が報告され，特に男性に多いとされている[3]．今後，注意が必要である．

手術療法は薬物に抵抗性がある場合，副作用のため服薬できない症候性プロラクチノーマの場合に考慮し，特に妊娠を希望する場合には重要である．下垂体卒中を合併した場合，妊娠中の下垂体腫瘍増大による圧迫症状を認める場合も手術の対象となる．薬物治療を希望しない，enclosed type

のmicroadenomaの患者については熟達した脳神経外科医が手術をすれば治癒する可能性が十分あることを治療の選択肢として説明する[4]．

macroadenomaの場合，薬物の効果が不十分なときには短期間で薬物を中止し，手術によって腫瘍容積を可及的に減じたうえで再度薬物療法を行うこともある[4]．

放射線療法は手術で治癒が得られない場合，悪性の場合に適応となる．放射線療法は効果発現が遅く，下垂体機能低下症，脳神経麻痺，腫瘍の発生などの副作用がある(図2)．悪性のプロラクチノーマの場合，海外ではアルキル化剤のテモゾロミドによる化学療法が勧められている[1]．

・妊娠の場合

妊娠の時期，有無の判定が遅れるため，薬物治療後少なくとも月経が再開するまでは避妊するように指示する．妊娠初期のブロモクリプチン，カベルゴリンの使用による胎児の異常，妊娠経過の異常は報告されていない．妊娠が判明すれば，ドパミン作動薬は中止し[1]，妊娠中は頭痛の有無，視野異常などを定期的に観察する必要があるが，プロラクチン値は参考にならない．症状が悪化するならMRI検査を行い，圧迫所見があればドパミン作動薬を再開する．その際は，ブロモクリプチンを使用する．妊娠期間中ブロモクリプチンを使用した報告は100例と少ないが，1例の停留睾丸，1例の内反足以外に有害事象は報告されていない[1]．ドパミン作動薬の再開後も圧迫症状が続くようなら手術を考慮する．

2 予後

治療なしで自然に高プロラクチン血症が改善することがある[5,6]．一般的にmicroadenomaの成長は遅く，大部分はmacroadenomaに進行しない．薬物治療の期間，中止のタイミングについては明らかにはされていない．プロラクチノーマの予後について多くの報告があるが，薬剤中止後の治癒率は20%前後[5,6]，再発率は26〜69%と幅広い[1]．この原因は各報告で薬剤の種類，薬物治療期間，薬剤中止時の残存下垂体腫瘍のサイズ，中止後の観察期間が異なるためである．治療期間については，少なくとも2年間は薬物療法を継続することが勧められている．加えてMRI所見で下垂体腫瘍が消失すれば，投与量を漸減し，中止できることもある[1]．macroadenomaあるいはトルコ鞍外に進展する残存腫瘍の存在，高プロラクチン血症が続く症例では，薬物治療の中止は勧められない．

文献

1) Melmed S, et al.: Diagnosis and treatment of hyperprolactinemia: an Endocrine Society clinical practice guideline. *J Clin Endocrinol Metab* 2011; **96**: 273-288.
2) Casanueva FF, et al.: Guidelines of the Pituitary Society for the diagnosis and management of prolactinomas. *Clin Endocrinol (Oxf)* 2006; **65**: 265-273.
3) De Sousa SMC, et al.: Impulse control disorders in dopamine agonist-treated hyperprolactinemia: prevalence and risk factors. *J Clin Endocrinol Metab* 2020; 105: e95-e106.
4) 有馬 寛，他：高プロラクチン(PRL)血症の診断と治療の手引き．厚生労働科学研究費補助金難治性疾患等政策研究事業間脳下垂体機能障害に関する調査研究班：間脳下垂体機能障害の診断と治療の手引き(平成30年度改訂)．日本内分泌学会雑誌 2019；95(Suppl)：12-14.
5) Klibanski A: Clinical practice. Prolactinomas. *N Engl J Med* 2010; **362**: 1219-1226.
6) Colao A, et al.: Medical treatment of prolactinomas. *Nat Rev Endocrinol* 2011; **7**: 267-278.

第2章 臨床知識——D 下垂体前葉疾患各論

7 高プロラクチン血症

宝塚大学看護学部　巽　圭太

> **臨床医のための Point ▶▶▶**
>
> 1. 典型的な症状は女性での月経不順・無月経，不妊，乳汁分泌である．
> 2. 高プロラクチン血症の原因としては薬剤性が最も多い．
> 3. 無症候性の高プロラクチン血症ではマクロプロラクチン血症の鑑別が重要である．

概念・病態・疫学

高プロラクチン血症とはプロラクチン（PRL）の分泌過剰による病的状態をいう．典型的な症状は中枢性性腺機能低下症による月経異常と乳汁分泌である．無月経・乳汁漏出症候群ともよばれる．

高プロラクチン血症の国内推定患者数は12,400人（厚生省平成11年度全国疫学調査），好発年齢は21〜40歳，男女比は1：4（厚生省平成5年度全国疫学調査）であった．一方，薬剤性の高プロラクチン血症は一般人口の約800人に1人，プロラクチノーマは一般人口の約2,000人に1人との報告[1]もあるので，受診していない不顕性の高プロラクチン血症患者は，高プロラクチン血症で受

表1　高プロラクチン（PRL）血症の診断の手引き

I. 主症候
1. 女性：月経不順・無月経，不妊，乳汁分泌
2. 男性：性欲低下，インポテンス，女性化乳房，乳汁分泌
3. 男女共通：頭痛，視力視野障害（器質的視床下部・下垂体病変による症状）

II. 検査所見
血中 PRL の上昇（注1）

III. PRL 分泌過剰症の鑑別診断（表2参照）
1. 薬剤服用による PRL 分泌過剰（注2）
2. 原発性甲状腺機能低下症
　血中甲状腺ホルモンの低下と TSH 値の上昇を認める
3. 視床下部 - 下垂体病変
　1，2を除外した上でトルコ鞍部の画像検査（単純撮影，CT，MRI など）を行う
　　1）異常あり
　　　視床下部 - 下垂体茎病変
　　　　表2の2の2）をおもに画像診断から鑑別する
　　　下垂体病変
　　　　PRL 産生腺腫（腫瘍の実質容積と血中 PRL 値がおおむね相関する）
　　　　先端巨大症（PRL 同時産生）
　　2）異常なし
　　　他の原因（表2の5，6）を検討する．該当がなければ視床下部の機能性異常と診断する

[診断基準]
確実例：I のいずれかと II を満たすもの

（注1）血中 PRL は睡眠，ストレス，性交や運動などに影響されるため，複数回測定して，いずれも施設基準値以上であることを確認する．マクロプロラクチノーマにおける PRL の免疫測定においてフック効果（過剰量の PRL が，添加した抗体の結合能を妨げ，見かけ上 PRL 値が低くなること）に注意すること

（注2）該当薬（表3）があれば主治医の判断により（抗精神病薬の場合は処方医と相談の上，可能ならば2週間）休薬し，血中 PRL 基礎値を再検する

〔有馬　寛，他：高プロラクチン（PRL）血症の診断の手引き．厚生労働科学研究費補助金難治性疾患等政策研究事業間脳下垂体機能障害に関する調査研究班：間脳下垂体機能障害の診断と治療の手引き（平成30年度改訂）．日本内分泌学会雑誌 2019；95（Suppl）：12〕

診中の患者の約20倍いると推定される．

このほか，PRL値が臨床検査上高い状態としてマクロプロラクチン血症がある[2,3]．マクロプロラクチンはおもにPRLに対する自己抗体とPRLとの複合体で形成され，健常成人の約30人に1人が検出され，高プロラクチン血症者の約5人に1人とも報告されている[2,3]．マクロプロラクチンの生物活性は低く，通常症状を認めず，マクロプロラクチン血症単独では治療対象にならない．

表2 高PRL血症をきたす病態

1. 下垂体病変
   1) PRL産生腺腫
   2) 先端巨大症（PRL同時産生）
2. 視床下部・下垂体茎病変
   1) 機能性
   2) 器質性
      (1) 腫瘍（頭蓋咽頭腫・Rathke囊胞・胚細胞腫・非機能性腫瘍・Langerhans細胞組織球症など）
      (2) 炎症・肉芽腫（下垂体炎・サルコイドーシスなど）
      (3) 血管障害（出血・梗塞）
      (4) 外傷
3. 薬物服用（腫瘍以外で最も多い原因は薬剤である．表3参照）
4. 原発性甲状腺機能低下症
5. マクロプロラクチン血症(注)
6. 他の原因
   1) 慢性腎不全
   2) 胸壁疾患（外傷，火傷，湿疹など）
   3) 異所性PRL産生腫瘍

(注) PRLに対する自己抗体とPRLの複合体形成による．高PRL血症の15〜25％に存在し，高PRL血症による症候を認めない．診断には，ゲルろ過クロマトグラフィー法，ポリエチレングリコール（PEG）法，抗IgG抗体法を用いて高分子化したPRLを証明する

〔有馬 寛，他：高プロラクチン（PRL）血症の診断の手引き．厚生労働科学研究費補助金難治性疾患等政策研究事業間脳下垂体機能障害に関する調査研究班：間脳下垂体機能障害の診断と治療の手引き（平成30年度改訂）．日本内分泌学会雑誌2019；95（Suppl）：13〕

主要症状・身体所見

① 女性：月経不順・無月経，不妊，乳汁分泌
② 男性：性欲低下，インポテンス，女性化乳房，乳汁分泌
③ 男女共通：頭痛，視力視野障害（器質的視床下部・下垂体病変による症状）

女性の場合，閉経前では，月経異常，不妊から発見されることが多く，典型例では乳汁分泌があり，特に若年者で骨塩量の減少を認める．閉経後では乳汁分泌はまれで，頭蓋内腫瘍による頭痛，視力・視野障害が発見の契機となる．男性では，性欲低下，不妊，時に女性化乳房を呈し，乳汁分泌はまれで，長期にわたると骨塩量が減少する．

検査所見

血中PRL基礎値が上昇する．血中PRLは睡眠，ストレス，性交や運動などに影響されるため，複数回測定して，いずれも施設基準値以上であることを確認する．

測定上の問題点は2つある．

・フック効果：過剰量のPRLが添加した抗体の結合能を妨げ，見かけ上PRL値が低くなること．検体を希釈測定すれば解決できる．
・マクロプロラクチン：おもにPRLとPRLに対

表3 高PRL血症をきたす薬剤

ドパミン受容体拮抗薬 　クロルプロマジン 　ハロペリドール 　メトクロプラミド	抗精神病薬 　リスペリドン，クロルプロマジン 　ハロペリドール， 　パリペリドン，オランザピン，クロザピン，アセナピン等
ドパミン合成阻害薬 　α-メチルドパ	抗うつ薬 　三環系抗うつ薬（クロミプラミン，アミトリプチリン等） 　選択的セロトニン再取り込み阻害薬（フルボキサミン等）
降圧薬 　ラベタロール，レセルピン 　ベラパミル	
H2受容体拮抗薬 　シメチジン，ラニチジン	抗てんかん薬 　フェニトイン
エストロゲン製剤 　経口避妊薬	麻薬 　モルヒネ，メサドン，アポモルヒネ等

〔有馬 寛，他：高プロラクチン（PRL）血症の診断の手引き．厚生労働科学研究費補助金難治性疾患等政策研究事業間脳下垂体機能障害に関する調査研究班：間脳下垂体機能障害の診断と治療の手引き（平成30年度改訂）．日本内分泌学会雑誌2019；95（Suppl）：13〕

する自己抗体で形成される．

診断・鑑別診断[4]

「高プロラクチン(PRL)血症の診断の手引き」(表1)，「高PRL血症をきたす病態」(表2)および「高PRL血症をきたす薬剤」(表3)をもとに診断・鑑別診断を行う．

なお，主症状がある高プロラクチン血症では，PRL値が100ng/mL以上のような高値になれば，プロラクチノーマの頻度が増加する．

治療・予後

原因となる病態によって治療方針は異なる．
1. 下垂体病変：各々の腺腫の治療を行う．
2. 視床下部・下垂体茎病変
   1) 機能性：カベルゴリン，ブロモクリプチンを投与する．
   2) 器質性：各々の疾患の治療を行う．
3. 薬剤服用によるもの：当該薬を中止する(抗精神病薬の場合は処方医と相談のうえ，可能なら中止する)．
4. 原発性甲状腺機能低下症：甲状腺ホルモン製剤を投与する．
5. マクロプロラクチン血症は治療を要しない．
   他の原因：各々の疾患の治療を行う．

文献

1) Miyai K, et al.：Asymptomatic hyperprolactinaemia and prolactinoma in the general population--mass screening by paired assays of serum prolactin. *Clin Endocrinol (Oxf)* 1986；**25**：549-554.
2) 服部尚樹, 他：プロラクチンの生理・病理の新展開 マクロプロラクチン血症. HORMONE FRONTIER IN GYNECOLOGY 2011；**18**：57-65
3) Melmed S, et al.：Diagnosis and treatment of hyperprolactinemia：an Endocrine Society clinical practice guideline. *J Clin Endocrinol Metab* 2011；**96**：273-288.
4) 有馬 寛, 他：高プロラクチン(PRL)血症の診断の手引き．厚生労働科学研究費補助金難治性疾患等政策研究事業 間脳下垂体機能障害に関する調査研究班：間脳下垂体機能障害の診断と治療の手引き(平成30年度改訂)．日本内分泌学会雑誌 2019；**95**(Suppl)：12-13.

第2章 臨床知識——D 下垂体前葉疾患各論

8 Cushing病

神戸大学医学部附属病院糖尿病・内分泌内科　山本雅昭，福岡秀規

> **臨床医のためのPoint**
> 1. ACTH，コルチゾールの偽高値もあり，詳細な問診・身体診察が診断に重要である．
> 2. 高コルチゾール血症による合併症が多彩であり，急激に重症化することがあるため注意が必要である．
> 3. 本疾患に対する経験が豊富な脳外科医による手術治療が望ましい．

疾患概念・疫学・予後

Cushing病は下垂体腫瘍由来の自律性ACTH分泌のために慢性的な高コルチゾール血症をきたす疾患であり，1932年にHarvey Cushingが初めて本疾患を論文報告したことが名前の由来である．これはグルココルチコイドによるACTHネガティブフィードバック機構が腫瘍で破綻した結果生じると考えられている．異所性ACTH症候群(EAS)や異所性CRH症候群と合わせてACTH依存性Cushing症候群と総称される．

Cushing病の有病率および発症率として，欧州からは100万人当たり40人および1.2～2.4人/年と報告されている．わが国においては450人程度の患者数と推察されているが，過小評価の可能性もある．ACTH非依存性を合わせたCushing症候群全体のうちの約36%を占めており，頻度としては女性が圧倒的に多い．

本疾患の予後として，5年生存率が50%未満と発見当時は極めて不良な疾患であった．近年報告された1980～2010年にわたるデンマークのコホート研究では，本疾患による死亡リスクは一般人口と比較して約2倍であった[1]．

発症機序

近年，脱ユビキチン化酵素であるUSP8をコードする遺伝子の活性型変異がACTH産生下垂体腺腫(ACTHoma)の20～60%に認め，本疾患のおもな原因として同定された．その腫瘍化機序にEGF受容体シグナル活性化の関与が示されている．さらにACTHomaの13%に$USP48$変異，7%に$BRAF\ V600E$変異が同定され，それぞれNF-κBの活性化，MAPK経路の活性化がその機序として示されている．比較的増殖性の高い腫瘍では腫瘍抑制遺伝子である$TP53$のloss-of-functionが報告されている．そのほかにも全ゲノム解析などにより$CABLES1, NR3C1, DAXX, ATRX, HCFC1$遺伝子の変異も同定されている．また$MEN1, PRKAR1A, DICER1, GNAS1$遺伝子では胚細胞，体細胞の両方にその変異がCushing病患者で同定されている[2]．

本腫瘍におけるACTHに対するグルココルチコイドネガティブフィードバック機構の破綻機序として，腫瘍での11β-HSD2，HSP90発現過剰，HDAC2，BRG1の欠損などが考えられている．

症状と理学所見

症状としては倦怠感，体重増加，むくみ，月経異常，多毛，にきび，青あざ，色素沈着，うつなどがある．また耐糖能異常，高血圧症，脂質異常症などを検診で指摘されたり，骨折を契機に受診したりしていることがある．理学所見として皮膚菲薄化，浮腫，皮下溢血，満月様顔貌，顔面紅潮は着衣のままでも比較的認めやすい．さらに患者側方からの視診により上腕や大腿部の萎縮と腹部膨満との比較所見により中心性肥満を指摘することができる．またやや太めの赤色皮膚線条(2cm以上)，水牛様肩，鎖骨下脂肪蓄積などは比較的本症に特異度の高い所見である．ACTH過剰がメラニン産生を刺激することによる色素沈着が手背部や口唇に認められ，診察室においてもACTH非依存性Cushing症候群と鑑別することができる所見である．ACTH依存性に副腎アンドロゲンが上昇するため，多毛やざ瘡などの男性化徴候は本症に特徴的な所見であるが，ACTH非依存性Cushing症候群においても観察されることがある．

合併症

本疾患の合併症を病態生理とともに以下に列挙するが，基本的にその多くはグルココルチコイド作用の過剰により説明可能である．

1 糖尿病

本症の半数で認める．コルチゾールは肝臓での糖新生促進，インスリン分泌抑制，グルカゴン分泌促進，脂肪合成促進，脂肪や筋への糖取込み抑

制などにより耐糖能異常を呈する．

2 高血圧症

コルチゾールはグルココルチコイド受容体（GR）を介してアンギオテンシノーゲン合成促進，プロスタグランジンやeNOS産生抑制を，一部はミネラルコルチコイド受容体を介してNa貯留亢進を惹起することにより高血圧とともに低K血症を引き起こす．

3 筋萎縮・筋力低下

コルチゾールはGRを介してFOXOやKLF15シグナルを活性化し，オートファジーやユビキチン・プロテオソーム系の亢進により蛋白異化を亢進させる．また，インスリン・IGF-Iシグナルを一部阻害するため，蛋白同化が低下し筋萎縮・筋力低下を呈する．

4 凝固系亢進

コルチゾール過剰によりvon Willebrand factor（vWF），VIII，IX因子，フィブリノーゲン，plasminogen activator inhibitor-1（PAI-1）発現が増加し，APTTは短縮，線溶系が抑制され，血栓形成傾向となる．血栓塞栓症はCushing病において突然死の一因である．手術治療でコルチゾールが正常化したあとも，2か月間は発生リスクが高い状態が遷延するため，注意が必要である．D-dimerをモニターしながら必要に応じて抗凝固療法を開始する必要がある．

5 骨粗鬆症

コルチゾール過剰により骨粗鬆症が生じるメカニズムとして，①骨芽細胞の分化抑制・アポトーシス誘導，②破骨細胞分化・活性促進，③腸管からのCa再吸収抑制・尿細管からのCa排泄促進によるPTH分泌刺激，④中枢性性腺機能低下症を介した破骨細胞活性化などがあげられる．骨密度が低下する前から骨質の低下を呈するため，注意が必要である．

6 精神症状

不眠，うつ状態，不安，多幸感，強迫観念，妄想，精神病と非常に多彩な精神症状を呈する．慢性的な高コルチゾール血症は中枢神経細胞の刺激閾値を低下させて興奮性を高めたり，海馬の神経死を引き起こしたりすることが報告されている．しかし精神症状発症を予測することは困難であり，自傷行為の予防を含めた注意深い包括的ケアが必要である．

7 尿路結石

コルチゾールは尿細管からのCa再吸収を抑制するために尿中Ca排泄量が増加し尿路結石の成因となる．

8 易感染性

リンパ球数低下により細胞性免疫が低下し易感染性が生じる．

検査所見

一般検査では白血球，特に好中球の増加，リンパ球，好酸球の減少がみられる．低アルブミン血症や低カリウム血症，高カルシウム尿症，耐糖能異常，脂質異常症を認める．凝固系ではAPTTの短縮，D-dimerの上昇に注意する．耐糖能異常ではアルブミン代謝亢進のためグリコアルブミンが偽低値となるため注意が必要である．

内分泌学的検査

著明な高コルチゾール血症は重篤な合併症を急激に呈してくることがあるため，確定診断検査よりも高コルチゾール血症の是正が優先される必要があることに注意が必要である．検査は「Cushing病の診断の手引き」に準拠する（表1）．検査の主旨は，まずACTHの自律性分泌を証明することであり，そのスクリーニング検査として一晩少量デキサメタゾン抑制試験（LDDST；わが国ではデキサメタゾン0.5mgを使用，海外では1mgを用いる）およびコルチゾール日内変動を確認する．コルチゾール日内変動において23時のコルチゾール値は一般的にLDDST後のコルチゾール値に近似することが多く5μg/dL以上となる（海外では1.8μg/dLをカットオフとしている）．アルコール多飲やうつ病，肥満，慢性腎臓病，コントロール不良の糖尿病などにより偽性Cushing症候群を呈することがあるため，注意が必要である．次にEASを鑑別するために確定診断検査を行う．Cushing病患者ではCRH刺激によりACTH分泌が促進されるのに対しEASでは反応しないことが多いことからCRH試験が有用である（感度82.2〜95.2%，特異度81.8〜100.0%）．また一晩大量（8mg）デキサメタゾン抑制試験で内服翌朝のコルチゾール値が前値の半分以下に抑制される場合はCushing病を疑う（感度92%，特異度96%）．ただしコルチゾール分泌量が非常に多い場合は半分以下に抑制されない場合もある．血糖コントロールが不良の場合にはデキサメタゾン投与により急激な高血糖をきたすリスクがあるため注意が必要である．またCushing病では合成バソプレシン製剤であるDDAVPに対しACTHの奇異性上昇を示すという特徴があり，鑑別に有用であるが，わが国において検査薬として保険承認されていない．

画像検査

Cushing病における下垂体腺腫は，多くが1cm未満の微小腺腫でありMRIによる腫瘍の検出困難例が26%存在するため注意が必要である．近

表1 Cushing病の診断の手引き（平成30年度改訂）

I. 主症候
 1. 特異的症候(注1)
  1) 満月様顔貌
  2) 中心性肥満または水牛様脂肪沈着
  3) 皮膚の伸展性赤紫色皮膚線条（幅1cm以上）
  4) 皮膚の菲薄化および皮下溢血
  5) 近位筋萎縮による筋力低下
  6) 小児における肥満を伴った成長遅延
 2. 非特異的症候
  1) 高血圧
  2) 月経異常
  3) ざ瘡（にきび）
  4) 多毛
  5) 浮腫
  6) 耐糖能異常
  7) 骨粗鬆症
  8) 色素沈着
  9) 精神障害
 上記の1. 特異的症候および2. 非特異的症候のなかから，それぞれ1つ以上を認める
II. 検査所見
 1. 血中ACTHとコルチゾール（同時測定）がともに高値〜正常を示す(注2)
 2. 尿中遊離コルチゾールが高値を示す(注3)
 上記の1，2を満たす場合，ACTHの自律性分泌を証明する目的で，IIIのスクリーニング検査を行う
III. スクリーニング検査
 1. 一晩少量デキサメタゾン抑制試験：前日深夜に少量（0.5 mg）のデキサメタゾンを内服した翌朝（8〜10時）の血中コルチゾール値が抑制されない(注4)
 2. 血中コルチゾール日内変動：深夜睡眠時の血中コルチゾール値が5 μg/dL以上を示す(注5)
 1，2を満たす場合，ACTH依存性Cushing症候群がより確からしいと考える．次に，異所性ACTH症候群との鑑別を目的に確定診断検査を行う
IV. 確定診断検査
 1. CRH試験：ヒトCRH（100 μg）静注後の血中ACTH頂値が前値の1.5倍以上に増加する(注6)
 2. 一晩大量デキサメタゾン抑制試験：前日深夜に大量（8mg）のデキサメタゾンを内服した翌朝（8〜10時）の血中コルチゾール値が前値の半分以下に抑制される(注7)
 3. 画像検査：MRI検査による下垂体腫瘍の存在(注8)
 4. 選択的下錐体静脈洞血サンプリング(注9)：血中ACTH値の中枢・末梢比（C/P比）が2以上（CRH刺激後は3以上）(注10)

[診断基準]
確実例：Iの1のいずれかとIの2のいずれか，IIとIIIのすべて，およびIVの1，2と，3または4を満たすもの
疑い例：IのいずれかとIIとIIIのすべてを満たすもの

注意事項
（注1）サブクリニカルCushing病では，これら特徴所見を欠く．下垂体偶発腫瘍として発見されることが多い
（注2）採血は早朝（8〜10時）に，約30分間の安静のあとに行う．ACTHが抑制されていないことが副腎性Cushing症候群との鑑別において重要である．コルチゾール値に関しては，約10%の測定誤差を考慮して判断する．コルチゾール結合グロブリン（CBG）欠損（低下）症の患者では，血中コルチゾールが比較的低値になるので注意を要する
（注3）原則として24時間蓄尿した尿検体で測定する．施設基準に従うが，一般に70 μg/日以上で高値と考えられる．ほとんどの顕性Cushing病では100 μg/日以上となる
（注4）一晩少量デキサメタゾン抑制試験では従来1〜2 mgのデキサメタゾンが用いられていたが，一部のCushing病患者においてコルチゾールの抑制（偽陰性）を認めることから，スクリーニング検査としての感度を上げる目的で，0.5 mgの少量が採用されている．血中コルチゾール3 μg/dL以上でサブクリニカルCushing病を，5 μg/dL以上でCushing病を疑う．血中コルチゾールが十分抑制された場合は，ACTH・コルチゾール系の機能亢進はないと判断できる．服用している薬物，特にCYP3A4を誘導するものは，デキサメタゾンの代謝を促進するため偽陽性となりやすい（例：抗菌薬リファンピシン，抗てんかん薬カルバマゼピン・フェニトイン，血糖降下薬ピオグリタゾンなど）．米国内分泌学会ガイドラインでは1mgデキサメタゾン法が用いられ，血中コルチゾールカットオフ値は1.8 μg/dLとなっている

(注5) 周期性を呈する場合があり，可能な限り複数日に測定して高値を確認する．唾液コルチゾールの測定は有用であるが，わが国での標準的測定法が統一されておらず，基準値が確定していない

(注6) DDAVP（4 μg）静注後の血中 ACTH 値が前値の 1.5 倍以上を示すことも Cushing 病の診断に有用である．ただし，DDAVP は検査薬として保険適用外である

(注7) 著明な高コルチゾール血症の場合，大量（8 mg）デキサメタゾン抑制試験では，血中コルチゾールが 1/2 未満に抑制されない例もあるので，注意を要する

(注8) 微小腺腫の描出には，3 テスラの MRI で診断することを推奨し，各 MRI 装置の高感度検出法を用いる．ただしその場合，まれではあるが小さな偶発腫（非責任病巣）が描出される可能性を念頭におく必要がある

(注9) 下垂体 MRI において下垂体腫瘍を認めない場合は必ず行う

(注10) 血中 ACTH 値の中枢・末梢比（C/P 比）が 2 未満（CRH 刺激後は 3 未満）なら異所性 ACTH 症候群の可能性が高い．なお，わが国では海綿静脈洞血サンプリングも行われている．その場合，血中 ACTH 値の C/P 比が 3 以上（CRH 刺激後は 5 以上）なら Cushing 病の可能性が高い

いずれのサンプリング方法でも定義を満たさない場合には，同時に測定した PRL 値による補正値を参考とする

〔有馬 寛，他：クッシング病の診断と治療の手引き．厚生労働科学研究費補助金難治性疾患等政策研究事業間脳下垂体機能障害に関する調査研究班：間脳下垂体機能障害の診断と治療の手引き（平成30年度改訂）．日本内分泌学会雑誌 2019；95（Suppl）：8-11 より引用〕

年では 3T-MRI にて a spoiled-gradient echo 3D T1 sequence（SGE）法を用いることで検出率が向上することが報告されている[3]．画像検査で腫瘍が検出できない場合は選択的下錐体静脈洞血（IPSS），または海綿静脈洞サンプリング（CS）を行い ACTH の step up を確認する必要がある．IPSS，CS 時には CRH 刺激下での ACTH 測定が広く普及しているが，最近では DDAVP 刺激下での ACTH 測定の診断率がより優れているとの報告もある（感度 98.9%，特異度 100%）．

病理

2017 年に改訂された下垂体腫瘍の WHO 分類（第4版）では corticotroph adenoma は densely granulated adenoma と sparsely granulated adenoma および Crook's cell adenoma の 3 つに分類される．ACTH の免疫染色に加え，転写因子 Tpit が陽性であることが加えられた[4]．なかでも Crook's cell adenoma は増殖性が高く，臨床的にも注意が必要である．

治療

治療については「Cushing 病治療の手引き」に準拠する（表2）．高コルチゾール血症は，慢性的には心血管イベントリスクを増大させることにより死亡リスクが上昇するが，重症感染症や血栓塞栓症により急死するケースもあり，著明な高コルチゾール血症を認めた場合は局在診断検査に優先して可及的速やかなコルチゾール血症の是正が必要である．ただ著明な高コルチゾール血症が急速に是正される過程で相対的副腎不全やサイトカインストームが惹起されることがあり，ニューモシスチス肺炎などの急激な全身状態の悪化を招く場合があるため注意が必要である（EAS では特にリスクが高い）．このような症例では高コルチゾール血症是正前からの予防的 ST 合剤の開始が推奨される．

治療の第一選択は手術であり，術式として経蝶形骨洞的下垂体腫瘍摘出術が選択されることが一般的である．腫瘍が全摘され治癒に至る症例においては通常術後 ACTH，コルチゾールは感度未満まで低下し，術前認めた CRH，DDAVP 試験における ACTH の奇異性反応は消失する．しかし術前にメチラポンを長期投与している場合には術直後に ACTH が感度未満まで低下しない場合もあり，CRH 試験で ACTH が反応する．このことから術後の DDAVP 試験が腫瘍の残存の有無判定に有用であるとの報告がある．治癒した症例においては二次性副腎皮質機能低下症に陥るため，ヒドロコルチゾン補充が必要である．補充を必要とする期間には個人差が大きいが，多くは半年～2 年で漸減・中止が可能となる．

術後十分な ACTH，コルチゾール低下がみられない症例では残存の可能性が高いため，術前認めた症状や所見について再発がないか長期にわたって注意深く経過観察をする必要がある．術後 20～30 年で再発を認める症例もある．手術で寛解が得られない場合のオプションとして放射線治療があげられるが，現在はγナイフやサイバーナイフなどの定位放射線治療が主流となっている．腫瘍サイズのコントロールはほとんどの症例において長期にわたり可能となり，約半数の症例でホルモンのコントロールにも有効である一方で，寛解後再発，下垂体機能低下症などの課題も残されている．

薬物療法は術前の高コルチゾール血症是正，手術にて残存腫瘍を認める場合や手術適応がない場合のオプションとなる（表3）．ACTH を抑制するものとして第二世代ソマトスタチン受容体作動薬

表2 Cushing病の治療の手引き（平成30年度改訂）

I. 治療の目的
　Cushing病は治療しなければ，心血管疾患，脳血管疾患，重症感染症，骨折などの合併症のため，致死的となる疾患である．高コルチゾール血症を速やかに是正し，生命予後およびQOLを改善する．また，高コルチゾール血症が重度であり，重症感染症や自殺企図などのリスクがある場合は，診断のための検査より治療を優先させる

II. 治療の種類
　ACTHまたはコルチゾール分泌過剰の改善：手術療法，薬物療法，放射線療法がある．効果的な治療によってコルチゾールを正常化させると，予後は改善し，QOLが改善する

1. 下垂体手術
　　治療の第一選択は，経蝶形骨洞的下垂体腫瘍摘出術である．合併症などで手術の危険性が高い場合は，薬物療法，放射線療法を考慮する．手術によって腫瘍が完全摘出されると，二次性副腎不全になることで，グルココルチコイドの補充が一定期間必要となる[注1]．術後のグルココルチコイド補充期間は，約1年から数年に及ぶこともある

2. 薬物療法
　1）ACTH抑制療法
　　手術後コントロール不良または手術により十分な腫瘍摘出ができない場合に行う．下垂体腫瘍に直接作用してACTH分泌を抑制する可能性があるものとしてソマトスタチン誘導体やドパミン作動薬（カベルゴリン，ブロモクリプチン）があるが，寛解率の高いものは少ない
　（1）ソマトスタチン誘導体
　　パシレオチドパモ酸塩徐放性製剤（4週間に1回10〜40 mg）を臀部筋肉内注射する．保険適用あり．耐糖能や糖尿病の悪化が高率にみられる
　（2）ドパミン作動薬
　　カベルゴリン1回1 mgを上限として週に1回就寝前に経口投与する．Cushing病で有効であるとする報告では週に2回以上でさらに多い投与量が使用されている．保険適用はない．効果のある症例は1/3程度と考えられる．また，腫瘍縮小効果は認めにくい
　（3）下垂体腫瘍の増殖性が強い
　　一部にテモゾロミドが有効な例を認めるが，保険適用ではない
　2）コルチゾール抑制療法
　　現時点で保険適用となっている薬剤は，メチラポン，トリロスタン，ミトタンである
　（1）メチラポン
　　11β水酸化酵素阻害薬であるメチラポンは，比較的即効性で効果の高い薬剤である．治療法として，少量から開始し尿中遊離コルチゾールが正常化するまで増量する方法と，内因性コルチゾールを十分抑制する量を内服してヒドロコルチゾンを補充する方法がある．前者としては，メチラポン1回250 mgを1日1回から開始し，数日ごとに適時増量する．後者としてメチラポン1回500〜1,000 mgを1日3回内服し，ヒドロコルチゾン15〜20 mg/日を補充する．緊急性のある場合は後者を推奨する．後者の場合，Cushing病の治療効果判定に尿中遊離コルチゾールを用いる際は，採尿前日から終了までヒドロコルチゾンをデキサメタゾン0.5〜1 mg/日へ変更して行う．ヒドロコルチゾン最終内服後24時間が経過していれば，血中コルチゾールも治療判定に用いることができる．メチラポンによる肝機能障害に注意が必要である．長期使用によって，男性化徴候が悪化する場合がある
　（2）トリロスタン
　　トリロスタンは，3βヒドロキシステロイド脱水素酵素阻害薬である．1回60 mg 1日3〜4回内服で開始し，尿中遊離コルチゾールを指標に適時増量する．ただし，1日480 mgまでとする．効果発現は緩徐である
　（3）ミトタン
　　ミトタンは副腎皮質毒性があり萎縮・壊死を生じる．1回250〜500 mg 1日3回内服で開始し，適時増量する．効果発現には期間を要する．副腎皮質の細胞障害が進行した場合，グルココルチコイドの補充が必要である．CYP3A4に影響するため，各種薬剤との相互作用に注意を要する．下垂体手術予定者には使用しない．また，長期使用によって呂律不全など神経毒性が現れることがある

3. 放射線療法
　　手術後完全寛解に至らず，薬物療法による効果が不十分で外科的切除が困難な部位に腫瘍が残存している場合，あるいは再発の場合で同様な条件を満たす場合に行う．放射線については定位的放射線治療（ガンマナイフ，サイバーナイフなど）を第一選択とする[注2]．外科的切除が可能な部位に残存あるいは再発を認める場合には再手術も十分に考慮する

4. 両側副腎摘出術
　　下垂体手術・薬物療法・放射線療法が無効でほかに治療法がない場合は，両側副腎摘出と生理量のヒドロコルチゾン補充療法を考慮する

5. 合併症の治療
以下の合併症を伴うことが多いので，対症的に治療する
高血圧症，糖尿病，感染症，骨折，心血管障害，脳血管障害，心不全
6. 治療効果判定
手術効果判定は，約1週間後に行う．前日のグルココルチコイド補充を休止あるいは少量デキサメタゾンに変更して行う．下垂体腺腫摘出術1週間後の早朝血中コルチゾールが 1 μg/dL 未満であれば，寛解の可能性が高い．それ以外の場合は，慎重に経過を観察し，寛解に至らない場合は追加療法を考慮する

注意事項
(注1) 急激な血中コルチゾール低下によってサイトカインストーム等が生じる例もあり，注意深い観察や十分なグルココルチコイド補充が必要である
(注2) 晩発性下垂体前葉機能低下症に注意する

〔有馬 寛，他：クッシング病の診断と治療の手引き．厚生労働科学研究費補助金難治性疾患等政策服研究事業間脳下垂体機能障害に関する調査研究班：間脳下垂体機能障害の診断と治療の手引き（平成30年度改訂）．日本内分泌学会雑誌 2019；95 (Suppl)：8-11 より引用〕

表3 臨床試験で報告された Cushing 病治療薬の寛解率とおもな有害事象

薬品名	投与経路	用法	用量	寛解率	おもな有害事象
ACTH 分泌抑制薬					
Pasireotide	皮下	1日2回	300〜900 μg	17.2〜81.8%	高血糖，下痢
Pasireotide LAR	筋注	1回/4週間	10〜40 mg	30〜72.2%	高血糖，下痢
Roscovitine	経口	1日2回	400 mg	NA	NA
コルチゾール合成阻害薬					
Metyrapone	経口	4〜6回/日	250 mg	45.5〜100%	男性化，めまい，神経障害
Osilodrostat	経口	1〜2回/日	1〜10 mg	66.4〜91.7%	副腎不全症状
Levoketoconazole	経口	1日2回	150 mg	30.8〜36.1%	嘔気，頭痛，浮腫
ATR-101	経口	1日2回	125〜500 mg	NA	NA
グルココルチコイド受容体拮抗薬					
Mifepristone	経口	1回/日	300 mg	38.1〜60%	嘔気，倦怠感，頭痛
Relacorilant	経口	1回/日	50〜100 mg	41.7〜63.6%	背部痛，頭痛，浮腫

〔Pivonello R, et al.：Medical treatment of Cushing's disease：An overview of the current and recent clinical trials. *Front Endocrinol (Lausanne)* 2020；11：648 より引用〕

（パシレオチド）やドパミン D2 作動薬（カベルゴリン）があげられる．高コルチゾール血症により腫瘍中のソマトスタチン受容体（SST）サブタイプ2（SST2）発現が抑制されることからオクトレオチドは有効ではない一方，SST5 に対して高親和性を示すパシレオチドは 30% でコルチゾールの正常化，9.3〜19.0% で腫瘍縮小効果を認める．その一方で膵臓における SST5 刺激によりインスリン分泌が抑制され，73% で血糖上昇が起こるため注意を要する．わが国の保険未承認薬であるカベルゴリンも 30% の症例で ACTH 抑制を認めるが，エスケープが知られており，腫瘍縮小効果は明らかでない．しかし高用量では弁膜症リスクが増大するため注意が必要である．

より速やかで確実にコルチゾール値を減少させる方法として副腎でのコルチゾール合成・分泌を抑制する薬剤であるメチラポンが認可されている．メチラポンは 11β 水酸化酵素阻害薬治療薬であり，副作用としてデオキシコルチコステロン（DOC）上昇に伴う高血圧，低 K 血症，アンドロゲン上昇による男性化徴候に注意が必要である．また本剤単独に用量調節する場合と大量のメチラポンにヒドロコルチゾンを併用する block & replace 法がある．そのほか 3β 水酸化酵素阻害薬のトリロスタンがあるが，メチラポンと比較し効果発現時間が長くコルチゾール抑制効果も劣るため第一選択とはならない．2021 年に発売された新規の 11β 水酸化酵素阻害薬であるオシロドロスタット（LCI699）は強力かつ迅速にコルチゾールレベルを低下させ，またメチラポンより半減期が長いため 1 日 2 回投与でも高い有効性が示されている．下垂体腫瘍の根治が期待できず，上記薬物

療法で治療に難渋する場合には両側副腎摘除術，副腎癌に治療に用いられるミトタン（o,p'-DDD）を投与し薬理学的に副腎皮質を廃絶させ，ヒドロコルチゾン補充を行う方法もある．

その他新たなステロイド合成阻害薬であるレボケトコナゾールが第Ⅲ相試験で良好な成績を示しており，今後わが国での承認が期待される[5]．

文献

1) Dekkers OM, et al.：Multisystem morbidity and mortality in Cushing's syndrome：a cohort study. *J Clin Endocrinol Metab* 2013；**98**：2277-2284.
2) Fukuoka H, et al.：The mechanisms underlying autonomous adrenocorticotropic hormone secretion in Cushing's disease. *Int J Mol Sci* 2020；**21**：9132.
3) Grober Y, et al.：Comparison of MRI techniques for detecting microadenomas in Cushing's disease. *J Neurosurg* 2018；**128**：1051-1057.
4) Mete O, et al.：Overview of the 2017 WHO classification of pituitary tumors. *Endocr Pathol* 2017；**28**：228-243.
5) Pivonello R, et al.：Medical treatment of Cushing's disease：An overview of the current and recent clinical trials. *Front Endocrinol (Lausanne)* 2020；**11**：648.

▶Column

Geoffrey W. Harris(1913－1971)

　下垂体前葉からのホルモン分泌には下垂体門脈系を介した視床下部因子によって調節されていることが示唆されたのは今からわずか70年前のことである．1940年代G. Harrisは英国ケンブリッジ大学解剖学（後に生理学）でウサギの排卵調節の研究に従事していた．彼は下垂体柄切断によって排卵誘発が生じないことを観察し，視床下部の特定の部位の破壊や電気刺激，下垂体切除後の下垂体移植など動物実験により検証を重ねた．1952年彼はロンドンにあるMaudsley病院神経内分泌研究室を立ち上げ，精力的に神経内分泌生理学の基礎研究に没頭した．彼の実験手技はまさしく職人芸といえるもので，彼の卓越した手技を学ぼうとS. ReichlinやR. Guilleminといった多くの神経内分泌研究者が世界中から彼の研究室に訪れた．彼は排卵現象では下垂体前葉ホルモン（ゴナドトロピン）の分泌が神経調節の支配下にあり，視床下部から何らかの分泌促進因子（LRF）が正中隆起と下垂体前葉の間を結ぶ毛細血管叢（下垂体門脈）を介して運搬されるとういう仮説（Harris仮説）を「下垂体の神経調節」と題して単行本にして1955年に発表した．Harris仮説は必ずしもすべてに受け入れられたわけではないが（特にS. Zuckermanの反論は有名），多くの内分泌研究者から支持され，世界中で未知の視床下部因子の探索研究が開始された．1962年彼はオックスフォード大学解剖学教授となり，神経内分泌研究部長として視床下部因子の単離を目指してICIの生化学者H. Gregoryとの共同研究を始めた．しかしAV. SchallyとR. Guillemin（1977年のノーベル賞受賞者）の間で繰り広げられた熾烈な研究競争の結果，1969年にTRF（TRH），1971年にLRF（GnRH）と視床下部ホルモンが次々と単離，同定され，Harrisの理論が正しいことが実証された．

　Harris自身は視床下部ホルモンの同定に成功した生化学者ではなかったが，神経内分泌生理学者として地道な動物実験のデーターを基に「下垂体の神経調節」仮説を初めて提唱し，後にその実体が証明されたことから，彼の偉業は高く評価され，現在では「神経内分泌学の父」ともよばれている．1971年英国内分泌学会Dale賞を授与されたが，その特別講演の数か月後58歳の若さで生涯の幕を閉じた．死因はアルコール性肝硬変であった．

参考文献：DL Loriaux：Chapter 9, Biographical History of Endocrinology, John Wiley & Sons, 2016；AG Watt：60 Years of Neuroendocrinology, J Endocrinol 226：T25, 2015；N Wade（丸山工作，林泉訳）：ノーベル賞の決闘，岩波書店，1992

（兵庫県予防医学協会健康ライフプラザ健診センター　平田結喜緒）

第2章 臨床知識──D 下垂体前葉疾患各論

9 subclinical Cushing 病と silent corticotroph adenoma

弘前大学大学院医学研究科内分泌代謝内科学講座　蔭山和則，大門　眞

臨床医のための Point ▶▶▶

1. subclinical Cushing 病は，下垂体腫瘍からの ACTH 自律性分泌が証明され，コルチゾールの相対的過剰分泌をきたしているが，Cushing 病に特徴的な身体所見を欠くものをいう．
2. subclinical Cushing 病で下垂体腫瘍摘除後に，高血圧や高血糖が改善した報告が散見されている．
3. silent corticotroph adenoma は，コルチゾールの過剰分泌や ACTH 自律性分泌は認めず，標本で組織学的に ACTH 産生腫瘍細胞が示唆されたものをいう．
4. silent corticotroph adenoma は，分化の低い腫瘍細胞で，再発率が高いことからフォローには特に注意を要する．

概念・疫学・病態

Cushing 症候群とは，慢性的なグルココルチコイド過剰状態（高コルチゾール血症）によって特異的身体的症候を呈する病態の総称である．特異的症候には，満月様顔貌，中心性肥満または水牛様脂肪沈着，皮膚の伸展性赤紫色皮膚線条，皮膚の菲薄化および皮下溢血，近位筋萎縮による筋力低下，小児における肥満を伴った成長遅延がある（表1）．

subclinical Cushing 病は，下垂体腫瘍からの ACTH 自律性分泌が証明され，コルチゾールの相対的過剰分泌をきたしているが，Cushing 病に特徴的な身体所見を欠くものと定義される（表2）[1]．有病率は Cushing 病の 10 分の 1 程度ともいわれている．平成 30 年度改訂では，subclinical Cushing 病は，Cushing 病の診断基準に併記された診断と治療の手引きとなっている．生理学的に非活性の ACTH 前駆物質を分泌するものもある．また，Cushing 病に比較して弱いグルココルチコイド抵抗性を呈している可能性も考えられている．

silent corticotroph adenoma は，コルチゾールの過剰分泌や ACTH 自律性分泌は認めず，術後の標本で組織学的に ACTH 産生腫瘍細胞が示唆されたものをいう（表2）[1]．術前には，非機能性下垂体腺腫と診断され，臨床的非機能性下垂体腺腫の 6〜19% が，silent corticotroph adenoma であるとの報告がある．腫瘍の性質は，Cushing 病や subclinical Cushing 病とは異にするものである．silent corticotroph adenoma は，分化の低い腫瘍細胞で，再発率が高いことからフォローには特に注意を要する．

主要症状・身体所見

subclinical Cushing 病は，高血圧や耐糖能異常などの非特異的症候は呈することはあるが，定義のように Cushing 症候群に特徴的な症候を欠く．下垂体偶発腫瘍として発見されることが多い．高コルチゾール血症は軽微であるため，腫瘍が大きくなって発見されることもあり，周囲の圧迫症状をきたしうる．視交叉を圧迫すると両耳側半盲を典型とする視野障害も出現しうる．また，正常下垂体前葉や下垂体茎が圧迫されて汎下垂体機能低下症が生じていることもある．

silent corticotroph adenoma は，臨床的に非機能性下垂体腺腫と判定され，合併症としての非特異

表1 Cushing 症候群の特徴的・非特徴的身体所見

特徴的所見	非特徴的所見
満月用顔貌 中心性肥満または水牛様脂肪沈着 皮膚の伸展性赤紫色皮膚線条（幅1 cm 以上） 皮膚の菲薄化および皮下溢血 近位筋萎縮による筋力低下 小児における肥満を伴った成長遅延	高血圧 月経異常 ざ瘡（にきび），多毛 浮腫 耐糖能異常 骨粗鬆症，色素沈着 精神障害

表2 臨床症候とACTH産生腺腫の分類

分類	特異的症候	高コルチゾール	ACTH自律分泌	ACTH染色
Cushing病	+	+	+	+
subclinical Cushing病	-	+（軽度）	+	+
silent corticotroph adenoma	-	-	-	+

〔Kageyama K, et al.：Pathophysiology and treatment of subclinical Cushing's disease and pituitary silent corticotroph adenomas. Endocr J 2014：61：941-948 より引用・改変〕

的症候も呈することはない．しかし，増殖能や侵襲性が高く，腫瘍による圧迫症状を呈することがある．

診断・鑑別診断

診断と治療の手引きは，平成30年度に改訂され，検査所見，スクリーニング検査，確定診断検査の項に分けられているが，subclinical Cushing病の診断基準は，特異的症候を欠く以外Cushing病の診断基準と同様である[2,3]．

silent corticotroph adenomaは，検査でACTH自律性分泌は認めなかったものの，術後の標本で組織学的にACTH産生腫瘍細胞を認めた症例が診断される．silent corticotroph adenomaのなかには，生理学的に非活性のACTHを分泌するものもあるとされる．最近の研究では，転写因子 T pit や Neuro D1 の発現についても corticotroph の重要な判定因子とされている．

治療・予後

高血圧や耐糖能異常を合併している場合は，まず，これらの治療を行う．subclinical Cushing病では，基本的に高コルチゾール血症は軽微であるため，圧迫症状を呈するものやコントロールがむずかしい非特異的症候を合併している場合に下垂体腫瘍の手術適応となる．実際に，subclinical Cushing病で下垂体腫瘍摘除後に，高血圧や高血糖が改善した報告が散見されている．

大部分の silent corticotroph adenoma は，macroadenomaであり，術後，侵襲的な経過をとることが多いとされる．MIB-1指数が比較的高いものは再発率も高いとされ，そのような症例には，下垂体照射を行う．ガンマナイフ後，腫瘍縮小効果を認める報告例が増えているが，高線量照射によって，一過性の複視などの合併症を呈することがある．また，照射後に新たな下垂体機能低下症を生じることがあるので，注意深いフォローを要する．これらの治療が奏効しない，より侵襲性の強い腫瘍の場合には，今後，他の侵襲性の高い下垂体腫瘍のようにテモゾロミドの使用も考慮しなければならないかもしれない（保険適用外）．

文献

1) Kageyama K, et al.：Pathophysiology and treatment of subclinical Cushing's disease and pituitary silent corticotroph adenomas. Endocr J 2014：61：941-948.
2) Suda T, et al.：Evaluation of diagnostic tests for ACTH-dependent Cushing's syndrome. Endocr J 2009：56：469-476.
3) Kageyama K, et al.：Evaluation of the diagnostic criteria for Cushing's disease in Japan. Endocr J 2013：60：127-135.

第2章　臨床知識——D　下垂体前葉疾患各論

10　ACTH単独欠損症

岡山大学大学院医歯薬学総合研究科総合内科学　長谷川　功, 大塚文男

臨床医のためのPoint

1. ACTH単独欠損症は中高年の男性に好発し，倦怠感や体重減少，低血糖，低ナトリウム血症などの症状を呈する．
2. 診断は病歴・臨床症状や血中ACTH値・コルチゾール値，下垂体前葉刺激試験の結果を総合的に判断する．
3. 治療はヒドロコルチゾンの内服で，シックデイの際には2～3倍の増量が必要で，急性副腎不全時やショックを伴う際にはヒドロコルチゾン静脈投与を行う．
4. 近年では免疫チェックポイント阻害薬によるACTH分泌低下症が報告されている．

概念・病態・疫学

1 概念

先天性もしくは後天性に下垂体もしくはその近傍に病変が生じ，下垂体前葉ホルモン分泌のすべてが低下した病態を汎下垂体機能低下症，一部の下垂体前葉ホルモン分泌障害をきたすものを部分型下垂体機能低下症と定義する．そのうち，ACTHの選択的分泌低下症による病態をACTH単独欠損症（isolated ACTH deficiency：IAD）と定義する．

2 病態

小児期に発症するIAD（多くは遺伝性）と成人期に発症する後天性IADに大別される．小児期IADはTpit変異やPOMC変異などの転写遺伝子異常によるものが報告されている．後天性ACTH分泌低下症の原因として，下垂体および近傍の器質性疾患や炎症性疾患に加え，近年では免疫チェックポイント阻害薬によるACTH分泌低下症が報告されている．

IADでは副腎皮質刺激放出ホルモン（CRH）刺激によるACTH分泌が欠如し，ACTH分泌細胞が障害されると考えられているが，橋本病などの自己免疫疾患を合併する例や抗下垂体抗体が陽性となる例もあり，リンパ球性下垂体炎の末期像とも考えられる．

免疫チェックポイント阻害薬による免疫関連有害事象（immune-related adverse events：irAE）によるIADは，薬剤のクラスにより下垂体障害の頻度，程度が異なることが明らかとなってきている．下垂体機能低下症ではACTH分泌低下症の頻度が最も高いが，抗CTLA-4抗体ではACTH分泌低下症に加えて甲状腺刺激ホルモン（TSH）分泌低下症，ゴナドトロピン分泌低下症などを合併することがある．一方，抗PD-1抗体および抗PD-L1抗体ではACTH分泌低下症のみを認めることが多い[1,2]．

3 疫学

片上らの研究では年間発症率は人口100万人当たり0.9人/年と比較的まれであり中高年の男性に好発するとされる[3]．

主要症状・身体所見

1 主要症状

全身倦怠感，食思不振，易疲労感，意識障害，体重減少，悪心・嘔吐，腹痛・下痢，抑うつ症状，筋肉痛，低血圧，低血糖などの多彩な症状を呈し，悪性腫瘍や胃腸炎，精神疾患などと誤診されることもある．また，ACTH分泌がある程度保たれていれば，普段は無症状も，感染や熱中症，外傷などのストレス下において副腎不全症状が顕在化することもある．

2 身体所見

るい痩や皮膚乾燥・ツルゴール低下などの脱水所見がみられる．

検査所見

1 一般検査

電解質異常（低ナトリウム血症，高カリウム血症），好酸球増多，低血糖，貧血，低アルブミン血症などを認める．

2 内分泌学的検査

血中ACTHは正常～低値，血中コルチゾール低値，尿中コルチゾール（urinary free cortisol：

UFC)排泄量の低下を認める．CRH 負荷試験などの ACTH 分泌刺激試験では血中 ACTH は無〜低反応となる（図1）．迅速 ACTH 刺激試験では血中コルチゾールは低反応，ACTH 連続負荷試験では血中コルチゾールは増加反応を示す．IAD の一部では GH 分泌障害や TSH，PRL，LH/FSH 値の軽度高値を示すことがある．

画像所見

MRI 検査では下垂体は萎縮し empty sella を呈する場合から正常〜軽度腫大まで様々な形態を呈する（図2）．irAE による IAD の場合，抗 CTLA-4 抗体による下垂体炎では下垂体および下垂体茎の腫大，同部位における造影効果の増強を認めることがある．一方，抗 PD-1 抗体による下垂体炎では下垂体腫大を呈する症例は少ない．腹部 CT では IAD による慢性的な ACTH 欠乏状態であれば副腎は萎縮することもある．

診断・鑑別診断

1 診断

本症の診断の手引き（平成 30 年度改訂）が厚生

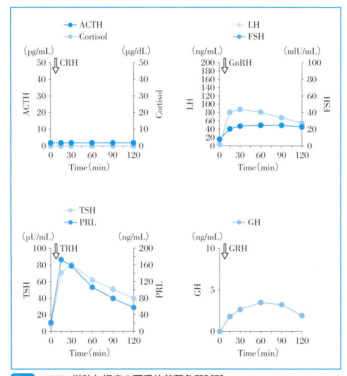

図1 ACTH 単独欠損症の下垂体前葉負荷試験
全身倦怠感・頭痛から精査し診断に至った 40 歳代・男性例から

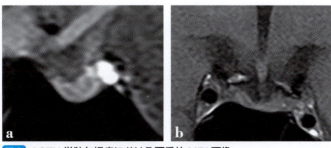

図2 ACTH 単独欠損症における下垂体 MRI 画像
全身倦怠感・頭痛から精査し診断に至った 40 歳代・男性例から
T1 強調画像　a：矢状断，b：冠状断

表1 ACTH分泌低下症の診断の手引き

I. 主症候
1. 易疲労感，脱力感
2. 食欲不振，体重減少
3. 消化器症状（悪心，嘔吐，便秘，下痢，腹痛）
4. 血圧低下
5. 精神障害（無気力，嗜眠，不安，性格変化）
6. 発熱
7. 低血糖症状
8. 関節痛

II. 検査所見
1. 血中コルチゾールの正常低値～低値(注1)
2. 尿中遊離コルチゾール排泄量の低下
3. 血中ACTHは高値ではない(注2)
4. ACTH分泌刺激試験［CRH試験（100μg静注）(注3)，インスリン低血糖試験(注4)に対して，血中ACTHおよびコルチゾールは低反応ないし無反応を示す(注5)］
5. 迅速ACTH試験（コートロシン® 250mg静注）に対して血中コルチゾールは低反応を示すことが多い．ただし，ACTH-Z試験（コートロシンZ® 500mg，3日間筋注）に対しては増加反応がある

III. 除外規定
ACTH分泌を低下させる薬剤投与を除く．特にグルココルチコイド（注射薬，内服薬，外用薬，吸入薬，点眼薬，関節内注入薬など）については十分病歴を確認する

［診断基準］
確実例：Iの1項目以上とIIの1～4を満たすもの（IIの5を満たす場合はより確実）

注意事項
(注1) 血中コルチゾール値に関しては，約10%の測定誤差を考慮して判断する
(注2) 血中ACTHは10 pg/mL以下の低値の場合が多いが，一部の症例では血中ACTHは正常ないし軽度高値を示す．生物活性の乏しいACTHが分泌されている可能性がある．CRH負荷前後の血中コルチゾールの増加率は，原発性副腎機能低下症を除外できれば，生物活性の乏しいACTHが分泌されている可能性の鑑別に参考になる
(注3) 血中コルチゾール反応が18μg/dL未満で，反応不良を疑う．CRH受容体異常によって，血中ACTHの低値と分泌刺激試験での血中ACTHの低反応が認められることがある
(注4) 原則として，血糖値45mg/dL以下となった場合を有効刺激とする．インスリン感受性亢進のため，インスリン投与量を場合によっては，通常（0.1U/kg静注）から半分（0.05U/kg静注）にする．低血糖ストレスによって嘔吐，腹痛，ショック症状を伴う急性副腎機能不全に陥ることがあるので，注意深く観察する．血中コルチゾール反応が18μg/dL未満で，反応不良を疑う
(注5) 視床下部性ACTH分泌低下の場合は，CRHの1回投与でACTHは正常～過大反応を示すことがあるが，コルチゾールは低反応を示す．またCRH連続投与ではACTHとコルチゾールは正常反応を回復する
(附) ACTH分泌低下症の原因として，下垂体および近傍の器質性疾患や炎症性疾患に加え，近年では免疫チェックポイント阻害薬によるACTH分泌低下症が増加している．免疫チェックポイント阻害薬使用の際はACTH分泌低下症に伴う副腎不全に十分な注意が必要である

〔有馬 寛，他：ACTH分泌低下症の診断と治療の手引き．厚生労働科学研究費補助金難治性疾患等政策研究事業間脳下垂体機能障害に関する調査研究班：間脳下垂体機能障害の診断と治療の手引き（平成30年度改訂）．日本内分泌学会雑誌 2019；**95**（Suppl）：40-42 より引用〕

労働省間脳下垂体機能障害に関する調査研究班により作成されている（表1）．

2 鑑別診断

ステロイドなどACTH分泌を低下させる薬剤が鑑別となる．ステロイドの投与経路は内服だけでなく長期吸入や貼付によっても血中ACTH・コルチゾールは低下することがあるため，IAD診断には病歴聴取が重要である．

治療・予後

1 治療

本症の治療の手引き（平成30年度改訂）が厚生労働省間脳下垂体機能障害に関する調査研究班により表2のように作成されている[4]．

2 予後

二次性副腎不全により死亡率は増加する．ヒドロコルチゾンの過剰補充による心血管イベントに

表2 ACTH 分泌低下症の治療の手引き

I. 治療の基本
　副腎皮質ホルモンによる補充療法

II. 治療の実際
　通常，ヒドロコルチゾンまたは他のグルココルチコイドを経口投与する．投与回数は1日1〜2回とし，1日投与量の 2/3 を朝，1/3 を夕に投与することが望ましい．投与量は体重，自覚症状，生化学検査所見などを基に決定する．血中 ACTH 濃度は治療効果の指標にはならない．治療に際しては，少量（ヒドロコルチゾンとして 5〜10 mg/日）から開始し，最初は1〜2週の間隔で経過を観察し，副作用がなければ段階的に増量して維持量（10〜20 mg/日）とする．副腎クリーゼを疑う場合は，診断前でも検査に優先して治療を行う
維持療法として以下の例を示す
1. 2分割投与の場合：
　　コートリル®　　10mg/日の場合　　朝 7.5mg　　夕 2.5mg
　　　　　　　　　 15mg/日の場合　　朝 10mg　　　夕 5mg
　　　　　　　　　 20mg/日の場合　　朝 15mg　　　夕 5mg
2. 3分割投与の場合
　　体重（kg）× 0.12mg で朝の投与量を決め，朝：昼：夕を3：2：1の比率で3分割投与すると，血中コルチゾール値がより生理的変動に近似する

III. 注意点
1. 感冒による発熱など，日常生活のなかでヒドロコルチゾンの投与量を2〜3倍に増加する必要が生じる場合に備えて，臨時使用の目的で予備的な処方をし，使用法を明確に指示する．シックデイには，3分割投与が望ましい．全身麻酔を要する手術時には，手術当日ヒドロコルチゾン 200mg/日（100mg 静注 + 100mg 点滴 /24 時間など）を投与し，約1週間かけて通常の補充量まで漸減する
2. 長期にわたって服用を継続する必要があるので，自己中断の防止や服用に伴う副作用のチェックなど経過観察が必要である
3. ACTH 分泌低下症（二次性副腎不全）患者には，意識不明時の連絡先，グルココルチコイド注射の必要性，主治医の連絡先を書いたカードを持たせることを推奨する

〔有馬　寛，他：ACTH 分泌低下症の診断と治療の手引き．厚生労働科学研究費補助金難治性疾患等政策研究事業間脳下垂体機能障害に関する調査研究班：間脳下垂体機能障害の診断と治療（平成30年度改訂）．日本内分泌学会雑誌 2019；**95**（Suppl）：40-42 より引用〕

よる死亡率の増加も増えると考えられるため，適正量の補充が望ましい[5]．また急性副腎不全による死亡もみられる．

文献

1) Takahashi Y：MECHANISMS IN ENDOCRINOLOGY：Autoimmune hypopituitarism：novel mechanistic insights. *Eur J Endocrinol* 2020；**182**：R59-R66.
2) De Filette J, *et al.*：A systematic review and meta-analysis of endocrine-related adverse events associated with immune checkpoint inhibitors. *Horm Metab Res* 2019；**51**：145-156.
3) 片上秀喜，他：ACTH 単独欠損症の疫学研究：人口100万人あたりの発生頻度と臨床像．*ACTH related Peptides* 2007；**18**：29-32.
4) 有馬　寛，他：ACTH 分泌低下症の診断と治療の手引き．厚生労働科学研究費補助金難治性疾患等政策研究事業間脳下垂体機能障害に関する調査研究班：間脳下垂体機能障害の診断と治療（平成30年度改訂）．日本内分泌学会雑誌 2019；**95**（Suppl）：40-42.
5) Sherlock M, *et al.*：Mortality in patients with pituitary disease. *Endocr Rev* 2010；**31**：301-342.

第2章 臨床知識──D 下垂体前葉疾患各論

11 Nelson症候群

兵庫県予防医学協会健康ライフプラザ健診センター　**平田結喜緒**

≫ 臨床医のためのPoint ▶▶▶

1. Cushing病の治療目的で副腎全摘後に出現する下垂体腫瘍で視野障害や皮膚の色素沈着を呈し，血中ACTHが増加する病態を古典的なNelson症候群とよぶ．
2. 近年，Cushing病での下垂体MRIや経蝶形骨洞下垂体手術により下垂体微小腺腫の存在が明らかとなり，Nelson症候群では腫瘍が顕性化したものである．
3. 本症での腫瘍の進行は，術後3年以内に約半数に認められ，その予知因子は術後の血中ACTHの急増である．
4. 本症は必ずしも臨床症状や下垂体腫瘍の出現を待つのではなく，副腎全摘後に定期的に頭部MRIと血中ACTH測定を行い，早期の診断と治療が可能となった．

定義

1958年，Nelsonは33歳女性でCushing症候群(CS)の治療のため副腎全摘術を施行3年後に全身の皮膚の色素沈着，視力障害を自覚し，血中ACTHの上昇を認め，トルコ鞍の拡大から下垂体腫瘍が出現したため，腫瘍切除によりこれらの徴候が改善した症例を初めて報告した[1]．1966年にはNelsonらは同様の臨床経過を呈した9例を追加報告し，他施設からも相次いで同様の症例が報告された．以後，CSの治療目的で副腎全摘したのちに，ACTH産生下垂体腺腫が出現する病態を彼の名前にちなんでNelson症候群(NS)とよぶようになった．

しかし，本症の最初の記載から半世紀以上が経過し，その間下垂体ACTH産生微小腺腫がCushing病(CD)の原因であり，Hardy法による外科的治療ならびに頭部MRIによる画像検査法といった診断と治療の技術が進歩したため，現在NSの古典的な定義が再評価されるに至っている．

病態生理

①副腎摘出により，視床下部CRHドライブが大きくなるため，下垂体のACTH産生細胞数の

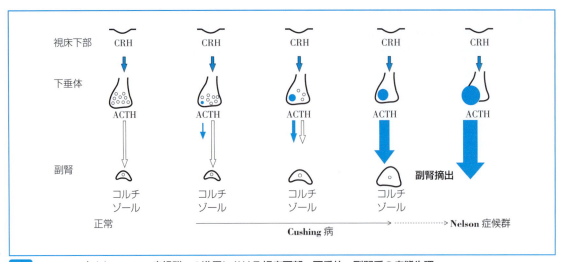

図1 Cushing病よりNelson症候群への進展における視床下部－下垂体－副腎系の病態生理
ACTH産生細胞(○)からのACTH分泌(⇩)，ACTH産生腺腫(●)からのACTH分泌(⬇)．
〔Assie G, et al.：The Nelson's syndrome... revisited. *Pituitary* 2004；7：209-215 より引用・改変〕

増加(過形成)から形質転換(腺腫)，あるいは，②コルチゾール過剰により既存の腫瘍の抑制効果が急激に解除されるため，腫瘍増大が進行，といった機序が想定されている(図1)[2]．しかし，近年画像検査(MRI)の導入によりCDに下垂体微小腺腫が40〜60%同定され，経蝶形骨洞手術(transsphenoidal surgery：TSS)により，ほぼ全例に下垂体ACTH産生腺腫が同定されることが明らかとなった．しかもNSとCDの下垂体腫瘍の間には腫瘍発生にかかわるオンコジーン，増殖因子，転写因子，癌抑制遺伝子，細胞周期関連遺伝子，USP-8などの質的あるいは量的な遺伝子発現の差異は一部を除いて見出されていない[3]．

したがって，NSにおける副腎摘出後に急速あるいは緩徐に進行する下垂体ACTH産生腺腫の増殖，進行の分子メカニズムは明らかではない．

頻度，予知因子

NSの頻度(0〜60%)はその診断基準，フォローアップ期間，紹介施設によって幅広い．NSの臨床診断を，①CDの副腎全摘後にMRIで出現する下垂体腫瘍の増大，②血中ACTHの増加，③皮膚の色素沈着，とすると，その発症頻度(8.6〜46.7%)および術後発症までの期間(平均1〜16年)はかなり幅広い[4,5]．AssieらはCD患者の約半数で3年以内に頭部MRIにて下垂体腫瘍の進行を認めている[4]．またFountasらも術後10年間の観察期間で38%に腫瘍の進行を認めている[6]．

発症の予知因子として副腎摘出1年後の血中ACTHの増加(100 pg/mL以上)が最も信頼性が高い．

合併症

合併症は基本的には腫瘍増大によるものであり，視交叉圧迫による視野障害が最も高い頻度で起こる．ほかにも動眼神経麻痺，頭蓋内高血圧による腫瘍内壊死，まれに尿崩症，下垂体機能低下症，腫瘍の遠隔転移などがある．例外的な合併症としてACTH分泌亢進によるコルチゾール・アンドロゲン産生傍精巣腫瘍や傍卵巣腫瘍，両側の精巣過形成から腫瘍への転換，などの報告がある．

診断

これまで古典的NSの診断基準として，①CDの治療目的で副腎全摘の既往，②術後，下垂体腫瘍に圧迫症状(頭痛，視力障害など)や皮膚の色素沈着の出現(図2)，③血中ACTHの上昇，④画像検査(頭部MRI)で下垂体腫瘍の存在，があげられる．また新たなNSの診断基準も提唱されている表1[5]．

NSの診療手順を図3に示す．副腎手術後の定期的(半年〜1年ごと)な下垂体MRIによる腫瘍の検索および血中ACTHを測定する．補充量ヒドロコルチゾン内服20時間後のACTHが前回より100 pg/mL以上の増加あるいは内服2時間後のACTHが200 pg/mL以上であれば頭部MRIでの下垂体腫瘍を検索する[6]．副腎摘出後に定期的に血中ACTH測定や下垂体MRIを実施すればNSの早期診断は可能となり，下垂体ACTH産生腺腫の進展を評価できる．しかし，術後下垂体腫瘍が急速あるいは緩徐に増大するのか，また巨大腺腫に進行するリスクがあるのかの予知因子は解明されていない．

治療

古典的NSのような浸潤性巨大腫瘍で視神経障害を伴う場合，TSSおよび残存腫瘍に対しては定位放射線照射を行う．高線量1回照射のSRS(ガンマナイフ，サイバーナイフ)や分割照射のSRT(サイバーナイフ，ノバリス)が用いられる．しかし最近ではMRIで腫瘍が小さい時期に発見されることが多いためTSSによる手術成績はよい．

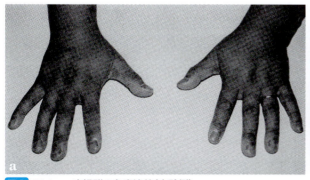
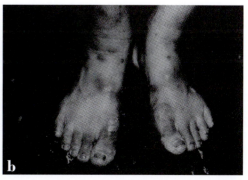

図2 Nelson症候群の色素沈着(自験例)
副腎全摘後の，(a)両手，(b)両足の皮膚，爪甲，瘢痕部の色素沈着．

(▶口絵カラー㉒，p.xii参照)

表1 Nelson症候群の診断基準

主要項目
　Cushing病治療の目的で副腎全摘の既往がある
副項目
　副腎全摘後に
1) 画像(CT, MRI)で全摘前に比べて下垂体腫瘍の拡大
2) 朝8時の血中ACTH濃度の上昇（＞500pg/mL）*
　徐々に血中ACTHの増加（＞30%）*が少なくとも連続3回
判定
　主要項目に加えて副項目が少なくとも1つ以上

＊ステロイド補充前の採血

〔Barber TM, et al.：Nelson's syndrome. *Eur J Endocrinol* 2010；**163**：495-507 より引用・改変〕

本症ではすでに高コルチゾール血症は是正されているため，術後微小腺腫が出現しても急速に増大しなければ直ちに手術する必要性はなく，注意深く経過観察を行い，必要に応じて放射線治療あるいは外科的治療を選択する（図3）．英国の13施設でのNS患者(68例)の10年間の腫瘍無増殖生存率(PFS)はTSS(80%)，放射線治療(52%)，観察のみ(51%)と報告され[6]，手術(±放射線治療)は経過観察のみより腫瘍コントロール率は高い．本症での薬物治療の有効性は確立されていない．

現在，わが国でのCDの治療目的で両側副腎全摘をする機会は極めて減少したため，NSの発症率は減少している．腹腔鏡下副腎全摘術は安全で侵襲が少なく，また確実に高コルチゾール血症を是正できて生命予後を改善するため，欧米では治療抵抗性ACTH依存性CS（CDおよび異所性ACTH症候群）にしばしば実施されている．

文献

1) Nelson DH, et al.：ACTH-producing tumor of the pituitary gland. *N Engl J Med* 1958；**259**：161-164.
2) Assie G, et al.：The Nelson's syndrome... revisited. *Pituitary* 2004；**7**：209-215.
3) Dahia PL, et al.：The molecular pathogenesis of corticotroph tumors. *Endocr Rev* 1999；**20**：136-155.
4) Assie G, et al.：Corticotroph tumor progression after adrenalectomy in Cushing's Disease: A reappraisal of Nelson's Syndrome. *J Clin Endocrinol Metab* 2007；**92**：172-179.
5) Barber TM, et al.：Nelson's syndrome. *Eur J Endocrinol* 2010；**163**：495-507.
6) Fountas A, et al.：Outcomes of patients with Nelson's syndrome after primary treatment：A multicenter study from 13 UK pituitary centers. *J Clin Endocrinol Metab* 2020；**105**：dgz200.

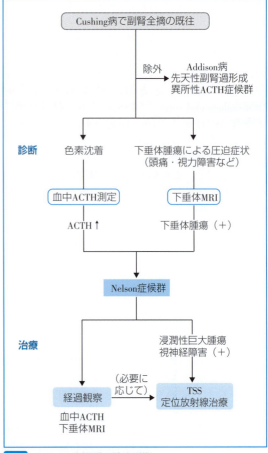

図3 Nelson症候群の診療手順

第2章 臨床知識──D 下垂体前葉疾患各論

12 非機能性下垂体腺腫（ゴナドトロピン産生下垂体腺腫）

鳥取大学医学部脳神経医科学講座脳神経外科学分野　黒﨑雅道

》》臨床医のための Point ▶▶▶

1. 臨床的に非機能性下垂体腺腫と診断されるもののうち，免疫組織学的にはゴナドトロピン陽性のものが最も多い．
2. 偶発的下垂体腫瘍（インシデンタローマ）のうち充実性腫瘤では非機能性下垂体腺腫のことが多い．
3. 画像上，（無症候性）下垂体卒中例では他の囊胞性疾患との鑑別が必要である．

概念・病態・疫学

　非機能性下垂体腺腫は，臨床的に下垂体前葉ホルモン過剰症候を示さない腫瘍を意味し，全下垂体腺腫の約半数を占める．免疫組織学的にはゴナドトロピン陽性のものが多いが，他のホルモン陽性腺腫においても臨床的に非機能性となる場合がある．null cell adenoma といわれるものが，真のホルモン非産生腺腫となるが，下垂体腫瘍の新 WHO 分類 2017 では，転写因子もすべて陰性の腫瘍に限定されており，頻度は非機能性腺腫のわずかに 5% 以下である．非機能性腺腫は男性に多く，好発年齢は 50〜65 歳であり，機能性腺腫と比較すると高齢となる．

主要症状・身体所見

　非機能性下垂体腺腫は内分泌異常による症状を呈さないため，大きくなるまで診断されにくい．主症状としては，腫瘍の mass effect による視機能障害（28〜100%），頭痛（16〜70%），下垂体機能低下症（37〜85%）がある[1,2]．下垂体機能低下症のなかでも stalk effect による高プロラクチン（PRL）血症（25〜65%）や汎下垂体機能低下症（6〜29%）は比較的高頻度にみられるが，中枢性尿崩症はまれである[1]．複視もまれであるが，これがみられる場合には腺腫の海綿静脈洞浸潤を考慮する．近年では診断機器の発達や脳ドックの普及により，無症状で見つかる偶発的下垂体腫瘍（インシデンタローマ）（他項参照）が増えている[3]．

検査所見

　下垂体機能のうち成長ホルモン，ゴナドトロピンの分泌が障害されやすい．下垂体機能低下症を正確に評価するためには，下垂体前葉機能試験が必要となるが，まれに下垂体卒中を起こす可能性があるため，鞍上進展のある大型腺腫（macroadenoma）で腫瘍内に囊胞や血腫などの所見がある場合には控えたほうがよい．視機能に関しては，視力障害よりも視野障害が先行する．通常，視野の評価には動的視野測定（Goldmann 視野検査）と静的視野測定（Humphry 視野検査）を行うが，後者のほうが鋭敏である．

画像所見

　画像診断はおもに MRI で行われる．長径 1 cm を境に微小腺腫（microadenoma）と macroadenoma に分けられる．macroadenoma の場合には存在診断は比較的容易であり，視交叉や海綿静脈洞との関係も明瞭に描出される．腺腫は T1 強調画像において低〜等信号域，造影後では，著明に造影される前葉よりも比較的低信号域（less enhanced area）となり，T2 強調画像では中等度高信号域を呈することが多い．T2 強調画像では，視神経・視交叉の描出が明瞭となる（図 1）．

診断・鑑別診断

　傍鞍部には下垂体腺腫をはじめとする多彩な疾患がみられ，MRI を中心とした画像による鑑別診断が重要となる．特に，腺腫内血腫を含むいわゆる下垂体卒中例では，頭蓋咽頭腫，Rathke（ラトケ）囊胞，トルコ鞍部黄色肉芽腫などの囊胞性病変との鑑別が重要となる．前述のごとく，複視や中枢性尿崩症などは非機能性腺腫ではまれであるため，これらの症状がみられた場合には他疾患も考慮する必要がある．高 PRL 血症を呈する場合は PRL 産生下垂体腺腫との鑑別が必要であるが，血中濃度が 250 ng/mL 以上の場合は PRL 産生腺腫の可能性が高い．また，非機能性下垂体腺腫のなかでも silent corticotroph adenoma は aggressive な経過をとるものが多いと考えられており，画像上，ゴナドトロピン産生腺腫よりも巨大，分葉化，海綿静脈洞浸潤が多いという傾向がある[4]．

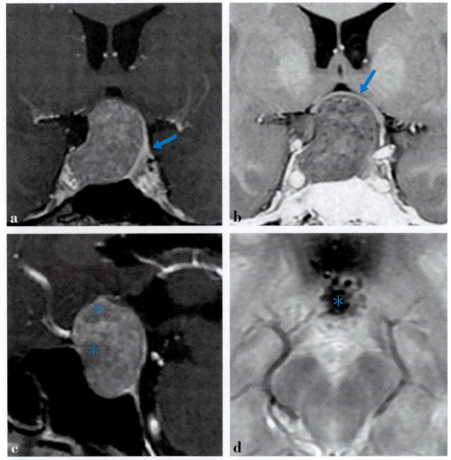

図1 非機能性下垂体腺腫症例（22歳女性）のMRI画像
a：造影T1強調画像，冠状断．比較的低信号の腺腫が正常下垂体（→）を左方へ圧排している．
b：T2強調画像（白黒反転），視交叉（→）が上方へ圧排されているのがよくわかる．
c：造影T1強調画像，矢状断．腺腫内に造影されない血腫成分（＊）がみられる．
d：T2＊強調画像，水平断．血腫成分が低信号域として明瞭に描出されている．

治療・予後

非機能性下垂体腺腫に対する確実に有効な薬物療法はなく，治療の第一選択は手術であり，多くの場合，経鼻的経蝶形骨洞手術が行われる．手術適応に関しては，図2[1])のとおりである．下垂体機能低下や頭痛のみでは，手術適応になりにくいが，腫瘍が鞍上進展し視路を圧排している場合には，手術適応となる．これは，「偶発的下垂体腫瘍（インシデンタローマ）の診断と治療の手引き」や脳ドックのガイドラインの無症候性脳腫瘍および腫瘍性病変の項でも推奨されている．

近年，内視鏡下手術が多くの施設で行われるようになったが，顕微鏡下手術との優劣に関してはいまだ議論の分かれるところである．また，従来は開頭術の適応となっていたダンベル型，分葉状，あるいはトルコ鞍拡大のない鞍上部に主病変がある腺腫に対しても最近は内視鏡下経鼻的頭蓋底手術（拡大経蝶形骨洞手術）や開頭・経鼻経蝶形骨洞同時手術を行う施設が増えている．非機能性下垂体腺腫に対する手術成績に関しては，60～73％の症例でgross total resectionがなされて，下垂体前葉機能は30％で改善するとされている[5)]．kobayashiらの検討では，非機能性下垂体腺腫119例中94例（79.0％）で術直後に重症GH分泌不全と診断されたが，1～2年後に27例（28.7％）が回復していた[6)]．視力の改善率は68％，悪化率5％，視野に関しては，改善率81％，正常化率40％，悪化率2％と報告されている[2)]．しかしながら，現在でも死亡率は1％と決して低くなく，髄液鼻漏，髄膜炎，中枢性尿崩症，血管傷害などの合併症が5％以下に起こっている．

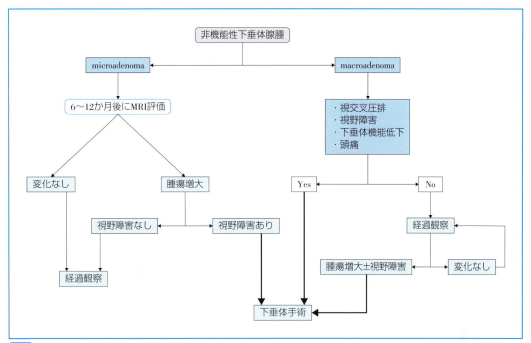

図2 非機能性下垂体腺腫に対する手術適応
〔Esposito D, et al.：Non-functioning pituitary adenomas：indications for pituitary surgery and post-surgical management. *Pituitary* 2019；**22**：422-434 より引用・改変〕

　残存腫瘍が再増大した場合は，再手術もしくは放射線治療の適応となる．非機能性下垂体腺腫の術後の残存腫瘍増大率は 15〜66% とされているが，手術と放射線治療を併用した場合は 2〜28% と低下する．近年，ガンマナイフ，サイバーナイフなどの定位放射線治療が高い腫瘍抑制効果を示すことが知られている．しかしながら，定位放射線治療でも長期的にみれば下垂体機能障害のリスクは避けられない．

文献

1) Esposito D, et al.：Non-functioning pituitary adenomas：indications for pituitary surgery and post-surgical management. *Pituitary* 2019；**22**：422-434.
2) Muskens IS, et al.：Visual outcomes after endoscopic endonasal pituitary adenoma resection：a systematic review and meta-analysis. *Pituitary* 2017；**20**：539-552.
3) 有馬　寛，他：偶発的下垂体腫瘍（インシデンタローマ）の診断と治療の手引き．厚生労働科学研究費補助金難治性疾患等政策研究事業間脳下垂体機能障害に関する調査研究班：間脳下垂体機能障害の診断と治療の手引き（平成30年度改訂）．日本内分泌学会雑誌 2019；**92**（Suppl）：52-53.
4) Nishioka H, et al.：Correlation between histological subtypes and MRI findings in clinically nonfunctioning pituitary adenomas. *Endocr Pathol* 2012；**23**：151-156.
5) Murad MH, et al.：Outcomes of surgical treatment for nonfunctioning pituitary adenomas：a systematic review and meta-analysis. *Clin Endocrinol* 2010；**73**：777-791.
6) Kobayashi N, et al.：Postoperative growth hormone dynamics in clinically nonfunctioning pituitary adenoma. *Endocr J* 2018；**65**：827-832.

第2章 臨床知識——D 下垂体前葉疾患各論

13 特発性低ゴナドトロピン性性腺機能低下症

自治医科大学とちぎこども医療センター小児科 田島敏広

> **臨床医のためのPoint**
> 1. 思春期年齢に到達しても，二次性徴の出現がないまたは遅れている場合に本症を疑う．
> 2. 女性，男性で認められていた性成熟の徴候が消失あるいは進行停止の場合，本症を疑う．
> 3. 男性の場合テストステロンまたはhCG/rFSH治療を行う．

概念・病態・疫学

特発性低ゴナドトロピン性性腺機能低下症（idiopathic hypogonadotropic hypogonadism：IHH）は，視床下部または下垂体などの病因によるLHまたはFSHの単独欠損，LHとFSHの同時欠損によって発症する[1-3]．視床下部，下垂体領域の器質性疾患，あるいは機能的なゴナドトロピン分泌低下，複合型下垂体ホルモン分泌低下症などは除外する．Kallmann症候群やそれ以外のIHHで遺伝的原因を同定できるのは約半数である．

IHHの正確な発症頻度は不明であるが，従来の男性のKallmann症候群は1万人に1人の発症頻度と考えられている[3]．

主要症状・身体所見

図1に診断手順を示す[1,4]．主症状として，①二次性徴の欠如（男子15歳以上，女子14歳以上）または二次性徴の進行停止，②月経異常（無月経，無排卵周期症または希発月経），③性欲低下，勃起障害，不妊，④陰毛・腋毛の脱落，性器萎縮，乳房萎縮，が診断の手引きであげられている[4]．症状は発症する年齢によって様々である．たとえば，男子では胎内でのゴナドトロピンの分泌低下により，新生児期に小陰茎，停留精巣，尿道下裂などが診断の契機になることがある．IHHの合併症として，腎奇形，難聴，鏡像運動などがあげられる．

検査所見

①血中ゴナドトロピン（LH，FSH）は高値ではない，②ゴナドトロピン分泌刺激試験（LHRH，クロミフェンまたはエストロゲン負荷など）に対して，血中ゴナドトロピンは低反応ないし無反応．ただし，視床下部性ゴナドトロピン分泌低下症の場合は，LHRHの連続投与で正常反応を示すことがある，③血中，尿中性ステロイドホルモンが低値である，が診断の手引きであげられている[4]．

実際，IHHで下垂体性，視床下部性の鑑別がむずかしい場合に遭遇する．その場合は1度のLHRH試験だけではなく，LHRHを3〜5日間連続投与した前後でLHRH試験を行う．テストステロンは，hCG負荷試験により成人男性で負荷後基礎値の2〜3倍に上昇する．前思春期では負荷後のテストステロンの頂値が1.5 ng/mL以上であれば，正常反応と考えられる．

画像所見

二次性徴が出現していないIHHでは性ステロイドの分泌低下のため，骨成熟の遅れを認める．下垂体の画像所見ではIHHにおいて特異的なものはない．MRIで嗅球の低形成，無形成を認めることがある．

診断・鑑別診断

先に述べた主要症状，検査所見で診断する．ゴナドトロピン分泌を低下させる薬剤投与や，高度肥満・神経性やせ症など機能的に分泌不全を起こす病態，低ゴナドトロピン血症を起こす視床下部・下垂体領域の腫瘍，炎症，放射線治療後などを除外する必要がある．特に男子において二次性徴の発現が認められない場合は，経過観察のみで自然に二次性徴が発現する，いわゆる体質性遅発症との鑑別が重要である[1-3]．

治療・予後

治療の目的は二次性徴の発現・成熟，妊孕性の獲得である．妊孕性の獲得が直ちに必要ではない場合には，男性ではテストステロンの筋肉注射が一般的である．女性の場合はエストロゲンにより思春期を発来させ，エストロゲンとプロゲステロンの投与で二次性徴の維持を行う．妊孕性の獲得のためにはゴナドトロピン療法を行う．男性・女性ともLHRHの間欠的皮下注療法があるが，実

際に行うのは容易ではない．

　小児期の思春期導入時期からhCG/rFSHを用いたほうが将来の精子形成により有効とする報告，青年期からテストステロン治療よりもhCG単独またはhCG＋rFSH治療で開始したほうが精巣容量の増大，生殖能力の獲得に有効であるとする報告があるが結論は得られていない[2,5]．しかし精巣容量4mL未満の例では，hCG＋rFSHの治療効果は必ずしも有効ではない[2,5]．女性で挙児希望がある場合，クロミフェン療法やhCG-hMG療法を行う．hCG-hMG療法では多胎の発生率が高くなり，卵巣過剰刺激症候群も発症することがある．

　IHHの約20％はLHRH，ゴナドトロピンいずれか単独またはこれらのいくつかの組合せによる治療中LH，FSHの分泌増加を認め，一時治療を中止できる．しかし再度LH，FSHの分泌が低下する症例が存在する．したがって，視床下部-下垂体-性腺系の慎重な経過観察が必要である[6]．

治療の実際

　成人男性ではエナント酸テストステロン（デポ剤）125mg/回を2～3週ごとに筋注，または250mg/回を3～4週ごとに筋注を行う．hCG-rFSH療法はhCGの1,500～3,000単位/回，週2回皮下注，rFSHの75～150単位/回，週2回皮下注射を併用する．

文献

1) 田島敏広：二次性徴の異常．小児科診療 2011；**74**(Suppl)：57-60.
2) Howard SR, *et al*.：Management of hypogonadism from birth to adolescence. *Best Pract Res Clin Endocrinol Metab* 2018；**32**：355-372.
3) 佐藤直子：Kallmann症候群．日本小児内分泌学会（編），小児内分泌学．診断と治療社，2009；285-291.
4) 有馬　寛，他：ゴナドトロピン分泌低下症の診断と治療の手引き．厚生労働科学研究費補助金難治性疾患等政策研究事業間脳下垂体機能障害に関する調査研究班間脳下垂体機能障害の診断と治療（平成30年度改訂）．日本内分泌学会雑誌 2019；**95**(Suppl)：44-49.
5) Sato N, *et al*.：Treatment situation of male hypogonadotropic hypogonadism in pediatrics and proposal of testosterone and gonadotropins replacement therapy protocol. *Clin Pediatr Endocrinol* 2015；**24**：37-49.
6) Sidhoum VF, *et al*.：Reversal and relapse of hypogonadotropic hypogonadism：resilience and fragility of the reproductive neuroendocrine system. *J Clin Endocrinol Metab* 2014；**99**：861-870.

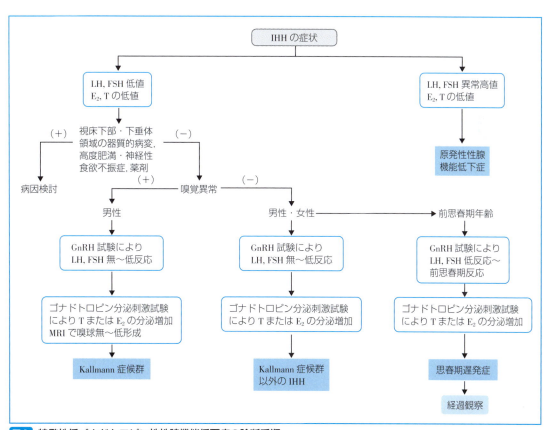

図1 特発性低ゴナドトロピン性性腺機能低下症の診断手順
E_2：エストロゲン，T：テストステロン
〔田島敏広：二次性徴の異常．小児科診療 2011；74(Suppl)：57-60，図2を引用・一部改変〕

14 TSH産生下垂体腺腫

群馬大学大学院医学系研究科内分泌代謝内科学　堀口和彦，山田正信

> **» 臨床医のための Point »»»**
>
> 1. TSH産生下垂体腺腫は，血中甲状腺ホルモンが高値にもかかわらず血中TSHが基準値内〜軽度高値を示す不適切TSH分泌症候群（SITSH）の一因である．
> 2. SITSHを示す疾患として甲状腺ホルモン不応症があるが，非機能性下垂体腺腫を合併することがあるため慎重な鑑別診断が必要である．
> 3. 治療の第一選択は手術であるが，臨床症状の改善にソマトスタチンアナログが有用であり，ランレオチドが保険適用となった．

概念・病態・疫学

TSH産生下垂体腺腫は，下垂体にできた腺腫からの甲状腺刺激ホルモン（thyrotropin：TSH）が過剰に分泌され，甲状腺が刺激される結果，甲状腺ホルモンが体内に過剰となる疾患である．血中甲状腺ホルモン（FT$_4$）が高値にもかかわらず血中TSHは基準値内〜軽度高値を示す不適切TSH分泌症候群（syndrome of inappropriate secretion of TSH：SITSH）を示すのが特徴で，甲状腺ホルモン不応症との鑑別が必要となる．TSH産生下垂体腺腫の発生頻度は約100万人に1人とされ，全下垂体腫瘍の0.5〜2.0%とまれな疾患とされるが，検査，診断精度の向上により，その頻度は増加している．スウェーデンにおけるレジストリ研究では，1990〜1994年のTSH産生下垂体腺腫の罹患率が100万人当たり0.05人であったが，2005〜2009年では0.26人に増加していたと報告されている[1]．好発年齢は50〜60歳代に診断される例が多いが，全年齢層に分布している．

TSH産生下垂体腺腫の成因のほとんどはわかっていないが，一部のTSH産生下垂体腺腫は，遺伝子の異常により発症することがある．たとえば，下垂体，副甲状腺，膵内分泌腺等に腫瘍を多発する遺伝性内分泌腫瘍症候群である多発性内分泌腫瘍症1型の一症状として認められることがある．

主要症状・身体所見

甲状腺ホルモンの分泌過剰が軽度であれば無症状であるが，甲状腺ホルモンの分泌過剰がある程度高くなると，甲状腺機能亢進症状として動悸や頻脈，発汗増加，体重減少，イライラ感，手指振戦などの症状が現れる．TSH産生下垂体腺腫ではこれらの症状が，ごく軽微なものから中等症のものが多く，重症例は少ない．また，腫瘍が大きくなった場合は，腫瘍の視神経の圧迫による視野の障害や，正常下垂体を圧排することによりTSH以外の下垂体前葉ホルモンの機能低下による全身倦怠感や性腺機能低下症状も認められる[2]．身体所見としては，慢性のTSH過剰による甲状腺刺激を原因とするびまん性の甲状腺腫大を認める．バセドウ病と異なり，眼球突出は通常きたさない．

検査所見

血液検査所見で最も重要な所見は，血中甲状腺ホルモン（FT$_4$）が高値であるにもかかわらず，血中TSH値が抑制されておらず測定できるSITSHを認めることである．このSITSHの所見が得られた場合は，くり返し同様の所見が認められることを確認する必要がある．ヨウ素を含有する薬剤（アミオダロンなど）で治療中の症例では時に血清甲状腺ホルモン値が高値でもTSHが測定されることがあるので留意する[3]．

補助的な検査として血中αサブユニット値（αSU）とαSU/TSHモル比の測定があるが，わが国では保険未収載であり海外での委託検査となる．TSH産生下垂体腺腫では，血中αSUが高値，αSU/TSHモル比は1以上となる症例が多い．しかし，αSUは血液中の黄体形成ホルモン（LH）・卵胞刺激ホルモン（FSH）の値が高いと高値となるため，閉経後や妊娠中の女性ではこれらのホルモンが高値となるため，年齢性別の基準値を考慮する必要がある．また，刺激試験としてTRH試験が行われ，9割程度の症例で血中TSH値は無〜低反応（頂値が前値の2倍以下）を示す．しかし，TSH

の反応を認める例も少数あり注意が必要である．また，TRH試験の際にαSUを同時測定した場合，αSUも無反応を示すことが多い．

画像所見（図1）

下垂体造影MRI検査が最も有用であり，TSH産生下垂体腺腫は正常下垂体と比較して増強効果の弱い，less enhancement lesionとして描出される[4]．従来は診断まで時間を要していたため，9割の腫瘍が腫瘍径1cm以上の進行したmacroadenomaとして検出されていたが，甲状腺機能検査技術の向上により，近年では約3割程度がmicroadenomaとして発見されている．また，TSH産生下垂体腺腫に対して，甲状腺摘出や放射性ヨウ素内用療法などにより甲状腺ホルモン分泌が抑制されると，下垂体腺腫がmacroadenomaで発見される確率が高いことが報告されている．また，TSH産生下垂体腺腫は，その他の下垂体腺腫と比較して手術組織の所見と相関して，顕微鏡的浸潤の程度が高く，腫瘍内および腫瘍周囲の線維化を伴う傾向にある[5]．T1WIで高信号となる出血を伴う場合や，囊胞性変化や壊死を伴っていることがあり，その場合，造影MRI検査で正常下垂体や海綿静脈洞に比較して不均一に増強される．

診断・鑑別診断

「下垂体TSH産生腫瘍の診断の手引き」を示す（表1）[6]．主症候として，甲状腺中毒症状，びまん性甲状腺腫，下垂体腺腫圧排症状のいずれかを認め，検査所見としてSITSH，下垂体MRIで下垂体腺腫を認めると，ほぼ確実例となる．見かけ上のSITSHとして，家族性異常アルブミン性高サイロキシン血症，抗T_4抗体や抗T_3抗体による甲状腺ホルモンの高値，抗マウスIgG抗体などの異種抗体による甲状腺ホルモンやTSHの高値があり，注意が必要である．また，アミオダロンなどヨウ素を含有する薬剤で甲状腺ホルモンが高値となってもTSHが測定されることがあるので注意が必要である．

診断基準で確実例には，下垂体腺腫のTSHの免疫染色が必要となるが，これは非機能性下垂体腺腫を合併した甲状腺ホルモン不応症との鑑別診断が非常に困難であることによる．甲状腺ホルモン不応症は，甲状腺ホルモン受容体β遺伝子胚細

表1　下垂体TSH産生腫瘍の診断の手引き（平成30年度改訂）

I．主症候
1. 甲状腺中毒症状（動悸，頻脈，発汗増加，体重減少）を認める（注1）
2. びまん性甲状腺腫大を認める
3. 下垂体腺腫による症状（頭痛・視野障害）を認める

II．検査所見
1. 血中甲状腺ホルモン（遊離T_4）が高値にもかかわらず血中TSHは用いた検査キットにおける健常者の年齢・性別基準値と比して正常値〜軽度高値を示す（syndrome of inappropriate secretion of TSH：SITSH）
2. 画像診断で下垂体腺腫を認める
3. 摘出した下垂体腺腫組織の免疫組織学的検索によりTSHβないしはTSH染色性を認める

III．参考事項
1. TRH試験により血中TSHは無〜低反応を示す（頂値のTSHは前値の2倍以下となる）例が多い（注2）
2. 他の下垂体ホルモンの分泌異常を伴い，それぞれの過剰ホルモンによる症候を示すことがある
3. 腫瘍圧排による他の下垂体ホルモンの分泌低下症候を呈することがある
4. まれであるが異所性TSH産生腫瘍がある
5. 見かけ上のSITSHとして，家族性異常アルブミン性高サイロキシン血症，抗T_4抗体や抗T_3抗体による甲状腺ホルモンの高値，抗マウスIgG抗体などの異種抗体による甲状腺ホルモンやTSHの高値があり，注意が必要である．また，アミオダロンなどヨウ素を含有する薬剤で甲状腺ホルモンが高値でもTSHが測定されることがある

IV．鑑別診断
甲状腺ホルモン不応症との鑑別を必要とする．甲状腺ホルモン受容体βの遺伝子診断が役立つ

［診断基準］
確実例：Iのいずれかと II のすべてを満たすもの
ほぼ確実例：Iのいずれかと II の1，2を満たすもの

（注1）中毒症状はごく軽微なものから中等症が多い
（注2）少数例では反応を認める

〔有馬 寛，他：下垂体TSH産生腫瘍の診断と治療の手引き．厚生労働科学研究費補助金難治性疾患等政策研究事業間脳下垂体機能障害に関する調査研究班：間脳下垂体機能障害の診断と治療の手引き（平成30年度改訂）．日本内分泌学会雑誌 2019；95（Suppl）：29-30より引用〕

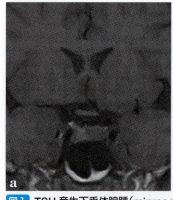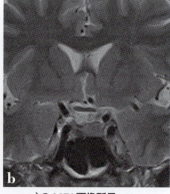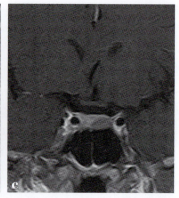

図1 TSH 産生下垂体腺腫（microadenoma）の MRI 画像所見
a：T1 強調画像（冠状断），b：T2 強調画像（冠状断），c：T1 強調 Gd 造影像（冠状断）．
下垂体左側に正常下垂体よりやや低信号，less enhancement lesion として描出された microadenoma 陰影．
＊初出：内分泌画像検査・診断マニュアル改訂第 2 版　p.57

胞変異により甲状腺ホルモンの反応性が低下し，SITSH を生じる疾患である（診断のためのアルゴリズムは第 2 章 D. 下垂体前葉疾患各論 15. 中枢型甲状腺ホルモン不応症〔Refetoff 症候群〕図 1 参照）．遺伝性疾患であり，家族歴，TRβ 遺伝子変異があれば鑑別は容易であるが，甲状腺ホルモン不応症の 15％ の症例では TRβ 遺伝子変異が認められず，家族歴なく，下垂体に微小腺腫を認め，TRβ 遺伝子変異がない場合は，TSH 産生下垂体腺腫との鑑別が非常に困難となる．検査所見で，αSU/TSH モル比＜1，T₃ 抑制試験，TRH 刺激試験で反応が保たれることを参考に鑑別診断を進めることになるが，TSH 産生下垂体腺腫の約 10％ は TRH 刺激試験に反応する点は注意が必要である．

治療・予後

治療の第一選択は，手術による腫瘍切除である．周術期に甲状腺クリーゼを発症した症例も報告されており，術前の甲状腺機能の正常化が望ましい．TSH 産生下垂体腺腫の甲状腺中毒症や血清 TSH は，ソマトスタチンアナログ製剤によく反応し正常化する症例が多い．また，約 50％ の症例で腫瘍の縮小が得られることが報告されている．わが国ではこれまで GH を同時産生していない TSH 産生下垂体腺腫に保険適用となるソマトスタチンアナログ製剤がなかったが，2020 年ランレオチドが保険適用となり，外科的処置の施行が困難な患者，外科的処置で効果が不十分な患者または周術期のリスク低減のため術前に甲状腺機能の改善を図る必要がある患者に使用が可能となった．薬物治療の効果がない残存腫瘍に対しては，ガンマナイフ治療も行われているが，その有効性については今後の長期成績が待たれる．プロラクチンを同時産生する TSH 産生下垂体腺腫には，ブロモクリプチンやカベルゴリンなどのドパミン作動薬の効果があった症例が報告されている．また，続発性副腎機能低下症には適切な副腎皮質ホルモン製剤の補充も必要である．

比較的小さな腫瘍で発見された場合の手術による治療成績は良好であるが[2]，大きな浸潤性の強い腫瘍では再発例もみられ，術後も注意深い経過観察が必要である．

文献

1) Onnestam L, et al.：National incidence and prevalence of TSH-secreting adenomas in Sweden. *J clin Endocrinol Metab* 2013；**98**：626-635.
2) Beck-Peccoz P, et al.：Thyrotropin-Secreting pituitary adenomas updated January 9, 2019 Thyroid Disease Manager：http://www.thyroidmanager.org/
3) Melmed S, et al.：Hyperthyroxinemia with bradycardia and normal thyrotropin secretion after chronic amiodarone administration. *J Clin Endocrinol Metab* 1981；**53**：997-1001.
4) Sarlis NJ, et al.：MR imaging features of thyrotropin-secreting adenomas at initial presentation. *AJR Am J Roentgenol* 2003；**181**：577-582.
5) Beck-Peccoz P, et al.：Thyrotropin-secreting pituitary tumors. *Endocr Rev* 1996；**17**：610-638.
6) 有馬　寛，他：下垂体 TSH 産生腫瘍の診断と治療の手引き．厚生労働科学研究費補助金難治性疾患等政策研究事業間脳下垂体機能障害に関する調査研究班：間脳下垂体機能障害の診断と治療の手引き（平成 30 年度改訂）．日本内分泌学会雑誌 2019；**95**（Suppl）：29-30.

第 2 章　臨床知識——D　下垂体前葉疾患各論

15 中枢型甲状腺ホルモン不応症（Refetoff 症候群）

群馬大学大学院医学系研究科応用生理学分野　石井角保

臨床医のための Point

1. おもに甲状腺ホルモン受容体β遺伝子の変異によって生じる遺伝性疾患.
2. 不適切 TSH 分泌症候群を呈し，TSH 産生下垂体腺腫との鑑別が重要.
3. 抗甲状腺薬や ^{131}I 内用療法，甲状腺摘出術などの治療法は行わない.

概念・病態・疫学

甲状腺ホルモン不応症 (syndrome of resistance to thyroid hormone：RTH) は，甲状腺ホルモンに対する甲状腺ホルモン受容体 (thyroid hormone receptor：TR) の反応性が減弱する先天性疾患である．TR をコードする遺伝子には TRα と TRβ の 2 つがあるが，このうち視床下部 - 下垂体におけるネガティブフィードバック機構に関与するのは TRβ である．中枢型甲状腺ホルモン不応症 (RTHβ) は TRβ の機能異常症で，ネガティブフィードバック機構が障害され，甲状腺ホルモン値が高値であるにもかかわらず TSH 値が抑制されない不適切 TSH 分泌症候群 (syndrome of inappropriate secretion of TSH：SITSH) を呈する[1]．おもに常染色体顕性遺伝（優性遺伝）形式の遺伝性疾患で，RTHβ 家系の 85% に TRβ 遺伝子変異が同定される．なお，TRα 遺伝子異常症である末梢型甲状腺ホルモン不応症 (RTHα) が報告されているが，RTHβ と異なり SITSH を示さない.

TRβ 遺伝子変異を伴う RTHβ は約 40,000 人に 1 人と推定されている.

主要症状・身体所見

TSH 過剰分泌のため甲状腺がびまん性に腫大することが多い.

甲状腺ホルモンが高値となるが臓器ごとにホルモン反応性が異なり，甲状腺中毒症症状と甲状腺機能低下症症状が混在して出現する可能性がある．TRβ の機能異常であるため，TRβ の発現が多い肝臓や下垂体では甲状腺ホルモン反応性が低下する．一方，TRα の発現が多い心臓では，逆に甲状腺ホルモン高値の影響を受けて甲状腺中毒症状態となり，頻脈を呈する傾向にある．甲状腺ホルモンに対する反応性の低下が甲状腺ホルモン高値になることで代償され，結果として甲状腺腫と軽度頻脈のみとなる症例が多い．しかし，甲状腺中毒症症状が強く，注意欠陥 / 多動障害や著しい頻脈を示す患者もいる．逆に受容体異常の程度が強いと，変異 TRβ によって正常な TRα と TRβ の機能が抑制され，先天性甲状腺機能低下症の症状を呈する報告もある．同じ TRβ 遺伝子変異を有する症例間でも臨床症状は異なっており，症状の多様性の理由は十分解明されてはいない.

検査所見

遊離 T_4 が高値で TSH が正常下限以上であれば SITSH と判断される．TRH 負荷試験では反応が認められることが多い．T_3 製剤を投与して反応性を調べる T_3 抑制試験が行われることもあるが，心負荷がかかるため適応の判断に注意が必要である．確定診断には TRβ 遺伝子検査を用いるが，変異が認められない症例もあり，nonTR-RTH とよばれている.

画像所見

甲状腺エコーではびまん性腫大が認められる.

診断・鑑別診断

診断のためのアルゴリズムが公開されている（図 1）．SITSH の 80% 程度は「見かけ上の SITSH」を呈しており[2]，その除外のため，再検査を 1 か月後以降，さらに 3 か月後に，検査方法を変えて行うことが推奨されている．「真の SITSH」が確認された場合，TSH 産生下垂体腺腫との鑑別が重要である．また，アルブミン遺伝子の変異による家族性異常アルブミン性高サイロキシン血症は，アルブミンの T_4 結合能が上昇して「見かけ上の SITSH」を呈するため，鑑別が必要である.

治療・予後

SITSH に対して，抗甲状腺薬や ^{131}I 内用療法，甲状腺摘出術などの治療法は，TSH 分泌が促進さ

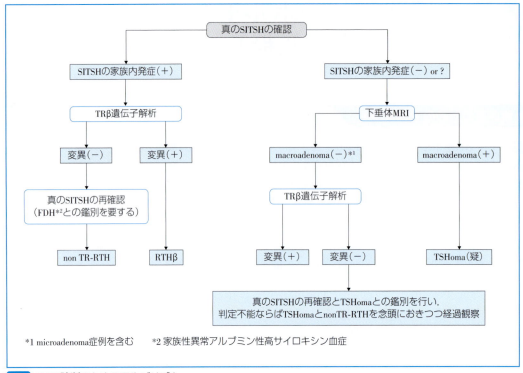

図1 RTH診断のためのアルゴリズム
〔日本甲状腺学会ホームページ http://www.japanthyroid.jp/doctor/problem.html#committee04（2021年2月閲覧）より引用〕
TSHoma：TSH産生下垂体腺腫

れ甲状腺腫増大や下垂体TSH産生細胞の過形成をまねくため推奨できない．

多くの症例では，甲状腺ホルモンに対する反応性の低下が甲状腺ホルモン高値になることで代償されており，治療を必要としない．甲状腺中毒症の症状を呈する症例では，β遮断薬による対症療法が有効であることが多い．一方，先天性甲状腺機能低下症の症状を示す症例では，甲状腺ホルモン製剤の投与により症状が緩和される．

生命予後は健常人と変わらないとされる．女性症例が変異をもたない児を妊娠した場合，児が甲状腺中毒症になり流産や低出生体重児となることがある．

厚生労働省の指定難病（告示番号80）であり，重症度によって医療費助成の対象となる．

文献

1) Refetoff S, et al.：Syndromes of reduced sensitivity to thyroid hormone：genetic defects in hormone receptors, cell transporters and deiodination. Best Pract Res Clin Endocrinol Metab 2007；**21**：277-305.
2) 村田善晴：甲状腺ホルモン不応症の臨床検査所見と鑑別診断．森　昌朋（編集）：甲状腺疾患 改訂第2版．最新医学社．2012；78-88.

第2章 臨床知識——D 下垂体前葉疾患各論

16 汎下垂体機能低下症

高知大学保健管理センター　西山　充

> **》》 臨床医のための Point 》》》**
>
> 1. 多彩な病態・症候を示し，確定診断には内分泌機能検査や下垂体 MRI が必要である．
> 2. 初めに副腎皮質ホルモン，次いで甲状腺ホルモンの補充を開始，そのあとに性腺系・成長ホルモンの補充を行う．
> 3. 病態に則した適切なホルモン補充療法を行い，原疾患に対する診断・治療も必要である．

概念・病態・疫学

間脳下垂体は生体の自律神経機能および内分泌機能の中枢を担う．下垂体前葉より，副腎皮質刺激ホルモン（ACTH），甲状腺刺激ホルモン（TSH），性腺刺激ホルモン（LH，FSH），成長ホルモン（GH），プロラクチン（PRL）が分泌され，生体の内分泌機能の調節を行っている．

下垂体機能低下症は，視床下部-下垂体の異常により下垂体前葉ホルモンの分泌が低下することにより，続発性に標的内分泌腺（副腎，甲状腺，性腺）の機能不全をきたす病態である[1,2]．すべての前葉ホルモンが障害されるものを汎下垂体機能低下症，単一ホルモンのみ障害されるものを単独欠損症とよぶ．原因疾患として，腫瘍（下垂体腺腫，頭蓋咽頭腫，胚細胞腫瘍），炎症（リンパ球性下垂体炎，IgG4 関連疾患），分娩時大量出血に伴う下垂体壊死（Sheehan 症候群），外傷・手術に伴うもの，出産時の下垂体茎障害（骨盤位分娩），遺伝子変異などがある．2001 年の統計では，下垂体機能低下症の過半数は腫瘍性疾患（下垂体腺腫，頭蓋咽頭腫，胚細胞腫瘍など）が原因となることが示されている（図1）[3]．病変が神経下垂体（下垂体茎および後葉）に及んで抗利尿ホルモン（ADH）の分泌低下をきたすと中枢性尿崩症がみられる．

腫瘍性疾患による下垂体機能低下症では GH や LH・FSH の分泌低下症をきたしやすい．近年，免疫チェックポイント阻害薬の免疫関連有害事象による下垂体機能低下症が増えており，ACTH 分泌低下症を高頻度に発症する．

主要症状・身体所見

下垂体機能低下症では標的内分泌腺の機能不全により，多彩な症候を呈する（表1）．腫瘍性病変を原因とする症例では周辺組織への圧迫により，頭痛や視力・視野障害を伴うことがある．視床下部障害を合併すると，中枢性尿崩症，摂食障害（過食），体温調節異常もみられる．

1 ACTH 分泌低下症

副腎皮質ホルモン（コルチゾール）の分泌低下により，全身倦怠，易疲労感，食欲不振，消化器症状，低血圧，精神症状，発熱，関節痛などがみられる．感染症の合併などにより急性副腎不全（副腎クリーゼ）をきたすことがある．

2 TSH 分泌低下症

甲状腺ホルモンの分泌低下により，耐寒性の低下，不活発，皮膚乾燥，徐脈，脱毛，便秘，体重増加がみられる．

3 ゴナドトロピン（LH，FSH）分泌低下症

性ホルモン分泌低下により，若年発症では二次性徴の欠如や停止がみられる．男性では性欲低下，腋毛・陰毛の脱落，精巣萎縮がみられ，女性では月経異常，無月経，腋毛・陰毛の脱落がみられる．

4 GH 分泌不全症

小児期では低身長，発育不全や低血糖を呈する．成人期では QOL 低下（易疲労感，気力低下，うつ状態），体脂肪の増加，脂肪肝，筋力・骨量の低下がみられる．

5 PRL 分泌低下症

産褥期の乳汁分泌低下をきたす．

検査所見

一般検査では，副腎皮質ホルモンの低下により，低ナトリウム血症，低血糖，正球性正色素性貧血，相対的リンパ球増加，好酸球増加がみられ，炎症反応（CRP）高値を示すこともある．甲状腺ホルモンの低下により，コレステロール上昇や筋原性酵素（CPK）上昇がみられる．

内分泌検査では下垂体ホルモン基礎値（ACTH，TSH，LH，FSH，GH，PRL）とともに，標的内分

泌腺ホルモン(コルチゾール，甲状腺ホルモン，テストステロン・エストロゲン，IGF-1)を同時に測定する．ACTH・コルチゾールは日内変動やストレスの影響を受けるため，早朝空腹時に安静採血を行う．コルチゾール基礎値4μg/dL未満であれば副腎皮質機能低下症の可能性が高い．ACTH分泌低下症では，尿中遊離コルチゾール，DHEA-Sはともに低値となる．LH・FSHは年齢や性周期の影響を受け，女性では閉経期に高値となる．GH・IGF-1は年齢，性別による変化がみられ，IGF-1値の評価には年齢・性別ごとの基準値を参照する．PRL分泌低下症の頻度は少なく，視床下部～下垂体茎障害ではPRL高値となる．

臨床症状やホルモン基礎値より下垂体機能低下症が疑われる症例では，内分泌機能検査が行われる．視床下部ホルモン(CRH，TRH，LHRH)および成長ホルモン分泌促進薬(GHRP-2)を投与して，下垂体ホルモンの分泌反応がみられなければ，下垂体機能低下症と診断される．汎下垂体機能低下症と考えられる症例では，CRH + TRH + LHRH試験を同時に行い，次いでGHRP-2試験が行われ，必要に応じてインスリン低血糖試験も追加される．これらの内分泌検査(特にTRH，LHRH試験)を契機として，まれに下垂体卒中をきたすことがあるため，検査前にはMRIにより巨大下垂体腺腫の有無を確認する．

1 ACTH分泌低下症

CRH試験ではCRH 100μgを静注して経時的(0, 30, 60, 90分後)にACTH・コルチゾールを測定する．ACTH分泌低下症では，ACTHの反応は基礎値の2倍未満であり，コルチゾール頂値は18μg/dL未満となる．視床下部性ACTH分泌低下症では，CRH試験によるACTH反応性は保たれていることがあり，インスリン低血糖試験の追加を検討する．レギュラーインスリン0.1単位/kgを静注して経時的(0, 30, 60, 90分後)に血糖値，ACTH，コルチゾールを測定する．血糖値50mg/dL未満を必要条件として，コルチゾール頂値18μg/dL未満であれば，ACTH分泌低下症と判定される．ACTH分泌低下症では重症低血糖をきたす可能性があるために，インスリン投与量を0.05単位/kgに減量することも考慮する．

2 TSH分泌低下症

TRH試験ではTRH 500μgを静注して経時的(0, 30, 60, 90分後)にTSHを測定する．TSH分泌低下症では，TSHは無～低反応となり，TSH頂値は6μIU/mL未満となる．視床下部性TSH分泌低下症では，TSHの生物学的不活性を反映して，

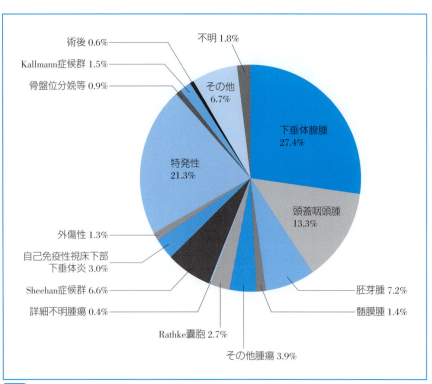

図1 わが国における下垂体機能低下症の原因
〔村上宜男，他：厚生労働科学研究費補助金難治性疾患克服研究事業間脳下垂体機能障害に関する調査研究班平成13年度総括研究事業報告書．2001；170-182より作成〕

120分後のFT₃・FT₄は比較的低値を示す．

3 ゴナドトロピン（LH，FSH）分泌低下症

LHRH試験ではLHRH 100μgを静注して経時的（0，30，60，90分後）にLH・FSHを測定する．ゴナドトロピン分泌低下症では，LH・FSHは無〜低反応となる．視床下部性ゴナドトロピン分泌低下症ではLHRH連続試験を行うことにより，LH・FSH反応性の回復がみられる．

4 GH分泌不全症

GHRP-2試験ではGHRP-2 100μgを静注して経時的（0，15，30，45，60分後）にGHを測定する．GH頂値が9ng/mL未満であればGH分泌不全症（重症）と判定される．インスリン低血糖試験による評価も行われ，上記同様の方法により，GH頂値3ng/mL未満の場合にGH分泌不全症と判定される（同1.8ng/mL未満であれば重症）．GH分泌刺激試験として，アルギニン試験，グルカゴン試験も行われる．

5 PRL分泌低下症

TRH試験によりPRL無〜低反応であればPRL分泌低下症と判定される．

画像所見

下垂体の画像検査ではMRIが用いられる．大脳と比較すると下垂体は小さな器官であり，全脳ではなく下垂体にフォーカスしたMRI検査を行う．T1強調画像，T2強調画像，ガドリニウム造影を用いて，下垂体における腫瘍性病変，炎症性病変，下垂体茎断裂の有無などを検索する．たとえば，下垂体腺腫では正常下垂体と比較して造影効果は弱く，下垂体炎では腫大した下垂体全体に造影効果がみられる．実際には画像所見のみでは

表1 下垂体ホルモン分泌低下症の診断基準

	Ⅰ．主症候	Ⅱ．検査所見	Ⅲ．除外規定	診断基準
ACTH分泌低下症	①易疲労感・脱力感，②食欲不振・体重減少，③消化器症状，④血圧低下，⑤精神症状，⑥発熱，⑦低血糖，⑧関節痛	①血中コルチゾールの正常低値〜低値，②尿中コルチゾール低下，③血中ACTH高値ではない，④ACTH分泌刺激試験で無〜低反応，⑤迅速ACTH試験で低反応，ACTH-Z試験で増加反応	ACTH低下をきたす薬剤投与（特にグルココルチコイド）を除く	Ⅰの1項目以上とⅡの①〜④を満たすもの（Ⅱの⑤を満たす場合はより確実）
TSH分泌低下症	①耐寒能の低下，②不活発，③皮膚乾燥，④徐脈，⑤脱毛，⑥発育障害	①甲状腺ホルモン（特に遊離T₄）の低値，②TSHは低値〜軽度高値，③画像検査で間脳下垂体に器質性疾患を認める，④TRH試験で1）無〜低反応，2）遷延または遅延反応	TSH低下をきたす薬剤投与を除く．非甲状腺疾患を除外する	Ⅰの1項目以上とⅡの①②③を満たす．またはⅠの1項目以上とⅡの①②と④の1）あるいは2）を満たすもの
ゴナドトロピン分泌低下症	①二次性徴の欠如または進行停止，②月経異常，③性欲低下，勃起障害，不妊，④陰毛・腋毛の脱落，性器萎縮，乳房萎縮	①ゴナドトロピン（LH，FSH）は高値ではない，②ゴナドトロピン分泌刺激試験で無〜低反応，③血中，尿中性ステロイドホルモン（エストロゲン，テストステロン）の低値	ゴナドトロピン低下をきたす薬剤投与，高度肥満，神経性やせ症を除く	ⅠのいずれかとⅡのすべてを満たすもの Kallmann症候群の基準を満たすもの
成人GH分泌不全症	①小児期発症では成長障害を伴う，②頭蓋内器質性疾患の合併・既往歴，または周産期異常の既往	①GH分泌刺激試験：1）インスリン・アルギニン・グルカゴン試験でGH頂値3ng/mL以下，2）GHRP-2試験でGH頂値9ng/mL以下，②GHを含めて複数の下垂体ホルモン分泌低下		Ⅰの①または②を満たし，かつⅡの①Nの2種類で陽性 Ⅰの②およびⅡの②を満たし，かつⅡの①の1種類で陽性
PRL分泌低下症	産褥期の乳汁分泌低下	①血中PRLの低下，②TRH試験で無〜低反応		ⅠとⅡのすべてを満たすもの

〔有馬 寛，他：厚生労働科学研究費補助金難治性疾患等政策研究事業間脳下垂体機能障害に関する調査研究班：間脳下垂体機能障害の診断と治療の手引き（平成30年度改訂）．日本内分泌学会雑誌 2019；95(Suppl)：36-51 より引用・改変〕

腫瘍性病変と炎症性病変の鑑別は困難なこともあり，原疾患の診断には，血清マーカーや病理組織所見を含めた総合的な評価が必要となる．造影効果の乏しい囊胞性病変はRathke(ラトケ)囊胞や頭蓋咽頭腫の可能性が考えられ，トルコ鞍空洞症(empty sella)では下垂体の菲薄化がみられる．

診断・鑑別診断

下垂体機能低下症は非特異的な症状で発症することが多く，診断がむずかしいことも少なくない．全身倦怠，易疲労感，食欲不振，耐寒性低下，無月経，二次性徴欠如などの症状がみられる，あるいは，低ナトリウム血症，コレステロール・CPK高値などの検査異常があれば，下垂体機能低下症を疑う契機となる．周産期の大量出血や頭部外傷などの病歴聴取を行い，身体所見では浮腫，皮膚の乾燥，腋毛・陰毛の状態なども注意する．

下垂体ホルモンおよび標的内分泌腺ホルモンが低値であれば，前述の下垂体機能検査(分泌刺激試験)を行うことにより確定診断される(表1)[4]．下垂体機能低下症であってもホルモン値は基準値内をとることがあり，ホルモン基礎値のみで診断は困難である．内分泌検査とともにMRIによる画像検査も実施する．一部の間脳下垂体病変では血清マーカーが診断補助に有用であり必要に応じて追加する(IgG4関連下垂体炎：IgG4，リンパ球性漏斗下垂体後葉炎：Rabphilin3A抗体，胚細胞腫瘍：AFP・hCGβ，サルコイドーシス：ACE)．増大傾向などの経過より腫瘍性病変と考えられる症例では，経蝶形骨洞的に病変部より組織採取して病理診断を追加する必要がある．臨床経過や家族歴より先天的な下垂体機能低下症と考えられれば，遺伝子検査を行う．

治療・予後

基礎疾患として腫瘍または炎症性疾患などがみられる場合には，原疾患に対して適切な治療法を選択する．ホルモン低下症に対する治療として，各々の標的内分泌腺ホルモン(副腎皮質ホルモン，甲状腺ホルモン，性ホルモン)の補充療法が行われる[1,2]．挙児希望のある性腺機能低下症患者にはゴナドトロピンの補充が行われ，GH分泌不全症には成長ホルモンが補充される．汎下垂体機能低下症に対しては，初めに副腎皮質ホルモン，次いで甲状腺ホルモンの補充を開始，そののちに性腺系・成長ホルモンの補充を行う．

適切なホルモン補充療法が行われていれば生命予後は良好と考えられる．副腎皮質ホルモンは生命維持に必要であり，補充中断による副腎不全や感染症が死因となる．一方で，過剰な副腎皮質ホルモン補充により心血管関連死が増加するとの報告もあり，適切な用量による補充療法が必要である[5]．

1 ACTH分泌低下症の治療

続発性副腎皮質機能低下症に対して，ヒドロコルチゾン(10〜20mg/日，分1〜2)の経口投与が行われる．感染症，発熱，外傷などのストレス時には補充量を2〜3倍に増量する．急性副腎不全(副腎クリーゼ)の際には，ヒドロコルチゾン，生理食塩水，ブドウ糖を静脈内に投与する．副腎クリーゼの発症予測はむずかしいことがあり，副腎不全患者カード(ステロイド補充療法中の旨や主治医連絡先を記載)を携行させるなどの工夫をするべきである．

ACTH分泌低下症とTSH分泌低下症の合併例に甲状腺ホルモン(LT4)単独補充を行うと，副腎皮質ホルモンの代謝亢進により副腎不全が惹起されるので，初めにヒドロコルチゾンを開始して，次いでLT4を補充する．ACTH分泌低下症と中枢性尿崩症の合併例では，副腎不全による水利尿不全のために，尿崩症による多尿は顕在化しない(仮面尿崩症)．

2 TSH分泌低下症の治療

甲状腺ホルモン(LT4)を経口投与する．血中TSH濃度は治療効果の指標とならないため，甲状腺ホルモン補充量は血中FT4濃度が基準値内上半分となるように調節する．治療に際しては少量(12.5〜25μg，分1)より開始し，段階的に増量して維持量とする．狭心症，心筋梗塞，不整脈を有する症例では，補充療法により増悪する可能性があり，特に高齢者ではできるだけ少量より補充を開始して注意深く経過観察する．

3 ゴナドトロピン(LH, FSH)分泌低下症の治療

成人男性に対する性ホルモン補充では，二次性徴の発現・成熟のために，テストステロン補充療法(月1回筋注)を行う．妊孕性獲得のためには，ゴナドトロピン療法，すなわちヒト絨毛性ゴナドトロピン(hCG)とホリトロピンアルファ(FSH)を用いたhCG-FSH療法(週1〜3回皮下注射)が行われる．

成人女性に対する性ホルモン補充では，第1度無月経に対してホルムストローム療法，第2度無月経ではカウフマン療法が行われる．妊孕性獲得のためには，第1度無月経ではクロミフェン療法，第2度無月経ではhCG-FSH療法が行われる．後者では卵巣過剰刺激症候群をきたすことがあり，婦人科の管理により治療される．

性腺機能低下症に対するエストロゲン補充により，甲状腺ホルモン結合グロブリンが増加するた

めに LT₄ 必要量は増加する．

4 GH 分泌不全症の治療

　GH 分泌不全性低身長症の治療は最終身長の正常化が目標であり，連日皮下注射を行い，患者の体重に合わせて漸増する．重症成人 GH 分泌不全症の治療は，GH 欠乏に起因する易疲労感など自覚症状を含めた QOL 改善や体組成異常の是正を目的とする．少量より連日 GH 皮下注射を開始して，臨床症状をみながら漸増し，IGF-1 が年齢・性別基準値内に保たれるように用量調整する．

　GH 分泌不全症に対する GH 補充療法により，中枢性甲状腺機能低下症が顕在化して LT₄ 増量が必要となることがある．

5 PRL 分泌低下症の治療

　PRL 分泌低下症は治療対象とならない．

おわりに

　下垂体機能低下症では確立された治療法があり，生命予後および QOL の改善を目的として，個々の症例に対する適切なホルモン補充療法を実践する．複数のホルモン補充が必要となる汎下垂体機能低下症に対しては，複雑な病態への十分な理解をもって，患者さんと二人三脚で生涯にわたる治療をサポートしていく必要がある．

文献

1) Fleseriu M, et al.：Hormonal replacement in hypopituitarism in adults：an endocrine society clinical practice guideline. *J Clin Endocrinol Metab* 2016；**101**：3888-3921.
2) Kaiser U, et al.：Pituitary physiology and diagnostic evaluation. In：Melmed S, et al.(eds)，*Williams Textbook of Endocrinology*. 14th ed. Elsevier Saunders, Philadelphia 2020；184-235.
3) 村上宜男，他：厚生労働科学研究費補助金難治性疾患克服研究事業間脳下垂体機能障害に関する調査研究班平成 13 年度総括研究事業報告書．2001；170-182.
4) 有馬　寛，他：厚生労働科学研究費補助金難治性疾患等政策研究事業間脳下垂体機能障害に関する調査研究班：間脳下垂体機能障害の診断と治療の手引き(平成 30 年度改訂)．日本内分泌学会雑誌 2019；**95**(Suppl)：36-51.
5) Sherlock M, et al：Mortality in patients with pituitary disease. *Endocr Rev* 2010；**31**：301-342.

17 Sheehan 症候群

東北大学大学院医学系研究科分子内分泌学分野　菅原　明

> **≫ 臨床医のための Point ▶▶▶**
>
> 1. Sheehan 症候群は分娩時の大量出血が原因となるが，数年経てから発症する場合がある．
> 2. ホルモン欠乏症状に伴う精神病様症状のために，精神疾患と診断される症例もある．
> 3. 低ナトリウム血症や低血糖症状を認める経産婦の症例は，本疾患の可能性も考慮する．

概念・病態・疫学

　Sheehan 症候群は，分娩時の大量出血が原因となり下垂体梗塞が引き起こされ，種々の程度の下垂体機能低下症をきたす疾患であり，1937 年の Sheehan の報告により概念が確立された[1]．推定される病態を図 1[2]に示す．妊娠中は胎盤で産生されるエストロゲンの影響によりプロラクチン産生細胞の過形成が生じ，下垂体が腫大する．そのため，血管圧迫に伴う血流障害により下垂体は虚血が生じやすい状況に陥りやすく，もともとトルコ鞍が小さいほどその傾向は顕著である．したがって，分娩時の大量出血により低血圧・ショック状態が生じると容易に虚血・壊死が生じる．また，糖尿病の妊婦では虚血による下垂体壊死の起こる頻度が高い．なお，分娩時に大量出血はなかったものの播種性血管内凝固症候群 (DIC) を発症した患者での Sheehan 症候群も報告されている．一方で，Sheehan 症候群の患者のなかには抗下垂体抗体を有する症例も報告されており，自己免疫疾患の関与も推定されている．下垂体前葉はホルモンの予備能があるため，その 75% 以上が

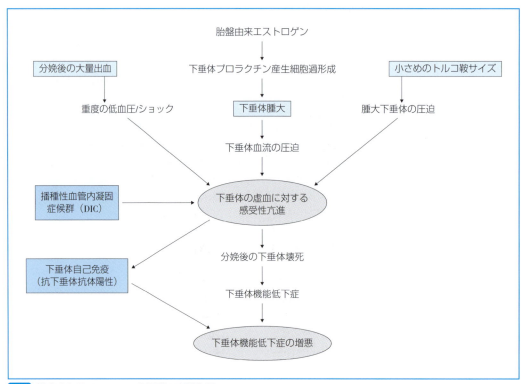

図1 推定される Sheehan 症候群の病態生理
〔Karaca Z, et al.：Pregnancy and pituitary disorders. *Eur J Endocrinol* 2010；**162**：453-475 より引用・改変〕

壊死して初めて症状が現れてくる．したがって出産後数年以上経てから下垂体機能低下症状が初めて明らかとなることもある．1965年にSheehanは世界におけるSheehan症候群の発症率を女性10万人当たり100～200人と推計したが，その後の医療技術の進歩に伴い先進国では飛躍的に発症率が低下し，1999年のスペインの報告では女性10万人当たり2.6人・2009年のアイスランドの報告では女性10万人当たり5.1人と報告されている．

主要症状・身体所見

表1[3]にSheehan症候群の主要症状・身体所見[3]を示す．症状は，分娩後の下垂体壊死（卒中）に伴う急性発症の場合と，前項で述べたように緩徐に発症した場合とに大別される．急性発症で発見される症例はごく少数であるが，頭痛，低血圧，ショック，視野障害，乳汁分泌不全，種々の程度の下垂体機能低下症状やMRI上非出血性の下垂体腫大などが認められる．一方，緩徐発症例では各下垂体前葉ホルモンの欠乏症状が認められる．プロラクチン欠乏では乳汁分泌不全が，ゴナドトロピン欠乏では無月経，不妊，乳房萎縮，子宮萎縮，恥毛脱落，性欲低下が，TSH欠乏では脱毛，耐寒能低下，皮膚乾燥，便秘，精神遅延が，ACTH欠乏では低血圧，易疲労感，その他のコルチゾール欠乏症状が，GH欠乏では体組成変化，QOL低下が認められる．また精神病様症状の出現により精神科で加療されている例も認められるが，ステロイドホルモンや甲状腺ホルモンの補充での改善例が報告されている．一方，下垂体後葉の障害による中枢性尿崩症の発症は低頻度である．また，下垂体MRIやCT上，empty sellaが認められる場合がある．

検査所見

表2[4]に既報のSheehan症候群の特徴[4]を示す．前述したように，分娩時から診断までの年数は10年以上の場合が多く，分娩時出血歴は82～100％，乳汁分泌不全は67～100％，月経停止/無月経は73～100％といずれも高頻度であった．貧血は32～64％で認められた（正球性正色素性＞小球性低色素性，汎血球減少症例もあり）．低ナトリウム血症は21～35％で認められた．一方，低血糖症状を示した患者中で8.7％がSheehan症候群であったという報告[5]もあり，Sheehan症候群における低血糖の発症は高頻度であることが推察される．下垂体前葉機能異常はプロラクチン欠乏が65～100％，TSH低下に伴う甲状腺機能低下症が75～100％，GH欠乏が100％，ACTH低下に伴う続発性副腎皮質機能低下症が55～100％認められており，GH欠乏は必発である．中枢性尿崩症は0～3％と低頻度であり，下垂体後葉機能は保たれている場合が多い．

表1 Sheehan症候群の主要症状・身体所見

1. 急性発症時：分娩後下垂体壊死（卒中）
   - 頭痛
   - 低血圧，ショック
   - 視野障害
   - 乳汁分泌不全
   - 種々の程度の下垂体機能低下症
   - MRI上非出血性の下垂体腫大
2. 緩徐発症時
   a. プロラクチン欠乏
      - 乳汁分泌不全
   b. ゴナドトロピン欠乏
      - 無月経，不妊，乳房萎縮，子宮萎縮，恥毛脱落，性欲低下
   c. TSH欠乏
      - 脱毛，耐寒能低下，皮膚乾燥，便秘，精神遅延
   d. ACTH欠乏
      - 低血圧，易疲労感，その他コルチゾール欠乏症状
   e. GH欠乏
      - 体組成変化，QOL低下
   f. 中枢性尿崩症（5％程度）
   g. 精神障害
   h. MRIまたはCT上 empty sella

〔Keleştimur F：Sheehan's syndrome. *Pituitary* 2003；6：181-188より引用・改変〕

表2 既報のSheehan症候群の特徴

報告者	Banzal et al	Sert et al	Dökmetas et al	Ozkan et al	Gei-Guardia et al
患者数	30例	28例	20例	20例	60例
診断時年齢	38.5±9.5歳	48.2±10.5歳	60.2±3.4歳	51.1±9.4歳	45.8±10.6歳
分娩時から診断までの年数	＜5年：33%、5～10年：40%、＞10年：27%	13.9±6.1年	26.8±2.5年	16.4±4.7年	13年
分娩後出血歴	96.7%	100%	100%	100%	82%
乳汁分泌不全	100%	93%	70%	100%	67%
月経停止/無月経	100%	86%	100%	100%	73%
貧血	報告なし	32%	45%	30%	63.8%
低ナトリウム血症	報告なし	32%	35%	報告なし	21%
下垂体機能低下症					
プロラクチン欠乏	93.3%	95～100%	100%	65%	69.2%
甲状腺機能低下症	96.7%	100%	90%	75～100%	80%
GH欠乏	報告なし	100%	100%	100%	100%
続発性副腎皮質機能低下症	90%	100%	55%	100%	96.6%
中枢性尿崩症	3%	0%	0%	0%	0%
MRI/CT上のempty sella	23.3%	28%	75%完全型、25%部分型	55%完全型、45%部分型	報告なし

〔Shivaprasad C：Sheehan's syndrome：Newer advances. *Indian J Endocrinol Metab* 2011；**15**（Suppl 3）：S203-S207 より引用・改変〕

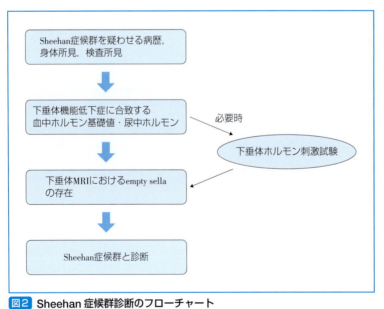

図2 Sheehan症候群診断のフローチャート
〔Diri H, *et al.*：Sheehan's syndrome：new insights into an old disease. *Endocrine* 2016；**51**：22-31 より引用・改変〕

下垂体 MRI や CT にて 23.3 〜 100% の症例で完全型もしくは部分型の empty sella が認められた．

診断・鑑別診断

図 2[6)] に Sheehan 症候群診断のフローチャート[6)] を示す．Sheehan 症候群を疑わせる病歴，身体所見，検査所見が認められた場合は下垂体前葉ホルモン基礎値や尿中ホルモン（コルチゾール）を測定し，必要時には下垂体前葉ホルモン刺激試験を施行する．さらに下垂体 MRI を施行し empty sella が確認されれば Sheehan 症候群と診断される．鑑別診断として最も重要なのはリンパ球性下垂体炎である．リンパ球性下垂体炎は妊娠第 3 期〜分娩後に発症する場合が多いが，分娩時の大量出血が認められない点，プロラクチンが高値の場合が多い点，ACTH が最初に低下する点，中枢性尿崩症の頻度が高い点，empty sella の頻度が低い点が Sheehan 症候群とは異なる．

治療

治療としては，下垂体機能低下症として欠落ホルモンの補充療法を行う．また，GH 欠乏はほぼ必発であるため，GH 分泌刺激試験による確認後，体組成変化，QOL や脂質異常症の改善のために GH 補充療法の施行が推奨される．

文献

1) Kovacs K：Sheehan syndrome. *Lancet* 2003；**361**：520-522.
2) Karaca Z, et al.：Pregnancy and pituitary disorders. *Eur J Endocrinol* 2010；**162**：453-475.
3) Keleştimur F：Sheehan's syndrome. *Pituitary* 2003；**6**：181-188.
4) Shivaprasad C：Sheehan's syndrome：Newer advances. *Indian J Endocrinol Metab* 2011；**15**（Suppl 3）：S203-S207.
5) Güven M, et al.：Evaluation of patients admitted with hypoglycaemia to a teaching hospital in Central Anatolia. *Postgrad Med J* 2000；**76**：150-152.
6) Diri H, et al.：Sheehan's syndrome：new insights into an old disease. *Endocrine* 2016；**51**：22-31.

第2章 臨床知識──D 下垂体前葉疾患各論

18 リンパ球性下垂体炎
～前葉炎を中心に～

藤田医科大学医学部内分泌・代謝・糖尿病内科学　椙村益久
伊藤病院内科　片上秀喜

≫ 臨床医のための Point ▸▸▸

1. 自己免疫性機序により，リンパ球を主体とする細胞浸潤が下垂体前葉に生ずるものをリンパ球性下垂体前葉炎，漏斗部および下垂体後葉に生ずるものをリンパ球性漏斗下垂体後葉炎，両葉にまたがるものをリンパ球性汎下垂体炎と定義する．病理学的疾患概念である．
2. 頭痛と視力・視野障害が代表的な症状である．また慢性甲状腺炎などの自己免疫疾患後合併する例が比較的多い．
3. 経過中に下垂体から視床下部の腫大と，部分的あるいは汎下垂体機能低下症をきたす．
4. 治療法は確立されていないが，下垂体増大による圧迫症状（視野障害・頭痛）に対しては，まず，治療として薬理量のステロイドを投与する．神経症状が改善しない場合や，急激な腫瘍増大をきたすものに対しては，腫瘍，肉芽腫性疾患や感染症などとの鑑別が重要となるため生検を兼ねて下垂体手術を行う．
5. 一部は ACTH 単独欠損症などの選択的下垂体前葉機能低下症，特発性中枢性尿崩症や empty sella に移行する可能性がある．

概念・病態・疫学

1 概念

　リンパ球性下垂体炎は，リンパ球を中心とした自己免疫性の細胞浸潤が原発性に視床下部・下垂体に生じ，頭痛や視力・視野などの中枢神経症状と下垂体前葉機能低下症あるいは下垂体後葉機能低下症（中枢性尿崩症）をきたす慢性炎症性疾患で，病理学的診断名である．一方，Rathke（ラトケ）嚢胞や頭蓋咽頭腫などトルコ鞍近傍の病変に伴う炎症が二次的に下垂体に波及したもの，あるいはサルコイドーシスや IgG4 関連疾患の部分症として下垂体に炎症が生じたものは二次性下垂体炎として区別する（表1）．病変の主座が下垂体前葉にあるときはリンパ球性下垂体前葉炎（以下，前葉炎と省略），後葉にあるときはリンパ球性漏斗下垂体後葉炎（以下，後葉炎と省略）と定義する．炎症が下垂体前葉と後葉の両葉に波及し，病理組織学ならびに臨床症候学上，両者の区別が困難な場合（リンパ球性汎下垂体炎）や，下垂体のみならず視床下部に炎症が波及する場合がある（リンパ球性視床下部下垂体炎）．さらに，これら原発性の下垂体前葉炎，後葉炎と汎下垂体炎はいずれも病因として自己免疫学的機序が考えられる．したがって，自己免疫性下垂体炎[1]，あるいは自己免疫性視床下部下垂体炎とも称される．

2 病態

　形態変化は臨床病期により大きく異なる．初期には腫大を，後期には萎縮を示す．一方，下垂体機能は病変の首座により異なる．前葉炎では ACTH＞TSH≒LH/FSH＞GH＞PRL の頻度で

表1 下垂体炎の分類

原発性下垂体炎
　リンパ球性下垂体炎（自己免疫性 autoimmune）
　肉芽腫性下垂体炎
　壊死性下垂体炎
　黄色性下垂体炎
二次性下垂体炎
・下垂体近傍の疾患
　Rathke 嚢胞
　頭蓋咽頭腫
　中枢神経系胚細胞腫（神経後葉原発胚細胞腫）
　好酸球性肉芽腫症
　Tolosa-Hunt 症候群
　肥厚性硬膜炎
　下垂体腺腫
・全身疾患
　IgG4 関連疾患
　サルコイドーシス
　多発血管炎肉芽腫症
　Langerhans 細胞組織球症
　梅毒
　結核

障害されやすいと報告されている．また ACTH 単独欠損症はリンパ球性下垂体炎の早期に認められる症状であり，リンパ球性下垂体炎の特徴と報告されている．しかし最近の報告では性腺機能低下症が最も頻度が高いと報告されている[2]．一方，下垂体腫瘍の際に認められる階層的かつ経時的な分泌低下症の順（GH ＞ LH/FSH ＞ TSH ＞ ACTH ＞＞ PRL）のそれとリンパ球性下垂体炎は異なることが多い．

3 疫学[1]

正確な有病率は不明である．欧米の報告では人口 900 万人に 1 人，下垂体疾患の約 0.8 ～ 0.9% と概算されている．男女比は前葉炎で 1：6，後葉炎ではほぼ同等，汎下垂体炎は 1：1.9 である．前葉炎は分娩前後に好発し，約 57% が妊娠に関連すると報告されていた．しかし，最近 76 人の解析で妊娠と関連する症例は 11% と報告されている．平均発症年齢は女性 35 歳，男性 45 歳．わが国からの報告[3]が最多（379 症例中 130 症例，34%）であるが，人種差は明らかではない．

主要症状・身体所見

前葉炎と後葉炎は発症年齢，性別以外に，臨床徴候が異なる（表2）[1]．前葉炎は発症初期には下垂体腫瘍陰影のわりに頭痛が高度である．また，全身倦怠感と易疲労性を主体とした多彩な神経症状を呈するため，産褥期の不定愁訴と誤認されることがある．乳汁分泌異常や副腎機能低下症をはじめとして，種々の程度と組合せの下垂体前葉機能異常症の所見を呈する[4]．以前は分娩後の汎下垂体機能低下症としての Sheehan 症候群として診断された症例のなかに，本症が隠れていた可能性がある．最近の報告では妊娠に関連する症例はそれほど多くなく，視床下部障害と関連すると考えられる体重増加が認められる．通常は尿崩症を合併することがない．尿崩症を合併する場合は，ま

ず，二次性病変による下垂体炎（Rathke 嚢胞や頭蓋咽頭腫の炎症波及，神経後葉原発胚細胞腫やほかの肉芽腫性下垂体病変など）を疑う．あるいは腫瘍増大による漏斗部 - 下垂体後葉への物理的圧迫による尿崩症を疑う．

検査所見[3]

1 一般検査

前葉炎では下垂体機能低下症の種類と程度により，電解質異常や脂質代謝異常が出現する．副腎機能低下症では電解質異常（低ナトリウム血症，低浸透圧血症など）や低血糖症，甲状腺機能低下症では脂質代謝異常（高コレステロール血症など）を呈する．後葉炎では高ナトリウム血症（高浸透圧血症）を呈することがある．また，血清免疫学的検査として，ほかの自己免疫疾患，たとえば慢性甲状腺炎などを合併し，各種の自己抗体が陽性を示すことがあり，参考となる場合がある．

2 内分泌学的検査

前葉炎では ACTH，TSH と LH/FSH 分泌低下が多くみられる．一方，GH や PRL の基礎値と予備能の低下は少ない．しかし，症例によっては下垂体ホルモン分泌障害の種類と程度には一定の傾向がなく，血中 PRL 分泌低下，TSH 分泌低下など，単一もしくは複合の下垂体ホルモン分泌障害をきたし，産後の授乳障害や耐寒能低下を引き起こすこともある．また，腫瘍による圧迫のため，高プロラクチン血症をきたし，月経異常の原因となる．また最近の報告では LH/FSH 低下が 62% で最も多く，GH 低下が 37% と最も少ない．

一方，下垂体腺腫などによる正常下垂体の圧迫や視床下部障害では腫瘍径が巨大になってから，下垂体前葉ホルモンの低下をきたす．その障害の経時的順番はおおむね，GH ＞ LH/FSH ＞ TSH ＞ ACTH ＞＞ PRL である[5]．したがって，下垂体炎の典型例では特異な臨床経過に加え，ホルモン分泌障害がまばらであるが，GH 分泌が保たれていると下垂体腺腫より可能性が高いと考えられる．

そして，下垂体前葉炎における ACTH あるいは TSH の分泌障害が回復せず，後年，ACTH 単独欠損症あるいは TSH 単独欠損症として呈示されることがある．後天性に生じた下垂体ホルモンの単独欠損症あるいは複合欠損症と診断した場合，病因として，本症を念頭におき，詳細な病歴聴取に加え，検査成績や下垂体 MRI 画像所見（多くの場合は萎縮）を吟味する必要がある．また，リンパ球性汎下垂体炎のホルモン異常は表2に示した．

表2 リンパ球性下垂体炎の臨床症状

臨床所見	前葉炎(%)	汎下垂体炎(%)
頭痛	53	41
視野・視力障害	43	18
副腎機能低下症	42	19
甲状腺機能低下症	18	17
性腺機能低下症	12	14
乳汁分泌不全	11	5
多飲・多尿	1	83
高プロラクチン血症	23	17

〔Caturegli P, et al.：Autoimmune hypophysitis. *Endocrine Rev* 2005；**26**：599-614 より〕

画像所見

頭部 MRI は必須の検査である．可能であれば造影 MRI を追加する．前葉炎ではその初期や活動期は，下垂体はほぼ均等に左右対称性に腫大し，下垂体茎も種々の程度に腫大するが，腺腫の際にみられるような偏倚はない．また，トルコ鞍底部の破壊・変形はない．下垂体後葉信号は，尿崩症がない限り正常に描出される．さらに，造影 MRI（T1）では炎症過程を反映して，早期より海綿静脈洞と同程度に強く，充実性かつ均質に造影される（図1）．囊胞性に描出されることもごくまれにあるが，まず，炎症を伴う Rathke 囊胞を鑑別すべきである．

ただ，これらの soft evidence（画像）は下垂体腺腫や Rathke 囊胞でもみられるため，絶対的なものではない．なお，妊娠中の MRI 検査は造影剤の使用も含め，胎児と妊婦への安全性に配慮し，慎重に適否を判断する．下垂体部 CT スキャンは解像度が MRI に比較して劣るため，MRI 禁忌症例以外の適応はない．

注意すべきは，これら下垂体炎における下垂体あるいは下垂体茎部の腫大は，経過とともに消失し，逆に萎縮を生じ画像上，empty sella として呈示されうるので，臨床病期を考慮する必要がある．

診断・鑑別診断（表3）[6]

1 診断

リンパ球性下垂体炎は病理学的診断名（hard evidence）であるため，前述の臨床徴候ならびに検査・画像所見（soft evidence）は，いずれも所見自体は非特異的である．したがって，本症の診断は，時には経時的 MRI を含めて経過観察を行い，総合的に判定する必要がある．最近では疾患概念，臨床経過や MRI 所見が蓄積され，典型例では hard evidence なしで，臨床徴候，内分泌検査成績と下垂体部 MRI 所見より，本症と臨床診断される症例が増えている．

本症と類似の下垂体機能低下症や MRI 検査所見を呈する疾患として，サルコイドーシスなどの肉芽腫性疾患，下垂体膿瘍などの感染症，非機能性下垂体腺腫や胚細胞腫などの腫瘍性病変がある．これらの類似疾患はいずれも内分泌学的検査所見や MRI 画像所見（soft evidence）のみでは本症との鑑別が困難な場合や，ステロイド投与による治療的診断に至らない場合，そして，視力・視野障害が進行する場合は，十分なインフォームドコンセントを得たのち，減圧による症状軽快効果を兼ねて，必要かつ十分量の生検材料を得る（hard evidence）．たとえば，汎下垂体炎の診断のために

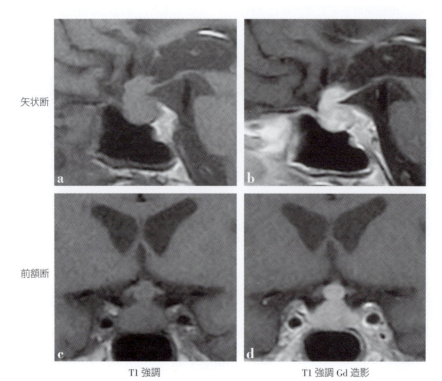

矢状断

前額断

T1 強調　　　　　　　　　T1 強調 Gd 造影

図1 汎下垂体炎の MRI 画像と下垂体生検組織
汎下垂体炎の症例（68歳男性）の入院時 T1 強調 MRI．充実性かつ均等に造影される（b, d）（自験例）．

はトルコ鞍底を広く開窓し，十分な視野のもとに，鞍底後方部から病変下垂体前葉と神経後葉遠位端を含む組織を一塊として生検する必要がある（図2）．生検により永続的な尿崩症を引き起こすことがあり，十分な説明が必要である．

手術時の肉眼所見では灰白調から白色調で固い腫瘍組織として観察される．一方，腺腫では黄白色調の軟らかい腫瘍を示すため，典型例では両者の区別は歴然としている．得られる病理組織が少ない場合は二次性下垂体炎との鑑別が困難となる場合が多い．病理組織所見は下垂体にリンパ球（T細胞とB細胞）がびまん性に浸潤する．ときにリンパ濾胞や胚中心を伴うことがある．そのほか，形質細胞や好酸球，まれにマクロファージや組織球，好中球の浸潤をみる．それ以外に，しばしば間質の線維化を伴う．

2 鑑別診断

表1にリンパ球性前葉炎との鑑別が必要な疾患をあげた．原発性のリンパ球性下垂体炎とは異なる二次性の下垂体炎として，免疫チェックポイント阻害薬に関連する下垂体炎およびIgG4関連下垂体炎があり，ともに下垂体機能障害を起こす（他項参照）．炎症を伴うRathke囊胞などの場合はしばしば鑑別が困難となる．AEC，可溶性IL-2受容体およびAFP hCG-βなどの腫瘍マーカーを測定する．リンパ球性下垂体炎で抗下垂体抗体は，本症に特異的ではなく，参考程度にとどめておく．また後葉炎の診断マーカーとして抗ラブフィリン3A抗体が同定された[7]．リンパ球性漏斗下垂体後葉炎を伴うリンパ球性下垂体炎でも同抗体陽性例が報告されている．また治療的診断のためにステロイド投与を行っても，診断が困難な例がある．病因により治療が大きく異なるので，これらの診断困難症例や視力・視野障害が急速に進行する例では，確定診断のために下垂体生検を行い，同時に，トルコ鞍内圧を軽減し，視神経への圧迫を取り除く必要がある．

治療・予後

1 治療

厚生労働省研究班により，「自己免疫性視床下部下垂体炎の治療の手引き」が示されている[6]．現在の治療法の大勢は，前葉炎，後葉炎ならびに汎下垂体炎の診断確定症例と強く疑われる症例に対して，下垂体部腫瘤による圧迫症状（視力・視野障害や頭痛）がある場合は，薬理量のステロイド（プレドニゾロン0.5～1 mg/kg/日，経口投与，あるいはメチルプレドニゾロンのパルス療法）を投与し，反応を観察する．有効例では漸減していく．次に，無効例では組織生検と減圧を目的として，下垂体手術を行う．それ以外の症例では経過観察を行い，神経症状を伴わない副腎機能低下症が認められれば，補充量のステロイドを投与し，また甲状腺機能低下症が認められればチラージンS投与などホルモン分泌低下に対して補充療法を行う．下垂体茎腫大を伴う症例，また中枢性尿崩症を呈する後葉炎で薬理量のステロイド療法によって腫大の軽快とともに，前葉機能障害が改善することも報告されているが，ステロイドによる副作用も少なくない．症例数が少なく，また，長

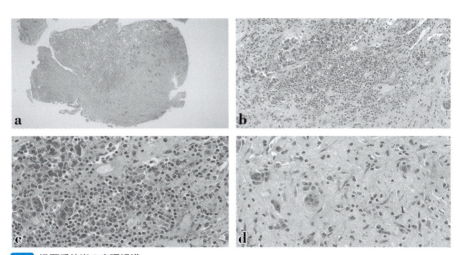

図2 汎下垂体炎の病理組織
汎下垂体炎の症例（68歳男性）の下垂体生検組織（HE染色標本）．トルコ鞍底後方より，下垂体前葉と神経葉末端部を一塊として，生検（a：×20）した．リンパ球（ほかに形質細胞や好酸球）の浸潤があるも，肉芽腫はなし（b：×100, c：×400）．下垂体腺組織ならびに後葉の破壊と間質の線維化を認める（d：×400）（自験例）．

（▶口絵カラー㉓，p.xiii 参照）

表3 リンパ球性汎下垂体炎の診断の手引き

I. 主症候
1. 下垂体腫瘤性病変による局所症候および下垂体機能低下症による症候
2. 中枢性尿崩症による症候

II. 検査・病理所見
1. 血中下垂体前葉ホルモンの1つ以上の基礎値および標的ホルモン値の低下を認める
2. 下垂体前葉ホルモン分泌刺激試験における反応性の低下を認める
3. 中枢性尿崩症に合致する検査所見を認める(注1)
4. 画像検査で下垂体のびまん性腫大または下垂体茎の肥厚を認める
5. 造影MRI検査において病変部位の均一な強い造影増強効果を認める
6. 下垂体または下垂体茎の生検で病変部位にリンパ球を中心とした細胞浸潤を認める(注2)

III. 参考所見
1. 高プロラクチン血症を認めることがある
2. 視床下部性と下垂体性の下垂体機能低下症が混在する場合がある

[診断基準]
確実例:Iの1,2とIIのすべてを満たすもの
疑い例:Iの1,2とIIの1,2,3,4,5を満たすもの

(注1)続発性副腎機能低下症が存在する場合に仮面尿崩症を呈する場合がある
(注2)下垂体生検で肉芽腫病変,泡沫化組織球の細胞浸潤,壊死病変を認める場合は,肉芽腫性下垂体炎,黄色腫性下垂体炎,壊死性下垂体炎とそれぞれ呼称される

〔有馬 寛,他:成長ホルモン分泌不全性低身長症の診断の手引き.厚生労働科学研究費補助金難治性疾患等政策研究事業間脳下垂体機能障害に関する調査研究班:間脳下垂体機能障害の診断と治療の手引き(平成30年度改訂).日本内分泌学会雑誌 2019;**95**(Suppl):57 より引用〕

期予後が不明なため,グルココルチコイドの使用量,使用法と使用時期についての最終的な治療指針は確立されていない.

2 予後[1)]

長期予後(11年以上)は不明である.ほとんどの下垂体炎では1種類以上のホルモン補充療法が必要となる(320例中233症例,73%).初期には下垂体腫大が認められるが自然経過で萎縮し,線維化する経過が多い.副腎機能低下症での死亡例も少なくない(320例中25例,8%).一方,漏斗下垂体後葉炎は特発性中枢性尿崩症の主たる病因と考えられている.

文献

1) Caturegli P, et al.: Autoimmune hypophysitis. *Endocrine Rev* 2005;**26**:599-614.
2) Honegger J, et al.: Diagnosis of primary hypophysitis in Germany. *J Clin Endocrinol Metab* 2015;**100**:3841-3849.
3) Hashimoto K, et al.: Lymphocytic adenohypophysitis and lymphocytic infundibuloneurohypophysitis. *Endocrine J* 1997;**44**:1-10.
4) Joshi MN, et al.: Immune checkpoint inhibitor-related hypophysitis and endocrine dysfunction: clinical review. *Clin Endocrinol* 2016;**85**:331-339.
5) 片上秀喜:下垂体機能低下症.金澤一郎,他(編),内科学.医学書院,2006;2130-2135.
6) 有馬 寛,他:成長ホルモン分泌不全性低身長症の診断の手引き.厚生労働科学研究費補助金難治性疾患等政策研究事業間脳下垂体機能障害に関する調査研究班:間脳下垂体機能障害の診断と治療の手引き(平成30年度改訂).日本内分泌学会雑誌 2019;**95**(Suppl):54-58.
7) Iwamas, et al.: Rabphilin-3A as a targeted autoantigen in lymphocytic infundibulo-neurohypophysitis. *J Clin Endocrinol Metab* 2015;**100**:E946-954.

19 IgG4 関連（漏斗）下垂体炎

淡海医療センター先進医療センター　**島津　章**

> **》 臨床医のための Point 》》》**
>
> 1. 中高年の男性に比較的多く，下垂体前葉機能低下と中枢性尿崩症，下垂体腫瘤および下垂体茎腫大を認め，ステロイドによく反応する．
> 2. 確定診断には，下垂体病変の組織検査でリンパ球・形質細胞の浸潤と IgG4 陽性細胞を証明する．
> 3. 併発する IgG4 関連疾患の存在および血清 IgG4 濃度の測定（ステロイド補充前）が診断に役立つ．

概念・病態・疫学

IgG4 関連疾患は，高 IgG4 血症と罹患臓器への著明な IgG4 陽性形質細胞浸潤を特徴とする全身性，慢性炎症性疾患である[1,2]．時間経過を経て，同一個人の様々な臓器に病変を形成することがあり，病変の時間的・空間的多発性を特徴とする（図1）．中枢神経系では，（漏斗）下垂体炎，肥厚性硬膜炎，脳内腫瘤性病変が知られている．

視床下部下垂体炎は，病理学的にリンパ球性，肉芽腫性，黄色腫性，黄色肉芽腫性，壊死性などに分類される．IgG4 関連（漏斗）下垂体炎は IgG4 形質細胞性と考えられるが，共通基盤に由来するかどうかは明らかでない．

視床下部・下垂体の炎症性疾患はまれであり，成人下垂体機能低下症の 2% 強を占めるにすぎない．一方，IgG4 関連疾患における下垂体病変の併発は 262 例中 10 例（3.8%）との報告がある．

主要症状・身体所見

中高年層に比較的多く，男性が 65% 近くを占める．全身倦怠感，多尿，頭痛，発熱，性機能低下，食欲低下，体重減少，視力・視野障害や眼球運動障害などの症状を認める．下垂体前葉炎による前葉機能低下および（漏斗）下垂体後葉炎による中枢性尿崩症の両方を認める場合が多い[3,4]．

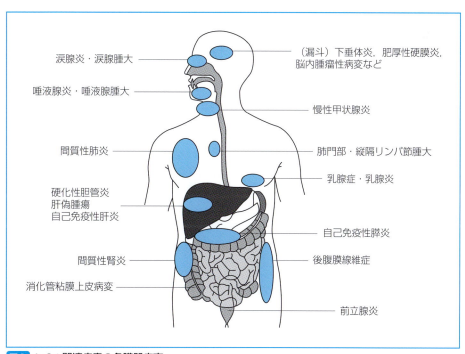

図1 IgG4 関連疾患の各臓器病変

検査所見

1 一般検査

ポリクローナルな IgG の高値を認めることが多い．ステロイド治療前の活動性病変では血清 IgG4 濃度が高い（135 mg/dL 以上）[3,4]．サルコイドーシスや抗好中球細胞質抗体（anti-neutrophil cytoplasmic antibody：ANCA）関連血管炎の全身性肉芽腫性疾患，結核を含めた感染症などの特異的検査項目は陰性である．

2 内分泌学的検査

中枢性尿崩症および種々の程度の下垂体前葉機能低下症の検査結果を示す[3,4]．障害される頻度の高いホルモンは，AVP のほか，LH・FSH，ACTH，TSH，GH の順である．

画像所見

下垂体茎の腫大と腫瘤，下垂体腫瘤（肥大）像を高率に認める[3,4]．下垂体茎腫大と下垂体腫瘤の合併は半数近く，下垂体茎と下垂体が連続して一体化した腫瘤像は 1/4 にみられた．MRI T1 強調画像で後葉の高信号の消失がみられる．

診断・鑑別診断

下垂体生検にて，炎症性線維性変化を主体としリンパ球や形質細胞（IgG4 免疫染色陽性）の強い炎症性細胞浸潤が認められる場合，確定診断される[3,4]．しかし，微小な生検組織片での全体像の判断に困難を伴うことや，下垂体炎はあくまで除外診断が基本であることに留意する．生検が困難な場合，後腹膜線維症，涙腺・唾液腺病変，膵病変，リンパ節腫大，肺病変，硬膜病変，肝・胆嚢病変，副鼻腔病変，腎病変などを検索し，組織学的な裏づけをとる必要がある[1]．下垂体病変が先行する場合や併発する関連疾患を認めない下垂体病変単独例も報告されている[3,4]．

Rathke（ラトケ）嚢胞や頭蓋咽頭腫，下垂体腺腫などに伴う二次性下垂体炎，特殊な感染症や全身性肉芽腫性疾患に伴う下垂体炎などが鑑別すべき疾患である．下垂体周囲組織を巻き込んだ肥厚性硬膜炎や海綿静脈洞炎を伴った傍トルコ鞍部非特異的炎症および多巣性線維硬化症（multifocal fibrosclerosis：MFS）は，IgG4 関連疾患の可能性がある．ステロイドに対する良好な反応も IgG4 関連（漏斗）下垂体炎を支持する参考所見である．

Leporati ら[5]は，IgG4 関連下垂体炎の診断基準案として，①単核球浸潤（リンパ球および形質細胞，IgG4 陽性細胞＞10 個以上/HPF）を示す下垂体の病理組織所見，②トルコ鞍腫瘤および/または下垂体茎腫大を示す MRI 所見，③組織学的に証明された下垂体以外の臓器病変，④血清 IgG4 高値（＞140 mg/dL）の血清学的所見，⑤腫瘤や症状のステロイド反応性，を取り上げ，①単独，②＋③，②＋④＋⑤を満たす場合，IgG4 関連下垂体炎と診断することを提唱した．

表1 に，平成 30 年度「間脳下垂体機能障害に関する調査研究」班による IgG4 関連下垂体炎の診断基準を示した．わが国の包括的診断基準では，ステロイドに関して，①安易なステロイドトライアルは厳に慎むべきである，②診断はできる限り病理組織を採取する努力をすべきである，ただし，膵，後腹膜，脳下垂体病変など組織診のむずかしい臓器に限っては，ステロイド効果のある場合，本疾患の可能性もある，③初期使用量はプレドニゾロン 0.5～0.6 mg/kg/日が推奨される．初回治療でのステロイド無効例は診断を見直すべきである，と解説を加えている．漏斗下垂体病変の場合，補充量のステロイドで寛解する例がみられるが，ステロイド減量時に再燃し治療に難渋する例も報告されていることから，ステロイド反応性良好の基準取扱いには議論の余地がある．

IgG4 関連疾患の国際病理診断基準[6]には，①密なリンパ球，形質細胞の浸潤，②少なくとも一部に花むしろパターンを伴う線維化（storiform fibrosis），③閉塞性静脈炎，の 3 項目を設け，確定診断にはこれら 3 つの所見のうち 2 つ以上が必要とされている．IgG4 陽性細胞数については，IgG4/IgG 陽性細胞比＞40％ に加えて，各臓器ごとに生検材料と摘出材料に分けて IgG4 陽性細胞数が設定されている．

治療・予後

下垂体炎一般に対する治療について，研究班による治療の手引き（表2）を参照されたい．IgG4 関連（漏斗）下垂体炎のステロイド治療は，ACTH 分泌低下に対する補充量から併発する後腹膜線維症や自己免疫性膵炎などに対する薬理量まで，種々の用量のステロイドが用いられている．下垂体前葉機能障害に対して一部のホルモン分泌回復が認められる．中枢性尿崩症はほとんどの例で不変であるが，経過中に寛解する例も一部みられる．下垂体腫瘤や下垂体茎腫大は経過観察できた症例の大部分で改善がみられたが，ステロイド減量に伴い再燃する場合も報告されている．

ステロイド治療に先立ち，結核を含む感染症は確実に否定しておく必要がある．IgG4 関連漏斗下垂体炎では，特に高齢の患者が多いため，補充量以上にステロイドを使用する場合，治療のメリットとデメリットを十分に酌量する必要がある．ステロイド依存性が生じた症例や不応性の再

表1 IgG4関連下垂体炎の診断の手引き（平成30年度作成）

I. 主症候
1. 下垂体腫瘤性病変による局所症候または下垂体機能低下症による症候
2. 中枢性尿崩症による症候

II. 検査・病理所見
1. 血中下垂体前葉ホルモンの1つ以上の基礎値および標的ホルモン値の低下を認める
2. 下垂体前葉ホルモン分泌刺激試験における反応性の低下を認める
3. 中枢性尿崩症に合致する検査所見を認める（注1）
4. 画像検査で下垂体のびまん性腫大または下垂体茎の肥厚を認める
5. 血清IgG4濃度の増加を認める（注2）
6. 下垂体生検組織においてIgG4陽性形質細胞浸潤を認める（注3）
7. 他臓器病変組織においてIgG4陽性形質細胞浸潤を認める（注4）

III. 参考所見
1. 中高年の男性に多い
2. ステロイド治療が奏効する例が多いが，減量中の再燃や，他臓器病変（注4）が出現することがあるので注意が必要である

[診断基準]
確実例：IのいずれかとIIの1，2，4，6たはIIの3，4，6を満たすもの
ほぼ確実例：IのいずれかとIIの1，2，4，7またはIIの3，4，7を満たすもの
疑い例：IのいずれかとIIの1，2，4，5またはIIの3，4，5を満たすもの

（注1）続発性副腎機能低下症が存在する場合に仮面尿崩症を呈する場合がある
（注2）135 mg/dL以上．ステロイド投与により低下することがあり投与前に測定することが望ましい．血清IgE濃度が増加することがある
（注3）IgG4陽性形質細胞が10/HPFを超える，またはIgG4/IgG陽性細胞比40%以上
（注4）後腹膜線維症，間質性肺炎，自己免疫性膵炎，涙腺唾液腺炎などの臓器病変が多く認められる
附記：下垂体腺腫，Rathke嚢胞，頭蓋咽頭腫，悪性リンパ腫，多発血管炎性肉芽腫症などで二次性にIgG4陽性細胞浸潤が軽度認められることがあるため慎重に鑑別する必要がある

〔有馬 寛，他：IgG4関連下垂体炎の診断の手引き．厚生労働科学研究費補助金難治性疾患等政策研究事業間脳下垂体機能障害に関する調査研究班：間脳下垂体機能障害の診断と治療の手引き（平成30年度改訂）．日本内分泌学会雑誌 2019；**95**（Suppl）：59より引用〕

表2 自己免疫性視床下部下垂体炎の治療の手引き（平成30年度改訂）

1. 下垂体の腫大が著明で，腫瘤による圧迫症状（視力，視野の障害や頭痛）がある場合は，グルココルチコイドの薬理量（プレドニゾロン換算で0.5〜1.0 mg/kg/日，高齢の場合や病態に応じて調節）を投与し，症状の改善を認めれば漸減する．病態によってはステロイドパルスあるいはミニパルス療法を検討する．症状の改善が認められない場合は生検とともに腫瘤の部分切除による減圧を検討する
2. 薬理量のグルココルチコイドを投与する場合には，全身検索や下垂体生検の必要性を検討し，結核などの感染症を十分に除外する必要がある
3. 下垂体腫大による圧迫症状がなく下垂体機能の低下が認められない場合は，MRIなどによって下垂体腫瘤の形態学的変化を経過観察する
4. 下垂体機能低下症，尿崩症の評価を行い適切なホルモン補充療法を行う

〔有馬 寛，他：自己免疫性視床下部下垂体炎の治療の手引き．厚生労働科学研究費補助金難治性疾患等政策研究事業間脳下垂体機能障害に関する調査研究班：間脳下垂体機能障害の診断と治療の手引き（平成30年度改訂）．日本内分泌学会雑誌 2019；**95**（Suppl）：58より引用〕

発例においては，免疫抑制薬アザチオプリンの投与やリツキシマブによる治療などが試みられている[7]．

文献

1) Umehara H, et al.：A novel clinical entity, IgG4-related disease（IgG4RD）：general concept and details. Mod Rheumatol 2012；**22**：1-14.
2) Stone JH, et al.：IgGA-related disease. N Engl J Med 2012；**366**：539-551.
3) Shimatsu A, et al.：Pituitary and stalk lesions（infundibulo-hypophysitis）associated with immunoglobulin G4-related systemic disease：an emerging clinical entity. Endocr J 2009；**56**：1033-1041.
4) 島津 章：IgG4関連（漏斗）下垂体炎．内分泌・糖尿病・代謝内科 2015；**40**：356-361.
5) Leporati P, et al.：IgG4-related hypophysitis：a new addition to the hypophysitis spectrum. J Clin Endocrinol Metab 2011；**96**：1971-1980.
6) Deshpande V, et al.：Consensus statement on the pathology of IgG4-related disease. Mod Pathol 2012；**25**：1181-1192.
7) Khosroshahi A, et al.：International Consensus Guidance Statement on the Management and Treatment of IgG4-Related Disease. Arthritis Rheumatol 2015；**67**：1688-1699.

第2章 臨床知識——D 下垂体前葉疾患各論

20 抗 PIT-1 下垂体炎（抗 PIT-1 抗体症候群）

奈良県立医科大学糖尿病・内分泌内科学　髙橋　裕

> **▶▶ 臨床医のための Point ▶▶▶**
> 1. 本疾患は特異的ホルモン欠損パターン示す下垂体炎の一病型である．
> 2. 中枢性甲状腺機能低下症，GH/PRL/TSH 低値と下垂体 MRI 正常～軽度萎縮の場合に強く疑う．
> 3. 確定診断は，末梢血中の PIT-1 に対する自己抗体（抗 PIT-1 抗体）あるいは特異的細胞傷害性 T 細胞の存在による．
> 4. 胸腺腫，悪性腫瘍に伴う傍腫瘍症候群であることが明らかになった．

概念・病態・疫学

私たちは2011年に，後天性 GH，PRL，TSH 特異的欠損症を呈した3例において血中に抗 PIT-1（POU1F1）抗体が存在することを見出し，抗 PIT-1 抗体症候群と名付けて報告した[1]．抗 PIT-1 抗体症候群は，下垂体に特異的な転写因子である PIT-1 に対する自己免疫機序により PIT-1 に制御される GH，PRL，TSH の後天性特異的欠損を呈する疾患である．胸腺腫あるいは悪性腫瘍における異所性 PIT-1 の発現が免疫寛容破綻の原因である[2,3]．抗 PIT-1 抗体血中はマーカーであり，PIT-1 特異的細胞傷害性 T 細胞による下垂体細胞傷害によって発症する[4]．その後の検討によって本疾患は下垂体炎の一種であり，症候群ではなく1つの疾患概念であることから，抗 PIT-1 下垂体炎と名前を修正し，診断基準を策定した（表1）[5]．病態として胸腺腫あるいは悪性腫瘍に伴う傍腫瘍症候群（傍腫瘍症候群としての自己免疫性下垂体疾患の項参照）と考えられている．これまで悪性リンパ腫，原発不明の癌などの報告があり，いずれも腫瘍に異所性の PIT-1 の発現を認めた[3,5]．

主要症状・身体所見

これまでわが国で9例報告されているが，後天

表1 抗 PIT-1 下垂体炎（抗 PIT-1 抗体症候群）診断基準

基準1．後天性 GH，PRL，TSH 特異的欠損症
① ホルモン基礎値，刺激試験で GH，PRL，TSH 欠損症を確認する GH，PRL は感度以下，TSH は著明低値であることが多い
② 他の前葉ホルモンは障害されない
③ 下垂体 MRI は正常から軽度の萎縮を呈する
④ 橋本病や1型糖尿病などの自己免疫疾患を合併することがある
基準2．血中抗 PIT-1 抗体あるいは PIT-1 特異的細胞傷害性 T 細胞の存在
① 抗 PIT-1 抗体は特異的なマーカーだが陰性例もある
② PIT-1 特異的細胞傷害性 T 細胞が下垂体障害の原因である
③ 種々の自己抗体を認めることがある
基準3．胸腺腫あるいは悪性腫瘍の合併
① 多くの症例で胸腺腫あるいは悪性腫瘍の合併を認め，異所性に PIT-1 が発現しているが，一般に内分泌異常が先に見出されることが多い
疑診：基準1を満たす
確診：基準1,2を満たす
基準3は診断の助けになるが，診断時には明らかでない場合もある

〔Yamamoto M, et al.：Autoimmune pituitary disease：New concepts with clinical implications. *Endocri Rev* 2020；41：bnz003 より引用〕

性であり，成長，発達は正常で，40～80歳代に中枢性甲状腺機能低下症による浮腫，倦怠感などで発症することが多い．1型糖尿病，原発性甲状腺・性腺機能低下症や軽度の小脳失調・味覚障害・脱毛・萎縮性胃炎・皮疹・粘膜疹などを合併することもある[1]．

検査所見（表1）[5]

GH，PRLの基礎値は感度以下でTSHは著明低値，その他の下垂体前葉ホルモンは障害されない．また様々な自己抗体（抗TPO抗体，抗Tg抗体，抗胃壁抗体，抗GAD抗体など）を認めることがある．MRIでは，下垂体前葉の軽度の萎縮〜正常像を示し，不均一に造影されることがある．血中の抗PIT-1抗体あるいはPIT-1特異的細胞傷害性T細胞の証明により診断が確定するが，陰性例もある．

診断・鑑別診断

後天性の中枢性甲状腺機能低下症で，下垂体画像で明らかな異常を認めないときには，GH・PRLを測定し，特異的欠損を認めれば本疾患を疑い積極的に抗PIT-1抗体のスクリーニングあるいはPIT-1特異的細胞傷害性T細胞のアッセイ（ELISPOT Assay）を行う[5,6]．併存する腫瘍は内分泌異常を呈したタイミングでは潜在性のことがある．

治療・予後

分泌が低下している甲状腺ホルモンと，必要に応じてGHの補充療法を行う．進行性の悪性腫瘍によるものの場合，GH補充療法の可否は慎重に判断が必要である．症例によって全身の臓器に自己免疫病変の進展がみられるため注意が必要である．生命予後は合併する胸腺腫，悪性腫瘍による．

文献

1) Yamamoto M, et al.：Adult combined GH, prolactin, and TSH deficiency associated with circulating PIT-1 antibody in humans. *J Clin Invest* 2011；**121**：113-119.
2) Bando H, et al.：A novel thymoma-associated autoimmune disease：Anti-PIT-1 antibody syndrome. *Sci Rep* 2017；**7**：43060.
3) Kanie K, et al.：Two cases of anti-PIT-1 hypophysitis exhibited as a form of paraneoplastic syndrome not associated with thymoma. *J Endocr Soc* 2021；**5**：bvaa9144.
4) Bando H, et al.：Involvement of PIT-1-reactive cytotoxic T lymphocytes in anti-PIT-1 antibody syndrome. *J Clin Endocrinol Metab* 2014；**99**：E1744-E1749.
5) Yamamoto M, et al.：Autoimmune pituitary disease：New concepts with clinical implications. *Endocri Rev* 2020；**41**：bnz003.
6) Takahashi Y, MECHANISMS IN ENDOCRINOLOGY：Autoimmune hypopituitarism：novel mechanistic insights. *Eur J Endocrinol* 2020；**182**：R59-R66.

第2章 臨床知識——D 下垂体前葉疾患各論

21 頭部外傷後・脳血管障害後の下垂体機能低下症

篤友会リハビリテーションクリニック　齋藤洋一
ゆう脳神経外科　後藤雄子

臨床医のためのPoint ▶▶▶

1. 頭部外傷や脳血管障害後の下垂体機能低下は，特に前者においてまれではないと認識する．
2. 急性期には評価が困難であり，経時的に顕性化することもあるので，（受傷後1週間〜1年）経過を追って評価する．
3. 分泌低下したホルモンに応じて補充療法を考慮する．

概念・病態・疫学

　頭部外傷後・脳血管障害後の下垂体機能低下とは，重症から中等症の頭部外傷（Glasgow Coma Scale：3〜13点，または頭部CTで脳挫傷を認める）や，くも膜下出血のような脳血管障害により下垂体茎，または視床下部，下垂体そのものが障害されることによって下垂体ホルモン分泌が低下した状態である．

　1918年にCryanによって初めて報告されたが，当時はまれな病態という認識であった．しかし2000年に入った頃から本疾患に対する注目度が高まり，欧米で大規模な調査も行われ，頭部外傷・脳血管障害の罹患者の約20〜40%に何らかの下垂体機能低下が認められたという結果等から，特に頭部外傷においてはまれではないと考えられるようになった[1,2]．視床下部－下垂体の損傷の機序としては外傷による一次的な損傷や，続発する血管障害，回転加速度，すなわちねじれの外力などが考えられる．また直接損傷のほかに，外傷後のショックや低酸素血症の結果，虚血や血管攣縮が生じることによる二次的な損傷も下垂体ホルモン分泌低下の原因であろう．特に頭部外傷では，下垂体茎および周囲の血管が鞍隔膜裂孔を通過する部分で障害を受けることが多いと考えられる．発症後急性期から生じるものから慢性期になって顕在化するものまで様々である[3]．欧米では，頭部外傷よりもくも膜下出血後のほうが下垂体機能低下が起こりやすいとのデータが出ている（表1）[1]．しかし2010年以降，脳血管障害罹患者の下垂体機能低下は，10〜20%と，過去の報告より少ない結果となっている．受傷，発症からの下垂体機能評価のタイミングによって，頻度が大きく異なると考えられ[2]，長期的（12か月以上）なフォローアップデータによって，経時的に下垂体機能が回復する例があることが判明したからである[4]．われわれの施設で行った，くも膜下出血後3年以内の社会復帰例における下垂体機能低下についての前向き検討結果でも，下垂体機能低下はおおむね保持されていた[5]．

主要症状・身体所見

　小児期では，成長障害が最も多い．低下するホルモンによって異なるが，一般的には易疲労感，倦怠感，集中力低下，うつ状態，性欲低下などの自覚症状を伴うことがある．

　これらの所見は，頭部外傷，くも膜下出血などの脳血管障害後に生じる様々な症状，所見に類似しているため，一部の所見はこれらに合併した下垂体機能低下症が関与している可能性が考えられる．

検査所見

1 一般検査

　電解質異常の有無，身長，体重の経時的変化，骨塩量など．低血圧がみられる場合はその他の原因の鑑別を要する．

2 内分泌学的検査

　下垂体ホルモン基礎値の低下，各種機能検査における異常反応など．発症直後には，ストレスにより内因性副腎皮質ステロイドが上昇し，またステロイドの大量投与が治療として施行されることが多いので，それらの影響を考慮する必要がある．

画像所見

　下垂体ホルモンが分泌低下している患者に特徴的な頭部外傷のCT，MRI所見は存在しない．頭部外傷後の患者において，強い回転性の外力負荷を示唆するびまん性軸索損傷や，頭蓋底骨折，外転神経麻痺や動眼神経麻痺を認めた場合，のちに

表1 成人重症〜中等症頭部外傷およびくも膜下出血後の慢性期下垂体前葉機能低下症の割合(%)

	GH	LH/FSH	ACTH	TSH	下垂体機能低下症	複数ホルモンの障害
頭部外傷	12.4	12.5	8.2	4.1	27.5	7.7
くも膜下出血	25.4*	5.9	20.5*	5.9	47.0*	8.8
total	13.8	11.7	9.6	4.3	29.8	8.0

13件の研究から809例の頭部外傷，102例のくも膜下出血を集め，受傷後少なくとも5か月が経過したデータを解析した．
＊：頭部外傷に比べて有意なデータ
〔Schneider, et al.: Hypothalamopituitary dysfunction following traumatic brain injury and aneurysmal subarachnoid hemorrhage: a systematic review. JAMA 2007; 298: 1429-1438 より〕

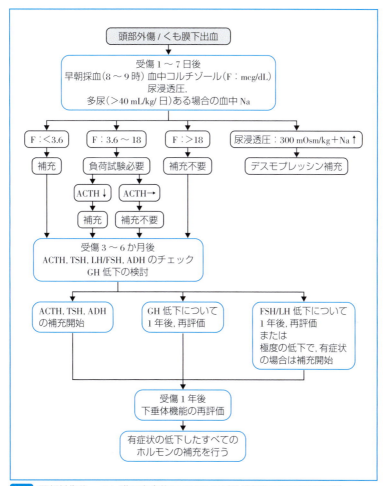

図1 頭部外傷後・くも膜下出血後における下垂体機能低下症の診療手順
〔Karamouzis I, et al.: Clinical and diagnostic approach to patients with hypopituitarism due to traumatic brain injury (TBI), subarachnoid hemorrhage (SAH), and ischemic stroke (IS). Endocrine 2016; 52: 441-450 より引用・改変〕

下垂体ホルモン分泌低下を発症する危険因子となりうる．Benvenga らは頭部外傷の視床下部−下垂体のCT，MRI画像を検討し，下垂体前葉梗塞25%，下垂体後葉出血26%，視床下部の出血を29%に認めることを報告している[6]．くも膜下出血に関しては，発症時の重症度，CTでみた出血量の程度と下垂体機能低下において関連はないとされている[1]．

診断・鑑別診断

発症後急性期の下垂体機能低下は一過性であることが多い．下垂体機能低下，特に副腎不全は生命の危機にかかわるため，見逃さないことが重要である．急性期には身体的ストレスによってホル

モン値が変動するため，過大評価，過小評価の可能性がある[7]．また，内分泌学的な詳しい評価は臨床的に後回しとなってしまうため，低ナトリウム血症，低血糖，あるいは低血圧など，副腎不全を疑う所見に注意が必要である．

治療・予後（図1）[2]

受傷あるいは発症後急性期に早朝血中コルチゾール値を測定して3.6 μg/dL（100 nmol/L）未満の場合，かつ/または副腎機能低下症の特徴があるときには，グルココルチコイドの補充を検討すべきである．急性期には，どの系統の下垂体ホルモンが分泌低下しているかを判別する必要はない[8]．

急性期に前葉機能低下がみられても，経過とともに改善する例もある．受傷，あるいは発症後急性期の下垂体機能低下は一過性であることが多いが，下垂体機能低下症となるのは数か月以後であるため，少なくとも1年以内に下垂体機能評価が必要である．血中コルチゾール値が早期に下垂体機能低下を予測する因子であるとの報告もあるが，明らかではない．慢性期に植物状態，寝たきりの症例で下垂体機能低下が認められた場合，ホルモン補充を行うことで意識状態などに改善が得られるかどうかについては，明らかなエビデンスはない．今後，わが国においても頭部外傷，脳血管障害後の下垂体機能低下症のエビデンスの集積が必要であると考えられる．

文献

1) Schneider, et al.：Hypothalamopituitary dysfunction following traumatic brain injury and aneurysmal subarachnoid hemorrhage：a systematic review. *JAMA* 2007；**298**：1429-1438.
2) Karamouzis I, et al.：Clinical and diagnostic approach to patients with hypopituitarism due to traumatic brain injury (TBI), subarachnoid hemorrhage (SAH), and ischemic stroke (IS). *Endocrine* 2016；**52**：441-450.
3) Dusick JR, et al.：Pathophysiology of hypopituitarism in the setting of brain injury. *Pituitary* 2012；**15**：2-9.
4) Lammert A, et al.：Aneurysmal subarachnoid hemorrhage (aSAH) results in low prevalence of neuro-endocrine dysfunction and NOT deficiency. *Pituitary* 2012；**15**：505-512.
5) Goto Y, et al.：Pituitary dysfunction after aneurysmal subarachnoid hemorrhage in Japanese patients. *J Clin Neurosci* 2016；**34**：198-201.
6) Benvenga S, et al.：Clinical Review 113：Hypopituitarism secondary to head trauma. *J Clin Endocrinol Metab* 2000；**85**：1353-1361.
7) Klose M, et al.：Does the type and severity of brain injury predict hypothalamo-pituitary dysfunction? Does post-traumatic hypopituitarism predict worse outcome? *Pituitary* 2008；**11**：255-261.
8) Agha A, et al.：Anterior pituitary dysfunction following traumatic brain inhury (TBI). *Clin Endocrinology* 2006；**64**：481-488.

第2章 臨床知識——D　下垂体前葉疾患各論

22　下垂体卒中

群馬大学大学院医学系研究科脳神経外科学　**登坂雅彦**

臨床医のための Point ▶▶▶

1. CT，MRI，MRA にて脳血管障害を除外し，下垂体卒中を診断する．
2. 下垂体卒中の急性期には副腎不全への対応が重要である．
3. 神経症状が重度の場合，または改善がみられず進行性の場合には手術を考慮する．

概念・病態・疫学

下垂体卒中とは，既存の下垂体腺腫の腫瘍内に出血または梗塞性障害が生じ，突然の頭痛，嘔吐，視機能障害，内分泌障害，意識障害などを生じる病態である．下垂体腺腫の2～12%に生じ，非機能性のマクロアデノーマに多く発生する．下垂体卒中症例の4人に3人は，下垂体卒中の発症により初めて下垂体腫瘍が診断される[1-3]．

主要症状・身体所見

急激な頭痛が最も著明な症状であり，患者の80%以上にみられ，嘔気や嘔吐を伴うことが多い．下垂体卒中による腫瘍体積の急激な増大により，視神経障害や海綿静脈洞症候群をきたし，視力低下が52%，視野障害が64%，複視が78%でみられる[1,3]．眼球運動障害の約半数例は動眼神経麻痺によるもので，眼瞼下垂，内転時の眼球運動の制限，および散瞳を特徴とする．

検査所見

80%の症例で，1系統以上の下垂体ホルモンの分泌不全を呈し，70%の症例で ACTH 分泌不全を呈することが重要である．副腎不全や SIADH により40%の症例に低ナトリウム血症を呈する．TSH 分泌不全，ゴナドトロピン分泌不全はそれぞれ50%，75%に生じるとされる．尿崩症を呈することは少ない[1,3]．

画像所見

MRI にて，下垂体腺腫の存在と，その内部に腫瘍内の出血，または梗塞性病変が証明される．出血部分は超急性期を除く急性期から約1週間までの時期には，T2強調画像で低信号域を呈する（図1）．T1強調画像ではこの時期の後半になると高信号を呈する．出血部分を高感度に検出するため，T2*強調画像が用いられることもある[4]（図2）．梗塞型の卒中では造影 MRI で梗塞部が造影されず，辺縁の正常下垂体のみが造影される．下垂体卒中全体の80%程度に蝶形骨洞粘膜の肥厚がみられ，診断に有用である（図1）．

診断・鑑別診断

脳動脈瘤（内頸動脈‐後交通動脈分岐部動脈瘤など）の切迫破裂あるいは破裂の場合，頭痛，嘔吐，動眼神経麻痺などの眼球運動障害をきたす可能性がある．CT，MRI，MRA を撮影して厳密に鑑別する．Rathke（ラトケ）囊胞が急性症状（頭痛，下垂体機能低下症状）を引き起こした際に下垂体卒中との鑑別が問題になる場合がある．炎症性の Rathke 囊胞の内容液は MRI T1強調像で高信号を呈するものが多く，囊胞内結節は，T2強調像で低信号を呈することが，鑑別をむずかしくする．Rathke 囊胞のほうが小さい場合が多い．Rathke 囊胞では腫瘍実質部分がみられず，下垂体茎の偏位が少ない．また，視覚障害，脳神経麻痺の発生は，下垂体卒中で多く発生する[5]．

治療・予後

急性に生じる副腎不全への対応が重要である．副腎不全は低ナトリウム血症を引き起こし，意識障害や全身状態の悪化を生じる．MRI などで下垂体卒中と診断され，低ナトリウム血症など副腎不全による症候をみた場合，ホルモン評価のための血液サンプルを採取後，速やかにヒドロコルチゾンの投与を行う（図2）．従来は出血を生じている腺腫に対し，緊急に外科的減圧が行われてきたが，近年は，軽度の視力視野障害や眼球運動障害にはまず保存的治療が行われる．進行性に意識障害を呈する場合は緊急手術が，また眼球運動障害や視機能障害が明らかで改善がみられない，あるいは進行する場合には発症から1週間以内の手術が推奨されている[2,3]．頭痛，視力視野障害，眼球運動障害は手術で減圧が得られると多くの症例

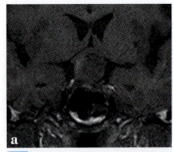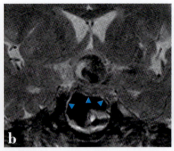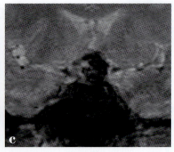

図1 下垂体卒中典型例（急性期）の冠状断 MRI
a：T1 強調像，b：T2 強調像，c：T2* 強調像．
T2* 強調画像では明瞭に出血が指摘された．蝶形骨洞粘膜の肥厚が観察された（b 矢頭）．

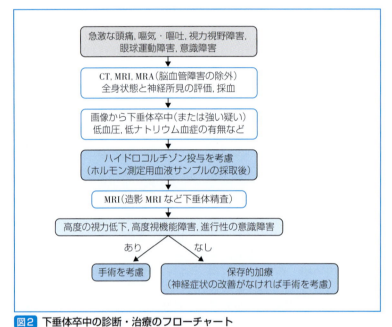

図2 下垂体卒中の診断・治療のフローチャート
〔Tosaka M, et al.：Assessment of hemorrhage in pituitary macroadenoma by T2*-weighted gradient-echo MR imaging. *AJNR Am J Neuroradiol* 2007；**28**：2023-2029 より引用〕

で改善する．視力が完全に消失した場合の回復は困難であるが，その状態からの手術でも改善がみられる例も報告されている．眼球運動障害は慢性期に手術を行っても改善することが多い．治療法や急性期管理にかかわらず，一般に内分泌学的機能の予後は不良で，慢性期にホルモン補充療法を要しない患者は全体の 20％ といわれる[1-3]．

文献

1) Briet C, et al.：Pituitary apoplexy. *Endocr Rev* 2015；**36**：622-645.
2) Rajasekaran S, et al.：UK guidelines for the management of pituitary apoplexy. *Clin Endocrinol（Oxf）* 2011；**74**：9-20.
3) 福原紀章：内分泌緊急症．下垂体卒中．医学のあゆみ 2018；**265**：119-123.
4) Tosaka M, et al.：Assessment of hemorrhage in pituitary macroadenoma by T2*-weighted gradient-echo MR imaging. *AJNR Am J Neuroradiol* 2007；**28**：2023-2029.
5) Jung HN, et al.：Rathke Cleft Cysts with Apoplexy-Like Symptoms：Clinicoradiologic Comparisons with Pituitary Adenomas with Apoplexy. *World Neurosurg* 2020；**142**：e1-e9.

第2章 臨床知識——D 下垂体前葉疾患各論

23 empty sella 症候群

浜松医科大学国際化推進センター　山下美保

臨床医のための Point ▶▶▶

1. empty sella はくも膜下腔のトルコ鞍内に陥入・下垂体が鞍底に圧迫・菲薄化している状態で，臨床症状を呈した場合 empty sella 症候群とよぶ．
2. 臨床症状を呈するものは少ないが，下垂体機能障害の合併は比較的多く，評価が必要ある．
3. 治療として，内科的治療・外科的治療があり，症状に応じた治療法の選択が必要である．

概念

empty sella（エンプティゼラ/トルコ鞍空洞：ES）とは鞍上部のクモ膜下腔がトルコ鞍内に陥入し，鞍内が脳脊髄液に満たされ，下垂体が鞍底に圧迫・菲薄化している解剖学的ないし画像診断的状態のことである．剖検でのトルコ鞍内の空洞化を指して 1950 年頃より使用されはじめた用語だが，近年では CT や MRI の所見としてよく使用されている．

病態・病因によって原発性か続発性に分類される．また，画像所見によって部分的 ES と完全型 ES に分類されることもある．頭痛・視力障害・ホルモン異常などの臨床症状を呈する場合，ES 症候群という．

病因・疫学

ES は病態・病因によって原発性と続発性に分類される．

原発性の場合，鞍隔膜の先天的異常や持続的または間欠的な頭蓋内圧亢進によって起こるとされている．鞍上部と下垂体窩を分ける硬膜組織の脆弱により，拍動性の脳脊髄液が下垂体を圧迫・菲薄化させるとされているが，原因となる遺伝子等は特定されていない．極端な場合，トルコ鞍の骨破壊から髄液漏を起こし，髄膜炎のリスクを上げることがある．

続発性 ES は様々な原因があげられる．おもなものは薬物治療による下垂体腫瘍の縮小，手術，放射線治療，下垂体卒中，頭部外傷は下垂体出産後下垂体壊死，下垂体感染，下垂体炎，頭部外傷である[1]．

明らかな要因がない場合，続発性と原発性の鑑別は困難であることが多い．病歴上続発性を示唆する原因がなく，下垂体茎の萎縮と偽後葉が認められる場合，下垂体茎断裂を起こす遺伝子異常の存在が示唆される[2]．緩徐に増大する髄膜腫のように頭蓋内腫瘍による頭蓋内圧亢進によって続発性に ES が起こることも報告されている．

有病率は診断法によって異なっている．病理解剖における ES の有病率は 5〜12% とされており，画像診断による有病率は約 12% と報告されている[3]．原発性は女性に多く（5：1），リスク因子としては多経産婦・肥満・睡眠時無呼吸・高血圧・特発性頭蓋内圧亢進症があげられる．特に特発性頭蓋内圧亢進は 10 万人に 1 人いるといわれており，そのうち 70〜94% に ES が認められると報告されている[3]．

臨床症状

ES の多くは無症状とされており，臨床症状を伴うものを ES 症候群という．最も頻度の高い症状は頭痛（約 80%）であり，髄液鼻漏や視野障害（20%）頭蓋内圧亢進による乳頭浮腫も報告されているが，極めてまれである．下垂体機能障害を合併している場合は，障害されたホルモンによる症状が生じる．妊娠・出産が可能な年齢の女性であれば月経周期異常・乳汁分泌・不妊など，男性であれば女性化乳房・性機能不全などを訴えることがある．

検査所見

高プロラクチン血症は 10〜17% の患者で認められると報告されている[3,4]．多くの場合，視床下部からのドパミンによる抑制が減弱しているためと考えられるが，その原因として頭蓋内圧の亢進・下垂体柄障害・性腺機能の状態・神経伝達物質の障害などが考えられる．

下垂体機能低下症の頻度は 52% とメタ解析にて報告されており[4]，単一ホルモンの障害は 21%，複数ホルモンの障害は 30% とされている．成長ホルモン（GH）系の障害が最も多く，次

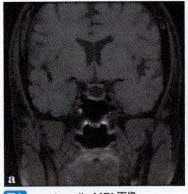
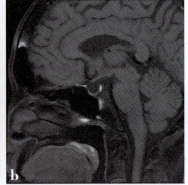

図1 empty sella MRI 画像
a：冠状断（T1強調画像），b：矢状断（T1強調画像）

にゴナドトロピン系の障害が多い．逆に ACTH・TSH・AVP の障害は非常にまれである．また，部分的 ES と完全型 ES を比較した場合，完全型 ES のほうが下垂体機能障害の頻度が高い（14.9% vs. 67.4%）とも報告されている．

まれに，先端巨大症や Cushing 病の微小腺腫が ES と関与していることがあり，臨床症状・ホルモン基礎値に応じて各種検査が必要となる．

以上のことから ES の患者においてホルモン基礎値の測定は推奨され，機能低下が疑われホルモン補償の対象となる可能性がある場合は積極的に負荷試験などで機能評価を行うべきである．

画像所見

画像診断としては MRI が有用で，トルコ鞍内が嚢胞様だが鞍上部くも膜下腔と連続しており，鞍内中央に下垂体茎，鞍底部に圧排された下垂体を認めるのが一般的である．脳脊髄液に満たされているため，T1強調画像で低信号として描出されるため，診断は容易である（図1）．50% 以下が脳脊髄液に満たされているときは部分型，脳脊髄液が 50% 以上で下垂体の厚さが 2 mm 以下の場合は完全型とよぶ．

治療

保存的に治療されるが，視機能障害例は外科治療（鞍底形成術やシャント術）の適応となることがある．

1 内科的治療

下垂体機能低下症がある場合は，障害されているホルモンを補充療法を行う．高プロラクチン血症があり，無月経・乳汁分泌・不妊など臨床症状を呈する場合はドパミン作動薬（ブロモクリプチン・カベルゴリン）によるプロラクチンの正常化を図る．

特発性頭蓋内圧亢進症患者においてはアセタゾラミド等利尿剤の投与を行う場合がある．また肥満はリスク因子になるため減量を指示する場合もある．

2 外科的治療

急速に悪化する視力・視野障害を認める場合，あるいは髄液鼻漏を認める場合には外科的手術による治療を検討する．

視力・視野障害を呈する原因は，視神経・視交叉のトルコ鞍内ヘルニアであり，圧迫解除のため ventricular-peritoneal（VP）シャントや視交叉固定術が行われる場合がある．

髄液鼻漏が認められた場合，VP シャントやトルコ鞍内充填術，トルコ鞍底形成術が行われる．Marinis らの報告では，VP シャントにより 71% が改善，29% が軽快，のちにトルコ鞍底形成術により全症例での改善が認められている[5]．

文献

1) Lenz AM, et al.：Empty sella syndrome. *Pediatr Endocrinol Rev* 2012；**9**：710-715.
2) Vergier J, et al.：Diagnosis of endocrine disease：Pituitary stalk interruption syndrome：etiology and clinical manifestations. *Eur J Endocrinol* 2019；**181**：R199-R209.
3) Chiloiro S, et al.：Diagnosis of endocrine disease：Primary empty sella：a comprehensive review. *Eur J Endocrinol* 2017；**177**：R275-R285.
4) Auer MK, et al.：Primary Empty Sella Syndrome and the Prevalence of Hormonal Dysregulation. *Dtsch Arztebl Int* 2018；**115**：99-105.
5) De Marinis L, et al.：Primary empty sella. *J Clin Endocrinol Metab* 2005；**90**：5471-5477.

第2章 臨床知識——D　下垂体前葉疾患各論

24　囊胞性病変（Rathke 囊胞・くも膜囊胞）

獨協医科大学脳神経外科　阿久津博義

臨床医のための Point ▶▶▶

1. Rathke 囊胞とくも膜囊胞の鑑別には MRI の囊胞内の信号強度に加え，正常下垂体の位置がポイントである．
2. 症候性症例では手術を行う．手術は両者とも大部分の症例で経鼻手術が適応となる．
3. Rathke 囊胞では内分泌機能の温存を考慮して囊胞開窓術が勧められる．再発予防として，囊胞上皮と蝶形骨洞粘膜上皮の一体化を促進する方法が提唱されている．

概念・病態・疫学

Rathke（ラトケ）囊胞は下垂体前葉と後葉の間に発生する非腫瘍性囊胞性疾患であり，胎生期 Rathke 囊の遺残組織から発生するといわれる[1,2]．病理組織学的には囊胞壁は1層の立方または円柱上皮細胞で覆われ，多くは線毛上皮で，粘液分泌細胞（goblet cell）も伴う．約1/4 では重層扁平上皮を伴い，頭蓋咽頭腫との鑑別が問題になることもある[1,2]．良性の経過をたどり，無症候のことが多いが時に症候性となり，頭痛，視機能障害，内分泌機能障害等を引き起こす[1,2]．

トルコ鞍部くも膜囊胞は発生率が頭蓋内くも膜囊胞全体の3%といわれ，鞍隔膜と下垂体茎の間隙を通って鞍上部のくも膜がトルコ鞍内に嵌入・増大することが成因とされるが詳細は不明である[3]．囊胞の増大に伴って視機能障害，頭痛，内分泌機能障害等を起こす[3]．

主要症状・病態

Rathke 囊胞・くも膜囊胞ともに視機能障害・内分泌機能障害・頭痛などで発症する．Rathke 囊胞に特徴的なのは，囊胞壁周囲の炎症の波及により内分泌機能障害・頭痛を呈することである．下垂体機能低下は手術症例の 19 ～ 60%，尿崩症は 0 ～ 20%，頭痛は 60 ～ 80% でみられる[1,4,5]．

検査所見・内分泌所見

血液検査ではどちらの疾患にも特異的な所見はないが，内分泌学的所見には下垂体前葉機能低下，尿崩症，高プロラクチン血症の所見がある．

画像診断・鑑別診断

Rathke 囊胞の囊胞内容は蛋白濃度が高い黄白色粘稠な囊胞ほど T1 強調画像で高信号になる（図1）．T2 強調画像では一般に高信号で，内部

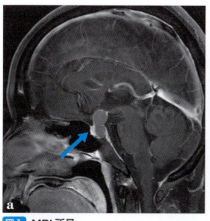
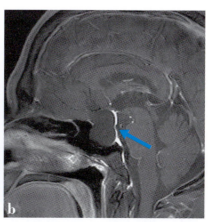

図1 MRI 所見
a：Rathke 囊胞．下垂体前葉（→）の後方に囊胞が存在している．
b：くも膜囊胞．下垂体前葉（→）の前方に囊胞が存在している．

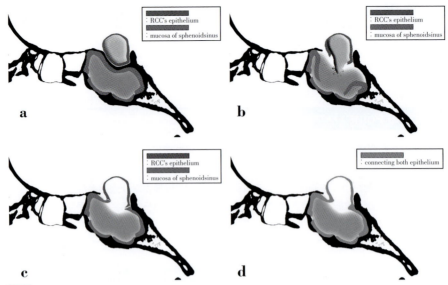

図2 Rathke囊胞に対するMucosa coupling method
a：術前，b：蝶形骨洞粘膜を温存しつつ囊胞開窓，c：開窓後蝶形骨洞粘膜に切り込みを入れ囊胞開窓部辺縁に粘膜縁が近接するように設置，d：上皮化後囊胞と蝶形骨洞のmarsupializationが完了
紫：Rathke囊胞上皮，赤：蝶形骨洞粘膜上皮，桃：Marsupialization後上皮
〔Journal of Neurosurgery 133(6)：1635-1978, 2020. Copyright Hiroyoshi Kino. Published with permission〕

(▶口絵カラー㉔, p.xiii 参照)

にwaxy noduleといわれるT2低信号の結節状の構造物を伴うことが特異的な所見である．強い炎症を伴う場合は囊胞壁が肥厚し造影効果を伴う．両者の鑑別としてはくも膜囊胞では囊胞内容は髄液に近い信号であることのほかに，下垂体がRathke囊胞では囊胞の前方に変位するのに対し，くも膜囊胞では後下方に変位するのがポイントである[3]．

治療・予後

Rathke囊胞，くも膜囊胞ともに無症候性例は経過観察し，症候性例に外科治療を選択する．外科治療は経鼻手術と開頭手術に大別されるが，トルコ鞍発生例では経鼻手術が第一選択である．鞍上部のみに囊胞が存在する症例でも近年は拡大蝶形骨洞法での経鼻手術が可能になった[3,5]．

Rathke囊胞の手術方針としては囊胞壁切除[1]と囊胞壁を切除しない蝶形骨洞への囊胞開窓術（marsupialization）[4,5]に大別されるが，近年は内分泌機能の温存を優先して囊胞開窓術を推奨する報告が増えている[4,5]．経鼻手術後は視機能障害は約90％で改善し[4]，頭痛は80〜90％の割合で改善する[5]．術後新規の内分泌機能障害は囊胞開窓術に比べて囊胞切除術のほうが頻度が高く，尿崩症は囊胞切除で19〜69％に対し，囊胞開窓で0〜7.5％，下垂体機能低下は囊胞切除で4〜40％，囊胞開窓で5〜9.4％とされる．術後の内分泌機能改善率は囊胞切除で14〜18％，囊胞開窓で33.3〜100％とされる[1,4,5]．

Rathke囊胞術後の再発率は観察期間の長さや再発の定義によって異なるが，術式を問わず10〜43％とされる[4]．Ahoらの報告では囊胞切除後5年での再発率は18％，再手術は10.1％であった．再発の危険因子は脂肪や筋膜による再建例であり，次いで病理学的な扁平上皮化生であった[1]．われわれは囊胞再貯留を防ぐために，硬膜再建を行わない囊胞開窓を行ったうえで，囊胞壁の開窓部と蝶形骨洞粘膜弁の断端を近接させて早期のmarsupializationを促す工夫（Mucosa coupling method）（図2）を開発した．本法と従来の囊胞開窓法の症例のMRIの追跡結果の比較では，従来法では再貯留が42.9％にみられたが，本法では1例もなかった[4]．本法は術中髄液漏がない症例には有用な方法と考えている．

くも膜囊胞に対しては経鼻もしくは開頭手術にて囊胞と脳槽の交通を付けることで囊胞再貯留を防ぐことが必要であり，拡大蝶形骨洞法を用いた囊胞開窓法[3]が報告されている．疾患頻度がまれであるため症例数の少ない報告しかなく，長期成績含めて不明な点が多い．

文献

1) Aho CJ, et al.：Surgical outcomes in 118 patients with Rathke cleft cysts. *J Neurosurg* 2005；**102**：189-193.

2) 齋藤 清, 他：下垂体腫瘍のすべて 第1版. 寺本 明, 他（編集）：医学書院 2009；282-287.
3) Oyama K, *et al.*：Transsphenoidal cyst cisternostomy with a keyhole dural opening for sellar arachnoid cysts：technical note. *Neurosurg Rev* 2014；**37**：261-267.
4) Kino H, *et al.*：Endoscopic endonasal cyst fenestration into the sphenoid sinus using the mucosa coupling method for symptomatic Rathke's cleft cyst：A novel method for maintaining cyst drainage to prevent recurrence. *J Neurosurg* 2020；**133**：1710-1720.
5) Madhok R, *et al.*：Endoscopic endonasal resection of Rathke cleft cysts：Clinical outcomes and surgical nuances - Clinical article. *J Neurosurg* 2010；**112**：1333-1339.

▶Column

佐野圭司先生（1920－2011）

　佐野圭司先生は，1920年静岡県富士宮市の外科医の長男として生まれ，旧制静岡高校に進学された．高校の2年上には故 中曽根康弘元首相が在籍していた．先生はこの頃から抜群の記憶力をもち，特にゲーテとハイネの詩を好み，有名な詩は原語ですべて暗記されていた．東京帝国大学医学部に進まれたが，戦局厳しい中，毎日図書館に通い，おもに神経学と語学（英語，独語，仏語，ラテン語，ギリシャ語）を学ばれた．
　卒業後，外科に入局されたが，1951年カリフォルニア大学（UCSF）の神経外科学教室に留学されたことが契機となり，以後の人生が展開していく．1962年わが国で最初の脳神経外科学講座の教授となり，国内の諸学会はもとより，1973年には第5回国際脳神経外科学会を主催された．先生は本来，側頭葉てんかんなどの機能的外科学に強い興味を抱いておられたが，わが国における脳神経外科のすべての分野のパイオニアでもあった．
　脳下垂体腫瘍に関しては，ご自身でも経蝶形骨手術を好んで執刀されたが，1980年下垂体腫瘍ワークショップを開設し，その第1回と2回の会長を務められた．これが現在の日本間脳下垂体腫瘍学会の前身である．1981年東京大学を退官，以後1996年まで帝京大学教授を務められた．2011年1月6日に逝去されたが，まさにわが国の脳神経外科学の父とよべる方である．

（湘南医療大学副学長　寺本　明）

第2章 臨床知識——D 下垂体前葉疾患各論

25 下垂体茎断裂症候群

神戸大学保健管理センター　井口元三

> **≫ 臨床医のための Point ▶▶▶**
>
> 1. 骨盤位分娩など周産期異常の既往や頭部外傷後に下垂体機能低下症を呈する症例では下垂体茎断裂症候群を念頭におく．
> 2. MRI検査で形態異常の確認および下垂体機能検査による評価を行う．
> 3. *LHX4*，*HESX1*，*SOX3*，*OTX2*，*PROKR2*，*GPR161*，*CDON*，*GLI2*，*ARNT2*，*CHD7*，*PAX6*，*ROBO1*などの遺伝子異常との関連が報告されている．

概念・病態・疫学

下垂体茎断裂症候群とは，MRIで下垂体茎が見えないまたは細いことを特徴とし，種々の程度の下垂体機能低下症を呈する症候群である．下垂体前葉の萎縮と異所性後葉を認めることが多い．また，骨盤位分娩，仮死などの周産期異常あるいは頭部外傷の既往症を認めることがある．下垂体茎断裂症候群は，pituitary stalk interruption syndrome（PSIS），invisible stalk syndrome 以外に，pituitary stalk compression，pituitary stalk transaction，ectopic posterior pituitary 等の名称で報告されていることがある．

周産期異常や外傷によって機械的に下垂体茎が断裂したのか，胎生期の発生異常によって下垂体茎が形成されなかったのかについては議論があるが，最近では *LHX4*，*HESX1*，*SOX3*，*OTX2*，*PROKR2*，*GPR161*，*CDON*，*GLI2*，*ARNT2*，*CHD7*，*PAX6*，*ROBO1* などの遺伝子異常を認めるとの報告が散見される[1,2]．近年，PSISは全前脳胞症（holoprosencephaly：HPE）の程度の軽い表現型とも考えられており，環境要因や遺伝子異常の複数要因が関与している可能性が示唆されている[3,4]．

主要症状・身体所見

種々の程度の複合型下垂体機能低下症をきたすため，複数の下垂体前葉ホルモンの分泌低下による症状を呈する．GH分泌不全症による低身長のほか，副腎不全や性腺機能低下症などの症状を呈するが，下垂体機能低下症が軽度の場合は，全身倦怠感，微熱，うつなどの症状から精神神経疾患，不明熱，慢性疲労などとして診療されていることもあるため，注意が必要である．後葉機能について異所性後葉の発達が良好な場合尿崩症はきたさないが，切断レベルが高位で視床下部に近い場合は形成が不十分となり不全型の尿崩症が合併する場合もある．この場合も中枢性副腎不全が併存するといわゆる「仮面尿崩症」となり多尿を呈してない症例もあり注意が必要である．約半数に下垂体以外（大脳，眼，歯，顔面，心，消化管）の形成異常を認めるとの報告もある[5]．

検査所見（一般，内分泌）

種々の程度の下垂体機能低下症を呈する．一般に下垂体前葉ホルモンの基礎値は低値で，刺激試験には低反応を示す．ACTH分泌低下をきたすことが多く，ストレス時は補充が必要な場合がある．GH分泌不全症のみの例もある．下垂体茎の障害であるためプロラクチンは高値をとるが，先天性の下垂体茎断裂による場合は低値となる場合がある．

画像所見

下垂体MRI所見において下垂体茎が同定されないか，あるいは細くなっている．ただし，健常人でも1割程度に下垂体茎が矢状断で見えにくいことがあり，冠状断も合わせて判断することが必要である（図1）．下垂体茎は造影効果が認められるため茎の確認に有用である．下垂体前葉は萎縮を認める場合が多い．異所性後葉（偽後葉，ectopic posterior lobe）の確認も矢状断だけでは見えにくいこともあり，T1WIの他の断面像も合わせて判断することが必要となる．異所性後葉とは，下垂体茎断端の中枢側に新しく形成された後葉組織をいう．後葉ホルモン（ADH）の分泌顆粒を有し，刺激に反応して分泌する．MRIのT1強調画像では，途絶した下垂体茎の上方に特徴的な高信号の小腫瘤として描出される．異所性後葉は，視床下部から本来ならば正中隆起から後葉へ向かう

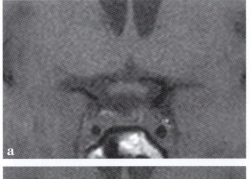
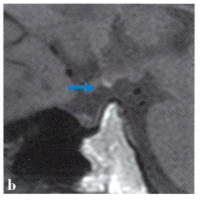
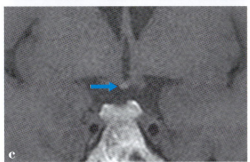

図1 下垂体茎断裂症候群のMRI
MRI T1強調画像．同定されない下垂体茎，前葉萎縮，異所性後葉（偽後葉，矢印）を示す．
a：冠状断，b：矢状断，c：冠状断

神経の末端で後葉ホルモンの分泌顆粒が蓄積していることを示すものとされ，下垂体茎が何らかの理由で途絶していることに矛盾しない所見と考えられている．現在，骨盤位分娩では帝王切開が積極的に行われるようになり，下垂体茎断裂症候群の頻度が低下したといわれている．逆に下垂体茎断裂症候群をみれば，周産期異常や頭部外傷歴の詳細な問診が必要となる．

診断・鑑別診断

周産期の分娩異常の既往をもち，成長障害や二次性徴発現遅延・欠如をきたした症例，および成人の頭部外傷数年後に性腺機能低下症や甲状腺機能低下症をきたした症例では下垂体茎断裂症候群を念頭におく必要がある．問診で骨盤位分娩，交通外傷の既往を積極的に尋ねることが重要である．内分泌学的検査では下垂体ホルモンの基礎値の低値で，刺激試験での低〜無反応であり，MRIで下垂体茎が見えないまたは細い（< 1mm）ことを確認して診断する．鑑別診断として，腫瘍，炎症，血流障害等の他の下垂体機能低下症をきたす疾患があげられ，時に鑑別の困難な症例もある．必要に応じて遺伝子検査を行うことも検討されるが，既知の遺伝子異常を認める場合は5％未満であり，ほとんどの場合（95％以上）は原因遺伝子不明である[3,5]．

治療・予後

欠如している下垂体ホルモンに応じて，適切なホルモン補充療法を行うことが必要である．副腎皮質ステロイド（ヒドロコルチゾン），甲状腺ホルモン（レボチロキシンナトリウム）の経口投与やゴナドトロピン不全に対する補充療法が行われる．GHDを呈していることが多く，GHの補充療法も考慮する．ADH分泌不全症を呈することは少なく，存在しても軽度でDDAVPが必要にならないことが多い．

文献

1) Vergier J, et al.：Diagnosis of endocrine disease；Pituitary stalk interruption syndrome：etiology and clinical manifestations. *Eur J Endocrinol* 2019；**181**：R199-R209.
2) Bashamboo A, et al.：A Nonsense Mutation in the Hedgehog Receptor CDON Associated With Pituitary Stalk Interruption Syndrome. *J Clin Endocrinol Metab* 2016；**101**：12-15.
3) Hong M, et al.：Cdon mutation and fetal ethanol exposure synergize to produce midline signaling defects and holoprosencephaly spectrum disorders in mice. *PLOS Genetics* 2012；**8**：e1002999.
4) Zwaveling-Soonawala N, et al.：Clues for polygenic inheritance of pituitary stalk interruption syndrome from exome sequencing in 20 patients. *J Clin Endocrinol Metab* 2018；**103**：415-428.
5) Bar C, et al.：Pituitary stalk interruption syndrome from infancy to adulthood：clinical, hormonal, and radiological assessment according to the initial presentation. *PLoS One* 2015；**10**：e0142354.

26 遺伝性下垂体疾患

神戸大学保健管理センター　井口元三

臨床医のための Point

1. 遺伝子異常によって，下垂体ホルモン単独欠損症や特徴的な複合下垂体機能低下症をきたす．
2. 先天性複合下垂体機能低下症のなかには晩発性に発症するものもあり注意が必要である．
3. 原因遺伝子として内分泌学的異常から候補遺伝子アプローチによって同定されたものと，網羅的解析によって同定されたものがある．

概念・病態

遺伝性下垂体疾患では様々な遺伝子の異常によって下垂体ホルモンの単独あるいは複合的な欠損が引き起こされる．下垂体を含む神経組織形成に重要な遺伝子，下垂体ホルモンあるいはその受容体遺伝子，現在までに機序が不明な遺伝子などが原因になる．下垂体前葉細胞の発生，分化，増殖は様々な転写因子，増殖因子などによって制御されている．それらの遺伝子異常では，種々の下垂体の形成異常とともに複合下垂体機能低下症（combined pituitary hormone deficiency：CPHD）を呈する[1]．多くは先天性に発症するが，成人期に症状が顕在化する場合もあるので注意が必要である．

下垂体ホルモンあるいはそれを制御する視床下部ホルモン受容体遺伝子異常は基本的には前葉ホルモン単独欠損症を示す．また最近ではエクソームなど網羅的解析によってその機能が不明な遺伝子が原因として見つかる疾患が増加している[2]．

検査所見（一般・内分泌）・画像所見

内分泌検査所見ではそれぞれの遺伝子異常により特異的なホルモン欠損を示すことが多い（表1）．下垂体茎断裂症候群（PSIS）と診断される症例の少なくとも一部は遺伝子異常による（別項参照）．CPHDにおける下垂体MRIは下垂体低形成を示すことが多いが，PROP1異常症では正常例や腫大例も報告されている．ホルモン単独欠損症の場合には下垂体の形態は一般に正常である．

1 複合下垂体機能低下症の原因（*PROP1，POU1F1，HESX1，LHX3* 等）

最も頻度が高い *PROP1* 遺伝子異常では，GH，PRL，TSH，LH，FSH低下をきたす．青年期以後にACTH分泌障害をきたすことがあり，副腎クリーゼに注意が必要である．*POU1F1*（*PIT-1*）遺伝子異常は，新生児期からのGH，PRLの完全欠損と乳児期までのTSHの種々の程度の分泌低下または欠損をきたす．*HESX1* 遺伝子異常は，典型例ではGH，TSH，ACTH，LH，FSHの欠損を認め，重症例では新生児期に低血糖をきたすことがある．また脳梁欠損や視神経萎縮などの中隔視神経異形成症（SOD）を合併することがある．*LHX3* 遺伝子異常は，低身長と頸部の回旋障害が特徴的で，一般にGH，PRL，TSH，LH，FSHの分泌不全を認めるが，遅発性ACTH分泌障害の報告もある．その他，*LHX4，OTX2，GLI2，SOX3，ALMS1，IFT12，KCNQ1* の異常によるCPHDが報告されている[2]．最近，*OTX2* 変異による先天性下垂体形成不全において患者由来iPS細胞から作成した疾患モデルによって発症メカニズムが明らかにされた[3]．

表1　下垂体転写因子遺伝子異常症の特徴

	GH	PRL	TSH	LH/FSH	ACTH	MRI画像
HESX1	↓	↓ or →	↓ or →	↓ or →	↓ or →	萎縮〜正常
PROP1	↓	↓	↓	↓	↓ or →	萎縮〜腫大
POU1F1/PIT-1	↓	↓	↓	→	→	萎縮〜正常
LHX3	↓	↓	↓	↓	→	萎縮〜腫大
LHX4	↓	↓	↓	↓	↓ or →	萎縮

2 下垂体前葉ホルモン単独欠損症の原因

・ACTH単独欠損症（*POMC, TPIT, PCSK1*）

ACTHはプレオピオメラノコルチン（*POMC*）遺伝子にコードされ，POMC蛋白からプロセシングにより産生される．先天性ACTH単独欠損症の原因として，*POMC*，*TPIT*（*TBX19*），*PCSK1*遺伝子の異常が報告されている．*POMC*遺伝子異常では，低血糖症，赤毛，高度の肥満およびACTH欠損症が特徴的である[4]．*TPIT*は*POMC*の発現に必須の転写因子である．新生児期発症のACTH単独欠損症の60％以上で*TPIT*変異が認められる[5]．*POMC*のプロセシングに必要な*PCSK1*遺伝子異常によるACTH欠損症は常染色体劣性遺伝で，肥満や重度の吸収不良，下痢が特徴的である．

・GH単独欠損症

成長ホルモンをコードする*GH1*遺伝子の欠損，点変異，スプライス異常によって常染色体劣性あるいは優性遺伝形式のGH単独欠損症（IGHD）を呈する．*GHRH*受容体，*GHS*受容体の遺伝子異常もGH欠損症をきたす．まれに*GH1*遺伝子の点変異によりGH高値にもかかわらずIGF-I低値を示すいわゆる生物学的不活性型GHをきたすことがある[6]．

・TSH単独欠損症（*TRHR, TSHβサブユニット, IGSF1*）

TSH単独欠損症はまれで，原因としてTRH受容体遺伝子，*TSHβ*サブユニット遺伝子およびX連鎖性の中枢性甲状腺機能低下症（TSH欠損症）をきたす*IGSF1*遺伝子異常症が報告されている．*IGSF1*異常症では，乳幼児期早期の成長障害，精神運動発達の遅れ，PRL分泌不全と部分的GH分泌不全および巨精巣症をきたす．

・性腺機能関連遺伝子異常（KS, CHH）

Kallmann症候群（KS）は，先天性低ゴナドトロピン性性腺機能低下症（congenital hypogonadotropic hypogonadism：CHH）と嗅覚異常をきたす症候群で，嗅神経とGnRHニューロンの嗅粘膜から脳内への遊走にかかわる遺伝子の変異により引き起こされ，*KAL1*（*ANOS1*），*FGF8*，*FGFR1*，*PROK2*，*PROKR2*，*NSMF*，*CHD7*，*WDR11*，*HS6ST1*，*SEMA3A*，*SOX10*，*OL14RD*，*HESX1*，*FEZF1*，*FGF17*，*SEMA7A*，*AXL*等の遺伝子が同定されており，それぞれの遺伝子に特異的な合併症を認めることがある．嗅覚異常を呈さないCHHでは*GNRHR*，*GNRH1*，*KISS1R*，*KISS1*，*TACR3*，*TAC3*等の遺伝子異常が報告されている．現状ではKSやCHHで既知の遺伝子異常を認めるのは約10〜40％であり原因不明である症例も多い[7]．その他，家族性の性腺機能低下症で*LHβ*遺伝子異常（低LH値，高FSH値），*FSHβ*遺伝子異常（高LH値，低FSH値）が報告されている．

3 家族性中枢性尿崩症の原因

家族性中枢性尿崩症（FNDI）は尿崩症を呈する常染色体優性遺伝疾患である．*AVP-NPII*遺伝子変異に基づく変異蛋白の蓄積により惹起される小胞体ストレスに伴う神経変性が病因と考えられており発症年齢には幅がある[8]．

治療・予後

欠損しているホルモンの補充療法が基本となる．早期に発見され適切に補充されれば予後は良好であるが，副腎不全や甲状腺機能低下症の診断の遅れは致命的あるいは知能障害など重篤な後遺症をきたす可能性があり注意が必要である．

文献

1) Gregory LC, et al.：The molecular basis of congenital hypopituitarism and related disorders. *J Clin Endocrinol Metab* 2020；105：e2103-e2120.
2) Prodam F, et al.：Insights into non-classic and emerging causes of hypopituitarism. *Nat Rev Endocrinol* 2021；17：114-129.
3) Matsumoto R, et al.：Congenital pituitary hypoplasia model demonstrates hypothalamic OTX2 regulation of pituitary progenitor cells. *J Clin Invest* 2020；130：641-654.
4) Krude H, et al.：Implications of proopiomelanocortin（POMC）mutations in humans：The POMC deficiency syndrome. *Trends Endocrinol Metab* 2000；11：15-22.
5) Akcan N, et al.：A novel TBX19 gene mutation in a case of congenital isolated adrenocorticotropic hormone deficiency presenting with recurrent respiratory tract infections. *Front Endocrinol* 2017；8：64.
6) Takahashi Y, et al.：Brief report：short stature caused by a mutant growth hormone. *N Engl J Med* 1996；334：432-436.
7) Boehm U, et al.：Expert consensus document：European Consensus Statement on congenital hypogonadotropic hypogonadism-pathogenesis, diagnosis and treatment. *Nat Rev Endocrinol* 2015；11：547-564.
8) Babey M, et al.：Familial forms of diabetes insipidus：clinical and molecular characteristics. *Nat Rev Endocrinol* 2011；7：701-714.

第2章 臨床知識──D　下垂体前葉疾患各論

27 遺伝性・家族性下垂体腫瘍

加茂健やかクリニック　**吉本勝彦**

> **臨床医のための Point ▶▶▶**
>
> 1. 下垂体腫瘍の家族発生は，MEN1 がほとんどを占める．
> 2. その他，Carney complex，家族性成長ホルモン産生腺腫（IFS），家族性下垂体腺腫（FIPA），MEN4 がある．
> 3. 各疾患の原因遺伝子解析が鑑別診断・他病変の有無の検討に有用である．

概念・病態・疫学・主要症状

1 多発性内分泌腫瘍症 1 型（MEN1）

多発性内分泌腫瘍症 1 型（multiple endocrine neoplasia type 1：MEN1）は，下垂体，副甲状腺，膵に腫瘍性病変を認め，常染色体優性遺伝の形式をとる．わが国では MEN1 患者 560 人についての解析が報告されている[1]．発端者の診断時平均年齢は 48 歳で，副甲状腺機能亢進症による初発症状が最も多い．副甲状腺腫瘍 94%，膵内分泌腫瘍 59%，下垂体腫瘍 50%，副腎皮質腫瘍 20%，前腸カルチノイド 8% の頻度で認められ，50 歳代までに 98% の浸透率を示す．死因は悪性膵内分泌腫瘍や悪性カルチノイド（特に胸腺）が多い．

約 10% が下垂体腺腫による初発症状を示す．下垂体腺腫はプロラクチノーマ（37%），非機能性腺腫（28%）が多く，GH 産生腺腫（13%），ACTH 産生腺腫（4%），GH/PRL 産生腺腫（3%），TSH 産生腺腫（0.4%）も認められる．MEN1 と非 MEN1 症例の比較では，MEN1 に伴う腺腫は大きく浸潤性を示すこと，複数のホルモンを産生する腺腫が多いこと，複数の腺腫を有する症例が 4% を占めること（非 MEN1 では 0.1%）が報告されている．悪性下垂体腫瘍はまれで，転移を示したプロラクチノーマが 1 例報告されている[2]．

11q13.1 に位置する *MEN1* が原因遺伝子で，10% の発端者に新規の変異（de novo 変異）を認める．*MEN1* 変異の種類については論文を参考にしていただきたい[3]．*MEN1* 変異陽性の保因者では，下垂体病変のスクリーニングに関して 5 歳時から半年ごとの血清 PRL や IGF-1 濃度の測定，15 歳から 2〜3 年ごとの頭部 MRI の実施が勧められている．

亜型として副甲状腺腫瘍と下垂体腺腫（GH 産生，ACTH 産生，非機能性）を合併する MEN4 があり，

その原因遺伝子は 12p13.1 に位置する *CDKN1B* であることが示されている[4]．

2 Carney complex

Carney complex（CNC）は皮膚色素沈着（70〜80%），心臓（20〜40%）や皮膚（30〜55%）の粘液腫，神経鞘腫（8〜10%），原発性色素性副腎結節性異形成（25〜60%），大細胞石灰型セルトリ細胞腫（男性の 41%），甲状腺腫瘍（60% 以上）などのほかに，先端巨大症（12%）を生じる疾患で，常染色体優性遺伝の形式をとる[5]．診断時平均年齢は 20 歳で，死因の半数は心粘液腫による．CNC 全体では高い浸透率（98%）を示す．

症状を示す GH 産生腺腫は少ないが，画像診断で腫瘍の存在が明らかでない時点で 75% の症例に高 GH・PRL・IGF-1 血症が認められる．GH および PRL 産生細胞の過形成を基盤に腺腫が発生していると考えられ，多中心性に腺腫が発生している症例が報告されている．

CNC の原因遺伝子として 17q24.2 に位置する *PRKAR1A* が同定され，さらに未同定であるが 2p16 領域の遺伝子の関与が示唆されている．*PRKAR1A* 変異の種類については論文を参考にしていただきたい[6]．

3 家族性下垂体腺腫

家族性下垂体腺腫には家族性下垂体腺腫（familial isolated pituitary adenoma：FIPA，GH 産生腺腫以外のタイプの腺腫も含む）と家族性成長ホルモン産生腺腫（isolated familial somatotropinoma：IFS）がある．11q13.2 に位置する *AIP* が原因遺伝子の 1 つで，*AIP* 変異陽性は FIPA の 15〜20%，IFS の 40〜50% に認められる．浸透率は約 30% と考えられている．*AIP* 変異の種類については総説を参考にしていただきたい[7]．

Daly らは 96 例の *AIP* 変異陽性症例の臨床的特徴は，若年発症（診断時平均年齢 23 歳）のため巨人症が 30% を占める．腫瘍は macroadenoma で，

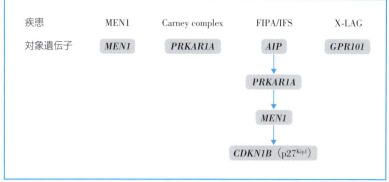

図1 家族性下垂体腺腫における遺伝子変異検索の手順
CDKN1B：MEN4（OMIM No.610755）の原因遺伝子，変異はまれ．

鞍外進展および浸潤を高頻度に認める．GH産生腺腫は70％以上に認められ，その半数はPRLをともに分泌する．AIP変異陰性のGH産生腺腫に比して，再手術の頻度が高く，放射線照射も高頻度で受けている．第一世代のソマトスタチンアナログに対する反応も不良である[8]．

最近，早期発症型小児巨人症（5歳前に発症）症例に，胚細胞レベルにおけるXq26.3領域の染色体の微小重複が認められ，その領域に位置するGPR101の過剰発現が病因に関与している可能性から，X-linked acrogigantism（X-LAG；X連鎖先端肥大巨人症）の疾患概念が提唱されている[9]．

家族性下垂体腺腫家系における遺伝子変異の検討はAIP，PRKAR1A，MEN1，CDKN1Bの順に行うとよい（図1）．

4 McCune-Albright syndrome

線維性骨異形成・皮膚カフェオレ斑・ゴナドトロピン非依存性思春期早発症を3主徴とする疾患群で，それ以外に10～15％に先端巨大症を伴うことがある[10]．20q13.32に位置するGNAS1の活性化変異が全身にモザイク状に存在し，GH細胞に変異が生じれば増殖をきたす．このため，症例は孤発性で遺伝性を示すことはない．

診断・鑑別診断

MEN1，PRKAR1A[11]，AIPにおいて一部あるいはすべてのエキソンを欠失している例が報告されている．このため，各エキソンを対象としたdirect sequencingで変異が認められない場合でも，multiplex ligation-dependent probe amplification（MLPA）法などを用いて大きな欠失の有無を検討する必要がある．

治療・予後

散発性下垂体腺腫に対する治療法と同じであるが，遺伝性・家族性下垂体腫瘍症例では治療抵抗性を示す症例が多いことに留意する必要がある．

文献

1) Sakurai A, et al.：Multiple endocrine neoplasia type 1 in Japan：establishment and analysis of a multicentre database. Clin Endocrinol 2012；**76**：533-539.
2) Trouillas J, et al.：Pituitary tumors and hyperplasia in multiple endocrine neoplasia type 1 syndrome（MEN1）：a case-control study in a series of 77 patients versus 2509 non-MEN1 patients. Am J Surg Pathol 2008；**32**：534-543.
3) Concolino P, et al.：Multiple endocrine neoplasia type 1（MEN1）：An update of 208 new germline variants reported in the last nine years. Cancer Genet 2016；**209**：36-41.
4) Frederiksen A, et al.：Clinical features of multiple endocrine neoplasia type 4：novel pathogenic variant and review of published cases. J Clin Endocrinol Metab 2019；**104**：3637-3646.
5) Kamilaris CDC, et al.：Carney Complex. Exp Clin Endocrinol Diabetes 2019；**127**：156-164.
6) Correa R, et al.：Carney complex：an update. Eur J Endocrinol 2015；**173**：M85-97.
7) Beckers A, et al.：Familial isolated pituitary adenomas（FIPA）and the pituitary adenoma predisposition due to mutations in the aryl hydrocarbon receptor interacting protein（AIP）gene. Endocr Rev 2013；**34**：239-277.
8) Daly AF, et al.：Clinical characteristics and therapeutic responses in patients with germ-line AIP mutations and pituitary adenomas：an international collaborative study. J Clin Endocrinol Metab 2010；**95**：E373-E383.
9) Trivellin G, et al.：Gigantism and acromegaly due to Xq26 microduplications and GPR101 mutation. N Engl J Med 2014；**371**：2363-2374.
10) Boyce AM, et al.：Fibrous dysplasia/McCune-Albright Syndrome：A rare, mosaic disease of G α s activation. Endocr Rev 2020；**41**：345-370.
11) Iwata T, et al.：Germline deletion and a somatic mutation of the PRKAR1A gene in a Carney complex-related pituitary adenoma. Eur J Endocrinol 2015；**172**：K5-10.

28 トルコ鞍部肉芽腫性病変，Tolosa-Hunt 症候群

虎の門病院間脳下垂体外科　西岡　宏

臨床医のための Point ▶▶▶

1. トルコ鞍部にはまれだが多彩な肉芽腫性病変がみられ，その多くは高度の内分泌機能障害で発症する．
2. 全身性肉芽腫性疾患の一部分症として，全身・局所の感染症として，あるいは他の下垂体病変に随伴して出現する．
3. 全身検索と詳細な MRI 検査が診断には必須だが，確定診断には組織所見を要することが多い．

概念・病態

　トルコ鞍部には様々な炎症性病変が生じ，そのなかには頻度はまれだが多彩な肉芽腫性病変も含まれる．肉芽腫性病変の大多数は全身性肉芽腫性疾患の一部分症として，全身・局所の感染症として，他のトルコ鞍病変（Rathke〔ラトケ〕囊胞など）に伴って反応性（二次的）に出現するが，特発性（原因不明）もある．治療方針は原疾患により大きく異なるため鑑別診断が重要である（図1）．確定診断には組織検索を要することも多いが，小さな組織標本やステロイド治療の影響などにより組織診断に難渋することも少なくない．経過や予後も原疾患・症例により大きく異なり，病変が自然退縮することもあるが，内分泌機能予後は不良で長期の補充療法が必要となることが多い．

神経サルコイドーシス

　非乾酪性の類上皮細胞肉芽腫を特徴とする原因不明の全身性肉芽腫性疾患．Th1 関与の過敏性免疫反応の関与が推測されている．肺，リンパ節，皮膚，眼病変などのほかに，5〜15% に神経サルコイドーシスを合併する．中枢神経病変は脳底部：視床下部，第三脳室，視神経，脳神経（特に顔面神経）に多い．視床下部・下垂体病変の多くは全身病変の一部分症として診断され，尿崩症，抗利尿ホルモン分泌過剰症 (SIADH)，性腺機能低下症，視野障害をきたす[1]．
　神経・筋サルコイドーシスの診療ガイドライン (2016年) では他臓器と同様に確定診断には生検による組織診断が必要とされている．髄液検査では 2/3 の症例で異常を認めるが，白血球数増多，蛋白増加，ACE 値高値，可溶性 IL-2 受容体の上昇等，すべて非特異的な所見である．MRI では視床下部・下垂体茎・下垂体の造影される浸潤性病変（時に囊胞性）や後葉高信号の消失などを呈する．^{67}Ga シンチ異常集積は診断的価値があり，また ^{18}F FDG-PET が診断に有用との報告が散見される．

　治療に関するエビデンスも乏しい．他臓器に準じて第一選択肢はステロイドであるが，神経サルコイドーシスは治療抵抗例が多い．視床下部・下垂体病変に対するステロイドの効果は不定であり，画像所見の改善が得られても機能予後は不良なことが多い．効果不十分な例には免疫抑制剤を併用，難治例には抗 TNFα 薬（インフリキシマブ）の有用性が報告されている．エビデンスの確立と早期診断・治療が必要である．

Langerhans 細胞組織球増加症 (Langerhans cell histiocytosis : LCH)

　Langerhans 細胞（組織球）の浸潤・増殖を特徴とする原因不明の肉芽腫性病変．BRAF V600 変異などから腫瘍性機序が推測されている．多くは 10 歳以下で発症するが成人以降にもみられる．病変は骨，肺，肝，皮膚，脾臓，粘膜，リンパ節，視床下部-下垂体後葉，性腺などにみられ，単一臓器（骨や肺）のみに限局する場合と多臓器に複数病変をきたす場合（約 30%）がある．臨床経過と予後は多彩であり，自然寛解例もあるが再発を繰り返す例もみられる．確定診断には生検が必要である．
　剖検では全 LCH 症例の 5〜50% に視床下部-後葉系への組織球浸潤を認めるが，中枢性尿崩症と前葉機能低下症をきたすのは各 5〜25%，20% と報告されている[2]．尿崩症のみで発症することもあるが，視床下部-下垂体に限局する LCH はまれである．尿崩症をきたした症例の約半数に前葉機能低下症，特に GH 分泌障害をきたす．MRI では後葉高信号の消失，下垂体茎-第三脳室底のよく造影される腫瘤性病変を認める（図2）．

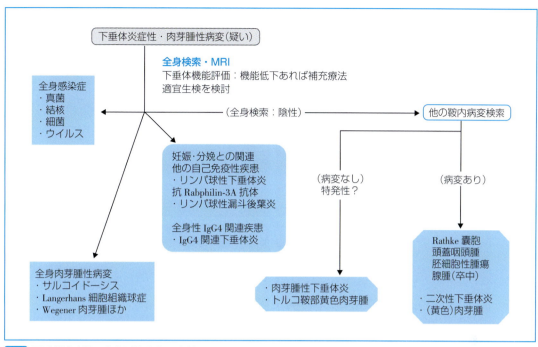

図1 下垂体炎症性・肉芽腫性病変の診断チャート

視床下部-下垂体LCHの治療には副腎皮質ステロイドや免疫抑制薬がおもに用いられ，時に放射線照射が行われる．一方，病変の自然退縮も少なくなく治療による効果および予後は一定しない．内分泌障害の改善はまれで長期のホルモン補充が不可欠である．

Wegener肉芽腫症

鼻腔，気管，肺などの巨細胞性肉芽腫と全身性の壊死性血管炎（フィブリノイド型血管炎）をきたす．多く（70〜80％）は耳鼻科領域の症状で発症するが，鼻粘膜，肺気管支，腎（壊死性半月体形成性腎炎），眼球（ぶどう膜・角膜）などに加えて皮膚，神経，脳も障害されることがある．血清c-ANCA（PR3-ANCA）が特異的に上昇する．予後は一般に不良で適切な治療をしないと2年以内に90％が死亡するとされる．以前はステロイドが用いられたが，現在はシクロフォスファミドが標準治療であり80％以上で寛解が得られる．

まれに視床下部-下垂体も障害され，尿崩症，一部は前葉機能低下症をきたす．そのほとんどは全身性病変の一部分症であり，単独病変はきわめてまれである．MRIでは不均一に造影される下垂体腫大性病変を認めることが多い．

Erdheim-Chester病

全身性に黄色肉芽腫性病変をきたすきわめてまれな疾患，*BRAF*変異などを認める．四肢の長幹骨に好発するが，半数の例では全身性病変を認める．後腹膜，肺，心臓，腎臓，肝臓などに加えて脳，特に視床下部-下垂体にも病変を生じることがあり，下垂体機能障害をきたす．

感染性肉芽腫

真菌性（ムコール菌症，放線菌症，アスペルギルス症），結核性，細菌性やウイルス性（水痘帯状疱疹ウイルス）などの感染性疾患もまれに視床下部-下垂体に肉芽腫性病変をきたすことがある．通常は全身性病変の一部分症として，血行性に直接または髄膜炎から肉芽腫を形成する．診断には全身検索とともにMRI（よく造影される脳底部の多発性結節性病変）が必須である．なお真菌性や結核性肉芽腫の予後改善には早期の診断・治療開始が重要である．

真菌症のなかではアスペルギルス症が多く，副鼻腔から骨破壊を伴って頭蓋内に進展した症例の予後はきわめて不良である．免疫不全や高齢・糖尿病などがリスクとなり，頭痛や複視などで発症する．MRIではT1・T2ともに低信号病変であることが多く，CTで小さな骨破壊像を見逃さないことが重要である[3]．

（トルコ鞍部）黄色肉芽腫

針状のコレステリン結晶，慢性炎症細胞浸潤，

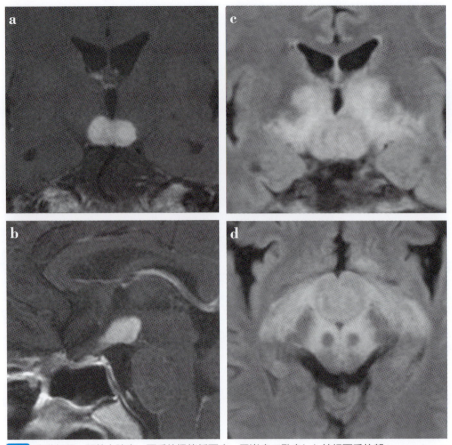

図2 意欲低下，記銘力障害，下垂体機能低下症，尿崩症で発症した神経下垂体部 Langerhans 細胞組織球症（47歳女性）
第三脳室底‐下垂体茎のよく造影される腫瘤性病変（造影MRI：a, b）と視索・視床下部の著明な浮腫性変化（FLAIR像：c, d）

異物巨細胞，泡沫状マクロファージ（xanthoma cell）やヘモジデリン沈着，等の強い変性所見からなる肉芽腫性病変．当初は頭蓋咽頭腫（エナメル上皮腫型）の一変性型と考えられていたが，若年者に多い，鞍内小病変が多い，石灰化が少ない，内分泌障害（尿崩症と前葉機能低下症）が強い，予後は良好などから現在は別のentityとされている[4]．頭蓋咽頭腫だけでなく，Rathke嚢胞，出血性腺腫などに随伴して二次性（反応性）に認められることもある．黄色肉芽腫が病変の大半を占める場合，MRIによる術前の鑑別診断だけでなく，組織検索を行っても原病変の診断が困難なこともある．組織学的に原因となる上皮性病変を認めない場合，「トルコ鞍部黄色肉芽腫」とよばれるが独立したentityか否かは不明である．

肉芽腫性下垂体炎

下垂体に生じる原因不明の非特異的肉芽腫炎と定義される．原発性下垂体炎のなかでリンパ球性下垂体炎に次いで報告は多く，下垂体機能は強く障害されることが多い．報告例の少なくとも一部はRathke嚢胞が原因の異物性炎症反応と考えられている[5]．リンパ球性下垂体炎との関係：病期の異なる同一疾患との推測もあり，独立した一疾患entityとしてよいのか疑問も残る．

Tolosa-Hunt 症候群

海綿静脈洞内の非特異的炎症性肉芽腫により，有痛性の眼筋麻痺をきたす症候群である．多くは片側性病変であり，反復性発作性の眼窩部痛とともに複数の脳神経障害（III, IV, V1, VI）を呈する．海綿静脈内の内頸動脈の狭窄・閉塞をきたすこともある．ステロイドが著効し，予後は通常良好だが時に再発と寛解を繰り返す．診断基準はあるが病態には不明な点が多い．類似症状を生じる疾患が多いため鑑別診断が重要であり，これには特発性肥厚性硬膜炎や本項でとりあげた多彩なトルコ鞍部肉芽腫性病変も含まれる．

文献

1) Blazin T, et al.: Hypothalamic-pituitary axis dysfunction, central diabetes insipidus, and syndrome of inappropriate antidiuretic hormone secretion as the first clinical presentation of neurosarcoidosis: Why early diagnosis and treatment is important? *Cureus* 2020; **12**: e11481.
2) Kultulmus M, et al.: The pituitary gland in patients with Langerhans cell histiocytosis: a clinical and radiological evaluation. *Endocrine* 2015; **48**: 949-956.
3) Saini J, et al.: Imaging findings in intracranial aspergillus infection in immunocompetent patients. *World Neurosurg* 2010; **74**: 661-670.
4) Paulus W, et al.: Xanthogranuloma of the sellar region: a clinicopathological entity different from adamantinomatous craniopharyngioma. *Acta Neuropathol* 1999; **97**: 377-382.
5) Tashiro T, et al.: Spectrum of different type of hypophysitis: a clinicopathologic study of hypophysitis in 31 cases. *Endocr Pathol* 2002; **13**: 183-195.

▶Information

間脳下垂体機能障害に関する調査研究班の取り組み

医療費の助成対象となる指定難病は333疾病あり、このなかに各種の間脳下垂体疾患および先天性腎性尿崩症が含まれる．指定難病ではそれぞれの重症度（軽症，中等症，重症）が定められており，医療費助成の対象となるのは中等症以上である．ただし，軽症であっても高額な医療費が長期間続く場合には「軽症高額」の制度により，医療費助成を受けることが可能となる．一方，指定難病の要件の1つに「発病の機構が明らかでないこと」があり，免疫チェックポイント阻害薬による下垂体機能障害など，薬剤により発症することが明確な病態は指定難病には該当しない．指定難病に関する情報は，難病情報センターのホームページ（https://www.nanbyou.or.jp）に詳しく記されているので，参照されたい．

厚生労働省難治性疾患政策研究事業の1つである「間脳下垂体機能障害に関する調査研究」に取り組む研究班は，内分泌内科，腎臓内科，小児内分泌，産婦人科，下垂体外科および統計学の専門家から構成され，指定難病である各種間脳下垂体疾患および先天性腎性尿崩症の診断基準と治療指針の策定，改訂作業を行っている．そして，同研究班は2019年5月に「間脳下垂体機能障害の診断と治療の手引き（平成30年度改訂）」を日本内分泌学会承認のもと刊行した（https://doi.org/10.1507/endocrine.95.S.May_1）．日本内分泌学会に承認されたこの診断の手引きに基づき，同研究班は厚生労働省の間脳下垂体疾患および先天性腎性尿崩症の診断基準の改訂を申請し，2021年9月現在，厚生労働省からの回答を待っている状況である．そして厚生労働省の診断基準の改訂後に，指定難病申請の際に用いる臨床調査個人票の改訂が初めて可能となる．指定難病の申請をされる先生方にご迷惑をおかけしているが，今しばらくお待ちいただきたい．

また，同研究班はホームページ（https://kannoukasuitai.jp/index.html）を通じて種々の情報発信を行っており，各種の間脳下垂体疾患および先天性腎性尿崩症の病態，診断，治療に関する最新の基礎研究および臨床研究も同ホームページで紹介されている．たとえば，中枢性尿崩症の診断の際に行う高張食塩水負荷試験の判定ツールは同ホームページからダウンロードできる．

同研究班では現在，Minds診療ガイドラインに沿った診療ガイドラインの策定に取り組んでおり，各疾患のクリニカルクエスチョンに答える新たなガイドラインを2022年度中に発表する予定である．また，難病プラットフォームを用いた間脳下垂体疾患および先天性腎性尿崩症の患者レジストリを作成し，2021年度よりその運用を開始した．そして将来的には同レジストリから得られる情報に基づいた新たなエビデンスを構築し，診療ガイドラインの改訂に繋げたいと考えている．

（名古屋大学大学院医学系研究科糖尿病・内分泌内科学　有馬　寛）

第2章 臨床知識——D 下垂体前葉疾患各論

29 視床下部症候群

日本医科大学大学院医学研究科内分泌糖尿病代謝内科学　福田いずみ

> **臨床医のための Point**
> 1. 視床下部は内分泌,自律神経,本能・情動行動などを司る中枢であり,この部位の障害は内分泌異常,体温調節や摂食の異常など多彩な症状をきたす.
> 2. 種々の視床下部の器質的・機能的障害が視床下部症候群の原因となる.

はじめに

視床下部は視床の直下にあり,第三脳室の腹壁と側腹壁に位置する.視床下部は体内外からの刺激を感知して内分泌,自律神経を調節する中枢である.摂食・飲水など生命維持の基本となる行動の中枢でもある.何らかの原因で視床下部が障害されると視床下部症候群(hypothalamic syndrome)としてホルモン異常など多彩な症状が出現する.

原因疾患

表1に視床下部症候群の原因を示す[1,2].トルコ鞍上部に生ずる腫瘍性病変のなかでは頭蓋咽頭腫,胚細胞腫瘍によるものが多い.肉芽腫性疾患,脳炎,髄膜炎も原因となる.環境変化や心理的・身体的ストレス,高度のやせ・肥満,過度の運動,慢性消耗性疾患などは機能的な視床下部障害の原因となる.

表1 視床下部症候群の原因

腫瘍	頭蓋咽頭腫,胚細胞腫瘍,視神経膠腫,上位腫,髄膜腫,過誤腫 下垂体腫瘍の上方進展 転移性腫瘍,白血病,悪性リンパ腫
肉芽腫性疾患	サルコイドーシス,Langerhans細胞組織球症
炎症	細菌性髄膜炎,結核,梅毒,ウイルス性脳炎,真菌症
血管性病変	くも膜下出血,動脈炎
頭部外傷	
放射線照射	
先天性疾患	Kallmann症候群,sept-optic dysplasia
特発性	視床下部ホルモンの欠損
機能性障害	ストレス,摂食障害,過度な運動

症状

視床下部症候群の症状は下垂体前葉・後葉機能異常,下垂体機能以外の視床下部機能異常に大別される.

1 下垂体前葉機能低下症

下垂体前葉ホルモンは上位の視床下部ホルモンにより分泌調節を受けるため,視床下部自体,または視床下部・下垂体間の連絡経路の障害により下垂体前葉機能異常が生じる.複数系統の下垂体ホルモン分泌低下となる場合が多いが,PRLのみは視床下部からドパミンによる抑制的な制御を優位に受けるため,視床下部障害では,この抑制的調節が損なわれ,高プロラクチン血症となる.

・思春期早発症

思春期早発症は男児で9歳以前,女児で7歳以前に二次性徴が発現する病態であり,思春期発現の抑制機構が障害されて発症する.奇形腫によるhCGの分泌,過誤腫によるLHRH産生,脳炎,水頭症などが原因となる.

2 下垂体後葉機能異常

・中枢性尿崩症

ADHを産生するニューロンは視床下部の視索上核,室傍核(paraventricular hypothalamus:PVH)に存在する.これらの神経核や,その神経路である下垂体茎が障害されると中枢性尿崩症をきたす.多尿により血中Na濃度が上昇(高浸透圧血症)すれば通常は渇中枢が働き,Naを低下させるために飲水行動が起こるが,中枢性尿崩症に視床下部の渇中枢障害を伴うと,飲水行動による調節が十分に機能せず高Na血症となる.

・抗利尿ホルモン不適合分泌症候群(SIADH)

血漿浸透圧の上昇が第三脳室前腹側壁の終盤脈絡器官(organum vasculosum laminae terminalis:OVLT)などに分布する浸透圧受容体で感知されると,その情報が視床下部のADHニューロンに伝えられADH分泌が促進する.SIADH(ADH不適合分泌症

候群)では血漿浸透圧が低いにもかかわらず，何らかの病的機序でADH分泌が持続的に亢進し，低Na血症をきたす．

3 下垂体機能異常以外の視床下部機能異常(表2)

・体重の異常

1900年代初頭にFröhlichが脳腫瘍症状に肥満，性器発育不全を合併した14歳の少年例を報告した．のちにその機序は視床下部の満腹中枢と，視索前野領域に細胞体を有するGnRH産生細胞の障害であり，腫瘍性疾患のみでなく他の器質性疾患によっても出現することが明らかにされた[3]．

弓状核(arcuate nucleus：ARC)にはレプチンやインスリンの受容体が分布し，満腹時にはこれらのホルモンの上昇を感知して脂質・糖代謝の促進(エネルギー消費)，摂食行動の抑制が起こる．空腹時には弓状核がグレリンの上昇を感知，その情報が伝達され摂食行動の促進，エネルギー消費の抑制など体重を増加させる方向への反応が生じる[4]．

視床下部障害ではこれらの調節機構が損なわれ，肥満(視床下部性肥満)をきたす．腹内側核(ventromedial hypothalamic nucleus：VMH)に存在する満腹中枢の障害，室傍核や弓状核の障害，VMHと外側核(lateral hypothalamus：LH)間の遮断などが視床下部性肥満の発症に関連する[5]．一方，広範な視床下部障害では食欲は低下し，やせ症状が主体となる．

・体温調節の異常

視索前野には体温調節中枢が存在し，深部体温の変動を感知する．体温調節機構の障害では，外界の温度に対する体温維持機能の低下，発作性または持続性の高体温や低体温が生じる．

・精神神経症状

嗜眠～昏睡など種々の程度の意識障害，記銘力障害，情動行動異常，睡眠覚醒リズムの障害，間脳自律神経性てんかんなどがみられる．

表2 下垂体機能障害以外の視床下部機能障害

摂食行動	過食，肥満，摂食低下，無食，るいそう
飲水行動	無飲，強迫多飲，高Na血症
体温調節異常	高体温，低体温，変動体温
自律神経機能	発汗異常，膀胱直腸障害
睡眠・意識障害	嗜眠，昏睡，睡眠覚醒リズムの異常
精神活動	多動，笑い発作(過誤腫)，記銘力低下

視床下部障害でみられる検査所見

1 一般検査所見

渇中枢障害を伴う中枢性尿崩症では高Na血症を呈する．SIADHでは低Na血症となる．

2 内分泌学的検査

下垂体前葉ホルモンとその標的ホルモンの基礎値を同時に測定し，標的ホルモンの基礎値が低いにもかかわらず下垂体前葉ホルモンの明らかな上昇が認められなければ下垂体機能低下症を疑う．機能低下をきたした障害部位が視床下部か下垂体かは必ずしも明確に区別できない場合もあり，TSH欠乏は視床下部・下垂体機能障害を総称して中枢性甲状腺機能低下症と表記されるが，血中TSH値が正常～軽度高値にもかかわらず甲状腺ホルモンが低値の所見は視床下部性甲状腺機能低下症を示唆し，生物活性の弱いTSHの産生がその原因とされる．このほか，視床下部障害では軽度の高プロラクチン血症(< 100 ng/mL)がみられる．

下垂体ホルモン分泌刺激検査のうち，インスリン低血糖検査は視床下部に作用して二次的に下垂体を刺激する検査であり，視床下部障害，下垂体障害ともにGH，ACTH系は無～低反応となる．GHRP-2試験も主として視床下部を介してGH分泌を刺激するため障害部位が視床下部，下垂体いずれでもGHは低反応となる．GnRH，TRH，CRH試験は下垂体を刺激する検査であり，下垂体障害では無～低反応となるが，視床下部障害では下垂体前葉ホルモンの過大反応や反応ピークが後ろにずれる遅延反応がみられることがある．視床下部障害の場合，GnRH試験に対するゴナドトロピンの反応はGnRH単回投与ではゴナドトロピンは低反応となるが，GnRHの連続投与後には反応性が回復する．

下垂体後葉(尿崩症)の評価には5%高張食塩水負荷試験などが用いられる．

文献

1) 加藤 譲：視床下部症候群：診断と治療のポイントと注意点. 日本内科学会雑誌 1994；83：2052-2057.
2) 島津 章：視床下部症候群. 別冊日本臨牀 領域別症候群シリーズ 内分泌症候群(第3版)I，2018；5-8.
3) 徳永勝人，他：視床下部性肥満：診断と治療のポイントと注意点. 日本内科学会雑誌 1995；84：1231-1235.
4) 黒岩義之，他：視床下部と脳室周囲器官の生理機能と制御破綻：視床下部症候群(脳室周囲器官制御破綻症候群)の提唱. 臨床環境医学 2019；28：22-44.
5) 正木孝幸：視床下部性肥満症候群. 別冊日本臨牀 領域別症候群シリーズ 内分泌症候群(第3版)I，2018；13-16.

第2章 臨床知識――D 下垂体前葉疾患各論

30 下垂体偶発腫瘍

東京慈恵会医科大学脳神経外科　石井雄道

> **臨床医のための Point**
> 1. 下垂体前葉ホルモン基礎値，造影を含む下垂体を中心とした MRI を行う．
> 2. 実質性で視神経に接する，もしくは圧迫するものは手術を考慮する．
> 3. 経過観察は，当初は半年おきに2回，その後は年1回の検査を行い，最低5年はフォローする．

概念・病態・疫学

病変に基づく直接的な臨床症候がなく偶然見つかる下垂体腫瘍を下垂体偶発腫瘍（pituitary incidentaloma）とよぶ．この直接的な臨床症候とは内分泌学的異常によるものや視野欠損が含まれ，頭痛やめまいなどは含まれない．臨床症候のない下垂体腫瘍については早くは1930年代に報告されており，その後慣用的に pituitary incidentaloma とよばれたものが定着したものと思われる．一般的には CT や MRI などで発見されるものをいうが，剖検で見つかるものも同様によばれている．

下垂体偶発腫瘍の頻度は，剖検例1,000例以上の報告によると，2.7〜22.5%とばらつきがあるが，一般的に剖検例での頻度は3〜9%程度であるといえる．日本人1,000人での剖検例の検討[1]では，MRI で検出しうる2 mm 以上の病変が61例（6.1%）あったと報告されている．通常の脳スクリーニング検査による検出率は CT で 0.2%[2]，MRI で 0.16%[3]，どちらも macroadenoma であったと報告されており，病変の検出率が低いことが診断上の問題点としてあげられる．また，MR 信号の特徴から囊胞性病変のほうが比較的に検出されやすい傾向があり，実質性病変は鞍上部進展例などでより発見されやすい傾向がある．

表1 下垂体偶発腫瘍に必要な検査

	検査項目
内分泌学的検査	GH，PRL，ACTH，FSH，LH，TSH，IGF-1，コルチゾール，FT_3，FT_4
眼科的検査	視力，視野測定 眼底検査
MRI 検査	下垂体を中心に T1，T2，造影にて冠状断，矢状断

注：必要に応じて CT 検査を追加する．microadenoma の診断には MRI ダイナミックスタディが有用であることがある．

表2 無症候性脳腫瘍および腫瘍様病変（脳ドックのガイドライン2019改訂・第5版）

（1）下垂体部腫瘍が発見された場合，無症候であっても下垂体ホルモン分泌過剰症，低下症を除外するため，下垂体ホルモン値および関連する末梢ホルモン値の測定を行う．ホルモンとして，GH，IGF-1，PRL，ACTH，cortisol，TSH，$freeT_3$，$freeT_4$，FSH，LH，testosterone あるいは estradiol（E_2）の基礎値を測定する．
　下垂体部に充実性腫瘍が発見された場合，鞍上進展（視路に接触または視路の挙上）がみられれば手術（おもに経蝶形骨手術）が勧められるが，下垂体過形成は除外する必要がある．視路に接していない小さな病変に対しては，当初6か月ごと2回，以降年1回の MRI による経過観察を行う．この際同時に上記ホルモン値を測定する．
　下垂体部に囊胞性病変が認められた場合，当初6か月ごと2回，以降年1回の MRI による経過観察を行う．この際同時に上記ホルモン値を測定する．
（2）経過観察中に腫瘤の増大傾向あるいは個々の特殊な事情があれば，年齢，局在，手術リスク等を考慮したうえで患者に説明し，十分な理解を得て治療を行う．治療とは主として手術療法を指す．

（解説）
　無症候性下垂体腺腫248例のうち，平均45.5か月の間に33例（13.3%）で増大を認め，そのうち115例の機能性下垂体腺腫では平均50.7か月の経過で23例（20%）が増大した．下垂体卒中を合併したのは1例（0.4%）のみである．一方，無症候性 Rathke 囊胞の場合，94例中5例（5.3%）で増大したにすぎない．そのため，充実性で特に視神経に接触する程度の鞍上進展を示す腫瘤に対しては経蝶形骨手術が勧められる．その他の場合は，最初の2年間は半年おきに，そしてその後は1年おきに MRI 検査を行うことが望ましい．一方，囊胞性病変の場合は経過観察でよいと思われる．充実性腫瘤は非機能性下垂体腺腫，囊胞性病変は Rathke 囊胞を念頭においた記載であるが，下垂体部には頭蓋咽頭腫，胚細胞性腫瘍，髄膜腫，炎症性疾患など時には MRI で鑑別のむずかしい多様な疾患が発生することに留意する必要がある．

〔日本脳ドック学会脳ドックの新ガイドライン作成委員会編：脳ドックのガイドライン2019，改訂第5版，2019より引用・抜粋〕

自然史に関しては1990年代より報告がなされており，Molitchがreviewしている[4]．これによると，pituitary incidentalomaをmicroadenomaとmacroadenomaの2群に分けると，microadenomaの10％，macroadenomaの20％で経過中増大を認めたとのことで，macroadenomaにおいてより注意が必要であると述べている．わが国における全国調査では[5]，実質性病変と嚢胞性病変の2群に分け，実質性病変の10％，嚢胞性病変の5.3％が平均50.7か月の経過中に増大したと報告しており，実質性腫瘍においてより増大傾向が強いことがうかがえる．またAritaら[6]は5年間の経過観察中に9.5％で下垂体卒中を認めたと報告している．

検査所見

下垂体偶発腫瘍を認めた場合の必要な検査について述べる（表1）．まず，下垂体前葉ホルモンおよび末梢ホルモンの基礎値を測定し，機能性腺腫を除外しておく必要がある．ホルモンの上昇のみられるものはいわゆるsubclinical adenomaの可能性があるため詳細なホルモン負荷試験を必要とする．PRLの中等度（25〜150 ng/mL）の上昇は，下垂体茎の圧迫によるPRL抑制因子の分泌障害"stalk effect"であることが多いため注意が必要である．

画像所見

下垂体部に焦点を絞った再検査を行う必要がある（表1）．造影を含めたMRIが有用であり，またmicroadenomaの診断にはダイナミックスタディが有用である．必要に応じてCTを追加する．

診断・鑑別診断

下垂体腺腫は正常下垂体に比して増強効果の弱い病変（less enhanced lesion）として描出される．嚢胞性病変は内容液の性状により信号強度が異なるが，正中病変，前葉と後葉の間の病変，左右対称で正常下垂体が前方に圧排されている病変はRathke（ラトケ）嚢胞の可能性が高い．石灰化を伴う場合は頭蓋咽頭腫を考える．

治療

治療方針に関しては日本脳ドック学会のガイドライン（2019年）に従って行う（表2）[7]．実質性，鞍上部進展して視神経に近接もしくは圧迫しているものは手術を考慮すべきである．subclinical adenomaに関しては議論のあるところだが，手術と病理診断を考慮すべきと考えられる．嚢胞性でも多房性や石灰化を伴うものは，頭蓋咽頭腫の可

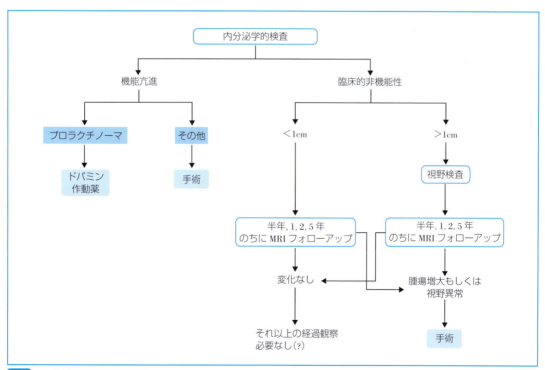

図1 下垂体偶発腫瘍の取扱い

〔Molitch ME：Nonfunctioning pituitary tumor and pituitary incidentalomas. *Endocrinol Metab Clin North Am* 2008；**37**：151-171 より引用〕

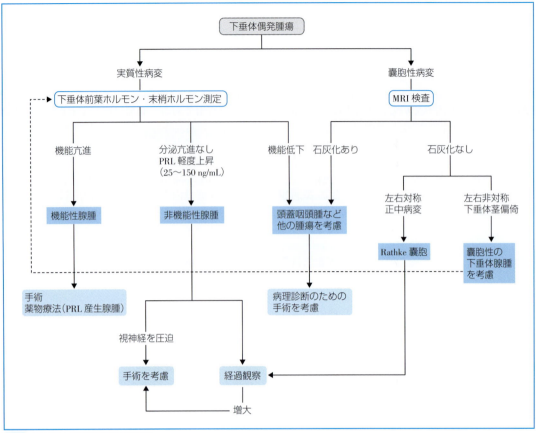

図2 下垂体偶発腫瘍の診療手順

能性がありやはり手術を考慮する．手術は低侵襲である経蝶形骨洞手術を行うべきと記載されており，近年の内視鏡下手術が安全性，確実性の点において推奨される．

経過観察を行う場合は，定期的にMRI，下垂体ホルモンの検査を行い，最低5年間はフォローアップを必要とする．Molitchの推奨する治療方針のフローチャートを図示する（図1）[4]．

また，当施設で行っている下垂体偶発腫瘍の診療手順をフローチャートにて示す（図2）．

文献

1) Teramoto A, et al.：Incidental pituitary lesions in 1,000 unselected autopsy specimens. *Radiology* 1994；**193**：161-164.
2) Nammour GM, et al.：Incidental pituitary macroadenoma：a population-based study. *Am J Med Sci* 1997；**314**：287-291.
3) Yue NC, et al.：Clinically serious abnormalities found incidentally at MR imaging of the brain：data from the Cardiovascular Health Study. *Radiology* 1997；**202**：41-46.
4) Molitch ME：Nonfunctioning pituitary tumor and pituitary incidentalomas. *Endocrinol Metab Clin North Am* 2008；**37**：151-171.
5) Sanno N, et al.：A survey of pituitary incidentaloma in Japan. *Eur J Endocrinol* 2003；**149**：123-127.
6) Arita k, et al：Natural course of incidentally found nonfunctioning pituitary adenoma, with special reference to pituitary apoplexy during follow-up examination. *J Neurosurg* 2006；**104**：884-891.
7) 日本脳ドック学会脳ドックの新ガイドライン作成委員会編：脳ドックのガイドライン2019改訂第5版．響文社，2019．

31 aggressive な下垂体腺腫と下垂体癌

虎の門病院間脳下垂体外科　福原紀章

> **臨床医のための Point**
> 1. 下垂体癌は，下垂体腺腫が中枢神経や他臓器に転移をきたしたものである．
> 2. 転移はしないが，増大傾向を示し，治療抵抗性のものを aggressive pituitary adenoma とよぶ．
> 3. これらに対してテモゾロミドの有効性が報告されている．

概念・病態

　下垂体癌は，下垂体腺腫が髄腔内播種または他臓器転移をきたしたものと定義され，下垂体腫瘍の 0.2～0.4% を占める．ヨーロッパの報告では 4 人/10,000,000 人年の下垂体癌発生と推定されている[1]．下垂体癌となる腫瘍タイプは ACTH (45.5%)，PRL (37.5%)，非機能性 (10%)，GH (5%) の順に多い[2]．転移をきたすまでは癌とは定義されず，病理学的にも核や細胞の多形性，mitosis の増加やその他の増殖マーカーは参考となるが転移 (悪性転化) の予測は困難である[3]．初発から下垂体癌である症例はなく，下垂体腺腫として発生し，複数回の手術や放射線治療にもかかわらず再発を繰り返し，転移 (悪性転化) をきたすのが一般的な経過である．初発から転移までの期間は数週間～数十年と幅広いが，通常は 10 年以内である．転移は髄腔内播種が血行性転移よりも多く，脳実質では大脳皮質や小脳に転移する．他臓器転移では骨転移が多く，その他リンパ節，肝臓，肺などに転移する[2]．

　一方，転移はきたさないものの，通常の下垂体腺腫に比して増大速度が早く浸潤性で治療抵抗性の「aggressive」な経過を示す下垂体腺腫が存在する．これには 2004 年 WHO 分類で定義されていた atypical adenoma の一部が該当する．しかし，atypical adenoma は，「核分裂像の増加，Ki-67 labeling index > 3%，p53 免疫染色に陽性を示す」と定義されていたが，基準を満たす腫瘍がすべて aggressive となるわけでもなく，一方 aggressive な経過をとらない通常の下垂体腺腫にもこの基準を満たすものがあり，分類することの臨床的意義が乏しいことから 2017 年 WHO 分類では削除された．それに代わり 2017 年 WHO 分類では「aggressive pituitary adenoma (APA)」が「浸潤性の強い腫瘍で，増大が早く，手術，放射線，通常の薬物療法に抵抗性で進行性に増大するもの」として提唱された．病理組織亜型においては sparsely granulated somatotroph adenoma, silent corticotroph adenoma, Crooke cell adenoma, plurihormonal PIT-1 positive adenoma, 男性の lactotroph adenoma は，aggressive である可能性の高い腫瘍とされている[2]．APA には，臨床的な診断基準が明確でないため，各施設によりその頻度は一定していないが，下垂体腺腫の約 2% 程度と推測されている[3]．

症状

　頭痛，脳神経麻痺，視機能障害，下垂体機能障害などが一般的な症状である．増大すれば視床下部障害による傾眠，食行動異常や，閉塞性水頭症，けいれん発作などを引き起こす．癌性髄膜炎になると頭痛や意識障害をきたす[1]．機能性腫瘍ではホルモン制御が困難となることが多く，特に高コルチゾール血症は生命予後にも大きく影響する．また，経過中に非機能性腺腫が機能性になる，逆に機能性腺腫が非機能性となる，ドパミンアゴニストでコントロールされていたプロラクチノーマが薬剤抵抗性に変わるなど，形質転換は悪性化を示唆する所見と考えられている．

診断

　下垂体癌の診断には転移巣の証明が必要である．髄腔内転移をの同定するには全脳全脊髄の造影 MRI が有用である (図 1)．全身検索には CT や FDG PET が必要となる (図 2)．

　一方，前述のように APA の診断には明確な基準がない．病理では，前述の増殖マーカーは明確なカットオフは設定されていないものの，APA を疑ううえで手助けとなる．

標準治療

　局所制御のための標準治療は追加の手術と放射線治療，薬物療法になる．通常 APA は巨大・浸潤性腫瘍ですでに複数回の手術がなされ，放射線

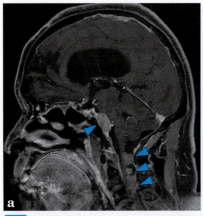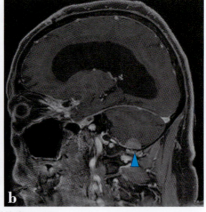

図1 髄腔内播種をきたした ACTH 産生下垂体癌の MRI
造影 T1 強調画像矢状断．複数回の手術，放射線治療にもかかわらず再発を繰り返した．トルコ鞍部の腫瘍は消失しているものの，斜台や頸髄，後頭蓋窩に転移（矢印）をきたし，テモゾロミド治療を開始された．

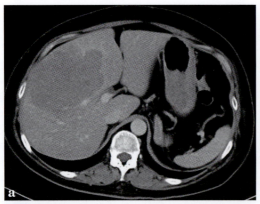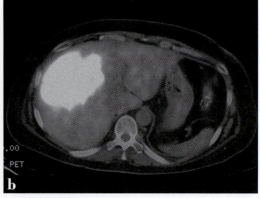

図2 肝転移をきたした ACTH 産生下垂体癌の腹部造影 CT および PET-CT
a：腹部造影 CT，b：PET-CT．
下垂体卒中を繰り返した Cushing 病症例．経過中，右海綿静脈洞内の再発腫瘍のサイズに比して ACTH は急激に上昇し，肝臓に大きな転移巣を診断された．肝転移の摘出により ACTH は低下した．　　　　　　　　　　（▶口絵カラー㉕，p.xiv 参照）

治療もされていることが多く，繰り返す手術は合併症リスクが高くなるため，手術適応は慎重に決定する必要がある．手術により腫瘍制御が困難となった場合においても，視交叉の減圧は手術適応となる[1]．下垂体癌においても頭蓋内や他臓器の局所制御のために手術や放射線治療などを考慮する．薬物療法は無効なことが多いが，組織所見や臨床経過などから APA が疑われる症例で術後に残存腫瘍を認める場合には薬物療法や放射線治療を再発予防のため積極的に用いるべきである．機能性腫瘍では，特に高コルチゾール過剰は予後不良因子となるため，腫瘍制御ができなくともホルモン抑制を行う必要がある[2]．

化学療法

APA，下垂体癌で有効性が示されている化学療法はテモゾロミド（TMZ）のみであるが，TMZ は悪性神経膠腫などに適応となっているアルキル化剤であり，下垂体腫瘍に対しては保険適用外である．

TMZ はおもに DNA のグアニン残基の O^6 位をメチル化し，DNA ミスマッチを引き起こす．それをミスマッチ修復機構（MMR）が修復を繰り返すことにより DNA が脆弱化して細胞死に至る．そのため，グアニンのメチル化を修復する酵素 O^6-methylguanine-DNA methyltransferase（MGMT）が発現していると上記の機構が作動せず TMZ 耐性となる．同様に MMR タンパクが欠損すると TMZ

耐性となり，下垂体腫瘍においても MSH6 の欠損によるテモゾロミド耐性が報告されている．MGMT の発現は免疫染色で評価でき，下垂体腫瘍でも MGMT 免疫染色における核内陽性像が治療効果予測の優れたマーカーとして報告されている（図3）．同様に MSH6 も免疫染色で発現を確認しておいたほうがよい[1,4,5]．

TMZ は APA，下垂体癌に対して使用される場合も神経膠腫の標準プロトコール（stupp レジメン）で使用されることが多い．単剤として投与される場合，体表面積当たり 150 ～ 200mg/m^2/ 日を，28 日ごとに 5 日間連続投与する．カペシタビンとの併用療法（CAPTEM）が下垂体腫瘍以外の神経内分泌腫瘍で報告され，下垂体腫瘍においても少数例での有効性が報告されている[1]．

欧州内分泌学会（ESE）のガイドラインでは TMZ 開始後，3 サイクル後に画像による治療効果の評価を行う．腫瘍の進行性増大があれば TMZ を中止し，治療効果を認めた場合は 6 か月間以上の治療が推奨されている．ESE の調査では治療開始後全体の 37% で腫瘍の縮小がみられた．機能性腫瘍は非機能性腫瘍よりも TMZ の反応性が高く，機能性腫瘍では腫瘍の縮小と分泌するホルモンの低下が相関し，内分泌学的には 19% で完全寛解，34% で部分寛解，27% で不変安定，21% が進行であった．最適な投与期間は定まっていない．ESE の調査では，治療期間の中央値は 9 か月（1 ～ 36 か月）であり，responder では治療期間が長い傾向を認めた．より長い治療期間が長期の寛解維持に相関するかはわかっていない．TMZ により寛解を得て治療を終了したあとにも再発する場合があり，フランスの多施設共同研究では TMZ 終了後の無再発生存期間は中央値 30 か月（18 ～ 51 か月），生存期間の中央値は responder で 44 か月（42 か月 ～），non-responder で 16 か月（9 ～ 25 か月）であった．イタリアの多施設共同研究では，コホート全体での 2 年後の無増悪生存率は 48% であった[4,5]．

TMZ 治療後の再発例には，再度 TMZ を試みるが，十分な効果が得られないことが多い．TMZ 無効例に対する二次治療として様々な殺細胞性抗がん剤，分子標的薬，免疫チェックポイント阻害薬，ペプチド受容体放射性核種療法（PRRT）の報告があるが，いずれもまだ少数の報告しかなく，

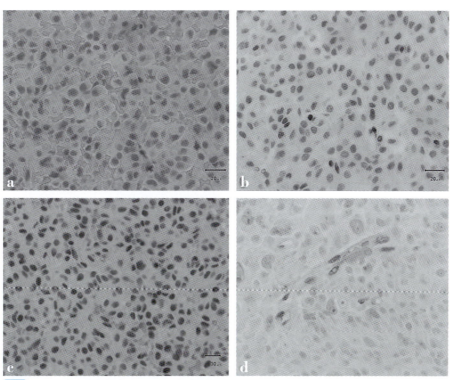

図3 ACTH 産生下垂体癌の MGMT 免疫染色
a：Low（< 10%），b：Medium（10 ～ 50%），c：High（> 50%），d：陰性症例の血管内皮細胞陽性像．
MGMT 免疫染色で核内陽性像を示す細胞の割合とテモゾロミドの効果が比例する．腫瘍細胞が陰性でも偽陰性の可能性があるため，positive control として血管内皮細胞の陽性像を確認する必要がある．

（▶口絵カラー㉖，p.ⅹⅳ参照）

表1 テモゾロミド無効例に対する二次治療の報告

殺細胞性抗がん剤	シスプラチン，カルボプラチン，エトポシド，ロムスチン，5FU，メトトレキサート，プロカルバジン，シクロホスファミド，ビンクリスチン，ダカルバジン，ドキソルビシン，アドリアマイシン
分子標的薬	パルボシクリブ，ラパチニブ，ベバシズマブ，エベロリムス
免疫チェックポイント阻害薬	ニボルマブ，イピリムマブ

〔Lin AL, *et al.*：Approach to the treatment of a patient with an aggressive pituitary tumor. *J Clin Endocrinol Metab* 2020；**105**：3807-3820, Raverot G, *et al.*：European Society of Endocrinology Clinical Practice Guidelines for the management of aggressive pituitary tumours and carcinomas. *Eur J Endocrinol* 2018；**178**：G1-G24 より引用〕

治療効果もまちまちで一定の評価は得られていない．またこれらはすべて下垂体腫瘍に対しては保険適用外である（表1）[1,4]．

予後

下垂体癌の平均生存期間は4年未満と報告されているが，なかには比較的緩徐な経過をたどる症例もある．約80%は下垂体癌が原因で死亡し，ACTH産生下垂体癌の予後が最も悪い．死因としては機能性腫瘍では腫瘍死よりも過剰ホルモン（高コルチゾール血症）による合併症死が多い．髄腔内播種は他臓器転移よりは予後がいい傾向がある[2]．

文献

1) Lin AL, *et al.*：Approach to the treatment of a patient with an aggressive pituitary tumor. *J Clin Endocrinol Metab* 2020；**105**：3807-3820.
2) Lloyd RV, *et al.*(eds)：WHO classification of tumours of endocrine organs, 4th ed. IARC Press，2017；14-44.
3) Dekkers OM, *et al.*：The epidemiology of aggressive pituitary tumors（and its challenges）. *Rev Endocr Metab Disord* 2020；**21**：209-212.
4) Raverot G, *et al.*：European Society of Endocrinology Clinical Practice Guidelines for the management of aggressive pituitary tumours and carcinomas. *Eur J Endocrinol* 2018；**178**：G1-G24.
5) McCormack A, *et al.*：Treatment of aggressive pituitary tumours and carcinomas：results of a European Society of Endocrinology (ESE) survey 2016. *Eur J Endocrinol* 2018；178：265-276.

第2章 臨床知識——D 下垂体前葉疾患各論

32 転移性下垂体腫瘍

鹿児島大学大学院医歯学総合研究科脳神経外科学　**藤尾信吾, 吉本幸司**

> ### 臨床医のための Point ▸▸▸
>
> 1. 転移性下垂体腫瘍は比較的まれな腫瘍であるが, 担癌患者の生命予後改善に伴い, 近年増加傾向にある.
> 2. 急速に進行する視力・視野障害が特徴的である.
> 3. 初発症状として尿崩症が多く認められ, 下垂体前葉機能障害や電解質異常もまれではない.
> 4. 腫瘍はダンベル型に成長することが多い.
> 5. 手術での全摘出は困難であるが, 部分摘出後の定位放射線治療によって腫瘍の局所コントロールはおおむね可能である.
> 6. 多くの場合, 生命予後は不良で, 全身状態や本人, 家族の意向に十分配慮した治療が望まれる.

概念・病態・疫学

　転移性下垂体腫瘍は癌の終末期に発生し, 傍鞍部腫瘍のなかでの発生頻度はおよそ1%と比較的まれな腫瘍である. しかしながら剖検例では, 担癌患者の約5%に下垂体転移巣が発見されると報告されており, 潜在的な患者数は受診者数をはるかに超えるものと推測される. わが国での全国調査では, 報告された201人の患者の平均年齢は59歳, 男女比は109：92で, 原発巣は肺癌(36.8%), 乳癌(22.9%), 腎癌(7.0%)の順であった[1]. まれではあるが, 多発性骨髄腫やリンパ腫からの転移も報告されている[2]. 癌の既往がなく, 下垂体病変で発症する例は4割程度である[2].

　近年, 担癌患者の生命予後が改善しているため, 無症候性も含めて発見される例が増えている.

主要症状・身体所見

　癌細胞は, 動脈から直接栄養される下垂体後葉を主座に増殖することが多く, 初発症状として40〜75%の患者に尿崩症が認められる. 癌細胞は前葉組織にも浸潤し, 下垂体前葉機能も高率に障害される[1,2]. 腫瘍が鞍上部に進展し視路を圧排すると比較的急速に進行する視力・視野障害をきたし, 海綿静脈洞内に浸潤すると眼球運動障害も認められるようになる[1,2].

　下垂体前葉機能が障害されると倦怠感や活動性の低下など多彩な症状を呈しうるが, 癌の進行に伴う全身の衰弱が下垂体前葉機能障害をマスクすることもあり, 注意が必要である.

画像所見

　診断には MRI が有効である. 転移性下垂体腫瘍は下垂体茎に沿って浸潤性に増殖するため, 鞍隔膜裂孔部でくびれをつくりダンベル型に増殖することが多い[1]. また, 下垂体後葉の高信号は高率に消失する[1]. 造影効果は様々であるが, 大半が強く不均一に造影される[1,3]. ほかにも腫瘍周囲硬膜の造影効果(dural tail sign), 視路に沿った浮腫状変化などが特徴的とされている[1] (図1). 3割の患者では転移性下垂体腫瘍が発見された段階で, 他の頭蓋内転移巣も認められる[2].

診断・鑑別診断

　視床下部・下垂体部で最も多い腫瘍は下垂体腺腫であるが, 下垂体腺腫で尿崩症や眼球運動障害をきたすことはまれである. したがって癌の既往がある患者で尿崩症や眼球運動障害を示し, 下垂体にダンベル型の腫瘍を認めるときには, 下垂体腺腫よりは転移性下垂体腫瘍を疑うべきである. また, 視力・視野障害の進行も下垂体腺腫に比較すれば急速である. しかし全例においてこのような典型的な所見を呈するわけではなく, 症状に乏しく, 通常の下垂体腺腫との鑑別が困難な類円型の腫瘍も存在する. 通常の下垂体腺腫以外では下垂体卒中, 胚細胞腫瘍, 下垂体炎が鑑別すべき病態である.

　新しい癌治療薬である免疫チェックポイント阻害薬には下垂体炎の合併が知られている[4]. 免疫チェックポイント阻害薬を使用中の担癌患者が下垂体機能障害を合併した場合, その原因が下垂体炎なのか, 転移性下垂体腫瘍なのか鑑別を要す

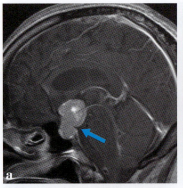
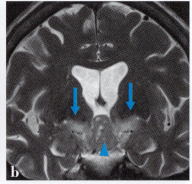

図1 転移性下垂体腫瘍の MRI 所見
a：造影 T1 強調画像矢状断．腫瘍は鞍隔膜でくびれ（矢印）をつくるダンベル型の成長を示す．
b：T2 強調画像冠状断．腫瘍（矢頭）周囲の視路に沿った T2 高信号領域（浮腫状変化）を認める（矢印）．

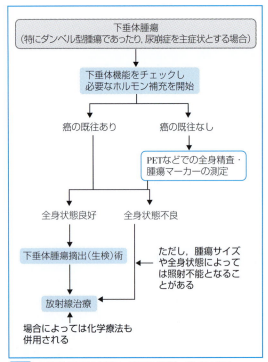

図2 転移性下垂体腫瘍における診断・治療の流れ

る．下垂体炎で病変が2cmを超えることや海綿静脈洞浸潤が起こることは極めてまれであることが1つの鑑別のポイントである[3]．

治療・予後（図2）

1 手術療法

転移性下垂体腫瘍は下垂体腺腫と異なり，腫瘍内部は線維性で周囲との癒着も強く全摘出は困難である．したがって手術の目的は診断の確定と視神経の減圧である．実際，手術の有無，摘出度と予後との相関は認められていない[2]．進行性の視力・視野障害があり，全身状態が良好であれば，経鼻経蝶形骨洞手術の適応を考慮する．視交叉・視神経への減圧が達成できれば視機能の回復が得られる．また手術によって腫瘍と視交叉・視神経への距離が確保できれば，定位放射線治療を安全に実施することが可能である．一方，尿崩症を含めた下垂体機能障害が手術によって回復することはない．

2 放射線療法

診断確定後，放射線照射を追加することで，腫瘍の局所制御はおおむね可能である[1, 2]．全脳照射を行うのか，定位放射線治療を行うのかは，脳内のほかの転移巣の有無や生命予後にもよるが，転移巣が下垂体に限局されているのであれば，一般に定位放射線治療を選択する．近年ではガンマナイフも分割照射が可能となり，視神経に近接する腫瘍にも比較的安全に照射できるようになった．

状況次第では，生検を行うことなく放射線治療を行うこともあるが，前述したようにほかの下垂体腫瘍との鑑別が困難なことも多く，可能な限り組織診断を行うことが望ましい．

3 薬物療法

原発巣によっては薬物療法も併用される．治療の内容は原疾患の担当医と綿密に相談しながら検討する必要がある．近年では分子標的薬であるオシメルチニブによって非小細胞肺癌の下垂体転移が消失した例も報告されている[5]．

4 ホルモン補充療法

下垂体機能障害を合併する患者には，精査のうえ，適切なホルモン補充を行う．補充は副腎皮質ホルモンから開始するが，仮面尿崩症の場合は副腎皮質ホルモン投与開始後に尿崩症が顕在化する可能性がある．

5 予後

　癌細胞が下垂体に転移した時点ですでに癌の終末期に該当し，この病態を完治させることは困難である．2015年に報告されたわが国の全国調査における生存期間（中央値）は肺癌（8.9か月），乳癌（25.6か月），腎癌（33.4か月）であった[1]．最新のレビューでも生存期間は肺癌（9.0か月），乳癌（22.0か月），腎癌（30.0か月）とわが国からの報告とほぼ同等であり[2]，現状ではいまだに予後不良な疾患であるといえる．しかしながら，癌治療は日進月歩で進化しており，今後は長期予後も期待できるようになるかもしれない．

文献

1) Habu M, et al.：Pituitary metastases：current practice in Japan. *J Neurosurg* 2015；**123**：998-1007.
2) Ng S, et al.：Current status and treatment modalities in metastases to the pituitary：a systematic review. *J Neurooncol* 2020；**146**：219-227.
3) Mekki A, et al.：Machine learning defined diagnostic criteria for differentiating pituitary metastasis from autoimmune hypophysitis in patients undergoing immune checkpoint blockade therapy. *Eur J Cancer* 2019；**119**：44-56.
4) Faje A：Immunotherapy and hypophysitis：clinical presentation, treatment, and biologic insights. *Pituitary* 2016；**19**：82-92.
5) Fan W, et al.：Complete resolution of sellar metastasis in a patient with NSCLC treated with osimertinib. *J Endocr Soc* 2019；**3**：1887-1891.

▶Side Memo

Knospの分類

　下垂体腺腫をその画像所見によって分類する試みは，古くはHardy & Vezinaの分類，さらにWilson, Lawsらの分類が有名であるが，これらの分類はおもに腫瘍の上下方向の進展の程度を基にした分類であった．一方Mainz（ドイツ）の脳外科医であるKnosp（クノスプ）は，腫瘍の側方伸展の程度を分類する方法を考案した．この分類はトルコ鞍外側に位置する内頸動脈の内側，中間，外側の接線と腫瘍の外側との位置関係をもとにした分類である（「海綿静脈洞浸潤性下垂体腺腫」の項参照）．その後，彼は各gradeと画像所見からは予測が困難な腫瘍の海綿静脈洞浸潤の関係を詳細に検討している．その影響か，最近一部の医師の間では，Knospの分類は腫瘍の海綿静脈洞浸潤の程度を表す分類であると間違って解釈されているように感じてならない．

（森山脳神経センター病院間脳下垂体センター　山田正三）

33 トルコ鞍部グリオーマ（下垂体神経膠腫）

第2章 臨床知識——D 下垂体前葉疾患各論

虎の門病院間脳下垂体外科　西岡 宏

> **≫ 臨床医のための Point ▸▸▸**
>
> 1. まれな神経下垂体原発グリア系良性腫瘍（WHO grade 1）である．
> 2. 下垂体細胞腫だけでなく，顆粒細胞腫や紡錘形細胞オンコサイトーマもこの範疇に含まれると近年指摘されている．
> 3. 症候例は腫瘍の mass effect による症状で発症し非機能性下垂体腺腫との鑑別を要する．治療は外科的摘出（おもに経鼻手術）．

概念

　トルコ鞍部グリオーマ（下垂体神経膠腫）は神経下垂体（下垂体茎‐後葉）の特殊なグリア細胞である下垂体細胞（pituicyte）に由来するグリア系腫瘍と定義される．いまだ議論はあるが下垂体細胞腫（pituicytoma）だけでなく，顆粒細胞腫（granular cell tumor）や紡錘形細胞オンコサイトーマ（spindle cell oncocytoma）もこの範疇に含まれる[1,2]．これは前葉細胞には陰性の TTF-1（thyroid transcription factor-1）が，これら pituicyte 系とされる腫瘍に共通して核に強い陽性所見を示すことによる．TTF-1 は甲状腺だけでなく，胎生期に神経外胚葉腹側に発現し神経下垂体の分化誘導にも関与する転写因子である．

　トルコ鞍部グリオーマはいずれもまれな良性腫瘍（WHO grade 1）であり，mass effect による症状または偶発的に発見される．神経下垂体発生でありながら尿崩症発症は少なく，非機能性下垂体腺腫との鑑別を要する．症候例に対しては外科治療が行われるが，腺腫と比べて硬く易出血性であることが多い．まれな腫瘍であるため診断や治療に関するエビデンスは乏しい[2]．

下垂体細胞腫（pituicytoma）（図1）

　紡錘形細胞からなるまれなグリア系良性腫瘍（全脳腫瘍の＜ 0.1％）．40 ～ 60 歳代の成人を中心に各年齢層にみられるが小児にはまれ，男性にやや多い．

　組織学的には双極性の紡錘形細胞が線維束状または storiform（花むしろ）状に配列し，増殖能は低く悪性所見を欠く．免疫組織化学では S-100 蛋白，vimentin，GFAP などが陽性．間脳に発生する良性グリオーマの毛様細胞性星細胞腫（pilocytic astrocytoma）と類似するが，下垂体細胞腫は好酸性顆粒小体，microcysts や rosenthal fiber を欠く．

　特有の臨床症候はなく局所圧迫症状：頭痛や視力視野障害で発症する．様々な程度の前葉機能障害（特に性腺系障害），高プロラクチン血症（stalk effect）などを呈するが，尿崩症は少ない．症状の出現進行は極めて緩徐である．画像所見では鞍内・鞍上部を主座とする境界明瞭な充実性（内部は均一）腫瘍．豊富な血流を反映し均一に強く造影され，時に flow void 所見を認める[3]．正常下垂体は腫瘍の前方・下方に変位（圧排）されていることが多い．

　症候例は外科治療（おもに経蝶形骨洞手術）の適応となる．全摘出により根治が得られるが，硬く易出血性であることが多く，また正常下垂体との境界も不明瞭なことが多いため術後尿崩症や前葉機能障害のリスクが高い．残存腫瘍に対する放射線治療の意義は明らかではない．悪性転化の報告はない．ソマトスタチン受容体（おもに SSTR3 と 5）を発現しているとの報告がある[4]．

神経下垂体部顆粒細胞腫（granular cell tumor of the neurohypophysis）（図2）

　特有な組織像（顆粒細胞）を示すまれな腫瘍（全脳腫瘍の＜ 0.1％）．30 ～ 50 歳代の成人を中心に各年齢層にみられるが小児にはまれで女性にやや多い．下垂体細胞の一亜型である granular pituicyte に由来するグリア系腫瘍とされる（granular cell piuicytomas）[1]．

　組織学的には PAS 陽性の好酸性顆粒（その本体は lysosome）が細胞質内に充満した大型腫瘍細胞（granular cell）からなる．通常，悪性所見を欠き増殖能は低い．免疫組織化学では CD68，α-1-antitrypsin などの lysosome・組織球系マーカーや S-100 蛋白が陽性，GFAP は陰性・弱陽性．電子顕微鏡像で

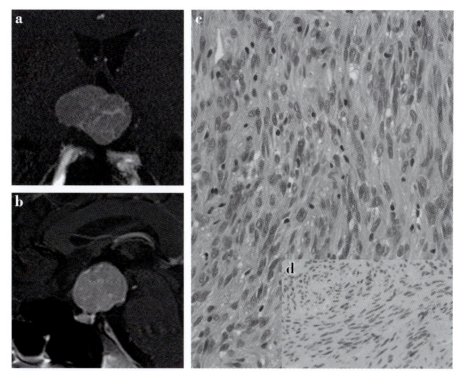

図1 両耳側半盲と下垂体機能低下症で発症した鞍上部の下垂体細胞腫（44歳男性）
a, b：造影 MRI, c：HE 所見, d：TTF-1 免疫組織化学. （▶口絵カラー㉗, p. xv 参照）

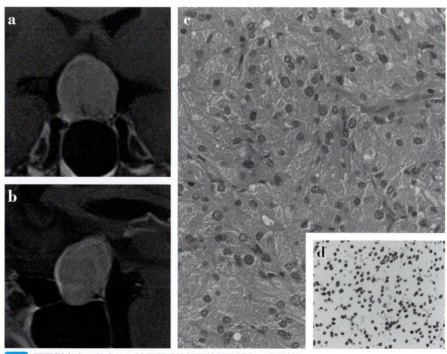

図2 両耳側半盲で発症した神経下垂体部顆粒細胞腫（39歳男性）
a, b：造影 MRI, c：HE 所見, d：TTF-1 免疫組織化学. （▶口絵カラー㉘, p. xvi 参照）

は細胞質に無数のlysosome(phagolysosomes)が充満している．

症候例は局所圧迫症状を呈する：視力視野障害，頭痛，前葉機能障害，軽度高プロラクチン血症(stalk effect)などであり，尿崩症は少ない．症状の出現進行は極めて緩徐である．MRIではよく造影される(不均一なことが多い)境界明瞭な充実性腫瘍(鞍上部＞鞍内)．下垂体は腫瘍により前方・下方に変位(圧排)されていることが多く，石灰化や囊胞形成はまれ．

症候例は外科治療(おもに経蝶形骨洞手術)の適応となる．全摘出が推奨されるが，硬く易出血性で周囲組織(下垂体茎，視交叉や第三脳室底)との境界が不明瞭なことが多い．全摘出が困難なだけでなく，術後尿崩症や前葉機能障害を合併することが多い．残存腫瘍の再発(再増大)率は報告により大きく異なる．術後再増大例に対しては局所照射が選択される．

紡錘形細胞オンコサイトーマ (spindle cell oncocytoma of the adenohypophysis)

下垂体前葉の非ホルモン産生細胞(支持細胞)である星状濾胞細胞(folliclulosteallate cell)に由来する成人の良性腫瘍として2002年に報告された，極めてまれな腫瘍．

組織学的には紡錘形から上皮様，好酸性膨大変化(オンコサイト化)を示す細胞形態からなる．分裂像や壊死は欠き，増殖能(MIB-1指数)は1～5％と報告されている．免疫組織化学的にはS-100蛋白，vimentin，galectin-3などに陽性，GFAPは陰性．前述のように前葉細胞や星状濾胞細胞には陰性のTTF-1が核に陽性を示すことからpituicyte系腫瘍(oncocytic piuicytoma)と報告されているが異論も少なくない[5]．

臨床像や画像所見は非機能性下垂体腺腫と類似：mass effect症状で発症し，鞍内・鞍上部の充実性腫瘍を呈する．症候例が外科治療の適応となるが，易出血性のことが多い．

文献

1) Mete O, et al.：Spindle cell oncocytomas and granular cell tumors of the pituitary are variants of pituicytoma. Am J Surg Pathol 2013；37：1694-1699.
2) Salge-Arrieta FJ, et al.：Clinical features, diagnosis and therapy of pituicytoma：an update. J Endocrinol Invest 2019；42：371-384.
3) Nagata Y, et al.：Low-grade glioma of the neurohypophysis：clinical characteristics and surgical outcomes. World Neurosurg 2018；114：1225-1231.
4) Mende KC, et al.：Pituicytoma：an outlook on possible targeted therapies. CNS Neursci Ther 2017；23：620-627.
5) Yoshimoto T, et al.：TTF-1-positive oncocytic sellar tumor with follicle formation/ependymal differentiation：non-adenomatous tumor capable of two different interpretations as a pituicytoma or a spindle cell oncocytoma. Brain Tumor Pathol 2015；32：221-227.

34 頭蓋咽頭腫

北里大学医学部脳神経外科学／北里大学メディカルセンター　岡　秀宏

> **》》 臨床医のための Point 》》》**
>
> 1. 小児・成人の両者に発生する鞍上部腫瘍の代表が頭蓋咽頭腫である．
> 2. 診断は，主訴，身体所見，内分泌検査，画像所見等から総合的に行う．
> 3. 治療は手術摘出を基本とするが，腫瘍残存の程度により放射線治療を行うこともある．

概念・病態・疫学

頭蓋咽頭腫は胎生期頭蓋咽頭管の遺残から発生する WHO grade 1 の良性腫瘍で[1-3]，わが国では原発性頭蓋内腫瘍の 3.5% を占める[3]．本腫瘍の好発年齢は[1-3]，中学生以下の小児期と，40〜60歳代を中心とする成人期の 2 峰性に好発ピークを有し[1-3]，性差はないとされている[1,2]．本腫瘍はわが国の小児脳腫瘍のなかでは 5〜10% を占め，欧米に比し発生頻度がやや高い傾向にある[1,2]．

歴史的には，1840 年に von Mohr が急速に肥満の進行する下垂体部腫瘍を報告し，これが頭蓋咽頭腫の初例ではないかと考えられている．1857年に Zenker が初めて pars tuberalis・pars distalis に沿って扁平上皮細胞に酷似した腫瘤を報告，1902年には Saxer が扁平上皮細胞で構成される下垂体部腫瘍を報告されており，現在の頭蓋咽頭腫と考えられている．1904 年に Erdheim が下垂体柄前方部に扁平上皮細胞集簇があることを報告し，この集簇に小嚢胞の混在があることを示し，これが頭蓋咽頭腫の発生起源と考えられる一因となっている．しかし，この細胞群が頭蓋咽頭管の遺残に沿って発生することは証明されていない．その後 1932 年に Cushing が"頭蓋咽頭腫"と名づけた．

上記の歴史的背景からこの腫瘍は下垂体柄の squamous cell nest にその起源が考えられるようになり[1]，病理組織学的にはエナメル上皮腫型（adamantinomatous type）と，扁平上皮乳頭型（squamous papillary type）の 2 型に分類される[1]．前者は若年層に多く，嚢胞や石灰化を伴うことを特徴とする．腫瘍に接する脳組織にはしばしば gliosis が観察され，Rosenthal fiber（慢性反応で起こるグリアの変性．良性腫瘍でみられる）もみられる．このタイプの腫瘍は正常組織との境界部分で interdigitation（脳に腫瘍が乳斑状に嵌入すること）を形成して正常脳にくいこんでいるので，完全摘出が困難な一因となっている．一方，後者は成人に多く，充実性腫瘍として成長し，前者のように嚢胞や石灰化は通常認めにくい．

主要症状・身体所見

頭蓋咽頭腫は下垂体柄を中心に発育することが多く，そのため視交叉を圧迫して生じる視機能障害，下垂体柄・視床下部を障害して起こる内分泌障害，高次機能障害が問題となる．

小児例の初発症状は，腫瘍増大に伴う閉塞性水頭症による頭痛（80%），嘔気・嘔吐（60%），視力低下（40%），低身長（30%）が多い．一方，成人例の初発症状は，視力障害が 80% と最も多く，次いで頭痛（30%），嘔気・嘔吐（20%），記銘力障害（15%）である[1]．

視機能障害では視力低下および耳側半盲を認めることが多いが，下垂体腺腫が両耳側半盲を呈しやすいのに比べ，頭蓋咽頭腫では部分半盲や左右非対称の不規則な視野障害を呈することもある．

内分泌障害は，小児例では低身長で気づかれることが多いが，成人例では視床下部-下垂体系ホルモン低下による全身倦怠感，皮膚の蒼白，髭・腋毛・恥毛等の脱落等を認めやすい．また，第三脳室底部から視床下部の障害により，傾眠傾向，体温調節障害，尿崩症を認めるが，尿崩症が初発となることは 10% に満たない．尿崩症出現時は口渇感・多飲・多尿を認める．

頭蓋咽頭腫患者の身体所見は，小児で内分泌障害（90%），視機能障害（70%），うっ血乳頭（40%），脳神経麻痺（25%），精神障害（10% 未満）であり，成人例では，視機能障害（85%），内分泌障害（70%），脳神経麻痺（25%），精神障害（20%），うっ血乳頭（10%）で，小児例と成人例では身体所見が異なることを念頭におく必要がある．

検査所見

1 一般検査

血液検査では一般に正常のことが多いが，尿崩

症を認める場合には血清浸透圧の上昇，血清Na値の上昇を認め，尿比重は低下する．

2 内分泌検査

種々の程度で視床下部-下垂体系ホルモン分泌異常を認めることが多く，初期には成長ホルモン（75％）や性腺系ホルモンの分泌障害（40％）を認める[1]．その後腫瘍増大による視床下部や下垂体の障害により ACTH 分泌障害（25％），TSH 分泌障害（25％）を伴う．プロラクチン値は腫瘍による prolactin inhibitory factor の圧迫で上昇することがあり，女性の場合は無月経で気づかれることがある．詳細なホルモン異常の確認のためには負荷試験が必要となる．尿崩症の診断のためには血清 Na 値，浸透圧，尿比重，体重等の検査が必要で，さらに水制限試験等で詳細な検査をする場合がある．

画像所見

1 頭蓋単純レントゲン撮影所見（図1）

若年症例では石灰化を伴う adamantinomatous type が多いため，鞍上部に石灰化像を認めることが多い（73％）が，成人例では石灰化を伴わない squamous papillary type の頻度が高くなるため石灰化像は 36％ 程度に低下する．トルコ鞍は平皿状（saucer like）あるいは J 字状に変形することが多い．

2 頭部 CT 所見（図2a, b）

頭部単純 CT 撮影では充実性腫瘍部と囊胞性腫瘍部のどちらか一方，あるいはそれらの混在として確認でき，adamantinomatous type の充実性腫瘍部や囊胞壁に一致して石灰化を伴うことが多い（90％）（図2a）．一方，squamous papillary type では囊胞や石灰化を伴うことは少なく，充実性腫瘍として描出されることが多い．

造影 CT では囊胞壁，充実性腫瘍部が増強される（72％）（図2b）．

3 頭部 MRI 所見（図3a, d）

T1 強調画像では充実性腫瘍部は通常等信号域，囊胞部はその内容により低〜高信号域となる（図3a）．T2 強調画像では高信号域を呈する場合が多く（図3b），時に腫瘍周囲の視索に沿って浮腫が認められる．石灰化の部分は T1 および T2 の両者で低信号域を示す．造影 MRI では充実性腫瘍，囊胞壁が増強される（図3c, d）．

診断・鑑別診断（図4）

診断は患者の主訴，身体所見，内分泌検査，画

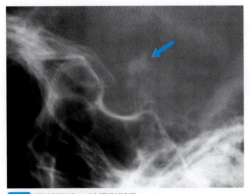

図1 頭部単純 X 線撮影所見
トルコ鞍の平皿状変形と鞍上部の石灰化を認める（矢印）．

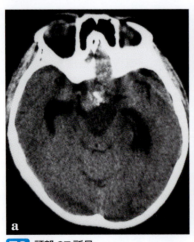
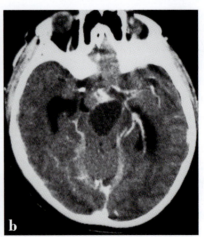

図2 頭部 CT 所見
a：頭部単純 CT 所見．鞍上部の石灰化を伴う充実性腫瘍と囊胞性腫瘍を認め，閉塞性水頭症を認める．
b：頭部造影 CT 所見．鞍上部の充実性腫瘍と囊胞壁が一部造影されている．

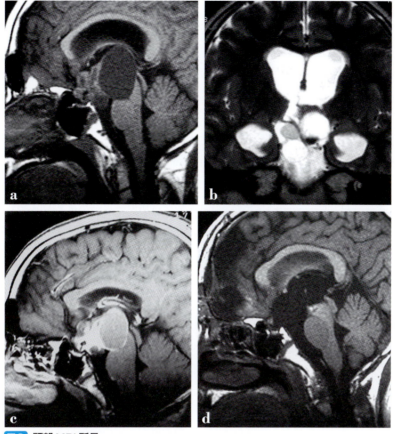

図3 頭部MRI所見
a：頭部MRI T1強調画像（矢状断）．鞍上部から第三脳室底部を脳弓付近まで挙上する低〜等信号の充実性・嚢胞性混合腫瘍を認める．また，閉塞性水頭症を伴っている．
b：頭部MRI T2強調画像（冠状断）．鞍上部の低〜高信号の充実・嚢胞混合性腫瘍を認め，閉塞性水頭症による側脳室拡大を認める．
c：頭部造影MRI矢状断（Gd-DTPA）．嚢胞壁，充実性腫瘍部の造影所見を認める．
d：術後頭部造影MRI矢状断（Gd-DTPA）．鞍上部の巨大腫瘍は全摘出され，閉塞性水頭症も改善している．

像により総合的に判断する．小児例で頭痛，低身長および視力低下を主訴に，視床下部‐下垂体系の内分泌障害を認め，画像上石灰化を伴う嚢胞および充実性腫瘍を認める場合はまず頭蓋咽頭腫を念頭におく必要がある．石灰化・嚢胞を伴わない例では鞍上部胚細胞腫や視床下部グリオーマ，好酸性肉芽腫等を鑑別する必要がある．成人例では視力・視野障害を主訴に視床下部‐下垂体系のホルモン分泌障害を認め，画像で充実性あるいは嚢胞性の鞍上部腫瘍を認める場合は本疾患を念頭におく．約1割に鞍内発生の頭蓋咽頭腫を認める．この場合は下垂体腺腫同様にトルコ鞍の拡大を認めることが多いため，下垂体腺腫との鑑別が重要となる．また，トルコ鞍・鞍上部嚢胞性病変であるRathke（ラトケ）嚢胞，クモ膜嚢胞，dermoid・epidermoid等の鑑別も重要である．特にRathke嚢胞は下垂体前葉と後葉間に発生し拡大するため，前葉は前方に圧迫されていることが多い．通常Rathke嚢胞は石灰化を伴わないが，最近の報告で石灰化を有するRathke嚢胞の報告が散見されるようになり[4,5]，特に嚢胞壁のコレステリン等による肉芽形成のために頭蓋咽頭腫と鑑別を要する症例[4]や石灰化を認める症例[4,5]では頭蓋咽頭腫との鑑別は容易でない場合がある．Rathke嚢胞の石灰化は頭蓋咽頭腫と異なり，鎧状石灰化（armor-like calcification）を特徴とすることが報告されている[5]．組織学的には"Xanthogranuloma of the sellar region"も同様な炎症所見を呈するため鑑別診断に苦慮することがある[1]．

そのほかに鞍結節部髄膜腫，下垂体後葉炎，時に石灰化した鞍上部内頸動脈瘤も鑑別が必要となる．

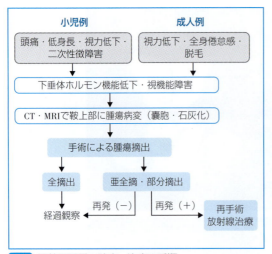

図4 頭蓋咽頭腫の診療・治療の手順

治療・予後

　頭蓋咽頭腫の治療は手術による腫瘍摘出を基本とし，放射線治療をどのタイミングで加えるかが重要となる．

1 手術治療

　頭蓋咽頭腫は組織学的特徴や腫瘍の発生部位により全摘出は容易ではない．なぜなら腫瘍が周囲の視床下部，視交叉，下垂体柄，下垂体などの重要構造物に少なからず癒着しており，それらの機能を温存しつつ，癒着した腫瘍を摘出することが困難な場合が多いからである．このような腫瘍特性から，現時点での手術方針は大きく2つに大別される．1つは従来どおり初回手術で腫瘍を極力全摘出するように目指す手術重視の治療である．もちろん機能温存にも配慮することはいうまでもない．もう1つの方法が機能温存を最優先し，手術で腫瘍を意図的に部分摘出に留め，残存腫瘍に放射線治療（定位放射線治療等）を照射する方法である．現在のスタンダードな治療方針は機能温存の点から後者になりつつある．しかし，不完全な摘出では再発率が高く（特に小児例），再手術時には癒着のためさらに摘出が困難となることを経験する．また，積極的な摘出を行わないと将来的に死亡率が上昇することも報告されている．

　本腫瘍は進歩した脳神経外科領域においても，いまだ困難な手術といわざるをえない．そのため，手術適応，様々な手術アプローチの選択，さらには手術を継続すべきか撤退すべきかの判断のできる手術経験，放射線治療への精通が必要となる．手術アプローチは頭蓋咽頭腫の大きさ，伸展方向等により臨機応変に選択し，それらのアプローチに精通していることが重要である．種々のアプローチ方法については紙面の関係上記載できないため，成書を参考にしていただきたい．2021年現在，頭蓋咽頭腫は内視鏡下で拡大経鼻的頭蓋底腫瘍摘出術で摘出することが一般的になってきている．このアプローチの利点は視交叉周辺の腫瘍を直接確認，摘出できることにある．この手術が普及してきた背景にKassamらによる頭蓋底再建が広く行われるようになったことに起因する．

2 放射線治療

　放射線治療は一般的には手術後の補助療法としての位置づけであるが，高齢者・ハイリスク患者等では放射線単独治療を行わざるをえない場合もある．この放射線治療は2種に大別される．1つは定位的放射線治療，もう1つが従来から行われている分割放射線照射である．現在の主流は前者である．この方法は手術で摘出困難であった充実性の残存腫瘍に特に効果がある．ただし，視神経・視交叉に癒着している場合には十分な照射線量・照射範囲を計画できず，結果的に再発に至ることがある．また，腫瘍が囊胞成分の場合，再発防止率が低くなる．このような場合は手術で囊胞を可能な限り摘出したのち，分割照射により囊胞の付着範囲を含めた広い照射範囲が必要となる．現在，手術による腫瘍摘出後に残存腫瘍への放射線治療が一定の効果をあげていることは近年の進歩であるが，個々の腫瘍でその癒着部位や程度，囊胞成分が主体か充実性成分が主体かでその照射方法も多様である．また，どのタイミングで放射線治療を行うかも重要である．特に小児例では放射線誘発腫瘍，内分泌・高次機能障害，照射後再発の手術の必要性も念頭におく必要がある．さらに放射線治療後の長期予後のデータが不十分である点も判断に迷う一因となっている．長期経過観察例において，内分泌機能および視機能温存の点からは定位放射線治療が有効であるが，再発制御にはいまだ限界があり，再発時には手術を余儀なくされる現状を念頭においたうえで治療計画を立てることが必要である．

　予後は全摘出例では10年の経過観察期間中に60～93％は再発を認めず，10年生存率が64～96％と比較的良好な成績を認めることができるが[1]，残存腫瘍を放置した場合再発・再増大は70～90％および5年生存率が50％に満たないといわれている．全摘出不可能であった症例では放射線治療により10年生存が90％程度期待できる．

　ただし，術後の視床下部‐下垂体系のホルモン分泌障害は高率に認められる傾向にあり，尿崩症，成長ホルモン，性腺ホルモン，副腎皮質刺激

ホルモン，甲状腺刺激ホルモンの分泌低下度合いによりホルモン補充が必要となる．視機能は術後には高率に回復する．術後の記銘力障害は腫瘍の大きさ，視床下部・第三脳室底部への腫瘍の癒着程度により発症する率が異なってくる．

最後に，頭蓋咽頭腫は組織学的には良性腫瘍であるが，周囲脳および内分泌臓器への障害を引き起こしやすいため，脳神経外科のみならず内分泌内科・眼科・小児科・精神科等の総合診療の受けられる施設での治療が必要となる疾患であることを理解しておくことが重要である．

文献

1) Rushing EJ, et al.：Craniopharyngioma. In：Louis DN, et al.（ed）. WHO classification of tumours of the central nervous system. Lyon：IARC Press；2007；238-240.
2) The Committee of Brain Tumor Registry of Japan：Report of brain tumor registry of Japan(1969-1996), ed 11. *Neurol Med Chir(Tokyo)* 2003；**43**：1-111.
3) Bunin GR, et al.：The descriptive epidemiology of craniopharyngioma. *J Neurosurg* 1998；**89**：547-551.
4) Miyajima Y, et al.：Rathke's cleft cyst with xanthogranulomatous change. *Neurol Med Chir(Tokyo)* 2011；**51**：740-742.
5) Arai T, et al.：Surgical treatment of a calcified Rathke's cleft cyst with endoscopic extended transsphenoidal surgery. *Neurol Med Chir (Tokyo)* 2011；**51**：535-538.
6) Kassam AB, et al.：Expanded endonasal approach, a fully endoscopic transnasal approach for the resection of midline suprasellar craniopharyngiomas：a new classification based on the infundibulum. *J Neurosurg* 2008；**108**：715-728.
7) Almeida JP, et al.：Extended Endoscopic Approach for Resection of Craniopharyngiomas. *J Neurol Surg B Skull Base* 2018；**79**：S201-S202.

▶Side Memo

germinoma は胚細胞腫か，それとも胚腫か？

頭蓋内原発の germ cell tumor は組織型により germinoma，teratoma（奇形腫），yolk sac tumor（卵黄嚢腫瘍），choriocarcinoma（絨毛癌），embryonal carcinoma（胎児性癌）の基本 5 型とこれらの混合腫瘍の 6 型に分けられる．発生部位が特異的で，松果体部（50％）と神経下垂体部（30％）に多くみられるが，両部位ではかなり異なった臨床像を呈する．すなわち松果体部では 90％ 以上が男性で組織型は germinoma が半数以下であるのに対して，神経下垂体部では性差がなく germinoma が過半数（約 70％）を占める．

さて germinoma であるが，『日本医学会医学用語辞典（第 3 版）』（2007）等では「胚細胞腫」，『脳腫瘍取り扱い規約』（2010 年）や日本神経病理学会の用語集等では「胚腫」と訳されている．実際，内分泌内科医にお聞きすると「胚細胞腫」，脳外科医では「胚腫」とのお答えが多いようだったが，皆一致していたのは「ジャーミノーマ」を用いているということであった．germ cell tumor は「胚細胞性腫瘍」あるいは「胚細胞腫瘍」と訳されており「胚細胞腫」と非常に紛らわしい反面，「胚腫」もあまり聞き慣れないように思う（ちなみに，本書では基本的に「germ cell tumor」→「胚細胞腫瘍」，「germinoma」→「胚細胞腫」と統一されている）．一方，病理医からは「なぜ同一の腫瘍なのに精巣だと seminoma（精上皮腫），卵巣だと dysgerminoma（未分化胚細胞腫），頭蓋内その他だと germinoma？」という声も聞かれる．用語の統一も色々と問題が多いようである．

（虎の門病院間脳下垂体外科　西岡　宏）

第2章 臨床知識——D 下垂体前葉疾患各論

35 胚細胞腫瘍

久留米大学医学部脳神経外科　中村英夫

> **臨床医のための Point** ▶▶▶
> 1. 松果体に発生する germinoma はほとんどの症例が男性である．
> 2. 治療後の胚細胞腫において腫瘍マーカーが上昇してきた場合は画像にて腫瘍が描出できなくても，必ず再発を疑う．
> 3. germinoma の再発は10年以上経過しても起こるので，長期的なフォローが重要である．

概念・病態・疫学

中枢神経系原発胚細胞腫（central nervous system germ cell tumors〔CNS GCT〕：以下 GCT）は，始原生殖細胞（primordial germ cell）に由来すると考えられている原発性脳腫瘍である．腫瘍起源としては，本来なら胎生第3週に出現し，後腸より背側腸間膜を経由して，4週末から5週初めに生殖堤に達し性腺原基を形成する始原生殖細胞が，何らかの遊走異常により脳に達し，異所性胚細胞として生き残り腫瘍化したと考える説が有力である．この発生起源については近年のゲノム解析，特にメチル化解析によって裏づけられつつある．組織系の分類として，①germinoma，②奇形腫，③卵黄嚢腫瘍，④絨毛癌，⑤胎児性癌の5型を基本とし，⑥各々が混じる混合腫瘍（heterogeneous tumor）がある．診断に関しては，画像診断もある程度有用であるが，確定診断はむずかしく，病理学的組織診断が必要とされる場合も多い．

特徴的なこととして，血清学的および髄液の腫瘍マーカー（α-fetoprotein：AFP，human chorionic gonadotropin：hCG，β-subunit of human chorionic gonadotropin：hCG-β）が診断に有用であるが，特に混合腫瘍の場合においては，腫瘍全体が腫瘍マーカーの値に反映していないこともある．つまり，腫瘍マーカーの値だけで悪性度が判断しにくい場合がある．分子生物学的解析においては，germinoma における C-Kit の高発現および遺伝子変異，また KRAS の遺伝子変異を含めたいくつかの遺伝子や染色体異常の報告がある．近年，CBL, mTOR といった遺伝子変異の報告もあり[1]，KIT/RAS シグナル，AKT/mTOR シグナルなどが腫瘍の生物学的特徴に関与しているといわれている．

免疫染色にて germinoma の細胞膜もしくは細胞質が placental alkaline phosphatase（PLAP）陽性となる．しかし，C-Kit のほうがマーカーとして鋭敏であるので有用性は低い．

腫瘍自体が混合腫瘍であることもまれではないため，臨床的な分類において悪性腫瘍と良性腫瘍の線引きがむずかしい．欧米では純粋な germinoma とそれ以外の胚細胞腫（non-germinomatous germ cell tumor：NGGCT）の2群に分類されて論じられることが多いが，日本では臨床的予後を反映する分類として松谷らが提唱している予後良好（good prognosis）群，中等度悪性（intermediate prognosis）群，高度悪性（poor prognosis）群の3型分類が多く用いられてきた．

GCT は欧米に比べて，日本を含めた東アジアに多いとされている．欧米に比べて3～8倍の発生率との報告があり，また北米における移民でもアジア系に発生率が高いことから，GCT の発生には遺伝学的要素の関与が示唆されている．Wang らはヒストンの脱メチル化酵素をコードする JMJD1C という分子の germline variant が日本人の胚細胞腫患者に多いという分子遺伝学的解析による報告をしており，腫瘍発生になんらか寄与している可能性を示唆している[1]．われわれの熊本県における GCT の疫学調査では，14歳以下の患者における発生率は0.45人/10万人/年であり，明らかに欧米からの報告より高率であった．組織型では GCT のうち約70%が germinoma であり，それ以外のそれぞれの腫瘍の頻度は10%以下である．発生部位は，80%以上が視床下部-下垂体系（neurohypophyseal germ cell tumors）と松果体（pineal germ cell tumors）に集中している．また，興味深いことに，両部位に同時に発生する場合もある（bi-focal germ cell tumor）．松果体部に発生する germinoma はほとんどが男性であり，女性に発生する germinoma は，視床下部・下垂体後葉に多いという特徴がある．頻度は低いが，大脳基底核，視床，脳幹部，脊髄，小脳にも発生することがある．

主要症状・身体所見

GCTの症状は視床下部，下垂体近傍の腫瘍と松果体部の腫瘍では症状が異なる．中枢性尿崩症（diabetes insipidus：DI）は多飲，多尿，夜尿症などの症候として出現する．また，DI精査のMRI検査で原因が不明であった場合でも，数年以内にgerminomaと診断されることがある（occult germinoma）．各下垂体ホルモンの分泌不全にて症状が出現する場合があるが，GH分泌不全があると低身長，活動性低下などが出現し，ACTHやTSHの分泌低下では易疲労性などが起こる．視床下部からのPRLの分泌を抑制する因子（prolactin-inhibiting factor：PIF）によるPRLの調節が制御できなくなった場合は，高プロラクチン血症となり女性では無月経，月経不順をきたす．ゴナドトロピン（LH/FSH）分泌不全では二次性徴の遅滞，逆にゴナドトロピン分泌腫瘍（絨毛癌と一部のgerminoma）では思春期早発症をきたす．また，水頭症による頭蓋内圧亢進症状を呈して発症する症例も少なからず存在し，緊急的な処置を要する場合もある．他の症状としては上方注視麻痺（松果体部）や，比較的長い経過の片麻痺（基底核部）などがある．まれに性格変化や精神発達遅滞（基底核部）なども認められる．

検査所見

1 画像検査

年齢や症候で胚細胞腫を疑う場合，頭部CTはまず行う検査であり，石灰化や出血などを高感度に検出する．胚細胞腫において最も頻度が高いgerminomaでは単純CTで高吸収域を呈するが，他の胚細胞腫との鑑別は困難である．奇形腫においてはheterogeneousな像が認められ，骨，軟骨成分，歯牙など描出される場合がある．MRIではgerminomaは比較的均一な造影病変を呈するが，奇形腫などと合併する場合もあり，その場合は囊胞成分などが出現することが多い．germinoma以外の胚細胞腫もMRIで造影される病変として描出されるため，MRIでもgerminomaとの鑑別は困難である．CTと同様で混合腫瘍であればheterogeneousな像となり，絨毛癌などではT2＊強調画像において微少な出血が描出されることも多い．胚細胞腫と診断された場合は，播種病変の検索として必ず脊髄MRIは施行し，脊髄播種の有無を治療前に評価すべきである．

2 一般検査

・腫瘍マーカー

胚細胞腫を疑った場合，腫瘍マーカーとして血清中のAFP，ヒト絨毛性ゴナドトロピン（hCG）およびβサブユニット（hCG-β）の測定を行わなければならない．AFPは卵黄囊腫瘍，胎児性癌，未分化奇形腫などで上昇するが，その程度によりある程度腫瘍のタイプを予想はできるものの，混合腫瘍も存在するため（図1a），確定診断は困難である．卵黄囊腫瘍であれば全例でかなり高値なAFPの上昇が認められる（図1b）．ただしAFPの正常値は約20 ng/mL以下であり，hCGと異なり，完全に検出以下とはならないことは注意すべきである．hCGはgerminoma（合胞体性巨細胞〔STGC〕

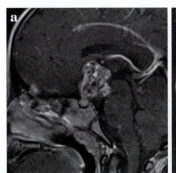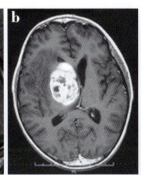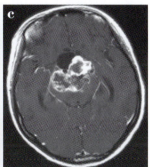

診断	mixed germ cell tumor (a)	yolk sac tumor (b)	choriocarcinoma (c)
AFP (ng/mL)	73.5	67,515	1,815.8
hCG (mIU/mL)	47.8	16	116,095.8
hCG-β (mIU/mL)	47.4	0.5	111,125.3

図1 中枢神経原発胚細胞腫のMRI画像と腫瘍マーカー
a：混合型胚細胞腫：AFP，hCG，hCG-βの上昇が認められるが，すべて2,000以下であり，混合性腫瘍と診断．b：卵黄囊腫瘍：AFPが67,515 ng/mLと高値であり，放射線治療，化学療法後，残存腫瘍を摘出し，病理組織学的にも卵黄囊腫瘍を確認した．c：絨毛癌．hCG，hCG-βの両方で10万 mIU/mLを超えており，絨毛癌と診断した．AFPも上昇しているところをみると混合腫瘍であった可能性もある．放射線治療，化学療法後に残存組織を摘出したが，腫瘍細胞は認められなかった．

を含むものは全例上昇，それ以外のgerminomaにおいても微量測定すればほとんど上昇しているといわれている)と絨毛癌より分泌される(図1c)．髄液の腫瘍マーカーも血清以上に上昇する場合もあるが，腰椎穿刺が必要であるため，必ずしも必須ではない．現在腫瘍マーカーで診断が確定できないGCT(おもにgerminoma)に対して神経内視鏡にて生検術を行うことが多いが，その場合には髄液採取が可能である．

・内分泌学的検査

DIが症候として発症することがGCTにはしばしば認められるが，ACTH-コルチゾール系が同時に障害されていれば多尿がマスクされることがある(masked DI)．視床下部・下垂体近傍に発生している胚細胞腫では後葉だけでなく，下垂体前葉機能低下も認められる．GH，LH/FSH，PRL，TSH，ACTHのホルモン値の低下が観察され，しばしば汎下垂体機能低下症をきたす．これらのホルモンの分泌機能は治療後，腫瘍が消失しても回復することはなく，生涯ホルモン補充を行う必要がある．GCTは10歳代において発症ピークが認められるが，この時期に視床下部・下垂体近傍に腫瘍が出現し，ホルモン分泌障害がある患者は，松果体だけに腫瘍が存在する患者に比べて明らかに将来的な結婚率が低い．視床下部の障害としては，摂食障害，感情のコントロールができない，記銘力障害，性欲の抑制や亢進，睡眠障害なども認められる．またNa等の電解質調節障害，体温調節障害等も起こりうる．これらの症状が出現すると著しくQOLが低下する．ホルモン学的には甲状腺ホルモン，コルチゾール，デスモプレシンだけでなく，性ホルモン，GHの補充も行うべきである．

診断・鑑別診断

発症年齢，特徴的な画像(腫瘍の局在も含む)，腫瘍マーカーなどの所見でGCTは病理組織の確認なしに診断できることも多い．ただし，腫瘍マーカーの有意な上昇を伴い，GCTを疑う画像により胚細胞腫と診断することは容易でも，どの組織系ということまで診断することは比較的困難である．腫瘍マーカーの上昇が認められず，胚細胞腫が疑われた場合はgerminomaであることが多く，生検を行い，病理学的診断を行う．germinomaであれば，HE染色にてリンパ球が混在するtwo cell patternを呈し，c-Kitの免疫染色にて陽性を呈する腫瘍細胞が認められる(図2)．松谷らは，GCTを予後良好群，中等度悪性群，高度悪性群に分けており，治療成績に反映している．基本的に，予後良好群はgerminomaと成熟奇形腫，中等度悪性群は未熟奇形腫，悪性転化を伴う奇形腫，高度悪性群の要素を少量もつ混合腫瘍，高度悪性群は腫瘍の主体が卵黄囊腫瘍，胎児性癌，絨毛癌のもの，もしくは血清hCGが2,000 mIU/mL以上，血清AFPが2,000 ng/mL以上であるものとされた．施設によってはGCTを疑い，血清AFPやhCGの有意な上昇を認めた場合は，生検などで病理組織診断を確定することなしにadjuvant therapyを開始することもあるが，治療にて完全寛解(CR)を得た場合，最終的に中等度悪性群であったのか，高度悪性群であったのか判別できない場合もある．

視床下部・下垂体近傍の胚細胞腫，特にgerminomaと鑑別が必要な疾患は，下垂体腺腫，頭蓋咽頭腫，悪性リンパ腫，炎症性肉芽腫(結核，梅毒，真菌症，サルコイドーシスなど)，リンパ球性漏斗下垂体後葉炎(IgG4関連漏斗下垂体炎を含む)である．松果体腫瘍においては松果体細胞腫，中間型松果体実質腫瘍(pineal parenchyma tumor of intermediate differentiation：PPTID)，松果体芽細胞腫，松果体囊胞，papillary tumor of the pineal region(PTPR)[2]，などが鑑別としてあげられる．松果体germinomaはほとんどが男性例であ

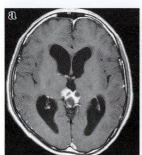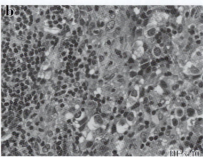

図2 germinomaの画像と病理組織
a：松果体部に発生したgerminomaのMRI T1造影像．b：神経内視鏡による生検術にてgerminomaの診断を得た．大型の腫瘍細胞と小型のリンパ球が存在する典型的なtwo cell patternを呈する．c：c-Kitの免疫染色にて大型の腫瘍細胞のみ腫瘍細胞表面が染色される．

(▶口絵カラー㉙，p.xvi参照)

る．また，AYA世代で，比較的長い経過の運動麻痺があり，MRIで基底核の病変が疑われれば，基底核germinomaを疑う．

治療・予後

まず，成熟型奇形腫は手術が唯一の治療法であり，摘出を目指す．全摘出できて組織に他の胚細胞腫の混在を認めない場合は，放射線治療や化学療法などの後療法は不要である．germinomaはカルボプラチンとエトポシド（CARE療法）3コースと全脳室照射24 Gyが一般的である．現時点では放射線治療は必須であり，必ず脳室をカバーする範囲の照射野である必要があり，局所であれば照射野外の脳室壁から再発する[3]．照射野外からのgerminomaの再発であれば，再発部に放射線照射と再度化学療法を行うが，化学療法のレジメンはCARE療法を再度行うという施設もあれば，ICE療法を行うという施設もある．また照射野内外を問わず，再発の場合は予防的に全脳全脊髄照射を施行したほうがよいという報告もある．germinoma以外の胚細胞腫の治療は，まだわが国でも統一しておらず，施設間で若干異なる．筆者らは腫瘍マーカー上昇による胚細胞腫の診断を行った場合は，放射線治療と化学療法（おもにイホスファミド，シスプラチン，エトポシド：ICE療法）を先行させ，腫瘍マーカーが陰性になり，画像で残存腫瘍が認められる場合はsalvage surgeryを行う方針にしている（neo-adjuvant therapy）[4]．腫瘍マーカーの上昇が高度で悪性胚細胞腫が主体であれば，初期治療は非常に重要であり，化学療法に関しては，治療中に画像上CRが得られても8コース程度行う必要がある．また血清中の腫瘍マーカーの測定は非常に重要であり，再発の指標となりうるために，頻回な測定が必要である．MRIなどの画像にて腫瘍が認められない場合でも，腫瘍マーカーの上昇が認められれ

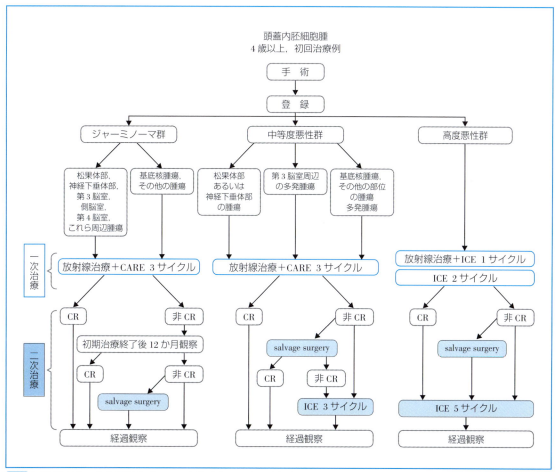

図3 現在進行中の中央登録方式による多施設（オープン）参加臨床第Ⅱ相試験における中枢神経原発胚細胞腫の治療アルゴリズム

〔初発の頭蓋内原発胚細胞腫に対する放射線・化学療法第Ⅱ相臨床試験〕研究委員会の承諾を得て掲載

ば，必ず再発を疑わなければならない．

悪性胚細胞腫の再発の場合の治療は非常に困難であり，なかなかCRを得ることができない．現在，GCTの治療に関しては，全国の多施設において第Ⅱ相臨床試験が進行中である（Matsutani Project）（図3）．臨床予後に関しては，5年生存率は組織型によって異なるが，germinomaにおいては95％を超えており，ほとんどの症例がQOLを保ちつつ長期生存可能である．NGGCTに関しても，かなり臨床的予後は改善しており，40～70％の症例において5年以上の無増悪生存期間を保つことができるようになってきている．放射線誘発性の二次癌の発生や[5]，高次機能低下，下垂体機能低下などが長期生存者のQOL低下や死亡の原因となっており，これらの低減を目指した治療法の改良を今後もさらに行っていく必要がある．

文献

1) Wang L, et al.：Novel somatic and germline mutations in intracranial germ cell tumours. *Nature* 2014；**511**：241-245.
2) Nakamura H, et al.：Successful treatment of neoadjuvant therapy for papillary tumor of the pineal region. *Brain Tumor Pathol* 2009；**26**：73-77.
3) Nakamura H, et al.：Recurrent intracranial germinoma outside the initial radiation field：a single-institution study. *Acta Oncol* 2006；**27**：1419-1425.
4) Nakamura H, et al.：Evaluation of neoadjuvant therapy in patients with nongerminomatous malignant germ cell tumors. *J Neurosurg Pediatr* 2011；**7**：431-438.
5) Nakamura H, et al.：Therapy-associated secondary tumors in patients with non-germinomatous malignant germ cell tumors. *J Neurooncol* 2011；**105**：359-364.

▶Side Memo

下垂体（hypophysis；pituitary）の語源は？

（脳）下垂体の欧文名はhypophysis（cerebri）あるいはpituitary（gland）である．でもこれらの語源はどこにあるのかをご存知だろうか．まず**hypo-phy-sis**は，**hypo**：接頭語（ラテン語）で**下**，**phy**：phyrei（ギリシア語）でgrow（**大きくなる**），**sis**：接尾語（ギリシア語）で**状態**，すなわち「**脳が下へ大きくなったもの**」という意味で，邦文名で「**脳下垂体**」と命名された．ヒトの脳下垂体は前葉（anterior lobe）の**腺性**下垂体（adenophysis）と後葉（posterior lobe）の**神経性**下垂体（neurophysis）から構成されているが，中（間）葉（intermediate lobe）は胎児期のみにみられ，生後退化する．

一方*pituitary*はどのような語源なのだろうか．*pituita*はラテン語でmucus（粘液）あるいはphlegma（痰）を意味する．ではなぜ粘液や痰が下垂体の語源になったのかというと，ガレノスの古代ギリシア時代の医学では脳下垂体は脳の廃物を集めるための袋とみなされ，脳でつくられた体液は下垂体漏斗茎（柄）を通して下垂体に溜められ，鼻水となって鼻腔へ排出（分泌）されるとされてきた．17世紀になり英国オックスフォード大学の解剖学者R Lowerにより，下垂体と鼻腔には連絡路がないことが明らかになるまでの約1500年もの間，pituitary gland（下垂体腺）は鼻汁を分泌する「**粘液腺**」であると長く信じられてきた．現代なら下垂体術後合併症にみられる髄液漏（liquorrhea）というところだろうか．

（兵庫県予防医学協会健康ライフプラザ健診センター　平田結喜緒）

第2章 臨床知識──D 下垂体前葉疾患各論

36 髄膜腫

聖マリアンナ医科大学脳神経外科　田中雄一郎，高砂浩史

臨床医のための Point ▶▶▶

1. 髄膜腫はトルコ鞍部腫瘍の約1割を占め，非機能性下垂体腺腫と最も鑑別すべき腫瘍性病変である．
2. 初発症状は視機能障害で内分泌症状はまれである．
3. トルコ鞍の拡大がなく，下垂体が下後方に圧迫され，腫瘍辺縁の硬膜が強く造影されること（dural tail）が画像診断の特徴である．
4. 治療の第一選択は摘出術で，全摘出できれば治癒を期待できる．大型の腫瘍には開頭術が適用される．小型で硬膜付着部が限局した腫瘍では経蝶形骨洞手術も可能である．

概念・病態・疫学

髄膜腫は全脳腫瘍の24%を占め，神経膠腫とともに最も頻度の高い脳腫瘍である．中高年に好発し女性に男性の2倍多く発生する．硬膜に発生し隣接した脳組織を圧迫しながらゆっくりと成長する．頭蓋内髄膜腫の7.4%がトルコ鞍部（鞍結節部）に発生し，下垂体腺腫との鑑別が問題になる[1]．下垂体腺腫に比べ，髄膜腫の摘出には開頭術が必要なことが多い．摘出の術式が根本的に異なり手術リスクも異なることから，両者の鑑別は脳神経外科医にとって重要である．

トルコ鞍部髄膜腫の代表的な発生部位，すなわち硬膜付着部位はトルコ鞍前方の鞍結節である（図1）．蝶形骨平面の後方または視神経外側の前床突起部（蝶形骨縁内側）に発生した髄膜腫が，下垂体方向に進展しトルコ鞍部腫瘍を形成することもある．また鞍隔膜やトルコ鞍底硬膜にもまれに発生しうる[2]．

主要症状・身体所見（図2）

髄膜腫は成長速度が遅く，好発部位である円蓋や大脳鎌の髄膜腫であれば腫瘍径が5 cm以下では無症状のことが多い．一方，鞍結節部の髄膜腫は早期に視路圧迫による視力や視野の障害を生じるので腫瘍径が3 cm以下で診断されることが多い．閉塞性水頭症や頭蓋内圧亢進症状を呈するほど巨大化することはまれである．また下垂体機能低下が初発症状になることもまれである．

検査所見

1 一般検査

トルコ鞍部の髄膜腫は視交叉や視神経を圧迫するので，下垂体腺腫と同じく視力障害や両耳側半盲を呈する．下垂体腺腫と比較すると，髄膜腫では視力や視野欠損に左右差がみられる割合が高い．同名半盲であったり片眼のみの視野欠損のこともある．

2 内分泌学的検査

内分泌学的にはドパミン抑制による高プロラクチン血症や前葉機能低下を生じうる．

画像所見

CTやMRIで診断される（図3，4）．腫瘍は造影剤でよく増強される．腫瘍付着部周辺の硬膜にも増強効果がありdural tailないしtail signとして知られている．視交叉や前交通動脈は上方に押し上げられ，視神経は左右に押し広げられる．下垂体は下方に圧迫され，下垂体茎は後方に押される．腫瘍が大きいと視神経や内頸動脈などを取り巻く．定型的な鞍結節部髄膜腫であれば，しばしば視神経管のなかに下内側から硬膜に沿って進入するので，どの程度腫瘍が視神経管に侵入しているか術前にMRIで評価しておく．侵入の程度や左右差により，手術の開頭側を決めたり，視神経管をどの程度開放するか計画できる．MR分光法（MR spectroscope：MRS）ではChoの信号が高くNAAやCrは非常に低い．1.48 ppmにアラニンのピークがみられれば髄膜腫が強く示唆される．

円蓋の髄膜腫では，外頸動脈から分岐した硬膜動脈が腫瘍の栄養血管になっており，この栄養血管を術前に塞栓すれば腫瘍摘出時の出血を減らすことができる．トルコ鞍部の髄膜腫では，眼動脈の分枝である後篩骨動脈，内頸動脈の分枝である上下垂体動脈，前大脳動脈の穿通枝などが栄養血管になる．ただし髄膜腫が小型であると血管撮影

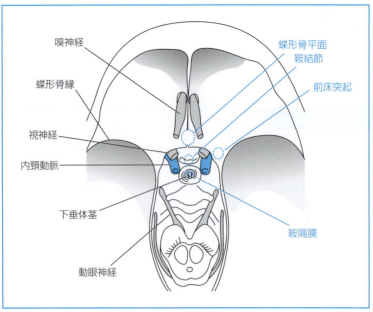

図1 トルコ鞍および周辺部の髄膜腫発生部位の模式図
破線で示した円は好発部位を示す．

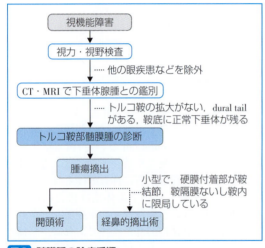

図2 髄膜腫の診療手順

で栄養血管が目立たないことも多い．栄養血管と隣接する血管が視路や下垂体を栄養していると，塞栓術は行えない．

診断・鑑別診断

すでに述べたように診断上，下垂体腺腫，なかでも非機能性下垂体腺腫との鑑別が最も肝要である．軽度の高プロラクチン血症と前葉機能低下はともに起こりうるので鑑別の材料にはならず，もっぱら画像情報で鑑別する．トルコ鞍拡大がなく，dural tail があり，鞍底に下垂体を認めれば髄膜腫の可能性が高い．

治療・予後

開頭術ないし経鼻手術による摘出が基本である．付着する硬膜や骨も腫瘍とともに摘出したほうが再発は少ない．円蓋部や大脳鎌の髄膜腫では付着部硬膜を含めて摘出が可能であるが，トルコ鞍部髄膜腫では付着部硬膜の完全除去は困難なことが多い．髄膜腫が小型で，腫瘍付着部が狭い，視神経管のなかへの進展が少ないなどの諸条件が揃えば，経鼻的摘出術も適応となる．経蝶形骨洞手術が視機能の温存や回復をより有利にするとの報告もある[3]．経蝶形骨洞手術で最も留意すべき合併症は髄液鼻漏である．この髄液鼻漏を完全に克服できるかどうかが，今後経鼻的摘出がスタンダードになるかどうかの命運を握る．開頭による摘出法はほぼ完成されたものとなっているが，pterional approach, subfrontal approach, interhemispheric approach, frontobasal approach など様々なバリエーションがある[4]．腫瘍の大きさ，進展形式そして術者の経験などに照らして最適の方法を選択する．合併症としては，視機能低下と嗅覚脱失に留意する．術後の視機能を良好とする因子としては，若年齢，罹患期間が短い，視機能障害の程度が軽い，周囲の浮腫が少ない，腫瘍周囲のくも膜が保たれている，腫瘍の縦/横比が高いこと，などが知られている[5]．摘出を困難にする要素としては，腫瘍の大きさに比して硬膜付着部が広い，腫瘍が硬くゆ着が強い，視神経管に腫瘍が深く侵入している，神経や血管が腫瘍に巻き

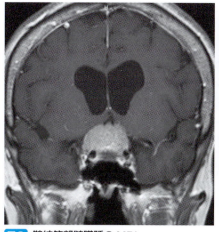
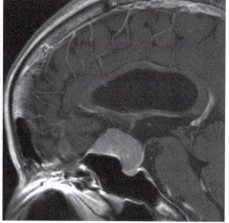

図3 鞍結節部髄膜腫の MRI
視交叉や前交通動脈は上方に押し上げられている．下垂体はトルコ鞍底に圧迫され三日月型になっている．下垂体茎は腫瘍後縁にみられる．

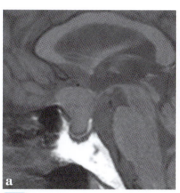
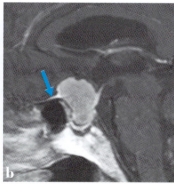
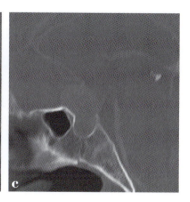

図4 非定型的な鞍結節部髄膜腫の MRI(a, b)と骨 CT(c)
一見下垂体腺腫のようにもみえるが，蝶形骨平面の硬膜に dural tail を認める(b)．

込まれている，などがある[6]．

　鞍結節髄膜腫の 4.4% は悪性(WHO grade 2，3)である．一方良性の髄膜腫(WHO grade 1)であっても，全摘出の 20 年後に約 20% が再発する．大型のトルコ鞍部髄膜腫では近隣の神経や血管，特に穿通枝を巻き込み腫瘍の一部を残さざるを得ない例に遭遇する．腫瘍が残存した場合は，ガンマナイフやサイバーナイフなどの定位照射を加え再発を防ぐ．悪性の髄膜腫では摘出術だけでは再発することが多い．有効な化学療法は知られていない．

文献

1) 日本脳腫瘍統計 2005-2008. *Neurol Med Chir* 2009；**57**(Suppl)：1.
2) Kinjo T, et al.：Diaphragma sellae meningiomas. *Neurosurgery* 1995；**36**：1082-1092.
3) Wang Q, et al.：Visual outcome after extended endoscopic endonasal transsphenoidal surgery for tuberculum sellae meningioma. *World Neurosurg* 2010；**73**：694-700.
4) Turel MK, et al.：Tuberculum sellae meningiomas：a systematic review of transcranial approaches in the endoscopic era. *J Neurosurg Sci* 2019；**63**：200-215.
5) Pamir MN, et al.：Outcome determinants of pterional surgery for tuberculum sellae meningiomas. *Acta Neurochir*(*Wien*)2005；**147**：1121-1130.
6) Magill ST, et al.：Tuberculum sellae meningiomas：grading scale to assess surgical outcomes using the transcranial versus transsphenoidal approach. *Neurosurg Focus* 2018；**44**：E9.

第2章 臨床知識──E 下垂体後葉疾患各論

1 中枢性尿崩症

名古屋大学医学部附属病院糖尿病・内分泌内科 岩間信太郎
名古屋大学大学院医学系研究科糖尿病・内分泌内科学 有馬 寛

▶▶ 臨床医のための Point ▶▶▶

1. 尿崩症は抗利尿ホルモンであるバソプレシン（AVP）の合成・分泌・作用の障害により多尿，口渇，多飲を呈する疾患であり，中枢性と腎性に大別される．
2. 中枢性尿崩症は低張多尿をきたす疾患である腎性尿崩症，心因性多飲症との鑑別を要する．
3. 水中毒を避けるためデスモプレシンは少量から開始する．
4. 渇感障害を伴う中枢性尿崩症では著明な脱水により重篤な転帰をたどる場合がある．

概念

AVPは下垂体後葉から放出され，腎集合尿細管に作用して水の再吸収を促進し，尿量を減少させる作用を有する．中枢性尿崩症では，視床下部下垂体後葉系の障害により AVP 分泌が低下して水利尿が増加する結果，多尿および低張尿が生じる．

AVPの合成と分泌

AVPを合成する神経内分泌細胞には大細胞（magnocellular neuron）と小細胞（parvocellular neuron）があり，下垂体後葉に軸索を投射するのは大細胞ニューロンである．視床下部の視索上核（SON）と室傍核（PVN）に存在する大細胞ニューロンに由来する軸索が正中隆起から下垂体茎を経て下垂体後葉に投射しており，SONやPVNで産生されたAVPを含む神経分泌顆粒は軸索を通じて輸送され，下垂体後葉に貯蔵されている．貯蔵された顆粒は種々の分泌刺激により血中に放出される．

分類

中枢性尿崩症は特発性，家族性および続発性の3種に分類され（表1）[1]，続発性の頻度が高い（図1）[2]．

表1 バソプレシン分泌低下症（中枢性尿崩症）の病因

- 特発性
- 家族性
- 続発性（視床下部-下垂体系の器質的障害）:
  - リンパ球性漏斗下垂体後葉炎
  - 胚細胞腫
  - 頭蓋咽頭腫
  - 奇形腫
  - 下垂体腺腫
  - 転移性腫瘍
  - 白血病
  - リンパ腫
  - Langerhans細胞組織球症
  - サルコイドーシス
  - 結核
  - 脳炎
  - 脳出血・脳梗塞
  - 外傷・手術

〔有馬 寛, 他：厚生労働科学研究費補助金難治性疾患等政策研究事業間脳下垂体機能障害に関する調査研究班：間脳下垂体機能障害の診断と治療の手引き（平成30年度改訂）. 日本内分泌学会雑誌 2019；95（Suppl）：16 より引用〕

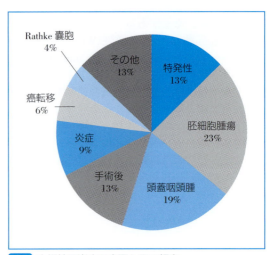

図1 中枢性尿崩症の病因とその頻度
中枢性尿崩症 165 人の解析．リンパ球性漏斗下垂体後葉炎および IgG4 関連疾患は炎症に分類．
〔Arima H, et al.：Central diabetes insipidus. Nagoya J Med Sci 2016；78：349-358 より引用・作図〕

病因

　続発性中枢性尿崩症は胚細胞腫や頭蓋咽頭腫などの脳腫瘍，脳外科手術，炎症などの視床下部下垂体後葉系における器質的疾患が原因となる（表1）[1]．正中隆起から下垂体茎にかけて病変が認められる場合，AVPの下垂体後葉への輸送および分泌が低下する．一方，視床下部に原発する脳腫瘍の場合，AVPニューロンの直接的な障害によりAVPの生合成に障害が生じて中枢性尿崩症が発症する．

　家族性中枢性尿崩症ではAVP遺伝子の変異による正常AVPの合成および分泌の障害が認められ，頻度は中枢性尿崩症の約1%である．常染色体優性遺伝を示すことが多く，遺伝子変異の多くはAVPではなくAVPのキャリア蛋白であるニューロフィジンⅡ領域で報告されている[3]．変異したAVP前駆蛋白の蓄積によりAVPニューロンに障害が生じ，AVPの合成・分泌の低下，さらにはAVPニューロンの細胞死が生じると考えられる．

　特発性中枢性尿崩症の原因として視床下部下垂体後葉系における自己免疫性の炎症の関与が示唆されている．

病態生理

　AVPの分泌低下により，腎集合尿細管における水再吸収が低下し，著しい多尿および低張尿を呈する．水利尿の結果，血液は濃縮されて血清Na濃度は上昇する．血漿浸透圧の上昇と体液量の減少により，患者は口渇を感じて水を多量に摂取する．一方，視床下部の器質的障害により口渇感の障害（渇感障害）が認められる場合，飲水不足による著明な高Na血症を呈することがある．

臨床症状

　多尿と口渇が生じ，水分を多く摂取する．多飲は比較的短期間に発症することが多い．排尿と飲水は昼夜を通して持続するため，日常生活が障害される．脱水が強まれば皮膚や口腔粘膜は乾燥を呈し，体重は減少する．続発性中枢性尿崩症では，原疾患による下垂体機能障害による症状が認められることがある．たとえば，高プロラクチン血症による乳汁漏出，副腎皮質刺激ホルモン（ACTH）分泌低下症や甲状腺刺激ホルモン（TSH）分泌低下症による倦怠感などの症状が認められる．また，中枢性尿崩症に続発性副腎皮質機能低下症を合併した場合，グルココルチコイドによるAVP分泌抑制が低下し，多尿が不顕在化する（仮面尿崩症）．このような病態において，ヒドロコルチゾンを投与すると多尿が顕在化する．

一般検査所見

1 尿検査

　多尿が認められ，尿量が10L/日を超えることもある．一般に多尿は尿量が3L/日を超える場合と定義される．「間脳下垂体機能障害の診断と治療の手引き」（平成30年度改訂）では，多尿は「成人においては1日3,000mL以上または40mL/kg以上，小児においては2,000mL/m^{2}以上」と体型を考慮して定義されている[1]．心因性多飲症との鑑別には夜間尿の有無が有用である．また，尿浸透圧の低下（300mOsm/kg以下）が認められる．尿浸透圧が高値となる多尿の原因として，糖尿病や利尿薬の使用があげられる．

2 血液検査

　血清Na濃度および血漿浸透圧は正常上限〜軽度高値を示す．血漿浸透圧によるAVP分泌閾値は口渇閾値より低い．中枢性尿崩症では，血漿浸透圧に応じたAVP分泌が障害されているため，多尿による脱水の結果として口渇が生じる．渇感障害が認められなければ，血清Na濃度が口渇閾値まで上昇した際に飲水行動をとるため，血清Na濃度は正常上限を示す場合が多い．渇感障害が認められる場合，浸透圧に応じた飲水行動が生じないため血清Na濃度が正常上限を上回ることがある．一方，心因性多飲症では血清Na濃度は正常下限であることが多い（表2）．

内分泌学的検査所見

1 血漿AVP濃度

　血漿AVP値は血清Na濃度および血漿浸透圧に

表2　尿崩症と心因性多飲症の鑑別

	中枢性尿崩症	腎性尿崩症	心因性多飲症
血清Na濃度	高値	高値	低値
血漿AVP濃度	低値	高値	低値
高張食塩水負荷試験	AVP上昇なし	AVP上昇あり	AVP上昇あり
水制限試験	尿濃縮なし	尿濃縮なし	尿濃縮あり
AVP負荷試験	尿濃縮あり	尿濃縮なし	尿濃縮あり

対して相対的低値を示す．血漿 AVP 濃度を測定する場合，採血後は冷却保存して速やかに遠心分離する必要がある．

2 高張食塩水負荷試験

高張食塩水の経静脈的投与による血漿浸透圧（血清ナトリウム濃度）の上昇に対する血漿 AVP 濃度の変化を評価する検査である．5% 食塩水を 0.05 mL/kg/分の速度で 2 時間点滴し，30 分ごとに 5 回の採血を行い，血清 Na 濃度，血漿 AVP 濃度を測定する．健常者では，血清 Na 濃度の上昇に伴って血漿 AVP 濃度は上昇するが，中枢性尿崩症患者では AVP 濃度の上昇が乏しい．心因性多飲症では血漿 AVP 濃度が上昇する（表3）[1]．また，腎性尿崩症では血漿 AVP 濃度は高値を呈する．

これまで高張食塩水負荷試験における AVP 分泌の低下について明確な基準は定まっていなかった．近年，高張食塩水負荷試験時の血清 Na 濃度と血漿 AVP 濃度の回帰直線を作成し，その傾き［Δ AVP(pg/mL)/Δ Na(mEq/L)］が 0.1 未満であること（感度 100%，特異度 77%），血清 Na 濃度 149 mEq/L 時点の予測血漿 AVP 濃度が 1.0 pg/mL 未満であること（感度 99%，特異度 95%）がともに中枢性尿崩症の診断に有用であると報告された（図2）[4]．

3 水制限試験

早朝空腹時に体重を測定し，採血と採尿後に飲水を中止させる．30 分ごとの採尿と体重測定，60 分ごとの採血を行う．絶飲食を 6.5 時間，または体重が 3% 減少するまで継続し，尿量，尿浸透

表3 バソプレシン分泌低下症（中枢性尿崩症）の診断の手引き

I. 主症候
1. 口渇
2. 多飲
3. 多尿

II. 検査所見
1. 尿量は成人においては 1 日 3,000 mL 以上または 40 mL/kg 以上，小児においては 2,000 mL/m² 以上
2. 尿浸透圧は 300 mOsm/kg 以下
3. 高張食塩水負荷試験におけるバソプレシン分泌の低下：5% 高張食塩水負荷（0.05 mL/kg/分で 120 分間点滴投与）時に，血漿浸透圧（血清ナトリウム濃度）高値においても分泌の低下を認める
4. 水制限試験（飲水制限後，3% の体重減少または 6.5 時間で終了）においても尿浸透圧は 300 mOsm/kg を超えない
5. バソプレシン負荷試験〔バソプレシン（ピトレシン注射液®）5 単位皮下注後 30 分ごとに 2 時間採尿〕で尿量は減少し，尿浸透圧は 300 mOsm/kg 以上に上昇する（注1）

III. 参考所見
1. 原疾患（表1）の診断が確定していることが特に続発性尿崩症の診断上の参考となる
2. 血清ナトリウム濃度は正常域の上限か，あるいは上限をやや上回ることが多い
3. MRI T1 強調画像において下垂体後葉輝度の低下を認める（注2）

IV. 鑑別診断
多尿をきたす中枢性尿崩症以外の疾患として次のものを除外する
1. 心因性多飲症：高張食塩水負荷試験で血漿バソプレシン濃度の上昇を認め，水制限試験で尿浸透圧の上昇を認める
2. 腎性尿崩症：家族性（バソプレシン V2 受容体遺伝子変異またはアクアポリン 2 遺伝子変異）と続発性〔腎疾患や電解質異常（低カリウム血症・高カルシウム血症），薬剤（リチウム製剤など）に起因するもの〕に分類される．バソプレシン負荷試験で尿量の減少と尿浸透圧の上昇を認めない

［診断基準］
確実例：I のすべてと，II の 1，2，3，または II の 1，2，4，5 を満たすもの

［病型分類］
中枢性尿崩症の診断が下されたら下記の病型分類をすることが必要である
1. 特発性中枢性尿崩症：画像上で器質的異常を視床下部 - 下垂体系に認めないもの
2. 続発性中枢性尿崩症：画像上で器質的異常を視床下部 - 下垂体系に認めるもの
3. 家族性中枢性尿崩症：原則として常染色体優性遺伝形式を示し，家族内に同様の疾患患者があるもの

（注1）本試験は水制限試験後に行う
（注2）高齢者では中枢性尿崩症でなくても低下することがある

〔有馬 寛，他：厚生労働科学研究費補助金難治性疾患等政策研究事業間脳下垂体機能障害に関する調査研究班：間脳下垂体機能障害の診断と治療の手引き（平成 30 年度改訂）．日本内分泌学会雑誌 2019；95（Suppl）：15-16 より引用〕

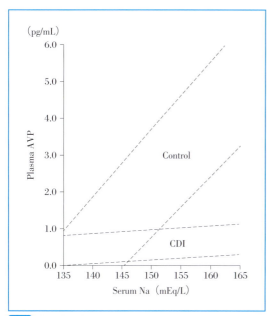

図2 高張食塩水負荷試験における血漿 AVP 濃度と血清 Na 濃度

高張食塩水負荷試験時における血漿 AVP 値の 95% 信頼区間. 中枢性尿崩症患者では回帰直線の傾きが 0.1 未満となる. CDI：中枢性尿崩症, Control：健常人.
〔Takagi H, et al.：Diagnosis of central diabetes insipidus using a vasopressin radioimmunoassay during hypertonic saline infusion. Endocr J 2020；67：267-274 より引用〕

圧の変化, 血清 Na, 血漿 AVP 濃度を測定する. 健常人では尿量が減少し, 尿浸透圧が経時的に上昇するが, 尿崩症では尿量が減少せず, 尿浸透圧は 300mOsm/kg 以下と低値が持続する. 心因性多飲症では, 尿量の減少, 尿浸透圧の上昇を認める. 本試験を尿崩症患者に行うと, 患者の苦痛が大きく, 著明な脱水を引き起こす危険性があるため, 慎重に適応を検討する.

4 AVP 負荷試験

AVP の投与により尿浸透圧の上昇が認められるかを評価する検査であり, 水制限試験後に行う. AVP を 5 単位皮下注し, 30 分ごとに尿量と尿浸透圧を測定して, AVP に対する反応を評価する. 高張食塩水負荷試験の直後には過剰な水負荷をきたす危険性があるため行わない. AVP 投与後, 中枢性尿崩症では尿量が低下し, 尿浸透圧が 300mOsm/kg 以上に上昇する. 腎性尿崩症では尿浸透圧の上昇を認めない.

画像検査

下垂体後葉は健常人において MRI T1 強調像で高信号となる（図3a）. これは神経終末に貯留する AVP 分泌顆粒を反映していると考えられており, 中枢性尿崩症ではこの T1 高信号が消失する（図3b）. 続発性中枢性尿崩症では, 視床下部下垂体領域における腫瘤像, 下垂体の腫大または下垂体茎の肥厚が認められる.

病理

1 特発性中枢性尿崩症

下垂体後葉におけるリンパ球を中心とした炎症細胞浸潤の所見が報告されていることから, 病態への自己免疫性炎症の関与が示唆される[5].

2 続発性中枢性尿崩症

腫瘍性疾患では原疾患の病理学的変化が認められる. 炎症性疾患ではリンパ球または IgG4 陽性形質細胞の浸潤が認められる[5].

診断

日本内分泌学会より「バソプレシン分泌低下症（中枢性尿崩症）の診断の手引き」が示されている（表3）[1]. 鑑別診断として, 多尿をきたす中枢性尿崩症以外の疾患（心因性多飲症, 腎性尿崩症）を除外する（表2）.

治療

日本内分泌学会より「バソプレシン分泌低下症（中枢性尿崩症）の治療の手引き」が示されている（表4）[1].

AVP の誘導体で作用時間の長いデスモプレシンにより治療を行う. デスモプレシンは経鼻製剤（スプレー）と経口製剤（口腔内崩壊錠）が使用可能である. 治療開始後は習慣的飲水による水中毒の発生を防ぐため, 飲水量に注意を要する. 水中毒を避けるため, デスモプレシンは少量（経鼻：2.5 μg/回, 経口：60 μg/回）から開始し, 尿量および血清 Na 濃度をみながら投与量を調整する. デスモプレシンの投与量を定めたあとも, 血清 Na 濃度や体重を指標として水バランスに留意し, 必要に応じてデスモプレシンの投与量を調整する.

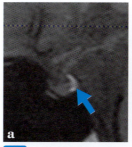 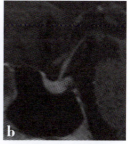

図3 中枢性尿崩症における下垂体 MRI（T1 強調像）

健常者(a)では下垂体後葉(矢印)に高信号を認めるが, 中枢性尿崩症患者(b)では消失する.

表4 バソプレシン分泌低下症（中枢性尿崩症）の治療の手引き

1. バソプレシンの誘導体であるデスモプレシンにより治療を行う．デスモプレシンには経鼻製剤（点鼻スプレー）と口腔内崩壊錠があり，経鼻製剤では2.5μg/回，口腔内崩壊錠では60μg/回を，それぞれ1日1回から投与する．治療導入後の数日間は尿量，尿浸透圧（または比重），血清ナトリウム濃度，体重などをなるべく毎日測定し，投与量や投与回数を調整して適正使用量を決定する（通常の用量は経鼻製剤：2.5～10μg/回，1日2回；口腔内溶解錠：60μg/回，1日2～3回）．この際に血清ナトリウム濃度が基準下限値を下回らないように注意する．ひとたびデスモプレシンの投与量を定めた後も，血清ナトリウム濃度や体重を指標として水バランスに留意し，必要に応じてデスモプレシンの投与量を調整する．また，意識障害時にはデスモプレシンのかわりにバソプレシン（ピトレシン注射液®）を投与する場合もある

2. 続発性中枢性尿崩症では，原疾患の治療を行う．特に下垂体前葉機能低下症を合併した症例ではヒドロコルチゾンの補充を行うが，この際に多尿が顕在化することがあるので留意する

〔有馬　寛，他：厚生労働科学研究費補助金難治性疾患等政策研究事業間脳下垂体機能障害に関する調査研究班：間脳下垂体機能障害の診断と治療の手引き（平成30年度改訂）．日本内分泌学会雑誌 2019；95（Suppl）：17 より引用〕

また，意識障害時にはデスモプレシンの代わりにバソプレシン（ピトレシン注射液®）を投与する場合もある．

続発性尿崩症では原疾患の治療を並行して進める．下垂体前葉機能低下症を合併した症例ではヒドロコルチゾンの補充を行うが，この際に多尿が顕在化することがあるので留意する．

経過・予後

特発性中枢性尿崩症が回復することはまれであるが，渇感が保たれて飲水が可能であればデスモプレシン治療により尿量を調節して多尿を改善させることが可能で，生命予後も良好である．一方，渇感が障害されている中枢性尿崩症では飲水が制限される状況において著明な脱水を呈し，重篤な転帰をたどる場合がある[2]．

頭部外傷や脳外科手術による下垂体茎切断のあとで近位断端からのAVP分泌が回復した場合，またはサルコイドーシスのステロイド治療後や胚細胞腫の放射線治療後に腫瘍の縮小が得られた場合，続発性中枢性尿崩症による多尿が軽快することがある．

文献

1) 有馬　寛，他：厚生労働科学研究費補助金難治性疾患等政策研究事業間脳下垂体機能障害に関する調査研究班：間脳下垂体機能障害の診断と治療の手引き（平成30年度改訂）．日本内分泌学会雑誌 2019；95（Suppl）：15-17.
2) Arima H, et al.：Central diabetes insipidus. Nagoya J Med Sci 2016；78：349-358.
3) Babey M, et al.：Familial forms of diabetes insipidus：clinical and molecular characteristics. Nature reviews Endocrinology 2011；7：701-714.
4) Takagi H, et al.：Diagnosis of central diabetes insipidus using a vasopressin radioimmunoassay during hypertonic saline infusion. Endocr J 2020；67：267-274.
5) Takagi H, et al.：Diagnosis and treatment of autoimmune and IgG4-related hypophysitis：clinical guidelines of the Japan Endocrine Society. Endocr J 2020；67：373-378.

第2章 臨床知識——E　下垂体後葉疾患各論

2　SIADH（ADH 不適合分泌症候群）

名古屋市立大学医学部附属病院東部医療センター内分泌内科　**髙木博史**
名古屋大学大学院医学系研究科糖尿病・内分泌内科学　**有馬　寛**

▶▶ 臨床医のための Point ▶▶▶

1. 低浸透圧血症にもかかわらずバソプレシン分泌が抑制されないことにより，希釈性低ナトリウム血症を呈する病態である．
2. 低ナトリウム血症を呈する他の疾患との鑑別が重要である．
3. 低ナトリウム血症の治療において，急激な血清ナトリウム濃度の上昇は浸透圧性脱髄症候群を惹起する危険性があるため，正しく病態を評価し適切に治療を進めることが求められる．

概念・病態・疫学

抗利尿ホルモン（antidiuretic hormone：ADH）であるバソプレシンは，腎集合尿細管のバソプレシンV2受容体に作用して水の再吸収を促す作用をもつ．ADH不適合分泌症候群（syndrome of inappropriate secretion of ADH：SIADH）は，低浸透圧血症にもかかわらず，本来抑制されるべきバソプレシン分泌が不適切に持続している状態を指し，バソプレシン分泌過剰症という用語も用いられる．また，バソプレシンの分泌過剰に加えて，バソプレシンV2受容体の gain-of-function などの病態も包含して不適切な抗利尿作用が持続している病態をSIAD（syndrome of inappropriate antidiuresis）という．

バソプレシンの分泌は血漿浸透圧と循環血液量によって制御されている．また，胸腔内圧上昇や嘔吐もバソプレシンの分泌刺激となる．血漿浸透圧が低下すると，健常者ではバソプレシン分泌が抑制され，水利尿が促進される．SIADH では血漿浸透圧が低いにもかかわらずバソプレシン分泌が十分に抑制されず，抗利尿作用が持続する．循環血液量の増加によってレニン-アンジオテンシン-アルドステロン系の抑制，心房性ナトリウム利尿ペプチドの分泌亢進が生じることによって，ナトリウムの尿中排泄が起こり，循環血液量は正常範囲に回復する．その結果，体液量が正常な低浸透圧血症と低ナトリウム血症に至る．

SIADH の原因を表1[1]に示す．SIADH はバソプレシンの由来により，下垂体後葉からのバソプレシンの分泌亢進と，悪性腫瘍によるバソプレシンの異所性産生に大別される．髄膜炎，脳炎，頭部外傷などの中枢神経系疾患では，バソプレシンニューロンが直接的あるいは間接的に刺激されることでバソプレシン分泌亢進が生じる．肺炎，肺結核，肺アスペルギルス症，気管支喘息などの肺疾患では，胸腔内圧の上昇や血行動態の異常により，左房などの容量受容器からのバソプレシン分泌抑制シグナルが低下し，下垂体後葉からのバソプレシン分泌亢進が起こる．悪性腫瘍の胸腔内迷走神経への浸潤によっても同様の機序でバソプレシン分泌亢進が起こる．薬剤では，抗悪性腫瘍薬のビンクリスチン，抗てんかん薬のカルバマゼピ

表1　SIADH の原因

中枢神経系疾患	髄膜炎，脳炎，頭部外傷，くも膜下出血，脳梗塞・脳出血，脳腫瘍，ギラン・バレー症候群
肺疾患	肺腫瘍，肺炎，肺結核，肺アスペルギルス症，気管支喘息，陽圧呼吸
異所性バソプレシン産生腫瘍	肺小細胞癌，膵癌
薬剤	ビンクリスチン，クロフィブレート，カルバマゼピン，アミトリプチン，イミプラミン，SSRI（選択的セロトニン再取り込み阻害薬）

〔有馬　寛，他：バソプレシン分泌過剰症（SIADH）の診断と治療の手引き．厚生労働科学研究費補助金難治性疾患等政策研究事業間脳下垂体機能障害に関する調査研究班：間脳下垂体機能障害の診断と治療の手引き（平成30年度改訂）．日本内分泌学会雑誌 2019；**95**（Suppl）：19 より引用〕

ン，三環系抗うつ薬のアミトリプチン，選択的セロトニン再取り込み阻害薬などが原因となる．異所性バソプレシン産生腫瘍は肺小細胞癌の頻度が高い．

SIADHは希釈性の低ナトリウム血症を呈する．低ナトリウム血症に対する細胞の適応（adaptation）について図1に示す．急性の低ナトリウム血症においては，細胞内外の浸透圧格差によって，細胞内に水分が移動する．それにより細胞が膨張して，神経障害や脳浮腫が生じる．重症の場合は脳ヘルニアに至り，生命にかかわる．低ナトリウム血症が持続すると，細胞においては細胞外の低浸透圧環境に適応するために無機イオンや有機浸透圧物質（ミオイノシトールなど）を細胞外に放出する．その結果，細胞内外の低浸透圧格差が是正され，細胞が適応した状態となる．この状態に至るには48時間程度を要するとされる．適応が完了した状態において，血清ナトリウム濃度が急速に上昇すると，細胞内外の浸透圧格差によって今度は細胞外に水が排出され，細胞内脱水を生じる．その結果，血液脳関門の破綻や神経細胞・グリア細胞の障害が起こり，浸透圧性脱髄症候群が発症すると想定されている．

低ナトリウム血症は電解質異常のなかでも頻度が高い．日本にはSIADHの頻度に関する正確な統計はないが，米国の報告では入院患者の6～14％にSIADHを認めるとされている[2]．低ナトリウム血症を呈する患者において，病態を慎重に評価して治療方針を検討する必要がある．

主要症状・身体所見

低ナトリウム血症が緩徐に進行した場合は症状が明らかでないことが多いが，低ナトリウム血症が重度か，急速に進行した場合には症状を呈する．低ナトリウム血症の主要な症状は神経障害によるものである．低ナトリウム血症が軽度であれば全身倦怠感，食欲不振を認める程度のことが多いが，高度の低ナトリウム血症では意識レベル低下，けいれん，呼吸停止に至る場合もある．慢性の低ナトリウム血症では，明らかな症状を認めないことが多いが，歩行障害，認知機能障害に関連するということが報告されている[3]．

SIADHにおいて体液量は正常範囲であるため，脱水や体液過剰の所見を認めないことが特徴である．口腔粘膜や皮膚の乾燥といった脱水を示す所見はなく，浮腫も認められない．

検査所見

SIADHの診断基準を表2[1]に示す．検査所見においては，バソプレシンの分泌過剰によって希釈性の低ナトリウム血症と血漿浸透圧低値を認める．

低ナトリウム血症・低浸透圧血症においては，健常状態ではバソプレシン分泌が抑制されるが，SIADHではバソプレシン分泌が持続する．わが国におけるAVPの測定において，2012年3月までAVP RIA「ミツビシ」®が用いられていたが，2015年3月からAVPキット「ヤマサ」®が用いられるようになった．現行の測定キットでSIADHを診断するカットオフ値が定まっているわけではないことに留意する必要がある．

低ナトリウム血症・低浸透圧血症の状態で尿浸透圧が100mOsm/kgを上回る場合は，バソプレシン作用が持続していると判断できる．また，尿中へのナトリウム排泄も持続し，20mEq/Lを上回る．

ほかに診断の参考となる所見として，SIADHでは腎機能は正常で脱水がないため，血清クレアチニン，尿素窒素は上昇しない．また，血漿レニン活性は低下し，血清尿酸値は低値を示すことが

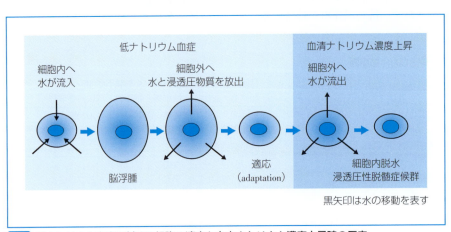

図1 低ナトリウム血症に対する細胞の適応と血中ナトリウム濃度上昇時の反応

表2 SIADHの診断の手引き

I. 主症候
脱水の所見を認めない

II. 検査所見
1. 血清ナトリウム濃度は135mEq/Lを下回る
2. 血漿浸透圧は280mOsm/kgを下回る
3. 低ナトリウム血症，低浸透圧血症にもかかわらず，血漿バソプレシン濃度が抑制されていない
4. 尿浸透圧は100mOsm/kgを上回る
5. 尿中ナトリウム濃度は20mEq/L以上である
6. 腎機能正常
7. 副腎皮質機能正常

III. 参考所見
1. 倦怠感，食欲低下，意識障害などの低ナトリウム血症の症状を呈することがある
2. 原疾患の診断が確定していることが診断上の参考となる
3. 血漿レニン活性は5ng/mL/h以下であることが多い
4. 血清尿酸値は5mg/dL以下であることが多い
5. 水分摂取を制限すると脱水が進行することなく低ナトリウム血症が改善する

IV. 鑑別診断
低ナトリウム血症をきたす次のものを除外する
1. 細胞外液量の過剰な低ナトリウム血症：心不全，肝硬変の腹水貯留時，ネフローゼ症候群
2. ナトリウム漏出が著明な細胞外液量の減少する低ナトリウム血症：原発性副腎皮質機能低下症，塩類喪失性腎症，中枢性塩類喪失症候群，下痢，嘔吐，利尿剤の使用
3. 細胞外液量のほぼ正常な低ナトリウム血症：続発性副腎皮質機能低下症（下垂体前葉機能低下症）

[診断基準]
確実例：IおよびIIのすべてを満たすもの

〔有馬 寛，他：バソプレシン分泌過剰症（SIADH）の診断と治療の手引き．厚生労働科学研究費補助金難治性疾患等政策研究事業間脳下垂体機能障害に関する調査研究班：間脳下垂体機能障害の診断と治療の手引き（平成30年度改訂）．日本内分泌学会雑誌 2019；95（Suppl）：18より引用〕

画像所見

SIADHをきたす原因疾患の鑑別や病態評価のため，画像検査を行う．胸腔内疾患の鑑別のため，胸部X線写真や胸部CTを撮像する．頭蓋内疾患の鑑別のため頭部CTや頭部MRIを撮像する．頭部CTや頭部MRIは，意識障害を伴う低ナトリウム血症において，原因疾患の鑑別や脳浮腫などの病態評価のため有用である．血清ナトリウム濃度が急速に上昇した場合に生じる可能性がある浸透圧性脱髄症候群の病変部位は，古典的には橋に多いとされ，本病態を橋中心性髄鞘崩壊症と呼称していたが，橋以外にも脱髄病変が生じることが知られるようになった．浸透圧性脱髄症候群の画像所見は血清ナトリウム濃度上昇の数日後に明らかになることが多いため，初回のMRIでは病変が検出されない可能性に留意する必要がある．

診断・鑑別診断

低ナトリウム血症を呈する患者においてSIADHを診断するためには，脱水や細胞外液量増加を呈する疾患を鑑別したうえで，SIADHの診断基準[1]を満たすかを評価する．

細胞外液量の増加した低ナトリウム血症には，心不全，肝硬変の腹水貯留時，ネフローゼ症候群がある．理学所見として，浮腫，胸水，腹水などが認められる．体液量が増加していても有効循環血液量は低下しているため，腎におけるナトリウム再吸収は亢進して尿中ナトリウム濃度は低下する．

細胞外液量の減少する低ナトリウム血症には，原発性副腎皮質機能低下症，塩類喪失性腎症，中枢性塩類喪失症候群，下痢，嘔吐，利尿剤の使用がある．症状として口腔粘膜の乾燥，皮膚ツルゴールの低下などを認める．嘔吐，下痢による低ナトリウム血症では代償機構により尿中ナトリウム濃度は20mEq/L未満となる．一方，原発性副腎不全，利尿薬の使用などでは腎臓からのナトリ

ウム喪失が生じ，尿中ナトリウム濃度は増加する．塩類喪失性腎症や中枢性塩類喪失症候群は，腎からのナトリウム喪失とそれに対する代償機構としてバソプレシン分泌を伴うが，脱水が軽減しているとSIADHとの鑑別が困難な場合がある．病歴や身体所見に留意して診断し，治療に対する反応を注意深くフォローする必要がある．

SIADH以外の細胞外液量のほぼ正常な低ナトリウム血症として，続発性副腎皮質機能低下症がある．鑑別のためにはACTHおよびコルチゾールの測定が必要である．

SIADHの理学所見や検査基準を満たす場合は，原因となる中枢神経系疾患，胸腔内疾患，薬剤使用の有無を検討する．

治療・予後

SIADHの治療の主要な目的は低ナトリウム血症による中枢神経症状を改善させることである．SIADHの治療を表3[1]に示す．

まず重要となるのは，基礎疾患の治療や原因薬の中止によって治療できる可能性があるため，原因の検索を怠らないことである．

原因の検索と並行して低ナトリウム血症に対しての治療を行う．治療の基本は水制限である．水制限を第一選択としたうえで，他の治療への変更や複数の治療の併用を考慮する．水制限の場合は，1日の水摂取量を体重1kg当たり15〜20mLとする．

他の治療として尿中のナトリウム喪失を補うための食塩投与や高張食塩水投与がある．著明な低ナトリウム血症や意識障害を伴う場合は，低ナトリウム血症を速やかに改善させるために3%高張食塩水を点滴で投与する．血清ナトリウム濃度120mEq/L以下を呈するような重症低ナトリウム血症で中枢神経症状を伴う場合は，3%高張食塩水を静脈内投与し，脳浮腫の進行と脳ヘルニアの発症を抑止することを検討する．3%高張食塩水の投与によって血清ナトリウム濃度の上昇と神経学的所見の改善が認められた場合においても，24時間で10mEq/Lを超える補正速度とならないように留意する必要がある．SIADHによる低ナトリウム血症の治療においては，等張食塩水(0.9%生理食塩水)の投与は適切ではない．SIADHにおいては尿中ナトリウム喪失が亢進しているため，等張食塩水を点滴するとかえって低ナトリウム血症が増悪してしまう．

SIADHによる低ナトリウム血症の治療の選択肢としてバソプレシンV2受容体拮抗薬も有用であると考えられる．わが国においては，2006年から異所性バソプレシン産生腫瘍によるSIADH

表3 SIADHの治療の手引き

次のいずれか(組合せも含む)の治療法を選択する
1. 原疾患の治療を行う
2. 1日の総水分摂取量を体重1kg当り15〜20mLに制限する
3. 食塩を経口的に投与する［例：食塩9g/分3/日(成人の場合)］
4. 血清ナトリウム濃度が120mEq/L以下で中枢神経症状を伴うなど速やかな治療を必要とする場合は，3%食塩水を点滴にて投与する．また，フロセミドの静脈内注射も適宜併用する．重篤な中枢神経症状がある場合は3%食塩水の急速投与も考慮する［例：3%食塩水 100mL/10分(成人の場合)］．いずれの場合も，浸透圧性脱髄症候群の出現を防止するために血清ナトリウム濃度を頻回に測定し，血清ナトリウム濃度上昇を24時間で10mEq/L以下，48時間では18mEq/L以下とする．また，血清ナトリウム濃度が120mEq/Lに達するか，低ナトリウム血症に伴う神経症状(意識障害)が改善した時点で3%食塩水の投与は中止する．補正前の血清ナトリウム濃度が110mEq/Lを下回る低ナトリウム血症，あるいは低カリウム血症，低栄養，アルコール中毒，肝障害などの危険因子を伴う場合は，より緩やかに血清ナトリウム濃度を補正する
5. 血清ナトリウム濃度の上昇が，24時間で10mEq/L，48時間で18mEq/Lを超えた場合は，3%食塩水の投与を速やかに中止する．また，5%ブドウ糖液の投与等によって血清ナトリウム濃度を再度低下させることを検討する
6. 異所性バソプレシン産生腫瘍に原因し，既存の治療で効果不十分な場合に限り，成人にはバソプレシンV2受容体拮抗薬モザバプタン塩酸塩錠(30mg)を1日1回1錠食後に経口投与する．投与開始3日間で有効性が認められた場合に限り，引き続き7日間まで継続投与することができる

参考：欧米ではバソプレシンV2受容体拮抗薬トルバプタンがバソプレシン分泌過剰症(SIADH)の治療に用いられているが，国内では心不全，肝硬変と常染色体優性多発性囊胞腎以外の適応は未認可である

〔有馬 寛，他：バソプレシン分泌過剰症(SIADH)の治療の手引き．厚生労働科学研究費補助金難治性疾患等政策研究事業間脳下垂体機能障害に関する調査研究班：間脳下垂体機能障害の診断と治療の手引き(平成30年度改訂)．日本内分泌学会雑誌 2019；95(Suppl)：20より引用〕
注：わが国においては，2020年6月にトルバプタンがSIADHに対して保険適用となった．

に対してモザバプタンが保険適用となっているが，投薬期間などの制限があることが課題であった．2020年にわが国においてトルバプタンがSIADHの治療に対して保険適用となった．薬剤投与後には血清ナトリウム濃度の急激な上昇に十分留意する必要がある．特に，トルバプタン投与前には患者に飲水制限が指導されているため，トルバプタン投与後には飲水制限を解除するとともに，過剰な水分喪失に至らないよう適宜飲水を促す必要がある．急速な血清ナトリウム濃度上昇を回避するためには，バソプレシンV2受容体拮抗薬は少量から用いるのが望ましいと考えられるが，適切な投与量については今後の検討を要する．また，トルバプタンを投与継続する場合は，肝障害の発症に留意する必要がある．

入院時の低ナトリウム血症は生命予後悪化と関連するという報告がある[3,4]．SIADHによる低ナトリウム血症に対する治療が患者の生命予後を改善させるかについては今後の検討課題である．

文献

1) 有馬 寛, 他：バソプレシン分泌過剰症（SIADH）の診断と治療の手引き．厚生労働科学研究費補助金難治性疾患等政策研究事業間脳下垂体機能障害に関する調査研究班：間脳下垂体機能障害の診断と治療の手引き（平成30年度改訂）．日本内分泌学会雑誌 2019；**95**（Suppl）：18-20.
2) Ball SG, *et al*.：Diagnosis and treatment of hyponatraemia. Best Pract Res Clin *Endocrinol Metab* 2016；**30**：161-173.
3) Verbalis JG, *et al*.：Diagnosis, evaluation, and treatment of hyponatremia：expert panel recommendations. *Am J Med* 2013；**126**：S1-42.
4) Spasovski G, *et al*.：Clinical practice guideline on diagnosis and treatment of hyponatraemia. *Eur J Endocrinol* 2014；**170**：G1-47.

第2章 臨床知識──E 下垂体後葉疾患各論

3 本態性高ナトリウム血症

高知大学保健管理センター　西山　充
高知大学臨床医学部門　岩﨑泰正

> **≫ 臨床医のための Point ▶▶▶**
>
> 1. バソプレシン分泌障害と渇感障害の合併により，血清 Na のセットポイントが高値にシフトした病態である．
> 2. 視床下部の器質的疾患が原因となることが多い．
> 3. 脱水による循環虚脱防止のため，体重を指標として DDAVP と飲水により治療する．

概念・病態・疫学

本態性高ナトリウム血症（essential hypernatremia）は，血漿浸透圧（pOsm）による抗利尿ホルモン（アルギニン・バソプレシン：AVP）分泌調節・渇感調節機構に何らかの異常が生じた結果，慢性的に高ナトリウム血症（通常 150 mEq/L 以上）を呈する病態である[1, 2]．中枢性尿崩症と異なり明らかな多尿を示さず，また AVP 分泌能が保たれている場合は脱水も生じにくい．しかし AVP 分泌障害が高度な場合は，循環虚脱や著明な高ナトリウム血症による中枢神経障害をきたし，予後不良の転機をとることもある．

健常者では水分が欠乏した場合，体液濃縮による血清 Na 濃度および血漿浸透圧の上昇とともに下垂体後葉より AVP が分泌され，尿を濃縮してそれ以上の水分喪失を防止し，同時に渇感が強力に刺激されて飲水行動により水分が補充される．何らかの原因により AVP 分泌または作用が障害されると多尿による体液濃縮が生じるが，渇感亢進により飲水行動が促進されるため，通常高ナトリウム血症をきたすことはない．また，意識障害などにより飲水が不可能な場合は体液濃縮により血清 Na 値が上昇するが，AVP 分泌が保たれている場合，補液による水分補充で Na 値は正常域に回復する．これに対し，本態性高ナトリウム血症では浸透圧性 AVP 分泌調節機構と渇中枢が同時に障害されているため，高浸透圧血症下でも AVP 分泌欠乏により水分排出が持続し，同時に飲水行動も惹起されないため，血清 Na 値が慢性的に上昇した状態が持続することになる．

本態性高ナトリウム血症は中枢性尿崩症などと比べると比較的まれな病態で，浸透圧受容体の存在する視床下部第三脳室前部の広汎な器質的疾患（腫瘍・炎症など）による渇感障害に起因することが多い．最近では浸透圧受容体の局在部位（脳弓下器官：SFO，終板脈管器官：OVLT）に対する自己免疫機序による例も報告されている．Nax は視床下部 SFO に発現して血清 Na 濃度センサーとして機能しているが，Hiyama らは併存腫瘍における Nax 発現を原因として患者血清中に抗 Nax 抗体が産生され，これにより本態性高ナトリウム血症をきたした症例を報告した[3]．さらに Hiyama らは，抗 Nax 抗体はみられないが血清中に SFO を認識する抗体が存在する無飲性尿崩症の症例も見出した[4]．このように，抗 Nax 抗体や視床下部 SFO に対する抗体を原因とした本態性高ナトリウム血症が明らかとなってきている．

本態性高ナトリウム血症の病態は 2 種に大別されると考えられる（図1）．1 つは AVP 分泌および渇感閾値の両者とも高浸透圧側にシフトした状態（図1a）で，狭義の本態性高ナトリウム血症に相当する．本病態では一定以上の浸透圧になると AVP 分泌や渇感が刺激されるため，高ナトリウム血症の存在下でも循環血液量はほぼ保たれ，著明な脱水や意識障害を呈することは少ない．一方，種々の程度の中枢性尿崩症に渇感障害を合併した場合（図1b）には，尿崩症による脱水が渇感による飲水行動で代償されないため，脱水時に顕著な高ナトリウム血症と循環虚脱をきたしやすい．

主要症状・身体所見

高浸透圧血症下における渇感の低下が特徴的である．AVP 分泌能自体が保たれている場合には，著明な脱水徴候を呈さないことが多い．AVP 分泌と渇中枢の両者が高度に障害された例では，重症かつ急激な血清 Na 値の上昇時に細胞内外の浸透圧格差に起因する神経細胞の機能障害をきたし，錯乱，神経筋の興奮，けいれん，昏睡などの中枢神経症状を呈する．一方，高ナトリウム血症が慢

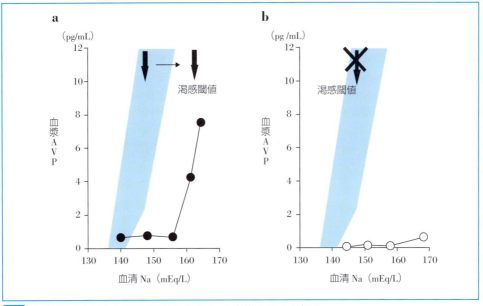

図1 本態性高ナトリウム血症における血清 Na と血漿 AVP との相関
渇感閾値および AVP 分泌閾値が高浸透圧側にシフトする例(a：狭義の本態性高ナトリウム血症)と，両者の調節が高度に障害される例(b)がある．後者では脱水をきたしやすく，また渇感障害により脱水による体液濃縮を自覚できないため，循環虚脱や意識障害を発症しやすい．網掛け部分は血漿 AVP の正常範囲を示す．

性的に持続した場合には，細胞内浸透圧起因物質の増加による代償機転が生じ，細胞内外の浸透圧平衡が保たれるため，血清 Na 値上昇の程度のわりに症状が軽微なこともある．しかし付加的な水分欠乏が加わると突発性に循環虚脱や意識障害を呈する危険性があり，注意が必要である．

検査所見

1 一般検査

意識のある患者で血清 Na 値および pOsm が慢性的に高値を呈し，渇感の訴えがなく，水分を十分に補給しても高ナトリウム血症が是正されないか再発する場合，本病態を疑う．

2 内分泌学的検査

尿量，血清 Na，pOsm，および血漿 AVP 基礎値を測定する．また血清 Na 値が基準範囲内の状態であれば 5% 高張食塩水負荷試験を施行し，渇感閾値と血漿 AVP 分泌閾値を評価する[5]．血清 Na 値の基礎値が常時 150 mEq/L 以上の場合は，高張食塩水負荷試験は不要である．高浸透圧血症下において口渇感がなく，同時に血漿 AVP 値が不適切に低値であれば本病態の可能性が高い．

画像所見

MRI または CT 検査において，視床下部(特に第三脳室前部)を含む領域に腫瘍もしくは炎症・

表1 高ナトリウム血症の主要原因

循環血液量減少を伴う高ナトリウム血症(TBW[*] および Na は減少；相対的には TBW の減少のほうが大きい)
腎外性喪失
消化管：嘔吐，下痢
皮膚：熱傷，発汗過多
腎性喪失
内因性腎疾患
ループ利尿薬
浸透圧利尿(ブドウ糖，尿素，マンニトール)
循環血液量が正常の高ナトリウム血症(TBW[*] は減少；体内の総 Na 量はほぼ正常)
腎外性喪失
呼吸器：頻呼吸
皮膚：発熱，発汗過多
腎性喪失
中枢性尿崩症
腎性尿崩症
その他
飲水不能
原発性寡飲症
浸透圧制御(閾値)の再設定
循環血液量増加を伴う高ナトリウム血症(Na は増加；TBW[*] は正常または増加)
高張液投与(高張生理食塩水，NaHCO₃，完全静脈栄養)
ミネラルコルチコイド過剰
デオキシコルチコステロン(DOC)産生腎腫瘍
先天性副腎過形成(11β-水酸化酵素欠損症)
医原性

[*]TBW：体内総水分量

肉芽腫性病変の存在を認めることが多い．

診断・鑑別診断

高ナトリウム血症を呈するすべての疾患が対象となる(表1)．高齢者では口渇感が低下しているため，糖尿病による高血糖や種々の原因で体液濃縮による脱水をきたしても水分が十分に補充されず，慢性的な高Na状態となることがある．また原発性アルドステロン症やグリチルリチン過剰摂取(偽性アルドステロン症)では軽度の慢性高ナトリウム血症を呈するが，常時150 mEq/Lを超える例は少ない．

治療・予後

基礎疾患があればそれに対する治療を行う．高ナトリウム血症に関しては，150 mEq/L前後までの，代償された軽度の慢性的な高ナトリウム血症はあえて補正する必要はない．一方で，常時150 mEq/L，時に160 mEq/Lを超えるような高度の高ナトリウム血症の場合は，脱水などにより循環虚脱や中枢神経障害をきたす可能性が高いため，治療の対象となる．具体的には，中枢性尿崩症と同様にDDAVP(デスモプレシン)を経鼻投与し，さらに渇感がなくても1日一定量の強制飲水を行う

ことにより，血清Na値を150 mEq/L以下に維持する．その際，血清Na値が適切にコントロールされた状態における体重を記録しておき，それ以下に減少した場合は水分を補給するように指導することが望ましい．

意識障害を合併する高度な高ナトリウム血症をきたした場合は，5%ブドウ糖液の点滴補充などにより脱水の補正を行う．ただし血清Na値が急激に変動しないよう留意する必要がある．

文献

1) DeRubertis FR, et al.: "Essential" hypernatremia. Report of three cases and review of the literature. Arch Intern Med 1974; **134**: 889-895.
2) Robertson GL, et al.: Neurogenic disorders of osmoregulation. Am J Med 1982; **72**: 339-353.
3) Hiyama TY, et al.: Autoimmunity to the sodium-level sensor in the brain causes essential hypernatremia. Neuron 2010; **66**: 508-522.
4) Hiyama TY, et al.: Adipsic hypernatremia without hypothalamic lesions accompanied by autoantibodies to subfornical organ. Brain Pathol 2017; **27**: 323-331.
5) Oiso Y, et al.: Clinical assessment of posterior pituitary function by direct measurement of plasma vasopressin levels during hypertonic saline infusion. Nihon Naibunpi Gakkai Zasshi 1986; **62**: 608-618.

第2章 臨床知識──E 下垂体後葉疾患各論

4 リンパ球性漏斗下垂体後葉炎

藤田医科大学医学部内分泌・代謝・糖尿病内科学　椙村益久

≫ 臨床医のための Point ▶▶▶

1. 自己免疫機序により，漏斗部および下垂体後葉に炎症が限局し中枢性尿崩症を呈する疾患である．
2. 特発性中枢性尿崩症の主たる病因と考えられている．
3. 診断は基本的に除外診断であり，類似の所見を示す他疾患との鑑別が重要である．
4. MRI検査が診断に有用であり，下垂体茎の肥厚または下垂体後葉の腫大が認められ，また造影剤による強い造影増強効果が認められる例が多い．しかしながら，ジャーミノーマなど鑑別が困難な症例も少なくない．
5. IgG4関連疾患に伴う漏斗下垂体後葉炎の鑑別に注意を要する．
6. 自己抗原としてラブフィリン3Aが報告され，抗ラブフィリン3A抗体は有用な診断マーカーと考えられる．

概念・病態・疫学

　リンパ球性下垂体炎（lymphocytic hypophysitis：LH）は下垂体前葉，または後葉および視床下部漏斗部におもにリンパ球が浸潤する慢性の炎症性疾患である．ほかの自己免疫疾患を合併する例や種々の自己抗体の陽性例があることから自己免疫機序の関与が考えられており，自己免疫性視床下部下垂体炎とも称される．下垂体前葉に炎症病変が限局し下垂体前葉ホルモンの分泌低下が認められるリンパ球性下垂体前葉炎（lymphocytic adenohypophysitis：LAH），漏斗部および後葉に炎症が限局し中枢性尿崩症を呈するリンパ球性漏斗下垂体後葉炎（lymphocytic infundibulo-neurohypophysitis：LINH），および，下垂体組織全体に炎症をきたしLAHとLINHの両者の臨床的特徴を呈するリンパ球性汎下垂体炎（lymphocytic panhypophysitis：LPH）に分類される[1]．

　中枢性尿崩症を呈し剖検で漏斗部および下垂体後葉にリンパ球の浸潤が認められた症例は以前より報告されていたが，1993年にImuraらは発症2年以内の特発性中枢性尿崩症17例中9例で，MRI検査において下垂体茎の肥厚，後葉の腫大，後葉高信号の消失が認められ，2例の生検で下垂体茎や後葉にリンパ球（おもにTリンパ球）と形質細胞の浸潤を伴う慢性炎症が認められたことを報告し，LINHの疾患概念を確立し，特発性中枢性尿崩症の原因の多くはLINHであることを提唱した[2]．

　LHはまれな疾患で，正確な有病率は不明である．2005年のCatureglìらの報告では欧米の年間発症率は人口900万人に1人と換算されている．LAHは女性に多く（女性：男性は6：1）分娩前後に好発するのに対し，LINHの女性：男性はほぼ1：1で妊娠との関連は認められず，発症平均年齢は42歳でありLAHの平均35歳より高い[1]．最近のドイツからの報告では，手術で確定診断されたLH 24人のなかで，中枢性尿崩症を呈する症例は10人（43％）と報告されている[3]．近年，MRIの普及などにより報告数は増加しており，実際の患者数はより多いと考えられる．また，日本からの報告が多い[2]．厚生労働省の間脳下垂体機能障害に関する調査研究班の調査によると，1997年1年間にわが国で診療されたLHは107人で，LINH，LAH，LPHの頻度はそれぞれ36.7％，34.7％，28.6％と報告された[4]．Catureglìらの報告ではLHのなかでのLINHの頻度は10.3％であるので，わが国ではLINHの頻度が高い．しかしながら人種差があるかは不明である．また，この調査に基づいた1年間の全国受療患者数は170人と推定されている[4]．

主要症状・身体所見

　多尿，口渇，多飲などの尿崩症に特有な症状を呈する．またトルコ鞍内の内圧増加による頭痛，視交叉圧排による視野障害などが認められる．

検査所見

　中枢性尿崩症に合致する所見として，尿量は3,000 mL以上，尿浸透圧は300 mOsm/kg以下であ

り，血漿 AVP 分泌は血漿浸透圧（または血清 Na 濃度）に比較して相対的に低下する．高張食塩水負荷試験で，血漿浸透圧高値においても AVP 分泌の低下を認める．バゾプレシン負荷試験で尿量は減少し，尿浸透圧は 300mOsm/kg 以上に上昇する．

画像所見

MRI 検査で，下垂体茎の肥厚または下垂体後葉の腫大が認められる．また造影剤による強い造影増強効果が認められる．さらに中枢性尿崩症では，T1 強調 MRI 画像において，下垂体後葉輝度の低下がみられる．

診断・鑑別診断

「自己免疫性視床下部下垂体炎の診断と治療の手引き」(表1)[5]では，主症候と中枢性尿崩症に合致する検査所見と特徴的な画像所見が認められ，下垂体または下垂体茎生検でリンパ球を中心とした細胞浸潤，慢性炎症像が認められれば確実例であり，生検所見がなければ疑い例とされている[5]．生検が施行されることは少ないので疑い例として経過観察することが多いが，中枢性尿崩症を呈し画像所見も類似する germinoma, Rathke（ラトケ）囊胞，リンパ腫，サルコイドーシス，多発血管炎性肉芽腫症，Langerhans 細胞組織球症，などの疾患があるため鑑別診断を慎重に進める必要がある．サルコイドーシスのマーカー ACE，リンパ腫のマーカー 可溶性 IL-2 受容体，およびジャーミノーマのマーカー AFP, hCG-β，髄液中胎盤性アルカリフォスファターゼ（PLAP）などを測定する．また最近，IgG4 関連疾患に伴う漏斗下垂体後葉炎が報告され，鑑別に注意を要する[6]．

自己免疫機序について

従来，抗視床下部抗体，抗 AVP 細胞抗体が報告されているが[7]，組織に対する自己抗体を蛍光抗体法で評価するアッセイであるため，方法論，感度，疾患特異性などに問題があると考えられている[8]．また国内で検査は行われていない．われわれは下垂体後葉組織に発現する自己抗原を標的にしてプロテオミクス解析などを行い，LINH 自己抗原ラブフィリン 3A を同定した．そして，LINH 患者血清中に高率に抗ラブフィリン 3A 抗体が存在することを報告した[8,9]．またラブフィリン 3A をマウスに免疫することによって，LINH に類似するマウスモデルが作成されることを見出し，ラブフィリン 3A は病因自己抗原であり，ラブフィリン 3A に対するリンパ球活性化が病因に関与する可能性を報告した[10]．

血中抗ラブフィリン 3A 抗体の診断マーカーとしての有用性

抗ラブフィリン 3A 抗体は，組織学的に確定診断された LINH 患者 4 例中 4 例で陽性（感度 100%），臨床的に診断された症例を含めた LINH 29 例中 22 例で陽性（感度 76%）であった．さらに LH 以外の確定診断された視床下部下垂体腫瘍性疾患で中枢性尿崩症を呈する 18 例において，抗ラブフィリン 3A 抗体陽性例はなく，特異度も優れていると考えられる[9]．また妊娠に伴う尿崩症は，vasopressinase による妊娠中枢性尿崩症，および下垂体腫瘍性病変など病因の鑑別が困難なこ

表1 リンパ球性漏斗下垂体後葉炎の診断の手引き

I. 主症候
  口渇，多飲，多尿
II. 検査・病理所見
  1. 中枢性尿崩症に合致する検査所見を認める
  2. 画像検査で下垂体茎の肥厚または下垂体後葉の腫大を認める
  3. 造影 MRI 検査において病変部位の均一な強い造影増強効果を認める
  4. 下垂体または下垂体茎の生検で病変部位にリンパ球を中心とした細胞浸潤を認める
III. 参考所見
  1. 下垂体前葉機能は保たれることが多い
  2. 画像検査の異常は自然経過で消退することが多い

[診断基準]
確実例：I と II のすべてを満たすもの
疑い例：I と II の 1, 2, 3 を満たすもの

〔有馬 寛，他：自己免疫性視床下部下垂体炎の診断と治療の手引き．厚生労働科学研究費補助金難治性疾患等政策研究事業 間脳下垂体機能障害に関する調査研究班：間脳下垂体機能障害の診断と治療の手引き（平成 30 年度改訂）．日本内分泌学会雑誌 2019：95(Suppl)：54-58 より引用〕

とも多いが，抗ラブフィリン3A抗体陽性のLINHと考えられる症例が報告された[11]．さらに小児においても抗ラブフィリン3A抗体陽性のLINHと考えられる症例が報告されている[12]．以上より，血中抗ラブフィリン3A抗体は，臨床で有用なLINHの診断マーカーと考えられる．今後，抗ラブフィリン3A抗体の疾患特異性をより改善させ，またウエスタンブロット法よりも汎用性があり，抗体値などの定量的評価が容易な診断キットの開発が期待される．

治療・予後

「自己免疫性視床下部下垂体炎の治療の手引き」では，下垂体の腫大が著明で，腫瘤による圧迫症状（視力，視野の障害や頭痛）がある場合は，薬理量のグルココルチコイド（プレドニン®換算で0.5～1mg/kg/日）を投与し，症状の改善が認められれば，グルココルチコイドを漸減する．症状の改善が認められない場合は腫瘤の部分切除による減圧を試みるとされている[5]．

LH，またはLINHにおいて，ステロイドパルスなど薬理量のグルココルチコイドが，鞍上部および下垂体茎の腫大を軽減するとともに，前葉機能とともに尿崩症を改善させたという報告もある[1,3]．しかし症状の再燃，ステロイドの副作用も少なくない[1,3]．まだ症例数が少なくグルココルチコイドの使用量，方法，期間などについて最終的治療方針は確立されておらず，今後のデータの蓄積が必要である．

尿崩症に対してはAVPアナログであるデスモプレシンを用いる．治療導入後，数日間は体重または血清Na濃度を頻回に測定し，急速な変化がないようにコントロールして水過剰，低Na血症の出現に注意する．

LINHの予後については，鞍上部腫瘤，下垂体茎腫大は軽減することが期待されるが，デスモプレシン補充は生涯必要と考えられる．

文献

1) Caturegli P, et al.：Autoimmune hypophysitis. *Endocr Rev* 2005；**26**：599-614.
2) Imura H, et al.：Lymphocytic infundibuloneurohypophysitis as a cause of central diabetes insipidus. *N Engl J Med* 1993；**329**：683-689.
3) Honegger J, et al.：Diagnosis of primary hypophysitis in Germany. *J Clin Endocrinol Metab* 2015；**100**：3841-3849.
4) 横山徹爾，他：間脳下垂体機能障害3疾患の全国疫学調査．厚生省特定疾患間脳下垂体機能障害調査研究班．平成10年度総括研究事業報告書．1999；167-171.
5) 有馬 寛，他：自己免疫性視床下部下垂体炎の診断と治療の手引き．厚生労働科学研究費補助金難治性疾患等政策研究事業間脳下垂体機能障害に関する調査研究班：間脳下垂体機能障害の診断と治療の手引き（平成30年度改訂）．日本内分泌学会雑誌 2019；**95**（Suppl）：54-58.
6) Shimatsu A, et al.：Pituitary and stalk lesions（infundibulo-hypophysitis）associated with immunoglobulin G4-related systemic disease：an emerging clinical entity. *Endocr J* 2009；**56**：1033-1041.
7) Scherbaum WA, et al.：Autoantibodies to vasopressin cells in idiopathic diabetes insipidus：evidence for an autoimmune variant. *Lancet* 1983；**1**：897-901.
8) Christ-Crain M, et al.：Diabetes insipidus. *Nat Rev Dis Primers* 2019；**5**：54.
9) Iwama S, et al.：Rabphilin-3A as a targeted autoantigen in lymphocytic infundibulo-neurohypophysitis. *J Clin Endocrinol Metab* 2015；**100**：E946-54.
10) Yasuda Y, et al.：Critical role of rabphilin-3A in the pathophysiology of experimental lymphocytic neurohypophysitis. *J Pathol* 2018；**244**：469-478.
11) Sakurai K, et al.：Usefulness of anti-rabphilin-3A antibodies for diagnosing central diabetes insipidus in the third trimester of pregnancy. *Endocr J* 2017；**64**：645-650.
12) Kume Y, et al.：Lymphocytic infundibuloneurohypophysitis with positive anti-rabphilin-3A antibodies nine years post-onset of central diabetes insipidus. *Clin Pediatr Endocrinol* 2021；**30**：65-69.

III

Topics

1 ES/iPS 細胞による下垂体分化とその応用

名古屋大学大学院医学系研究科糖尿病・内分泌内科学　須賀英隆

> **》》臨床医のための Point 》》》**
>
> 1. ヒト多能性幹細胞(ES/iPS 細胞)から下垂体前葉細胞を試験管内のみで分化誘導することが可能になった.
> 2. 分化誘導した ACTH 細胞・GH 細胞・PRL 細胞は，内分泌細胞の特徴である応答能を備えていた.
> 3. 発生を模した分化法であり，再生医療のみならず発生モデル・疾患モデルとしての利用が現実的になってきた.
> 4. 再生医療実現化には，まだ超えるべき課題がある.

はじめに

ヒト多能性幹細胞すなわちヒト ES 細胞や iPS 細胞の取り扱いが技術的に安定してくるに伴い，それらを利用した再生医療への挑戦が華やかである．ここでは，視床下部や下垂体の再生医療技術の現状について述べる．

再生医療の意義

視床下部・下垂体の機能低下症に対する根治療法は未確立である．この部位は生体の恒常性維持に根幹的役割を果たしており，たとえば下垂体 ACTH 産生細胞の機能低下で副腎不全に陥れば，非常に危険である．現在の治療法は，不足したホルモンを投与する補充療法である．短期的には非常に有効な治療法である．しかし，長期生命予後に問題があることが徐々に報告されてくるようになった[1]．本来は周囲環境に応じてホルモン分泌量が適宜調整されるべきものが，現行の補充法では需要変動に十分対応できていないのが問題の本質である．新たな治療法として，もし応答性をもったホルモン産生細胞が再生できれば，より高度な恒常性を達成できる可能性がうまれる．これは，インスリン療法がすでに存在するものの，β細胞再生を目指す糖尿病領域と同じ立ち位置である．

ヒト ES/iPS 細胞から下垂体への分化

視床下部や下垂体に有力な組織幹細胞が存在すればそれを再生に利用する方法もあるが，現状では明確ではなく，材料としてはヒト ES/iPS 細胞を用いるのが妥当である．ヒトの視床下部・下垂体を作るに際しては，それらが機能性をもっていることが重要である．機能性とは，ホルモンを実際に分泌することと，周囲環境に応じて調節する能力をもつこと，である．また，臨床に用いうるものを作るため，遺伝子導入などによる強制発現は行わない．これらを満たすために，われわれは多能性幹細胞を立体的に培養することで胚様体とよばれる胎児に似た構造物を作り，培養条件を工夫して胎児発生を試験管内で再現する戦術を採った[2]．具体的には以下のステップを順に解決し・・・

- 胎児発生初期と同様に，視床下部と口腔外胚葉とを同時誘導する．
- その2層の相互作用により，下垂体原基(Rathke)を形成する．
- Rathke 囊から下垂体ホルモン産生細胞へ分化成熟させる．

・・・すべての種類の下垂体ホルモン産生細胞を分化誘導することが可能になった．ACTH 細胞は，試験管内にて CRH で分泌促進し，かつ，糖質コルチコイドで分泌抑制されるという機能性をもつことを証明した．これを下垂体機能不全モデルマウスへ移植することで自発活動と生命予後とを改善する治療効果を示した (図1)[3]．GH 細胞，PRL 細胞についても試験管内のみの分化で機能性を再現できるようになっている．

視床下部-下垂体系の再現

1つの胚様体内で視床下部組織と下垂体組織とが隣接して相互作用することで成熟が促され，ヒト iPS 細胞から誘導した ACTH 細胞は，1細胞あたりの分泌能力が成体マウスの下垂体 ACTH 細胞と遜色ないレベルまで高まっている[4]．さらに

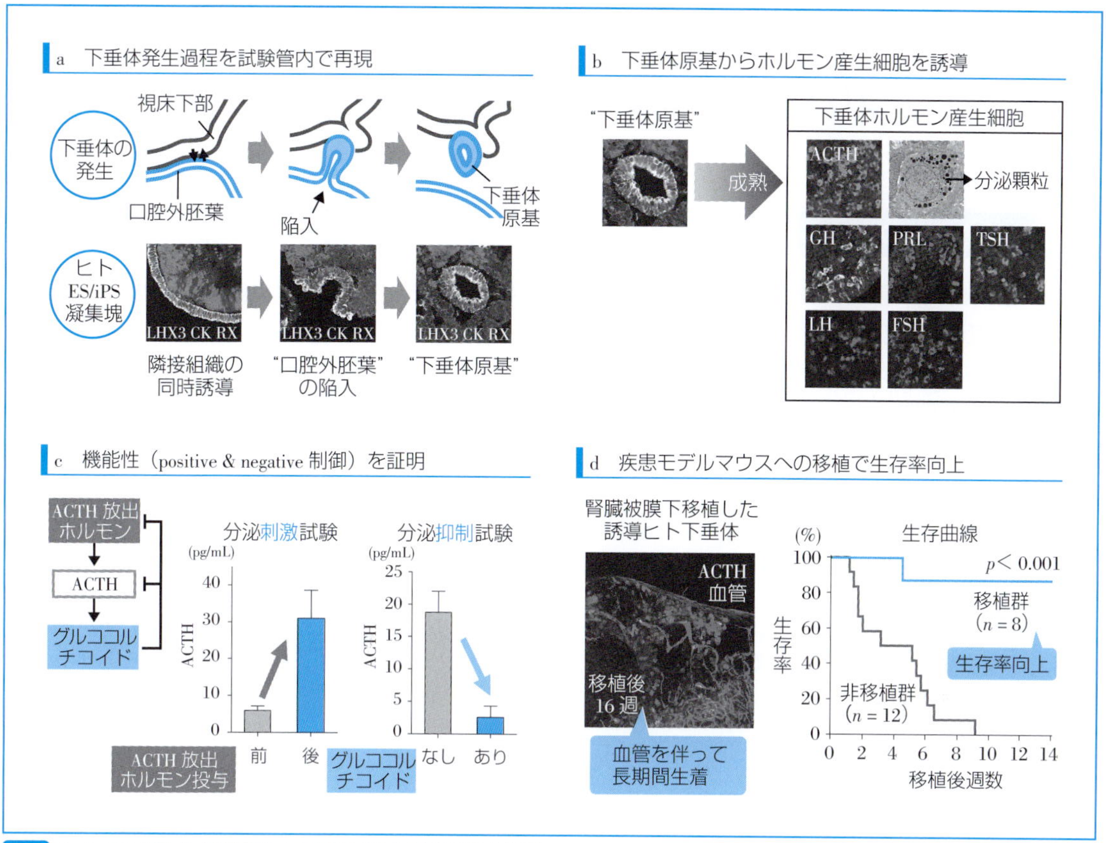

図1 ヒトES細胞から機能的な下垂体前葉の試験管内誘導
〔Ozone C, et al.：Functional anterior pituitary generated in self-organizing culture of human embryonic stem cells. Nat Commun 2016；7：10351 より引用〕

(▶口絵カラー㉚，p.xvii 参照)

この胚様体を低血糖状態に曝すと，視床下部組織内のグルコース感受性神経からCRH神経，そして下垂体ACTH細胞へとシグナルが伝達されて培地中にACTHが分泌される[4]．

疾患研究への応用

OTX2遺伝子異常による先天的な下垂体低形成を，疾患特異的iPS細胞を用いて再現し，解析した．視床下部組織からのFGF10シグナルが不足することで下垂体原基の成熟が阻害されアポトーシスが発生しているという病態が初めて示された[5]．

今後の達成目標

以上が現在の到達地点である．今後，臨床に向けて，生物由来原料基準に適合した分化法開発，細胞製剤のコンセプト決定，品質管理基準設定，臨床投与経路の決定，非臨床（マウスまたはラット）レベルの治療効果証明，非臨床（マウスまたはラット）安全性試験，サルでの前臨床試験などを順に解決していく．

文献

1) Hahner S, et al.：High incidence of adrenal crisis in educated patients with chronic adrenal insufficiency：a prospective study. *J Clin Endocrinol Metab* 2015；**100**：407-416.
2) Suga H, et al.：Self-formation of functional adenohypophysis in three-dimensional culture. *Nature* 2011；**480**：57-62.
3) Ozone C, et al.：Functional anterior pituitary generated in self-organizing culture of human embryonic stem cells. *Nat Commun* 2016；**7**：10351.
4) Kasai T, et al.：Hypothalamic contribution to pituitary functions is recapitulated in vitro using 3D-cultured human iPS cells. *Cell Rep* 2020；**30**：18-24.
5) Matsumoto R, et al.：Congenital pituitary hypoplasia model demonstrates hypothalamic OTX2 regulation of pituitary progenitor cells. *J Clin Invest* 2020；**130**：641-654.

2 下垂体機能低下症の移行期医療（小児がん経験者も含む）

東京都立多摩総合医療センター内分泌代謝内科　**辻野元祥**

▶▶ 臨床医のための Point ▶▶▶

1. 下垂体機能低下症の成人期への移行にあたっては，診療ロードマップに準じ，患者の年齢と理解度に応じて，患者および保護者への教育を早期から開始する．
2. 移行先は内分泌代謝科専門医が望ましく，小児科と成人診療科での直接の連絡が望まれる．
3. 特に性腺機能低下症を合併する場合，妊孕性の低下については小児科と成人診療科で十分連絡を取り，説明内容と患者の理解度について確認する．
4. 小児期の成長ホルモン分泌不全症については移行時に一定の期間をおいて再評価を行う．

はじめに

小児期医療の進歩はめざましく，今日では小児期に発症した下垂体疾患患者のほとんどが成人期を迎えるに至る．

移行期医療の重要性が増すなか，小児期特有の疾患領域では移行が困難なこともあるが，下垂体疾患ではホルモンの補充療法が中心になることが多く，成人診療科における診療内容との共通項が多いため，比較的円滑に移行しうることが多い．本項では，内分泌代謝科専門医が移行期医療の受け手となる複合型下垂体ホルモン分泌不全症を中心に述べる．

複合型下垂体ホルモン分泌不全症の成因

複合型下垂体ホルモン分泌不全症(combined pituitary hormone deficiency：CPHD)は，下垂体前葉ホルモンまたは後葉ホルモンのいずれか複数のホルモン産生または分泌が障害され，様々なホルモン欠乏症状を呈する．成因は先天性のものと後天性のものがあり，多岐に及ぶ（表1）．腫瘍は良性，悪性を問わず，それ自体も CPHD の原因となりうるが，高線量(30Gy超)の頭蓋あるいは間脳下垂体への放射線照射も TSH, ACTH, GH, LH, FSH の分泌不全となりうる[1]．また，CPHD とは異なるが，アルキル化剤を含む化学療法は，男性でも女性でも性腺機能低下症の原因となりうる[2]．

移行後の経過観察のための検査

定期的に各種ホルモンの基礎値（甲状腺機能，ACTH，コルチゾール，〔男性では〕テストステロン，〔女性では〕エストラジオール），電解質，

表1 複合型下垂体機能低下症の成因

先天性		下垂体形成不全（無，低形成，invisible stalk 等） 脳神経系奇形に伴うもの（septo-optic dysplasia，前全脳胞症等） 下垂体発生分化にかかわる転写因子(PIT1, PROP1, HESX1, LHX3, LHX4, OTX2 等)の遺伝子異常
後天性	腫瘍性	頭蓋咽頭腫，胚細胞腫，神経膠腫，過誤腫・Rathke 嚢胞，髄芽腫，上衣腫，下垂体腺腫等
	外傷性	分娩外傷（骨盤位分娩，仮死等），放射線曝露，頭部外傷，外科的切除
	血行障害	下垂体卒中，Sheehan 症候群，動脈炎
	炎症性/浸潤性	自己免疫性下垂体炎，Langerhans 細胞組織球症，ヘモクロマトーシス，サルコイドーシス
	感染性	下垂体膿瘍，結核，梅毒，真菌（ヒストプラズマ症），寄生虫（トキソプラズマ症）等

〔日本小児内分泌学会HP 移行期医療支援ガイド　複合型下垂体ホルモン分泌不全症．http://jspe.umin.jp/medical/files/transition/CPHD_table1,2.pdf より引用〕

表2 診断後，成人期までの自立支援を中心とする診療ロードマップ

支援する年齢	乳児期	幼児期		学童期（小学生）		思春期（中学生）	青年期	成人期
	0〜1歳	1〜3歳	3〜6歳	7〜9歳	10〜12歳	13〜15歳	16〜19歳	20歳〜
医師	・家族へ丁寧に病気の説明をする ・子どもにも診察して声をかける		・子どもの言葉で，他の子どもとの違い，病気の説明を行う ・病気に伴う体調不良時の症状を教える	・正しい病名とより深い病態について説明する ・検査の内容や目的をわかりやすく説明する ・移行についても話題とする		・子ども自身が，疾患をどこまで理解しているか，確認する ・診察室で子どもだけの時間，空間をつくる	・子ども自身が，病状，検査，治療ができているか，治療行動ができているか，を確認する ・親離れ，子離れが始まっていることを確認する	

〔日本小児内分泌学会 HP 移行期医療支援ガイド 総論. http://jspe.umin.jp/medical/files/transition/generalremarks_figure2.pdf より引用〕

表3 成人移行チェックリスト（記入例）

チェックリスト（内分泌代謝科）

名前	（自動入力）
ID	（自動入力）
誕生日	2000年3月

		チェック項目	はい	ある程度	いいえ	該当なし
病気，治療	1	病名／体質を知っていますか	2018年1月			
	2	受けている治療，薬の効果／副作用を知っていますか	2018年3月	2018年1月		
	3	気をつける症状／応急処置を知っていますか	2018年3月	2018年1月		
健康管理	4	医療記録，検査記録を管理していますか		2018年3月	2018年1月	
	5	生活での注意事項を相談したことがありますか		2018年3月		
	6	結婚／妊娠・出産について相談したことがありますか				2018年1月
自立，受け止め	7	自分自身で生活の管理ができますか		2018年1月		
	8	病気のことを周囲の人に話せますか			2018年1月	
その他（疾患特異的事項）	9					
コメント	1	内服の管理は母親が行っている				

〔日本小児内分泌学会 HP 移行期医療支援ガイド 総論：チェックリスト（内分泌代謝科）. http://jspe.umin.jp/medical/transition.html より引用〕

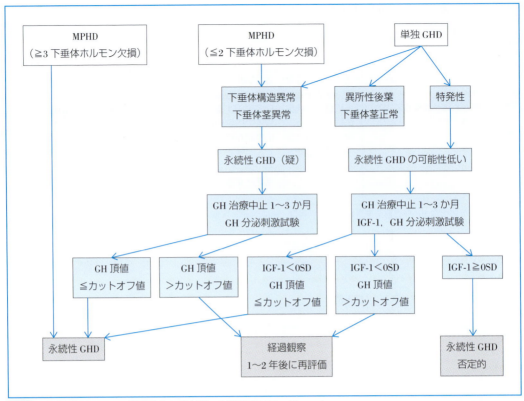

図1 小児期成長ホルモン分泌不全の成人期への移行のフローチャート

〔Quigley CA, et al.：United States multicenter study of factors predicting the persistence of GH deficiency during the transition period between childhood and adulthood. Int *J Pediatr Endocrinol* 2013；**2013**：6 より引用〕

肝機能，腎機能，脂質を含む生化学検査，肝エコー，骨密度などをフォローする．

移行後の補充療法

欠損しているホルモン（グルココルチコイド，甲状腺ホルモン，性ホルモン，成長ホルモン，抗利尿ホルモンのうち必要なもの）を補充する．グルココルチコイドとしては，ヒドロコルチゾン（商品名：コートリル）を10～20mg/日投与する．日内リズムに合わせ，朝食後1回でも問題ないが，20mgを朝食後15mg，夕食後5mgに分割，15mgを朝食後10mg，夕食後5mgに分割して服用することも多い．ストレス時やシックデイ時には通常の2～3倍量を摂取するよう，普段から確認しておく．甲状腺ホルモンの補充量は25～200μg/日で1日1回服用とする．男性性腺機能低下では，テストステロンエナント酸エステル（エナルモンデポー®）1回250mgを2～4週ごとに筋肉内注射する．挙児希望がある場合は，その間，hCG-hMG療法に切り替える．女性性腺機能低下症では，カウフマン療法を行う．成長ホルモン補充については後述する．抗利尿ホルモン補充には

デスモプレシン・スプレー点鼻薬あるいはデスモプレシン経口薬（ミニリンメルト®）を用いる．

移行を進めるにあたって留意するべき点

移行を進めるにあたっては，①疾患管理についての医療者，養育者から患者本人への移行，②診療の中心となる診療科の移行，③成人後の生理的変化に即した治療内容の移行，の3つの要素があることに留意する必要がある[3]．

①については，「診療ロードマップ」（表2）に準じ，患者の年齢と理解度に応じて，患者および保護者への教育を早期から開始する．思春期（13～15歳）には緩やかに移行の準備を開始し，青年期（16～19歳）には具体的な移行を検討する．成人移行チェックリスト記入例（表3）に基づき，移行に向けての用意を進める．移行年齢はあくまでも目安であり，拙速を避けることが望まれる．特に，性腺機能低下症を合併する場合，妊孕性の低下について，患者自身が現実的な問題として受け止めることは通常容易ではない．この点については，小児科と成人診療科で説明内容と患者本人の

理解度について直接確認することが望まれる．②については，内分泌代謝科専門医が移行先としては望ましい．なおかつ，個人情報は秘匿しながらも，前述のように，電話やメール等で直接の連絡が取れることが望ましい．移行（transition）と転科（transfer）は同意ではない．小児診療科と成人診療科が協力し並行して診療することもありうる．③については，特に成長ホルモン（GH）について考慮する必要がある．小児期に単独の成長ホルモン分泌不全症（GHD）を認めた場合や下垂体ホルモンの欠損が2種以下の場合には，1か月以上の休薬を経て成長ホルモン分泌刺激試験を行う方針が，日本小児内分泌学会から示されている（図1）[4]．下垂体ホルモンが3種類以上欠損している場合にはGHDは永続的であることが報告されている[4]．一方，IGF-1が平均値以上の場合には，GHDは否定的である[5]．永続的なGHDが存在する場合，移行後もGH補充を継続することで体組成の維持に有効であるが，補充の至適量については今後の検証を必要とする[6]．

おわりに

CPHDにおける移行期医療は不足しているホルモンを補充することが基本であるが，GHDについては移行期に再評価を必要とする場合があること，性腺機能低下症に伴う妊孕性の低下について慎重な対応を要すること，など小児科と成人診療科の間での十分なコミュニケーションが望まれる．

文献

1) Mostoufi-Moab S, *et al.*：Endocrine abnormalities in aging survivors of childhood cancer：a report from the childhood cancer survivor study. *J Clin Oncol* 2016；**34**：3240-3247.
2) Children's oncology group：Long-term follow-up guidelines for survivors of childhood, adolescent, and young adult cancer version 5.0（2018）. http://www.survivorshipguidelines.org/pdf/2018/COG_LTFU_Guidelines_v5.pdf
3) Hasegawa Y, *et al.*：Three practical principles in planning and developing health care transition：our personal perspectives. *Clin Pediatr Endocrinol* 2018；**27**：109-112.
4) Quigley CA, *et al.*：United States multicenter study of factors predicting the persistence of GH deficiency during the transition period between childhood and adulthood. *Int J Pediatr Endocrinol* 2013；**2013**：6.
5) Maghnie M, *et al.*：Growth hormone（GH）deficiency（GHD）of childhood onset：reassessment of GH status and evaluation of the predictive criteria for permanent GHD in young adults. *J Clin Endocrinol Metab* 1999；**84**：1324-1328.
6) Grimberg A, *et al.*：Guidelines for growth hormone and insulin-like growth factor-I treatment in children and adolescents：growth hormone deficiency, idiopathic short stature, and primary insulin-like growth factor-I deficiency. *Horm Res Paediatr* 2016；**86**：361-397.

3 濾胞星状細胞と細胞外マトリクス

神奈川大学理学部生物科学科　藤原　研

> **臨床医のための Point ▶▶▶**
> 1. 濾胞星状細胞は，下垂体前葉に存在する非ホルモン産生細胞である．
> 2. 下垂体前葉には多種多様の細胞外マトリクスが存在する．
> 3. 濾胞星状細胞は，インテグリンを介して細胞外マトリクスをリガンドとして受容する．
> 4. 濾胞星状細胞は，細胞外マトリクスのリモデリングに関与することが示唆されている．

はじめに

　濾胞星状細胞は，下垂体前葉内で濾胞を形成する星形を呈する形態をもつ無顆粒性細胞として同定された細胞である．その役割に関して多くの報告がなされ，おもに掃除細胞（スカベンジャー細胞），成体の下垂体幹／前駆細胞，支持細胞としての機能が考えられている．また，濾胞星状細胞は線維芽細胞増殖因子（FGF），血管内皮細胞増殖因子（VEGF），トランスフォーミング増殖因子（TGF-β），ミッドカインなど様々な細胞増殖因子を分泌して近傍の細胞の機能を調節する働きをもつことがわかってきた．一方，下垂体前葉組織は細胞だけで構成されているわけではなく，様々な細胞外マトリクス（extracellular matrix：ECM）が細胞間を埋めている．ECM には各種コラーゲン，ラミニン，フィブロネクチンなどのタンパク質分子やグリコサミノグリカンのような多糖などがある．それら分子は複合体を形成し，シート状の基底膜であったり線維状やゲル状で細胞間隙を満たすなど，多様な形状として細胞外に存在している．様々な組織において ECM は細胞間を埋める緩衝材としてだけではなく，細胞の生存，増殖，分化，移動を調節する重要な機能も併せもつ．本項では，下垂体前葉にみられる濾胞星状細胞と ECM の相互作用について最近の知見を紹介する．

ECM による濾胞星状細胞の形態変化

　前葉内の濾胞星状細胞は互いにギャップ結合により機能的に連絡している．濾胞星状細胞同士の相互連絡は，下垂体前葉内でネットワークを構成してホルモン細胞の機能調節に関与すると考えられている．この濾胞星状細胞ネットワークの調節に，ECM-インテグリンシグナルがかかわっていることを示す研究が報告されている．インテグリンは，α サブユニットと β サブユニットのヘテロダイマーからなる ECM 受容体である．哺乳類では，18種類の α サブユニット，8種類の β サブユニットがあり，それらの組合せで 24 種類のインテグリンが同定されており，各々は ECM 分子に対するリガンド特異性をもつ．ラットを用いた研究から，濾胞星状細胞はインテグリン $\alpha 1$，$\alpha 3$，$\alpha 6$，$\beta 1$ を発現しており，それらの組合せから複数種のインテグリンを保有することが推定される．ラット下垂体前葉細胞の初代培養系での実験では，濾胞星状細胞は基底膜構成分子（IV 型コラーゲン，ラミニン，フィブロネクチン）や線維性コラーゲン（I 型，III 型コラーゲン）に高い親和性を示すことがわかった．ECM 存在下では，ECM 非存在下に比べて細胞は扁平になり細胞突起を伸長して互いに結合するなど著しい形態変化を起こし，細胞分裂が誘導される[1]．さらに，組織内の濾胞星状細胞間でみられるギャップ結合は培養条件下でも再構築されるが，ギャップ結合の構成分子であるコネキシン 43 の発現量はラミニン存在下で増加する．このラミニンの効果は，インテグリン $\beta 1$ の吸収抗体により完全に阻害されることから，ECM-インテグリン経路を介して引き起こされることがわかった[2]．一方，ECM による細胞分裂促進作用もインテグリン $\beta 1$ を介する．インテグリン $\beta 1$ が ECM に結合することで細胞内の mitogen-activated protein kinase（MAPK）経路が活性化され，サイクリン D1 産生を増加させ，細胞分裂が引き起こされる．興味深いことに，この経路は細胞膜陥没構造（カベオラ）の主要構成分子であるカベオリン 3 を介することが明らかとなった[3]．インテグリン $\beta 1$ は様々な細胞内シグナルを活性化するが，インテグリンシグナルにカベオリン 3 のような他の細胞膜構成分子が関与することで細胞内シグナル伝達経路の多様性が作られる可能性がある．

ECM 成分の合成と分解への濾胞星状細胞の関与

濾胞星状細胞は受動的に ECM を受容しているだけでなく，ECM 合成や分解にも関与することが報告されている．ゴナドトロフはラミニンを合成するが，ラット下垂体初代培養細胞の 3 次元培養実験から，濾胞星状細胞を含まない細胞塊では細胞間にラミニンが蓄積されず，代わりに細胞質にラミニン陽性を示すゴナドトロフが出現するようになることが報告されている[4]．興味深いことに，ラミニンの mRNA は濾胞星状細胞の有無にかかわらず変化しないが，濾胞星状細胞の馴化培地を濾胞星状細胞が含まれない細胞塊に添加すると，ゴナドトロフの細胞質中のラミニン陽性反応が減少する．これらのことから，濾胞星状細胞が分泌する液性因子がゴナドトロフからのラミニン放出を促進することが示唆された[4]．また，濾胞星状細胞は I 型，III 型コラーゲンの合成を調節することも示唆されている．下垂体前葉では，毛細血管を構成するペリサイト（周皮細胞）が I 型，III 型コラーゲンを合成するが，濾胞星状細胞を除いて培養するとこれらのコラーゲン合成が減少する．この現象は，線維化因子として重要な TGFβ2 シグナルで説明される．すなわち，濾胞星状細胞は TGFβ2 を発現しており，ペリサイトは TGFβ 受容体を発現している．TGFβ2 刺激はペリサイトで TGFβ 受容体シグナルである SMAD2 の核移行を誘導し，TGFβ2 は濾胞星状細胞を含まない下垂体前葉初代培養細胞において I 型，III 型コラーゲン産生を促進する[5]．一方，濾胞星状細胞は ECM 分解酵素である matrix metalloproteinase-9（MMP9）を産生し，ECM を分解することもできる[6]．そしてラミニンは濾胞星状細胞での MMP9 産生を増加させる作用がある．興味深いことに，siRNA や阻害薬で MMP9 の機能を抑制すると，濾胞星状細胞のラミニンへの応答（形態変化，細胞増殖促進）がなくなってしまう[6]．これらのことから，ECM シグナルを受容する仕組みには，単に細胞が ECM に接着するだけでなく ECM 成分の分解を伴うことが必要であると考えられる．

おわりに

以上のように，濾胞星状細胞は ECM シグナルを受容するだけではなく，ECM の合成・放出・分解にも働くことがわかってきた．つまり，濾胞星状細胞の新たな役割として，下垂体前葉内での ECM リモデリング（再構築）を担うことが考えられる．下垂体前葉内には各種 ECM 分子が存在し，それらの構成分子は胎生から成体に至る下垂体の器官形成の過程で時空間的に著しく変化している．また，性周期や妊娠，ストレス応答など様々な生理条件下における前葉細胞の変化に伴い，局所的な ECM リモデリングが引き起こされていることはまず間違いないだろう．さらに，ヒト下垂体腫瘍で ECM 成分に多様性があることが報告されてきており[7]，今後，濾胞星状細胞ーECM シグナルと組織形成やホルモン分泌，腫瘍発生との関連性の解明が期待される．

文献

1) Horiguchi K, et al.: Living-cell imaging of transgenic (S100b-GFP) rat anterior pituitary cells in primary culture reveals novel characteristics of folliculo-stellate cells. J Endocrinol 2010; **204**: 115-123.
2) Horiguchi K, et al.: The extracellular matrix component laminin promotes gap junction formation in the rat anterior pituitary gland. J Endocrinol 2011; **208**: 225-232.
3) Horiguchi K, et al.: Caveolin 3-mediated integrin β1 signaling is required for the proliferation of folliculostellate cells in rat anterior pituitary gland under the influence of extracellular matrix. J Endocrinol 2011; **210**: 29-36.
4) Tsukada T, et al.: Folliculostellate cells are required for laminin release from gonadotrophs in rat anterior pituitary. Acta Histochemica et Cytochemica 2014; **47**: 239-245.
5) Tsukada T, et al.: Folliculostellate cell interacts with pericyte via TGFβ2 in rat anterior pituitary. J Endocrinol 2016; **229**: 159-170.
6) Ilmiawati C, et al.: Matrix metalloproteinase-9 expression in folliculostellate cells of rat anterior pituitary gland. J Endocrinol 2012; **212**: 363-370.
7) Tofrizal A, et al.: Alterations of collagen-producing cells in human pituitary adenomas. Med Mol Morphol 2016; **49**: 224-232.

4 本態性高ナトリウム血症とNax自己抗体

東海大学医学部総合診療学系小児科学　**松田晋一**

臨床医のための Point ▶▶▶

1. Naxは濃度依存性に開口するNaチャネルで，体液Na濃度センサーとして働く．
2. 本態性高ナトリウム血症を呈する患者の一部では，抗Nax抗体が存在する．
3. 塩分・水分摂取行動異常のほかに，摂食行動にも問題があり肥満を呈することもある．

はじめに

　本態性高ナトリウム血症は口渇中枢障害を伴う高ナトリウム血症で，血清Na高値の持続（150 mEq/L以上）にもかかわらず口渇感を欠き，脱水，および水分・塩分の摂取障害などの明らかな原因がないものと定義される．正中奇形（全前脳胞症など）・視床下部下垂体病変を伴い口渇感が喪失している場合も多いが，脳内器質病変がない症例も存在する[1]．脳内器質病変を認めなかった自験例において，基礎生物学研究所統合神経生物学研究部門の檜山武史，野田昌晴らにより，抗Nax抗体が証明された．この症例の解析は誌上掲載[2]され，"Must read" paper by faculty of 1000に選ばれている．本項ではこの自験例につき臨床的側面を述べる．

自験例

　症例は女児で，5歳時に肥満を指摘され精査目的に医療機関を受診した際には血清電解質異常はなく（Na 138 mEq/L，K 3.7 mEq/L），身長110 cm（＋1.4SD），体重30.6 kg（＋4.7SD）であり単純性肥満と診断された．1年後頃より易疲労感，頸部痛を訴え受診した．

　血圧110/70 mmHg，脈拍数132回/分，意識レベルはJCS-1であった．Na 199 mEq/L，K 2.8 mEq/L，Cl 158 mEq/Lと著明な高ナトリウム血症を認めた．頻脈，濃縮尿（尿比重1.038）より高張性脱水と判断し輸液を開始した．入院7日目に血清Na 147 mEq/Lとなったが，アルドステロン（臥位）245 pg/mL，レニン活性49.5 ng/mL/時と高値を示した．腹部超音波検査，MRIにて下大静脈背側の右副腎近傍にMIBGシンチで集積（－）の腫瘤があり，機能性腫瘍を疑い腫瘍摘出術を施行した．病理診断は神経節腫で，レニン顆粒は染色されなかった．腫瘍摘出後も血清Naは高いままで，血漿浸透圧に見合ったADH上昇を認めなかった．腎動脈造影，分腎採血では異常がなかった．水制限試験にてADH上昇を認めなかった．本患児は高ナトリウム血症の持続にもかかわらず口渇感を欠き，本態性高ナトリウム血症と診断した．当時，電位依存性ではなく濃度依存性に開口するNaチャネルであるNaxが，生体内でNa濃度センサーとして働いていることが野田らにより明らかにされていた[3-6]．本患児においてまずNaxチャネルの遺伝子異常について検索したが明らかな異常を認めず，次に患者血清中に自己抗体が存在している可能性を探索したところ，その存在が確認された．興味深いことに摘出された神経節腫の細胞はNaxを発現しており，いわゆる傍腫瘍症候群としてNax抗体が産生され，本態性高ナトリウム血症を呈したものと考えられた．

　檜山らは本件患児の血清中のIgG分画をマウスに投与し，生体内で脳弓下器官（同部位にNaxが発現）に到達して細胞障害を生じること，さらに飲水行動，塩分摂取行動の異常とともに高ナトリウム血症が再現されることを示し，自験例におけるNax抗体が本態性高ナトリウム血症の原因となることを証明した[7,8]．本患児は発症時に肥満，脂質異常症を併発していたが，その後2型糖尿病を発症した．15年が経過するが，依然として口渇の訴えなく，高ナトリウム血症を呈し，摂食行動にも障害がある．さらにNax以外の抗原に対する自己抗体が示唆される報告もあり[9]，今後の解析が待たれる．

水分および塩分の摂取行動

　第三脳室前壁に存在する脳弓下器官（subfornical organ：SFO），終板脈管器官（organum vasculosum laminae terminalis：OVLT）などの感覚性脳室周囲器官（sensory circumventricular organs：sCVOs）に存在するアストロサイトや上衣細胞に発現するNaxの機能障害が本態性高ナトリウム血症と関連し，循環血液量の低下時に増加するアンジオテンシ

Ⅱ(Ang Ⅱ)がSFOに存在するAT1a受容体で感知され，水分および塩分摂取行動を促すニューロンの活動と関連していることが示された[10]．以上よりsCVOsはNaxやAT1a受容体を介して，ナトリウムや体液量の調整を担う主要な器官であることが証明された．

文献

1) 五十嵐 隆：本態性高ナトリウム血症．五十嵐 隆：小児の血液電解質異常の臨床，第1版，診断と治療社，1998；95-98.
2) Hiyama TY, *et al.*：Autoimmunity to the sodium-level sensor in the brain causes essential hypernatremia. *Neuron* 2010；**66**：508-522.
3) Hiyama TY, *et al.*：Na(x) channel involved in CNS sodium-level sensing. *Nat Neurosci* 2002；**5**：511-512.
4) Watanabe E, *et al.*：Sodium-level-sensitive sodium channel Na(x) is expressed in glial laminate processes in the sensory circumventricular organs. *Am J Physiol Regul Integr Comp Physiol* 2006；**290**：R568-576.
5) Shimizu H, *et al.*：Glial Nax channels control lactate signaling to neurons for brain[Na^+]sensing. *Neuron* 2007；**54**：59-72.
6) Noda M：Hydromineral neuroendocrinology：mechanism of sensing sodium levels in the mammalian brain. *Exp Physiol* 2007；**92**：513-522.
7) Sakuta H, *et al.*：Nax signaling evoked by an increase in[Na^+]in CSF induces water intake via EET-mediated TRPV4 activation. *Am J Physiol Regul Integr Comp Physiol* 2016；**311**：R299-306.
8) Hiyama TY, *et al.*：Sodium sensing in the subfornical organ and body-fluid homeostasis. *Neurosci Res* 2016；**113**：1-11.
9) Hiyama TY, *et al.*：Adipsic Hypernatremia without Hypothalamic Lesions Accompanied by Autoantibodies to Subfornical Organ. *Brain Pathol* 2016；**27**：323-331.
10) Matsuda T, *et al.*：Distinct neural mechanisms for the control of thirst and salt appetite in the subfornical organ. *Nat Neurosci* 2017；**20**：230-241.

5 免疫チェックポイント阻害薬関連下垂体炎

奈良県立医科大学糖尿病・内分泌内科学　**髙橋　裕**

> **≫ 臨床医のための Point ▶▶▶**
>
> 1. 免疫チェックポイント阻害薬治療中の内分泌免疫関連副作用は，甲状腺炎，下垂体炎を高頻度に認める．
> 2. 特に下垂体炎では中枢性副腎不全が必発なので，適切な診断・治療が必要である．
> 3. 下垂体炎は比較的急激に発症するので，定期的な ACTH，コルチゾールの採血よりも，全身倦怠感，食思不振，低 Na 血症，好酸球増多などの所見を見逃さないことが重要である．
> 4. 抗 CTLA-4 抗体と抗 PD-1/PDL-1 抗体による下垂体炎の病像，機序は異なる．
> 5. 甲状腺炎，下垂体炎においては適切な補充療法を行えば，免疫チェックポイント阻害薬の継続は可能である．

免疫チェックポイント阻害薬とは

がん細胞は，免疫チェックポイント分子による免疫抑制機能を活用して免疫系から逃避している．元来，免疫チェックポイント分子は過剰な免疫反応を避け，自己に対する免疫応答を抑制するために機能しており，CTLA-4，PD-1 以外にも TIM-3，BTLA，LAG2 など多くの分子がある．免疫チェックポイント阻害薬は抗体として，その免疫チェックポイント分子あるいはそのリガンドに結合しシグナルを阻害することによって，免疫チェックポイント分子による T 細胞の活性化抑制を解除する[1]．

このように腫瘍免疫を活性化することにより，これまで治療法がなかった末期癌でも奏効することがあるが，全体の奏効率は 20 〜 30％ にとどまる．免疫チェックポイント阻害薬は非常に高価であることもあり，どのような腫瘍に効果があるのか投与前に予測することは重要である．これまでに明らかになっている効果と関連した予測因子として，腫瘍 DNA 変異（ネオアンチゲン）の多さ，腫瘍における免疫細胞浸潤，腫瘍における PDL-1 発現量などが報告されている．

CTLA-4 は活性化 T 細胞や制御性 T 細胞に発現しており，抗原提示細胞の B7 と結合することによって，T 細胞の活性化を抑制する．制御性 T 細胞は，CTLA-4 によって抗原提示細胞の成熟を抑制している．抗 CTLA-4 抗体はこれらの CTLA-4 シグナルを阻害し，T 細胞上の共刺激分子である CD28 と B7 の結合を可能にすることによって T 細胞を再活性化する．さらに制御性 T 細胞の免疫抑制機能を低下するとともに，腫瘍組織中の制御性 T 細胞を減少させ細胞障害性 T 細胞の抗腫瘍効果を促進する．

活性化した T 細胞には PD-1（受容体）が発現しており，がん細胞が発現したリガンドである PDL-1 あるいは PDL-2 が結合すると，T 細胞機能は抑制され，がん細胞の免疫逃避を引き起こす．抗 PD-1 抗体あるいは抗 PDL-1 抗体によってその相互作用が阻害されると，T 細胞の抗腫瘍効果は再活性化される．

免疫チェックポイント阻害薬による自己免疫関連副作用（irAE）

免疫チェックポイント分子が自己免疫応答を抑制する機能をもつことから，免疫チェックポイント阻害薬は非特異的に T 細胞の免疫機能を促進し，T 細胞が全身の臓器に浸潤して，過剰な自己免疫反応を引き起こす．この副作用は様々な自己免疫疾患に類似した症状を引き起こすため，免疫関連副作用（immune-related adverse event：irAE）とよばれる．irAE は皮膚，消化器系，内分泌系，神経系など全身のあらゆる臓器に起こるが，大腸炎，間質性肺障害，脳炎，ギランバレー症候群，心筋炎，腎炎，重度の皮膚障害，血小板減少症など重篤な症状を引き起こすことがある．これらの irAE は投薬を中止しても持続することが多く，重篤な症状の場合には投薬中止し，薬理的ステロイド治療が必要となることがある．

自己免疫関連副作用による内分泌腺障害

内分泌関連 irAE で最も多いのは甲状腺炎，下垂体炎である．まれに原発生副腎皮質機能低下症，

1型糖尿病が起こり，さらにごくまれなものとして副甲状腺機能低下症，脂肪萎縮症の症例報告がある．発症頻度について，甲状腺炎は，combination therapy（抗CTLA-4抗体＋抗PD-1抗体）＞抗PD-1/PDL-1抗体＞抗CTLA-4の順に多く，下垂体炎はcombination therapy＞抗CTLA-4抗体＞抗PD-1/PDL-1抗体の順に多い．また下垂体炎と甲状腺炎，さらに1型糖尿病など複数のirAEが合併することもあるので，注意が必要である．

免疫チェックポイント阻害薬関連下垂体炎の疫学，病態，発症機序，治療方針

1 疫学

当初免疫チェックポイント阻害薬関連下垂体炎は比較的まれだと考えられてきたが，その後比較的高頻度であり，combination therapy（4〜13％），抗CTLA-4抗体（2〜24％），抗PD-1/PDL-1抗体（1〜10％）の頻度が報告されている．最近のシステマティックレビューでは，下垂体炎発症頻度について，combination therapyの抗CTLA-4抗体に対するORは2.2倍，抗CTLA-4抗体の抗PD-1抗体に対するORは3.4倍である[2]．興味深いことに，下垂体炎，甲状腺機能異常を発症した場合のほうが，生命予後が改善する可能性が示唆されている[3]．さらに下垂体炎に対して薬理量のステロイド投与が予後の悪化と関連している可能性も示唆されている．

2 病態

抗CTLA-4抗体と抗PD-1/PDL-1抗体による下垂体炎は明らかに病態が異なるので，表にまとめて示す（表1）．まず共通する病像として，いずれも高齢男性に多いが，これは元の腫瘍の有病率の影響も考えられる．異なる特徴としては，発症頻度（CTLA-4＞PD-1/PDL-1），発症までの期間（CTLA-4＜PD-1/PDL-1），下垂体腫大と関連した頭痛（CTLA-4＞PD-1/PDL-1），障害されるホルモン（CTLA-4＞PD-1/PDL-1）などがある．これらことから抗CTLA-4抗体の場合には，より早期により広汎な下垂体障害を認め，発症機序が抗PD-1/PDL-1抗体と異なる可能性が考えられる[4]．

3 発症機序

これまで抗CTLA-4抗体について，おもに動物モデルを使った検討が報告されている．マウスに抗CTLA-4抗体を投与すると下垂体炎を発症することが明らかになり，その機序としてTSH産生細胞，PRL産生細胞にCTLA-4が発現しており，抗体による直接作用が示唆されている．これらの下垂体細胞に抗CTLA-4抗体が結合した結果，補体の活性化が引き起こされ，II型アレルギーの機序で細胞障害が起こると考えられている．興味深いことにヒトにおいては，自己抗体として，抗コルチコトロフ，サイロトロフ，ゴナドトロフ抗体が検出されている[5]．また抗CTLA-4抗体が投与された剖検例では，下垂体へのリンパ球，マクロファージ浸潤とCd4，IgG2の沈着を認め，II型およびIV型アレルギーの機序の関与が示唆されている．

一方，抗PD-1/PDL-1抗体による下垂体炎の発症機序について，最近興味深い報告がある．症例の一部では血中抗コルチコトロフ抗体が陽性であり，その抗原はACTHの前駆体タンパクPOMCだった．そして抗コルチコトロフ抗体陽性例の腫瘍においては，異所性POMC発現が認められたことから，もともとPOMCに対する自己免疫が存在し，免疫チェックポイント阻害薬が投与されることによって，傍腫瘍症候群として顕在化しACTH産生細胞特異的傷害が引き起こされたと考えられた[6]．

4 治療方針

当初，下垂体炎に伴う中枢性副腎皮質機能低下症は重篤な有害事象と考えられ，特に抗CTLA-4

表1 免疫チェックポイント阻害薬関連下垂体炎の特徴

	抗CTLA-4抗体	抗PD-1/PD-L1抗体
発症頻度	2〜24％（用量依存性あり）	1〜10％
年齢，性別	高齢男性	
発症までの期間（平均）	9週	15〜54週
下垂体腫大	多い（＞60％，一過性）	まれ，軽度
頭痛	多い（＞60％，一過性）	まれ
症状，検査所見	全身倦怠感，頭痛	食思不振，全身倦怠感，低Na血症，好酸球増多
障害されるホルモン	ACTH（恒久的）TSH，LH，FSH（一過性）	ACTH単独欠損症（恒久的）

抗体において免疫チェックポイント阻害薬の中止と，薬理量のステロイドが用いられていた．しかしながら，薬理量のステロイド治療は，下垂体機能回復には結びつかないこと，免疫チェックポイント阻害薬の効果そのものを減弱させて生命予後の悪化をきたす可能性が示唆されたこと，またステロイドの副作用を上回るメリットがないことから，現在では補充療法が推奨されている．ただし，抗CTLA-4抗体に関連した下垂体腫大によって進行性の視力障害やコントロール困難な頭痛などの際には薬理量のステロイド治療を考慮してもよいが，多くは一過性なので慎重な判断が必要である．抗PD-1/PDL-1抗体による下垂体炎では基本的に補充療法で十分である．また免疫チェックポイント阻害薬自身についてもほかに重篤なirAEがなく，抗腫瘍効果が期待できれば継続されることが多い．

抗CTLA-4抗体の場合には中枢性副腎不全に加えて中枢性甲状腺機能低下症，性腺機能低下症を合併することが多い．性腺機能低下症については担癌患者の場合にはストレスの影響など多くの要因があるので，慎重に評価，補充の必要性を検討する．中枢性甲状腺機能低下症については，適切な補充が必要であるが，一過性の場合が多いので治療後もモニターしながら必要に応じて補充量を調節する．

内分泌緊急症としての対応

免疫チェックポイント阻害薬関連下垂体炎では中枢性副腎不全がほぼ必発であり，食思不振，全身倦怠感，体重減少，低Na血症，好酸球増多に注意が必要である．疑ったときには採血の結果を待たずにヒドロコーチゾンのホルモン補充療法，感染などを合併しているときには必要に応じてストレスに応じた適切な増量を行う．症状出現時にはコルチゾール低値を認めることが多いが，ACTHは正常範囲のこともある．担癌患者では，食思不振，全身倦怠感，体重減少はよくみられるが，下垂体炎を引き起こす症例では抗腫瘍効果が出て全身状態が改善している場合が多いので，このような症状と合わせて，低Na血症，好酸球増多があれば中枢性副腎不全の可能性が高いことを念頭におく．中枢性甲状腺機能低下症あるいは合併しうる甲状腺炎による甲状腺機能異常は定期的な採血によって診断できるが，中枢性副腎不全は比較的突然発症することも多く，定期的な採血による発症予測や診断は困難な場合が多い．上記の症状をみたときに速やかに採血と必要に応じて緊急の治療で対応することが重要である．また頭痛を訴える場合には下垂体MRIも撮影したほうがよい．腫大を認めるときには下垂体転移との鑑別が必要である．

またirAEは複数のものが合併することも多く，特に下垂体炎と甲状腺炎，1型糖尿病の合併の報告が増えている．1型糖尿病については治療のタイミングが遅れると，副腎不全と同様致命的になることもあるので注意が必要である．

おわりに

現在，免疫チェックポイント阻害薬は多くの癌に適応が拡大されており，治療される患者数は増える一方である．それに伴って内分泌関連irAEも著明に増加している．内分泌代謝科専門医として腫瘍内科医と連携しながら，適切に診断・治療を行うことが重要である．

文献

1) Postow MA, et al. : Immune-Related Adverse Events Associated with Immune Checkpoint Blockade. N Engl J Med 2018；**378**：158-168.
2) Barroso-Sousa, et al. : Incidence of endocrine dysfunction following the use of different immune checkpoint inhibitor regimens：A systematic review and meta-analysis. JAMA Oncol 2018；**4**：173-182.
3) Kobayashi T, et al. : Pituitary dysfunction induced by immune checkpoint inhibitors is associated with better overall survival in both malignant melanoma and non-small cell lung carcinoma：a prospective study. J Immunother Cancer 2020；**8**：e000779.
4) Takahashi Y : MECHANISMS IN ENDOCRINOLOGY：Autoimmune hypopituitarism：novel mechanistic insights. Eur J Endocrinol 2020；**182**：R59-R66.
5) Iwama S, et al. : Pituitary expression of CTLA-4 mediates hypophysitis secondary to administration of CTLA-4 blocking antibody. Sci Transl Med 2014；**6**：230ra45.
6) Kanie K, et al. : Mechanistic insights into immune checkpoint inhibitor-related hypophysitis: a form of paraneoplastic syndrome. Cancer Immunol Immunother 2021. doi：10.1007/s00262-021-02955-y.（Online ahead of print）

6 ドパミン作動薬の新たな副作用

奈良県立医科大学糖尿病・内分泌内科学　髙橋　裕

臨床医のための Point ▶▶▶

1. プロラクチノーマ，IGF-1 軽度上昇の先端巨大症ではドパミン作動薬が用いられる．
2. カベルゴリンはブロモクリプチンと比較して有効性が高く週1～2回投与でよく，消化器症状や起立性低血圧などの副作用が少ないので一般的に用いられている．
3. カベルゴリンの妊娠中投与は安全性が示唆されているが，妊娠の際には基本的には中止する．
4. カベルゴリンを週2mg以上使用するときには心臓弁膜症に注意が必要である．
5. 最近，カベルゴリンによる衝動制御障害という精神症状の副作用が報告されており注意が必要である．

ドパミン作動薬とプロラクチノーマ

　PRL 分泌制御において，視床下部の弓状核に細胞体をもち正中隆起に軸索を投射している隆起下垂体ドパミン性ニューロン（tuberoindibular dopaminergic neuron）からのドパミンがプロラクチン（PRL）内因性の抑制因子として重要な役割を果たしている．ドパミン受容体にはD1～5のサブタイプがあるが，D2受容体は線条体，側坐核，嗅結節などとともに下垂体前葉細胞，特にPRL分泌細胞に強く発現しており，その分泌制御にかかわっている[1]．D2受容体はG蛋白共役型受容体でGiと共役して細胞内のcAMPを減少させる[2]．プロラクチノーマにもD2受容体が発現しており，D2ドパミン受容体作動薬によって，PRL分泌抑制，腫瘍縮小，時には消失させることができるため治療の第一選択になっている[3]．ドパミン受容体作動薬として，麦角アルカロイドに含まれるブロモクリプチン，ペルゴリド，カベルゴリンと非麦角アルカロイドであるキナゴリドがあり，以前はブロモクリプチンがおもに使用されていたが，カベルゴリンは半減期が長く（43時間），有効性が高く1週間に1～2回の投与でよい点と副作用が少ないため一般的に用いられている．

妊娠に対する安全性

　カベルゴリンは高PRL血症による不妊治療目的で使用されることも多い．投与中に妊娠が確認された場合，基本的には直ちに投与を中止する．しかしmacroadenomaで増大傾向があるなどやむを得ず投与する場合，以前のガイドラインではブロモクリプチンへの変更を推奨されていたが，2020年の欧州内分泌学会のガイドラインではカベルゴリンの安全性が十分確認されたということで，妊娠希望の場合にもカベルゴリンが第一選択になっている．

一般的な副作用

　おもにD2受容体を介した嘔気・嘔吐，D1受容体を介した起立性低血圧を認めることがあるが，カベルゴリンでは少ない．頻度は少ないが胸水貯留，肺線維症，後腹膜線維症の報告もある．また向精神薬による高PRL血症に投与すると，精神症状が悪化することがあるため，向精神薬の減量・中止，変更の可否も含めて精神科医とよく相談する必要がある．最近ではドパミンパーシャルアゴニストとよばれる抗ドパミン作用の出にくい向精神薬（アリピプラゾール）への変更も選択肢となる．

心臓弁膜症

　カベルゴリンを含む麦角アルカロイドには5HT2B受容体を介した線維芽細胞増殖促進作用があり，心臓弁膜症の増加が報告されている．プロラクチノーマ，先端巨大症に対するドパミン作動薬の影響についてはこれまで8つのケースコントロールスタディ，1つの前向き試験があるが，2mg/週以下では心臓に関連した症状の新たな出現，増悪はない．また高PRL血症100例を対象とした前向き試験では，カベルゴリン総量278mg，125か月においても弁膜症の悪化を認めなかった．現在のガイドラインでは，週2mgよりも多く使用する際には，インフォームドコンセントと使用前の心エコーによるスクリーニング，フォローが必要とされている[4]．

衝動制御障害

最近，衝動制御障害（impulse control disorder：ICD）「自分または他人に危害を加えるような行為を行う衝動に抵抗できない」という精神症状が，カベルゴリンをはじめとする麦角アルカロイドによって引き起こされることが，特に欧米で報告され注目されている．具体的には性的放逸行動，性欲過剰，病的賭博，買い物依存，窃盗癖，放火癖，抜毛癖などがあり，深刻な場合には，ギャンブルによる破産や性的放逸行動による離婚などの報告もある．中脳辺縁系のD3受容体を介した作用（快楽中枢を介した中毒性）と考えられ，D3受容体に親和性の高い薬剤でより高いリスクがある[5]．たとえばドパミン作動薬を投与されたパーキンソン病，むずむず脚症候群の10～39%にICDを認め病的賭博，性欲過剰，買い物依存が多く，他の薬剤の200倍以上のリスクだった．最近プロラクチノーマにおける症例報告が増加している．77例のドパミン作動薬治療中プロラクチノーマと70例の非機能性腫瘍を比較したところ，性的放逸行動は有意に増加：13% vs. 4%（$p=0.03$）しており，特に男性のICDの頻度：28% vs. 4%（$p=0.01$）と7倍のリスクだったが，投与量，期間との相関は認めなかった．また308例の治療中のプロラクチノーマではICDは17%，性的放逸行動は6.5%に認め，男性で性的放逸行動が多く，女性では食行動異常が多かった．喫煙，アルコール，ギャンブル，テストステロン高値がリスクに関連していた[6]．これらのことからドパミン作動薬治療時には，男性で，性欲過剰，性的放逸行動やギャンブル，女性で，過食，買い物依存などについての可能性の説明と症状のフォローアップが必要と考えられる．今のところ日本における報告はないが，担当医，患者や家族もそのような症状が出ても気づいていない可能性もあるため，十分注意が必要である．

文献

1) Beaulieu JM, *et al.*：The physiology, signaling, and pharmacology of dopamine receptors. *Pharmacol Rev* 2011；**63**：182-217.
2) Gillam MP, *et al.*：Advances in the treatment of prolactinomas. *Endocr Rev* 2006；**27**：485-534.
3) Colao A, *et al.*：Medical treatment of prolactinomas. *Nat Rev Endocrinol* 2011；**7**：267-278.
4) Valassi, *et al.*：Clinical Review#：Potential cardiac valve effects of dopamine agonists in hyperprolactinemia. *J Clin Endocrinol Metab* 2010；**95**：1025-1033.
5) Moore TJ, *et al.*：Reports of pathological gambling, hypersexuality, and compulsive shopping associated with dopamine receptor agonist drugs. *JAMA Intern Med* 2014；**174**：1930-1933.
6) Dogansen SC, *et al.*：Dopamine agonist-induced impulse control disorders in patients with prolactinoma：a cross-sectional multicenter study. *J Clin Endocrinol Metab* 2019；**104**：2527-2534.

7 傍腫瘍症候群としての自己免疫性下垂体疾患

奈良県立医科大学糖尿病・内分泌内科学　髙橋　裕

>> 臨床医のための Point ▶▶▶

1. 自己免疫性下垂体疾患の一部は傍腫瘍症候群として発症する.
2. 抗PIT-1下垂体炎は胸腺腫, 悪性腫瘍に合併する.
3. ACTH単独欠損症の一部は合併する悪性腫瘍が原因である.
4. 内分泌疾患をみたときには他の併存疾患も合わせて病態を考える必要がある.

概念・病態・疫学

傍腫瘍症候群とは腫瘍随伴症候群ともよばれ, 腫瘍または転移巣から離れた部位で生じる症状と定義され, 癌患者の20%で合併する. その機序には不明なものもあるが, 腫瘍から異所性ホルモンを含む生理活性物質が産生される場合, 腫瘍における免疫反応が交差反応を示し自己免疫機序で障害される場合などがある. 傍腫瘍症候群に関連する癌として肺癌が最も多いが, そのほか腎癌, 肝細胞癌, 白血病, リンパ腫, 乳癌, 卵巣腫瘍, 神経原性腫瘍, 胃癌, 膵癌などで認める.

傍腫瘍症候群（paraneoplastic syndrome）における異所性ホルモン産生

異所性ホルモン産生腫瘍に伴う内分泌異常には下記などがある.

①異所性ACTH産生腫瘍によるCushing症候群（肺小細胞癌, 胸腺腫, カルチノイド, 褐色細胞腫, 甲状腺髄癌）
②異所性ADH産生腫瘍によるSIADH（肺小細胞癌, 非小細胞癌）
③PTHrP産生腫瘍による高Ca血症（HHM：肺扁平上皮癌, 頭頸部癌, 膀胱癌, 悪性リンパ腫, ATL）
④異所性カルシトニン産生腫瘍（無症状が多い：カルチノイド, 悪性黒色腫, 肺小細胞癌, 膵神経内分泌腫瘍, 神経芽細胞腫）

傍腫瘍性神経症候群（PNS）

傍腫瘍症候群のなかでも担癌患者に合併し, 免疫学的機序により生じる多様な神経症状は傍腫瘍性神経症候群（paraneoplastic neurological syndrome：PNS）と定義されている. 通常神経症状が腫瘍の発見に先行し, 特徴的な自己抗体が検出される. 腫瘍抗原に対する免疫反応が, 交差反応を引き起こして神経組織を障害することによって引き起こされる. たとえば, 肺小細胞癌に伴うLambert-Eaton症候群では, P/Q型電位依存性カルシウムチャネル（VGCC）抗体が検出される. 抗NMDA受容体脳炎は若い女性においてNMDA受容体を異所性に発現した卵巣奇形腫に対する免疫反応によって抗NMDA受容体抗体が産生され, 抑うつ, 無気力, 幻覚, 妄想などを呈し, 統合失調症と誤診されることもある.

傍腫瘍症候群としての自己免疫性下垂体疾患

橋本病や1型糖尿病など内分泌疾患のなかで, 自己免疫機序によるものは多い. 下垂体疾患のなかではリンパ球性下垂体炎, IgG4関連下垂体炎, ACTH単独欠損症などが自己免疫機序によると考えられている. 最近, 傍腫瘍神経症候群と同様の機序によって, 自己免疫性下垂体疾患が引き起こされることが明らかになった. 1つは抗PIT-1下垂体炎（抗PIT-1抗体症候群）で, もう1つはACTH単独欠損症の一部の症例である.

抗PIT-1下垂体炎（抗PIT-1抗体症候群）

私たちは, 後天性にGH, PRL, TSH特異的欠損症を呈した3例において血中に抗PIT-1抗体が存在することを見出し, 2011年に抗PIT-1抗体症候群と名付けて報告した[1]. その後, 特異的細胞傷害性T細胞によって下垂体におけるPIT-1発現細胞が傷害されること[2], PIT-1に対する免疫寛容の破綻の原因は, 異所性にPIT-1を発現した胸腺腫によること[3], さらに胸腺腫以外の異所性PIT-1発現悪性腫瘍でも発症すること[4]を見出した. これらのことから本疾患は症候群ではなく1つの疾患概念であり, 下垂体炎の一種であること

から，抗PIT-1下垂体炎と名前を修正し，診断基準を策定した（第2章D．下垂体前葉疾患各論20．抗PIT-1下垂体炎参照）[5]．これまで日本で9例見出されているが，中枢性甲状腺機能低下症で下垂体画像所見に乏しい場合には，見逃されている可能性があり，また，悪性腫瘍が潜在性に存在する場合もあるので注意が必要である．

傍腫瘍症候群による ACTH単独欠損症

ACTH単独欠損症は，抗コルチコトロフ抗体陽性例が多いこと，橋本病など自己免疫疾患の合併が多いこと，免疫チェックポイント阻害薬，特に抗PD-1/PDL-1抗体において免疫関連有害事象(irAE)として発症することから，自己免疫による発症機序が推測されているが，その原因はこれまで明らかではなかった．最近私たちは，肺の大細胞神経内分泌癌（LCNEC）に合併したACTH単独欠損症が，傍腫瘍症候群として発症したことを明らかにした[6]．LCNECには異所性にACTHの前駆体であるPOMCタンパクが発現しており，血中には抗POMC抗体とPOMC特異的細胞傷害性T細胞を認めた．これまでの報告で下垂体の剖検所見ではT細胞の浸潤を認めたこと，悪性腫瘍合併のACTH単独欠損症の報告が複数あることから，ACTH単独欠損症の少なくとも一部は傍腫瘍症候群として発症する可能性が示唆されている．傍腫瘍症候群の場合には腫瘍免疫も働くために進展が遅く小さな潜在性腫瘍の存在にも注意が必要である[6,7]．

傍腫瘍症候群としての自己免疫性下垂体疾患が示唆するもの

悪性腫瘍は成人の1/3〜1/2が発症しうること，腫瘍では様々な変異タンパクや異所性のタンパク発現が起こり，抗原となりうること，種々の悪性腫瘍に投与される免疫チェックポイント阻害薬のirAEでは甲状腺炎，下垂体炎だけではなく，副腎炎，1型糖尿病，副甲状腺機能低下症，脂肪萎縮症など様々な内分泌腺の自己免疫機序による障害が起こることを考えると，現在原因不明の自己免疫性内分泌疾患の一部は傍腫瘍症候群である可能性も考えられる．今後は内分泌学的観点だけではなく，免疫学，腫瘍学も含めたOnco-Immuno-Endocrinologyともいうべき学際的なアプローチが重要であるとともに，症例をみたときに悪性腫瘍の合併を偶然のものと考えず一元的に考察することが必要である[5,7]．

文献

1) Yamamoto M, et al.：Adult combined GH, prolactin, and TSH deficiency associated with circulating PIT-1 antibody in humans. J Clin Invest 2011；**121**：113-119.
2) Bando H, et al.：Involvement of PIT-1-reactive cytotoxic T lymphocytes in anti-PIT-1 antibody syndrome. J Clin Endocrinol Metab 2014；**99**：E1744-E1749.
3) Bando H, et al.：A novel thymoma-associated autoim-mune disease：Anti-PIT-1 antibody syndrome. Sci Rep 2017；**7**：43060.
4) Kanie K, et al.：Two cases of anti-PIT-1 hypophysitis exhibited as a form of paraneoplastic syndrome not associated with thymoma. J Endocri Soc 2021；**5**：bvaa9144.
5) Yamamoto M, et al.：Autoimmune pituitary disease：New concepts with clinical implications. Endocri Rev 2020；**41**：bnz003.
6) Bando H, et al.：Isolated adrenocorticotropic hormone deficiency as a form of paraneoplastic syndrome. Pituitary 2018；**21**：480-489.
7) Takahashi Y：MECHANISMS IN ENDOCRINOLOGY：Autoimmune hypopituitarism：novel mechanistic insights. Eur J Endocrinol 2020；**182**：R59-R66.

8 新規分子イメージングによる Cushing 病の局在診断

兵庫県予防医学協会健康ライフプラザ健診センター　**平田結喜緒**

臨床医のための Point ▶▶▶

1. [^{68}Ga]CRH　PET/CT 用いて下垂体 MRI で微小腺腫(＜ 6mm)や陰性例を含む Cushing 病(24 例)の全例で下垂体に局所的集積を認めた．
2. 異所性 ACTH 症候群(3 例)の 2 例では下垂体は正常(2 例)，1 例ではび漫性集積を認めた．
3. 多施設，多数例で実証されれば，[^{68}Ga]CRH　PET/CT は ACTH 依存性 Cushing 症候群の鑑別に極めて有用な非侵襲性の局在診断法になりうる．

はじめに

ACTH 依存性 Cushing 症候群(CS)の原因は下垂体腺腫による Cushing 病(CD)と下垂体以外の腫瘍による異所性 ACTH 症候群(EAS)によるが，内分泌検査だけでは両者の鑑別診断がしばしば困難な症例がみられる．CD の大部分は微小腺腫であるため，頭部 MRI を用いた画像検査の陽性率は約半数くらいであり，一般でも 1 割くらいに下垂体偶発腫がみられる．また EAS の主たる原因となる肺内神経内分泌腫瘍(NET)は小さく，画像検査で発見できないことが多い．そのため現在 ACTH 分泌源を直接証明する手段として選択的下錐体静脈洞サンプリング(IPSS)が両者の鑑別診断のゴールドスタンダード検査とされる．しかし IPSS は侵襲が強く煩雑な検査であり，熟練した放射線科医がいる限られた医療施設でしか実施できないという課題があるため，非侵襲的で簡便で正確な局在診断法の開発が望まれていた．

[^{68}Ga]CRH PET/CT

CD の下垂体腺腫では CRH 受容体が過剰発現するために CRH 刺激試験で過剰反応を示す．最近 [^{68}Ga] 標識 CRH を用いた分子イメージングを開発し，非侵襲的に CD の下垂体腺腫の局在診断を可能とする新規の画期的なモダリティが報告された[1]．放射線リガンドとしてまず DOTA-CRH 抱合体を作製，次いでガリウム 68 を標識し，[^{68}Ga]CRH を調整した．

対象者の ACTH 依存性 CS 患者(27 例) (内訳は CD[24 例]，EAS[3 例])に [^{68}Ga]CRH(111-185MBq) を静脈投与し，45 ～ 60 分後に頭部 PET/CT を撮像した．MRI での CD 患者(24 例)の内訳はマクロ(7 例)，ミクロ(17 例)．その結果，全例で下垂体腺腫への [^{68}Ga]CRH の局所的な集積像を認めた(集積強度は SUV：26.4±28.0)．[^{68}Ga]CRH PET/MRI による下垂体腺腫の局在部位は手術所見と一致し，組織学的診断でも確認できた．

EAS(3 例)の内訳は気管支 NET が 2 例(AD1，SM2)，膵 NET が 1 例(CJ3)．3 例での下垂体への集積強度(SUV：8.6±7.6)．症例(AD1)：下垂体 MRI 陰性，[^{68}Ga]CRH PET/CT 陰性，肺 CT で右肺に結節陰影を認めソマトスタチン受容体分子イメージング [^{68}Ga]DOTATATE PET/CT を施行したところ同部位に集積を認め，肺腫瘍による EAS と診断．手術にて気管支 NET による EAS と最終診断．症例(SM2)：下垂体 MRI でミクロ病変(3 × 4mm)があり，IPSS にて ACTH 分泌源は中枢側，[^{68}Ga]CRH PET/CT では下垂体にび漫性の集積像を認めた．[^{68}Ga]DOTATATE PET/CT を施行したところ，右肺上葉に集積像を認めた．うつ病が重症化したため副腎全摘を先攻させ，7 か月後に右肺腫瘍摘除術を施行，気管支 NET の病理診断(CRH は未検索)．術後の血中 ACTH は減少(521 → 137pg/mL)，(2 年後)下垂体 MRI で病変の退縮を認めた．症例(CJ3)：CS の臨床症状が短期間で重症化，下垂体 MRI は正常で腹部 CT で膵腫瘍が疑われたため，膵 NET による EAS の疑いで副腎全摘と膵腫瘍切除を予定していたが，敗血症性ショックのため死亡．

下垂体 MRI との比較

CD の大部分(90％)は微小腺腫(＜ 10mm)によるため，下垂体 MRI による局在診断の感度は低く(50 ～ 60％)，陽性的中率(PPV)は 86％ である．さらに健常人の 10％ に下垂体偶発腫瘍が認められるため偽陽性の原因となる．MRI はあくまで形態学的画像検査であり，病変が ACTH 産生腺腫であるか否かの判定はできない．今回開発された [^{68}Ga]CRH 分子イメージングは機能的画像

検査であり，PET/MRI融合イメージングを用いることにより高い感度・特異性が期待される．本研究では下垂体MRIで同定できない，あるいは6mm未満の微小腺腫，さらに術後変化の病変でも正確に腺腫の局在診断が可能とされ，術中の腫瘍ナビゲーションに有用と考えられる．

IPSSとの比較

ACTH依存性CSにおけるACTH分泌源を直接証明する手段として，現在IPSSがCDとEASの鑑別診断のゴールドスタンダード検査とされる．しかしIPSSは重篤な副作用を生じうる侵襲が強い検査であり，費用，手技に習熟した放射線科医の存在など限られた医療施設でしか実施できないという課題がある．またIPSSによる下垂体領域での腺腫の局在診断のPPVは低い（43～70%）．IPSSの偽陰性の原因としてIPS/CSの形成不全，非対称性，plexiform，カテーテル先端の挿入位置，CRH不応答，測定法やサンプリングの誤操作などがある．また偽陽性の原因としてトルコ鞍近傍（海綿静脈洞，下垂体柄，蝶形骨洞）に発生した腺腫，CRH産生腫瘍，周期性CSなどがある．さらなる症例の積み重ねによる検証が必要であるが，現時点では非侵襲性で腫瘍の局在診断が可能な[^{68}Ga]CRH分子イメージングはIPSSの補助的な検査法と位置づけられる．

展望と課題

IPSS以外に内分泌腫瘍の局在診断に臨床的に用いられている選択的静脈サンプリングには原発性アルドステロン症における副腎静脈サンプリング（AVS），インスリノーマにおける選択的動脈内Ca刺激後の肝静脈サンプリング（SACI）がある．いずれも侵襲性の強い局在診断法のため，現在代替できる非侵襲性の分子イメージング法が研究開発されている[2,3]．

今回開発された[^{68}Ga]CRH PET/CTを用いた臨床研究では，症例数は限られているものの，CDの微小腺腫を全例で正確に局在診断できたという驚異的な成果は有望な新規分子イメージング法として大いに期待を抱かせるものである．本法は^{68}Ge/^{68}Gaジェネレータを施設内に設置する必要があるものの，将来IPSSに替わりうる非侵襲性の検査法になる可能性がある．今後は多施設，多数例での検証，特にIPSSとの比較，CRH刺験後のACTH反応性や腫瘍中CRH受容体の発現量との関連性，などの検討が必要である．また下垂体corticotrophの分布や発現の質的・量的な違い，たとえば正常，過形成，腺腫（サイレントも含む），癌などで[^{68}Ga]CRHの集積パターンに違いがみられるのか，さらにはEASでは下垂体での[^{68}Ga]CRHの集積パターンが，異所性ACTH産生腫瘍（大部分）では消失，異所CRH産生腫瘍（極めてまれ）ではび漫性に集積（過形成？），異所性CRH・ACTH同時産生腫瘍（まれ）での抽出像は（？），などさらなる検討が待たれる．

近年腫瘍をより選択的に分子イメージングで局在診断して標的照射治療を組み合わせる方法が開発されている．たとえば^{123}I-MIBGシンチグラフィによる悪性褐色細胞腫/パラガングリオーマの局在診断と^{131}I-MIBGによる内照射療法，[^{111}In]ペントレオチドシンチグラフィや[^{68}Ga]DOTATATE PET/CTによるNETの局在診断と[^{177}Lu]DOTATATEを用いたペプチド受容体放射性核種治療（PPRT）[4]，[^{68}Ga]PMSA-11 PET/CTによる前立腺がんの局在診断と[^{177}Lu]PMSA-617による内照射療法[5]，などである．このように核医学分野では治療（therapy）と診断（diagnosis）を連結させたセラノスティックス（theranostics）と総称する新技術が導入されて世界的に広がっている．[^{68}Ga]CRH PET/CT/MRIを用いてCDの全例で下垂体腺腫の局在診断ができれば，将来は手術せずに放射性CRHを用いたPPRTによる治療も可能になる日も遠くないかもしれない．

文献

1) Walia R, et al.：Molecular imaging targeting corticotropin-releasing hormone receptor for corticotropinoma：A changing paradigm. J Clin Endocrinol Metab 2021；106：e1816-e1826.
2) Burton TJ, et al.：Evaluation of the sensivity and specificity of ^{11}C-metomidate PET/CT for lateralizing aldosterone secretion by Conn's adenomas. J Clin Endocrinol Metab 2016；97：100-109.
3) Christ E, et al.：GLP-1 receptor imaging for the localization of insulinoma：A prospective multicenter imaging study. Lancet Diabetes Endocrinol 2013；1：115-122.
4) Strosberg JR, et al.：Phase 3 trial of ^{177}Lu-dotatate for midgut neuroendocrine tumors. N Engl J Med 2017；376：125-135.
5) Hofman MS, et al.：[^{177}Lu]Lu-PSMA-617 vs cabazitaxel in patients with metastatic castration-resistant prostate cancer （ThraP）；A randamised, open-label, phase 2 trial. Lancet 2021；397：797-804.

9 下垂体腫瘍における新規薬物療法の展望

アルバータ大学内分泌代謝内科　館野　妙，館野　透

≫ 臨床医のための Point ▶▶▶

1. 先端巨大症に対して，新規オクトレオチド製剤，Cushing 病に対して，サイクリン依存性キナーゼ阻害薬などの新規治療薬が開発されている．
2. 難治性下垂体腫瘍の薬物治療として，テモゾロミドが用いられることが多いが，カペシタビンとテモゾロミドの併用療法の報告例が増えている．
3. これらの新規薬物治療により，下垂体腫瘍のさらなる治療成績の向上，テーラーメイド医療の確立が期待される．

はじめに

下垂体腫瘍に対する治療は，プロラクチン(PRL)産生下垂体腺腫を除き，手術療法が第一選択であり，内科的治療は第二選択であることが多く，治療薬は下垂体腫瘍の種類による[1]．PRL 産生下垂体腺腫においては，ドパミンアゴニストが良好な成績を示すが，そのほかのホルモン産生下垂体腺腫においては，薬物治療によって良好な生化学的コントロールや腫瘍増大抑制が達成する症例は限定的である．また，難治性下垂体腫瘍に対しては，テモゾロミドが内科的治療として，その有効性が報告されているが，テモゾロミドに抵抗性を示す症例も少なくない．近年，細胞モデル，動物モデル，ヒト臨床検体などの解析から，下垂体腫瘍に対する新規治療標的分子が明らかにされてきた．さらに，新規併用療法や新薬が開発され，その有用性や副作用などが，臨床試験や症例報告にて明らかになってきた．本項では，筆者の経験も加えて，新規薬物療法の展望について述べる．

先端巨大症

GH 産生下垂体腺腫がおもな原因であり，GH の過剰分泌により，額，顎，手足などの肥大化といった身体の変化，糖尿病や高血圧症，脂質異常症などの合併症を引き起こす疾患である[1]．手術治療が第一選択となるが，経蝶形骨洞手術にて，微小腺腫では約 85%，巨大腺腫では 40〜60% の寛解率が得られると報告されており，手術困難例や術後に寛解が得られなかった症例に対しては，薬物治療，放射線治療を組み合わせた集学的治療が必要になる．薬物治療としては，ソマトスタチンアナログ，ドパミンアゴニスト，GH 受容体拮抗薬が用いられるが，生化学的コントロールや腫瘍増大阻止が困難な症例も少なくない．また，副作用や定期的な注射による QOL の低下など，改善が求められる点があり，先端巨大症に対する新規治療薬が開発されている．

1 オクトレオチド経口剤[2,3]

オクトレオチドカプセルは，腸溶性コーティングされており，小腸上皮において選択的透過性を担うタイトジャンクションを一過性かつ可逆的に開くことで薬剤の吸収を改善し，高い腸管透過性をもたらす一過性透過性エンハンサー技術を導入することで，オクトレオチドの経口投与を可能にしている．第Ⅲ相臨床試験において，ソマトスタチンアナログ注射製剤からオクトレオチド経口剤への変更後に，その有効性と安全性を評価された．7 か月のオクトレオチド経口剤投与にて，約 60% の症例で GH および IGF-1 値は治療目標値を保たれた．副作用としては，ほとんどが一過性で，軽度から中程度であり，消化器症状や神経症状などが報告されている．2020 年 6 月に米国食品医薬品局(FDA)はソマトスタチンアナログ注射製剤での治療に反応する先端巨大症患者を対象とした長期維持治療の最初のオクトレオチド経口剤として，オクトレオチドカプセルを承認しており，わが国においてもその承認が期待される．

2 経口選択的非ペプチドソマトスタチン受容体2 型アゴニスト(パルトソチン)[2]

ソマトスタチン受容体 2 型に選択的に作用し，経口 1 回投与可能であるパルトソチンは，先端巨大症患者を対象に，その安全性，薬物動態，および有効性を評価するための第Ⅱ相臨床試験(ACROBAT EDGE, ACROBAT EVOLVE, ACRODAT

ADVANCE）中であり，その結果が期待される．

3 アンチセンスオリゴヌクレオチド

GH 受容体の発現抑制を目的としたアンチセンスオリゴヌクレオチドが開発され，その安全性，薬物動態，および有効性を評価するための第Ⅱ相臨床試験が施行されている[4]．ATL1103（GH 受容体の発現抑制を目的としたアンチセンスオリゴマー）の週 2 回の皮下注射により，投与 14 週後，投与前と比較し IGF-1 値の有意な減少を認めた．85% に注射部位反応を認めている．さらに 2 種類の GH 受容体の発現抑制を目的としたアンチセンスオリゴマーが第Ⅱ相臨床試験にて検討されている．

Cushing 病

Cushing 病は，下垂体腺腫から過剰に分泌された ACTH によるコルチゾールホルモンの過剰分泌によって引き起こされ，糖尿病，高血圧，心血管障害などの合併症をきたす疾患である．手術治療が第一選択となるが，術後再発例や手術困難例では，薬物治療，放射線治療，両側副腎摘出術などが必要となる[1]．現在，薬物治療として，下垂体腫瘍を標的とするドパミンアゴニスト，パシレオチド，ステロイド合成阻害薬であるメチラポン，ケトコナゾール，グルココルチコイド受容体拮抗薬であるミフェプリストンなどが用いられているが，下垂体腫瘍増大の抑制や高コルチゾール血症の是正が困難な症例や肝機能障害などの副作用により治療に難渋する症例が少なくないため，新規治療法の開発が進められている．以下に，臨床試験施行中のものを述べる．

1 サイクリン依存性キナーゼ阻害薬（ロスコビチン）

腫瘍細胞においてはサイクリン依存性キナーゼが活性化することで，細胞分裂の制御ができなくなっている．サイクリン依存性キナーゼ阻害薬であるロスコビチンは，Cushing 病の細胞モデル（AtT20）および AtT20 移植ヌードマウスにて，腫瘍細胞増殖抑制，腫瘍の縮小，POMC 転写活性や ACTH 分泌の低下をきたすことが報告されている．現在，Cushing 病患者に，週 4 日，1 日 800 mg までのロスコビチンを 4 週間投与して，その安全性，薬物動態，および有効性を評価するための第Ⅱ相臨床試験が施行中である[5]．

2 ステロイド合成阻害薬

オシロドロスタットは，新規経口ステロイド合成阻害薬であり，メチラポンと比較して，ステロイド合成阻害作用に優れ，血中半減期が長いため，1 日 2 回の経口投与が可能となっている．第Ⅲ相臨床試験において，オシロドロスタットは 1 日 2 回の経口投与で 24 時間尿中遊離コルチゾール値を減少させ，高コルチゾール血症による臨床症状の改善をもたらした[6]．下垂体手術を受けられないか，下垂体手術後に寛解に至らない Cushing 病患者の治療薬として 2020 年 3 月に FDA から正式に認可され，わが国においても 2021 年 3 月に Cushing 症候群に対する治療薬として承認された．そのほか，新規ステロイド産生阻害薬であるレボケトコナゾール，新規グルココルチコイド受容体拮抗薬であるレラコリラントなどが第Ⅲ相臨床試験中であり，その結果が待たれる[5]．

難治性下垂体腫瘍

下垂体腫瘍のなかには，複数の手術，放射線治療，内科的治療を含む従来の治療に抵抗性を示し，治療に難渋する下垂体腺腫・癌がある[1,7]．これらの難治性下垂体腫瘍の内科治療としては，DNA アルキル化剤であるテモゾロミドの有効性が報告されている．テモゾロミドは，DNA 障害を介して，腫瘍細胞にアポトーシスを引き起こす．下垂体腫瘍においては，約 70% の症例において，治療効果が認められるが，1 年以上の無増悪生存率は，約 50% である[7,8]．テモゾロミド抵抗性の機序に関しては，DNA 修復酵素である *MGMT* 遺伝子のメチル化や発現の関与，DNA 修復酵素である MSH2，MSH6 の関与が示唆されている．近年，難治性下垂体腫瘍に対するテモゾロミドと他剤併用療法が報告されており，特にカペシタビンとテモゾロミドの併用療法（CAPTEM）の報告例が増えており，以下に，われわれの経験を合わせて CAPTEM について述べる．AtT-20 細胞を用いた検討で，テモゾロミドおよびカペシタビン単独添加よりも，併用添加がアポトーシスを顕著に引き起こし，細胞生存率を抑制することを報告した[8]．難治性下垂体腫瘍患者に対して，症例報告が重ねられ，長期にわたる無増悪生存は，われわれの解析では，9 症例中 8 症例との報告であった．また，われわれは，難治性 ACTH 産生下垂体腫瘍患者 2 名に対して，以下のプロトコルに従って，CAPTEM を投与して治療した[8]．

1 CAPTEM

1 日目から 14 日目まではカペシタビン 750 mg/m^2 を 1 日 2 回経口投与，10 日目から 14 日目まではテモゾロミド 100 mg/m^2 を 1 日 2 回経口投与し，その後 2 週間休薬．

症例 1 では 3 サイクル後に，転移巣の消失および ACTH 値の低下を認め，12 サイクルにて CAPTEM 投与を終了した．その 27 か月後に再発を認めたため，CAPTEM 療法を再開し，腫瘍の縮小を認めた．また，症例 2 では，CAPTEM 療法を 12 サイ

クル施行後，腫瘍の縮小を認めた．その後，22か月間，再発を認めていない．副作用に関しては，症例1では軽度の便秘を認めたのみであり，症例2では，軽度の顆粒球減少を認めたため，CAPTEM 投与量を減少している[8]．CAPTEM 療法の有用性を検討するうえで，さらなる症例の積み重ねが必要と考えられる．

結語

下垂体腫瘍に対する基礎研究，臨床研究の進歩により，下垂体腫瘍を標的とする新規治療法や過剰分泌されたホルモンの是正を目的とする新薬が開発されている．近年FDAにより承認されたオクトレオチドカプセル，現在臨床試験中，開発中の新規薬剤，CAPTEM などの併用療法によって，治療成績の向上，テーラーメイド医療の確立が期待される．

文献

1) Melmed S：Pituitary-Tumor Endocrinopathies. *N Engl J Med* 2020；**382**：937-950.
2) Maia B, *et al.*：Novel therapies for acromegaly. *Endocr Connect* 2020；**9**：R274-R285.
3) Fleseriu M, *et al.*：A Pituitary Society update to acromegaly management guidelines. *Pituitary* 2021；**24**：1-13.
4) Trainer PJ, *et al.*：A randomised, open-label, parallel group phase 2 study of antisense oligonucleotide therapy in acromegaly. *Eur J Endocrinol* 2018；**179**：97-108.
5) Pivonello R, *et al.*：Medical treatment of Cushing's disease：An overview of the current and recent clinical trials. *Front Endocrinol*（*Lausanne*）2020；**11**：648.
6) Pivonello R, *et al.*：Efficacy and safety of osilodrostat in patients with Cushing's disease（LINC 3）：a multicentre phase III study with a double-blind, randomised withdrawal phase. *Lancet Diabetes Endocrinol* 2020；**8**：748-761.
7) Nakano-Tateno T, *et al.*：Multimodal non-surgical treatments of aggressive pituitary tumors. *Front Endocrinol*（*Lausanne*）2021；**12**：624686.
8) Nakano-Tateno T, *et al.*：Effects of CAPTEM（Capecitabine and temozolomide）on a corticotroph carcinoma and an aggressive corticotroph tumor. *Endocr Pathol* 2020（Online ahead of print）.

10 トルコ鞍部腫瘍に対する重粒子療法，陽子線療法

あたまと体のヘルスケアクリニック神田　**池田秀敏**

> **▶▶ 臨床医のための Point ▶▶▶**
>
> **1** 通常のいかなる治療にも抵抗性を示す下垂体腺腫の治療の選択肢の1つとして，陽子線療法も考慮される．

はじめに

放射線療法には，大きく分けて，光子線と粒子線がある．光子線には，従来の治療として広く使用されているX線，γ線が含まれる．一方，粒子線は，原子の種類分だけの種類がある．現在，治療に用いられている原子核は，水素原子核と炭素原子核である．水素原子核は原子核の構成要素である陽子単体でできているので，水素原子核の流れを特に陽子線とよぶ．炭素原子核の流れは炭素イオン線という．これらが，粒子線治療で使用される放射線である．

粒子線治療と従来の放射線治療との相違点

- 粒子線のほうが従来の放射線治療に使用されていた光子線より放射線の分布が圧倒的に優れている（図1参照）．
- 粒子線では"癌"周囲の正常組織に放射線が当たる量を減らすことが可能となる．
- 結果的に"癌"に対し，十分量の放射線が投与できるため，治癒する可能性が高くなる．
- 特に炭素線の場合は，生物学的効果も高い．
- 粒子線装置は大型の加速器が必要であり，その建設費は高額であり，治療費も高額となる．

粒子線の種類

重粒子とは電子より重い粒子（π中間子，陽子，中性子，炭素，ネオン）のことである．わが国では，炭素イオン以上の重イオンを重粒子とよぶ．

陽子線と炭素線の相違点

- 放射線の分布はほぼ同じである．
- 生物学的効果は，炭素線のほうが高い．
- 炭素線のほうが放射線抵抗性の"癌"に有効であるが，同時に正常組織への障害も大きい．
- 炭素線治療装置は大型であり，高額である．
- 陽子線装置は様々な方向から照射が可能であるが，炭素線の場合は制限がある．
- 陽子線と炭素線の対象例は多くは共通であるが，骨肉腫のような"放射線抵抗性腫瘍"に対する効果は炭素線のほうが優れている．

一般に放射線感受性のよい腫瘍や，深部に存在する腫瘍，重要臓器の近くに存在する腫瘍には陽子線が適切で，放射線感受性の悪い腫瘍，肉腫等には重い重粒子線が有利である．

陽子線とX線における放射線の空間的分布の違い（図1）

通常の放射線治療機器であるリニアックの放射線分布は，漸減するため，照射入口部に高い線量が当たる．

陽子線はブラッグピーク（線量ピーク）を有し，線量分布において極めて利点がある．線量のフラットな部分とピークの部分との比が大きいので，放射線の通過路に障害を照射することなく治療したい深部に十分な線量を照射することができる．

粒子線のうち電荷をもつもの（荷電重粒子線）の特徴は，一定の深さ以上には進まないことと，ある深さにおいて最も強く作用するということである．これらの特徴から，陽子線や重粒子（重イオ

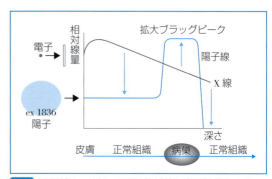

図1 陽子線とX線における放射線の空間的分布の違い

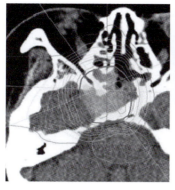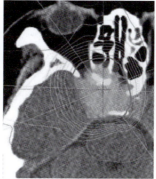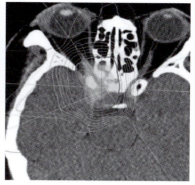

60 GyE, 30 fr

図2 陽子線の治療計画
某年3月26日～5月10日，60 GyE，30 fr 施行．脳幹と左視神経の線量を減らして高線量を照射した．

(▶口絵カラー㉛，p.xvii 参照)

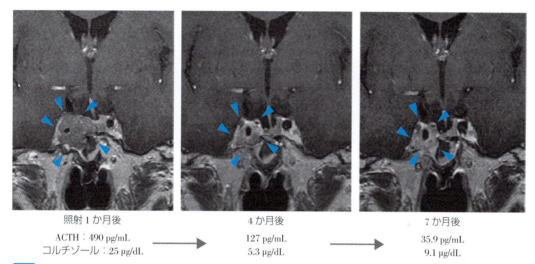

照射1か月後
ACTH：490 pg/mL
コルチゾール：25 μg/dL

4か月後
127 pg/mL
5.3 μg/dL

7か月後
35.9 pg/mL
9.1 μg/dL

図3 陽子線照射後の MRI（Gd 造影）上での腫瘍サイズの変化，および ACTH，コルチゾール値の推移
陽子線照射後の腫瘍のサイズの変化．

ン）線では，光子線に比べて癌病巣にその効果を集中させることが容易になる．したがって，癌病巣周囲の組織に強い副作用を引き起こすことなく，十分な線量を照射することができる．

臨床例の提示

トルコ鞍部腫瘍で，陽子線が治療の option として考えられるのは，再発を繰り返す脊索腫，手術・ガンマナイフ等の治療が奏効せず，再増大してくる難治性の Cushing 病，先端巨大症などが対象となろう．視機能障害や，下垂体機能低下が問題であるが，最後の手段としては，有効と考える．

2回の手術，1回のガンマナイフ治療，テモゾロミド治療にもかかわらず，腫瘍が再増大を続けた症例に対し，最後の手段ともいえる陽子線照射を試みた（図2）．その結果，数か月で，腫瘍の速やかな消失と，ACTH 値の速やかな正常化が得られた（図3）．

照射1か月後，腫瘍の増大は停止した．照射2か月後から，ACTH が下降傾向を示し，照射5か月で ACTH，コルチゾール（F）値は正常化，MRI 上腫瘍陰影は消失するに至った．陽子線照射2年後，ACTH，F 値が再上昇した．精査の結果，右上顎洞への転移巣を認めた．耳鼻科的に腫瘍の減圧を行ったのち，陽子線を再度照射した．照射後2か月で，ACTH，F 値ともに正常化するに至り，悪性 Cushing 病の寛解を得ることができた．

腫瘍死に至る下垂体腫瘍はまれであるが，このような症例の治療に，決め手となる手段がないのが実情である．陽子線では，視機能障害や，下垂

体機能低下を問題点として考慮しなければならないものの，本例では，1回目照射後2年経過しようというときにも，視力・視野は健常者と同じであったことが特筆される．

文献

1) Ikeda H, et al.: Experience with treatment-resistant pituitary adenoma requiring repeated radiotherapy. In: Ikeda H,(eds). Lessons learnt from 2000 cases of pituitary surgery, Lambert Academic Publishing, 2015；141-176.

▶ **Side Memo**

アイルランドの巨人(The Irish Giant)

　北アイルランド生まれのC Byrne(1761-1783)は10代で急速に身長が伸びて2メートルを超え，「アイルランドの巨人」とよばれた．その巨大な身長を売り物に地元では街頭の大道芸人として人目を引き，その後は近隣の村出身で親類とされる高身長の双子(Knipe兄弟)とともにロンドンの劇場に出演し富と名声を得たが，酒におぼれ22歳の若さで死亡した．その骨格標本(身長231cm)は王立外科協会ハンテリアン博物館(解剖医で外科医のJ Hunterが設立)に陳列された．20世紀初頭(1909年)脳外科医H CushingはByrneの頭蓋骨標本でトルコ鞍の拡大を認め，下垂体腫瘍による巨人症と推論した．近年家族性・遺伝性疾患の遺伝子変異が次々と解明され，家族性に下垂体腺腫や巨人症，先端肥大症が高頻度に出現する家系である，下垂体腺腫素因(PAP)，単独家族性GHoma(IFS)，家族性単独下垂体腺腫(FIPA)，の原因遺伝子としてAIP(aryl hydrocarbon receptor interacting protein)の胚性変異が明らかにされた(Science 2006；**312**：1228；JCEM 2006；**91**：3316)．そこでByrneの骨格標本の歯からDNAを抽出，PCRで遺伝子解析した結果，AIP変異(c.910C→T)を見出し，さらに現代の北アイルランド住人でFIPAの4家系で遺伝子解析した結果，巨人症，先端肥大症を合併する14人でByrneと同じAIP変異を見出した(NEJM 2011；**364**：43)．57～66世代にわたり「アイルランドの巨人」とよばれた共通の祖先からAIP変異が受け継がれたものと推定される．Byrneは生前友人に死後は遺体を海に沈めてほしいと依頼していたが，不本意にもHunterにより解剖され，後世に骨格を残した．18世紀の巨人症の原因遺伝子が21世紀に証明されるとは当のByrne自身も，またHunter, Cushingも想像しなかったであろう．

(兵庫県予防医学協会健康ライフプラザ健診センター　平田結喜緒)

11 間脳下垂体腫瘍 COE (center of excellence)への展望

森山脳神経センター病院間脳下垂体センター　山田正三

> **≫ 臨床医のための Point ▶▶▶**
>
> 1. pituitary(tumor)centers of excellence とは，下垂体を専門とする脳神経外科医，内分泌内科医を中心とし，関連各科のサポートにより構成される center of excellence である．人口250〜500万人あたり1施設の設置が望ましい．
> 2. 最高の医療を提供すると同時に，下垂体医学の発展への貢献と次代を担う若手研修医への教育もPTCOE の重要な使命である．

はじめに

治療の質が問題となる医学の分野では，その対応として center of excellence(COE)の概念が以前から論じられてきた．特にCOE は複数の診療科で集学的な治療が必要となるような疾患においてより有用であることが見出されている．下垂体疾患についても，以前考えられてきた以上に頻度の高い疾患であること，集学的治療が必要な疾患であることなどから，2012年下垂体を専門とする脳神経外科医から"pituitary centers of excellence (PCOE)"の必要性が初めて医学雑誌で論じられた[1]．

pituitary(tumor)centers of excellent(PTCOE)

近年，Pituitary Society は専門家委員会を立ち上げ，PTCOE について検討を重ね，下垂体腫瘍を取り扱う COE について一定の基準を制定した[2]．そこではPTCOE の特徴やその役割，さらにそこで働く下垂体疾患を専門とする脳神経外科医，内分泌内科医に必要とされる種々の条件についても細かく明文化されている[2]．実際には，人口250〜500万人に1施設のCOE を地域ごとに置き，そこには下垂体専門脳神経外科医数人(2〜4人)を配置すべきとしている．患者は周囲の病院から紹介を受け，PTCOE では脳神経外科医と内分泌内科医が中心となり，これを関連各科や

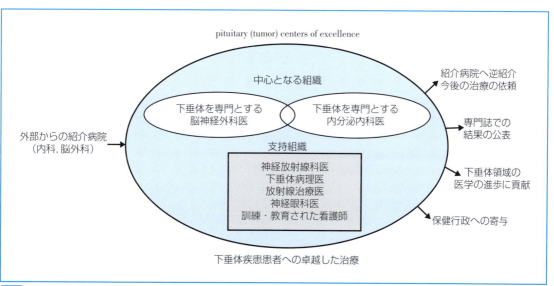

図1 pituitary center of excellence の構成とその役割

専門看護スタッフが支える構図となっている．ここでは下垂体疾患に対し，その時代での最高の医療が提供できることと同時に，医師への教育，治療結果の発表や基礎的研究を通じ下垂体医学の発展に寄与することなども重要な使命とされている（図1）．このようなCOEの適切な設置は，患者にとってはもちろん，医療経済の面からも有用で，わが国におけるCOEのモデル事業として是非とも近い将来実現することが期待される．

文献

1) McLaughlin N, et al.: Pituitary centers of excellence. *Neurosurgery* 2012; **71**: 916-926.
2) Expert Group on Pituitary Tumors: Criteria for the definition of Pituitary Tumor Centers of Excellence(PTCOE): A Pituitary Society Statement. *Pituitary* 2017; **20**: 489-498.

▶ Side Memo

「管状腺」-第4の唾液腺？

　新たに開発された前立腺がんの分子イメージングを用いてこれまで，知られていなかった唾液腺が鼻咽頭に存在することが話題になっている．オランダがんセンター放射線腫瘍・核医学部門研究グループから報告されたものである（Valstar MH, et al.: The tuberial salivary glands: A potential new organ at risk for radiotherapy. *Radiother Oncol* 2021; 154: 292-298)．100例の前立腺がん患者を対象に前立腺特異的膜抗原(PSMA)PET/CTを用いて腫瘍の全身検査したところ，偶然に全例で鼻咽頭の耳管隆起の近傍にPSMA陽性領域（平均長径4cm）が左右にみられることを発見した．剖検例で検索したところ同部位には複数の排泄管をもつマクロな粘液腺が存在することを確認した．これまで知られていなかった唾液腺であり，耳管隆起の近傍にあることから「管状腺(tubarial salivary gland)」と新たに命名された．同グループは放射線治療を行った頭頸部がん患者で同部位への照射量が治療後の口腔乾燥と嚥下障害の程度と有意に相関すると報告している．

　これまで大唾液腺として舌下腺，耳下腺，顎下腺の3組がよく知られており，それ以外は口腔や消化管の粘膜に1,000個程度の小唾液腺が分布している．今回発見された管状腺はマクロな唾液腺ではあるが，大唾液腺のような被膜をもたないことから小唾液腺の集合体である可能性がある．管状腺の局在から同部位への放射線照射の回避や小児・成人での副鼻腔炎，中耳疾患，耳管機能不全といった疾患との関連性など今後検討すべき課題もある．今回の報告は「未知の臓器」発見か？と大々的に報道された．その真偽は別にしても，新たな機能的分子イメージングをツールとして，これまで知られていなかった新たな機能を備えた細胞群が発見される可能性を提供してくれた意義は大きい．

（兵庫県予防医学協会健康ライフプラザ健診センター　平田結喜緒）

12 下垂体腫瘍手術の近未来
～安全な内視鏡手術の普及を目指して～

東京大学大学院工学系研究科機械工学専攻　**光石　衛**
東京大学大学院医学系研究科附属疾患生命工学センター　**原田香奈子**
九州大学大学院工学研究院機械工学部門　**荒田純平**
名古屋大学未来社会創造機構ナノライフシステム研究所　**長谷川泰久**

≫ 臨床医のための Point ▶▶▶

1 経鼻で深部脳神経外科手術に適用可能な多自由度能動鉗子ロボットシステムが開発されている．

はじめに

　ロボティックサージェリーの特徴は，正確な手術ができること，微細な手術ができること，手が入らないような狭所や組織の裏側での手術ができること，遠隔での手術ができることにある．ここでは，筆者らのグループが経鼻的下垂体手術などの狭小空間における手術を対象として研究してきたロボット手術支援システム（スマートアーム）（図1）について記す[1,2]．

経鼻内視鏡手術支援ロボット

　経鼻的に脳深部に到達するために，鉗子の径は3.5mmとした．鼻腔内で巧みな動作を実現するためには，鉗子の先端部分で長軸に垂直な2方向に屈曲することができるとともに，2枚のブレードによる手先の開閉ができることが必要である．開発したシステムでは鉗子先端部分にニッケルチタン合金を用いた柔軟メカニズムを採用することにより，細径，多自由度，高剛性を実現している[3]（図2）．比較的簡単な構造であることから洗浄滅菌性にも優れている．ロボットのベース部分には小型の産業用ロボットを採用している．ロボット全体の安全性を高めるため，内部に加速度センサを搭載したカバーを装着し，センサからの情報をもとに衝突を判定し，衝突が検出された際には直ちにロボットの動作を停止することができるようになっている．

　ここに記す手術ロボットでは，術者がロボットの一部に直接手を添えて動作させることのできる「ダイレクトコントロールモード」と，別のリーダーマニピュレータを術者が操作することよっ

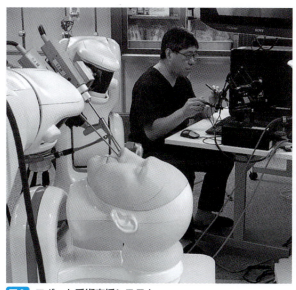
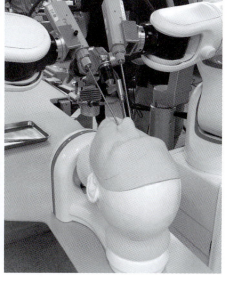

図1 ロボット手術支援システム

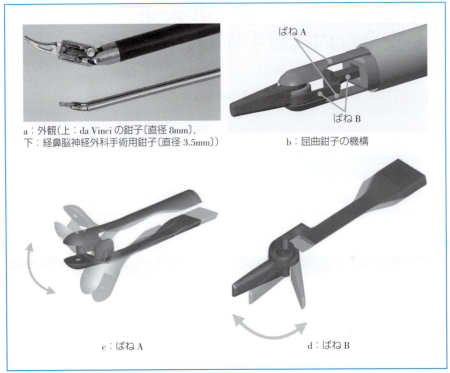

図2 柔軟メカニズムを用いた屈曲鉗子
a：外観（上：da Vinci の鉗子〔直径8mm〕，下：経鼻脳神経外科手術用鉗子〔直径3.5mm〕）
b：屈曲鉗子の機構
c：ばねA
d：ばねB

て，手術をする側であるフォロワーマニピュレータが動作する「リモートコントロールモード」とがある．リモートコントロールモードにおけるリーダーとフォロワーとの間の物理的な距離は，同じ手術室のように小さいこともあれば，別の国や都市などのように大きい場合もある．距離が大きい場合には，画像や制御情報の伝送に時間を要し，時間遅れが問題になる．

ダイレクトコントロールモード用の入力部は，鼻腔入口付近までのロボットの操作を行うハンドル部と，鼻腔内での鉗子先端の屈曲・開閉およびロボットの操作を行うグリップ部とから成る[4]（図3）．ハンドル部には，3軸方向の力と3軸回りのモーメントを測定できる6軸力センサが組み込まれており，操作者の手から加えられる力とモーメントとを検出して，その情報をベース部のロボットと鉗子部に送り，ロボット全体を動作させる．また，グリップ部とロボットとは7自由度シリアルリンクで結合されており，検出されたグリップ部の位置・姿勢情報が適切なスケールに調整されて，鉗子先端の位置・姿勢に対応するように制御に用いられる．リモートコントロールモード用には力フィードバックが可能な市販のマニピュレータに指で鉗子先端が開閉できるような機構を設けている．

手術支援ロボットの高機能化

1 衝突回避機能

鼻腔内においてのみならず，体外においても鉗子同士が衝突しないようにすることや，鼻腔内において鉗子と周辺組織とが衝突しないようにすることは重要である．従来の衝突回避の方法では，ロボット鉗子が衝突を回避したい物体の周辺に設けられた侵入禁止領域に入ったときに，たとえば，侵入量に比例して外に押し出すような力を操作者側のリーダーマニピュレータに提示する．この方法ではロボットの制御系において振動が発生しやすく問題である．筆者らのグループで開発した制御方式では，侵入禁止領域の接線方向には動作しやすく，侵入禁止領域の中心方向には動作しにくくなるので，スムーズに衝突を回避することができる[5]（図4）．この手法によって，鉗子同士の衝突回避，鉗子と鼻腔周辺組織との衝突回避，鉗子の鼻腔入口へ誘導などが可能となる．

2 AIによる物体の認識と操作者支援

手術の安全性や精度の向上を図るためや操作者である術者の負荷を低減するためには，術具である鉗子，血管，針，糸を画像から認識し，たとえば，鉗子の位置や姿勢を算出する必要がある．また，手術全体の流れのなかで現在どの局面

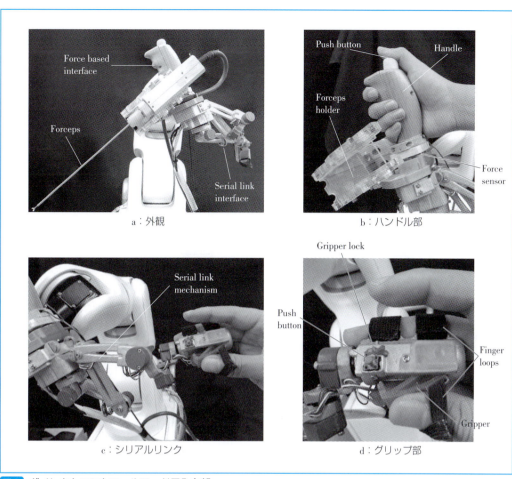

図3 ダイレクトコントロールモード用入力部

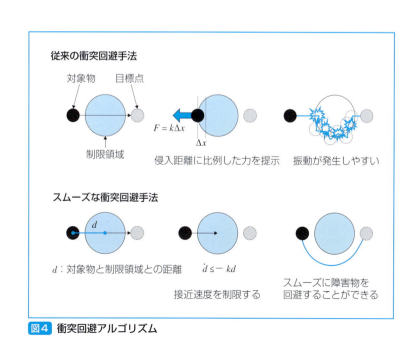

図4 衝突回避アルゴリズム

(フェーズ)にあるのかを理解し，フェーズごとに適切な支援を行うことも考えられる．この際，深層学習などのAI機能を用いて認識するには多くの画像(データセット)を必要とする．しかしながら，実際に得られる手術画像はウェブ上のものを利用してもそれほど多くはないので，VRシミュレータによって画像を作成し，これをデータセットとして用いる手法がある[6]．この方法のメリットは，学習データセットを作成する際に画像上のどの部分が何であるかをラベルづけするアノテーションという作業が必要であり，この作業を自動的に行うことができるところにある．ただし，シンプルなVRシミュレータを学習に用いると認識精度が必ずしも高くないことがある．そこで，学習用画像データセットを作成する際にDomain Randomization(環境乱択化)，Domain Adaptation(ドメイン適応)，GAN(Generative Adversarial Network，敵対的生成ネットワーク)などが使用されている[7]．

おわりに

本稿では経鼻内視鏡手術支援ロボット，および，それを高機能化するための衝突回避機能，操作者支援を目指したAIを用いた物体認識について記した．本稿が当該分野の発展に寄与することを期待する．

謝辞

本稿に記したスマートアームについては，内閣府ImPACTの支援を受けております．

文献

1) 革新的研究開発推進プログラム ImPACT：https://www.jst.go.jp/impact/report/15.html
2) 光石 衛，他：経鼻内視鏡手術支援ロボットの開発とAI機能の搭載．第27回日本神経内視鏡学会プログラム・抄録集．2020；50-51．
3) Arata J, et al.：Compliant four degree-of-freedom manipulator with locally deformable elastic elements for minimally invasive surgery. Proc of Int Conf on Robotics and Automation(ICRA)2019；2663-2669.
4) Jacinto Colan, et al.：A Cooperative Human-Robot Interface for Constrained Manipulation in Robot-Assisted Endonasal Surgery. Appl Sci 2020；**10**：4809.
5) Murilo M Marinho, et al.：Dynamic Active Constraints for Surgical Robots Using Vector-Field Inequalities. IEEE Trans on Robotics 2019；**35**：1166-1185.
6) Heredia Perez SA, et al.：The effects of different levels of realism on the training of CNNs with only synthetic images for the semantic segmentation of robotic instruments in a head phantom. Int J Comput Assist Radiol Surg 2020；**15**：1257-1265.
7) Yoshimura M, et al.：Single-Shot Pose Estimation of Surgical Robot Instruments' Shafts from Monocular Endoscopic Images. Intern Conf on Robotics and Automation 2020；9960-9966.

おもな下垂体機能検査・画像検査の判定基準・所見一覧

京都医療センター 内分泌・代謝内科　立木美香

疾患名	機能検査	病態の判定基準	画像検査	特徴的所見
先端巨大症	75 gOGTT	GH：底値 ≧ 0.4 ng/mL	下垂体 MRI	腫瘍は T1 強調画像で正常下垂体より低信号，造影効果は正常下垂体より弱い．約 70％ は macroadenoma で下方進展が多い
	TRH 試験	GH：奇異性上昇（前値の 1.5 倍以上）	トルコ鞍単純 X 線検査	トルコ鞍の拡大，鞍底部の二重底（double floor contour），風船状拡大（ballooning）．さらに頭部 X 線像にて前頭洞の拡大，下顎骨の突出，後頭結節の突出
	GnRH 試験	GH：奇異性上昇（前値の 1.5 倍以上）		
	ブロモクリプチン試験	GH：前値の 1/2 以下に減少（奇異性低下）	手指単純 X 線検査	軟部組織の肥厚，末節骨の花キャベツ様変形，関節裂隙の拡大
	オクトレオチド試験	GH：前値の 1/2 以下に減少した場合に有効と判定	heel-pad thickness	足底軟部組織厚が 22 mm 以上
プロラクチノーマ	TRH 試験	PRL：頂値は前値の 2 倍以下	下垂体 MRI	腫瘍は T1 強調画像で正常下垂体より低信号，造影効果は正常下垂体より弱い．女性では microadenoma，男性では macroadenoma が多い．macroadenoma では浸潤性の大きな腫瘍が多い
	ブロモクリプチン試験	PRL：前値の 1/2 以下に減少した場合に有効と判定		
Cushing 病	デキサメタゾン抑制試験（over-night 法）	0.5 mg：コルチゾール ≧ 5 µg/dL 8 mg：コルチゾールは前値の 1/2 以下	下垂体 MRI	腫瘍は造影 T1 強調画像で正常下垂体より造影効果は弱い．microadenoma が多く，腫瘍検出率は約 40～60％
	CRH 試験	ACTH：頂値は前値の 1.5 倍以上	下錐体静脈洞（IPS）・海綿静脈洞（CS）サンプリング	下垂体性 Cushing：血中 ACTH の中枢/末梢比（C/P 比）が CRH 刺激前：≧ 2.0，刺激後 ≧ 3.0 異所性 ACTH 産生腫瘍：血中 ACTH の C/P 比が CRH 刺激前：＜ 2.0，刺激後：＜ 3.0
	DDAVP 試験（保険適用外）	ACTH：頂値は前値の 1.5 倍以上	副腎 CT	両側性の副腎腫大が多い．左右非対称性の腫大や結節を認めることもあり
	メチラポン試験	ACTH：増加		
下垂体機能低下症	CRH 試験	ACTH：頂値は前値の 2 倍以下または ≦ 30 pg/mL（ただし視床下部障害の場合は頂値が過大反応となることがある） コルチゾール：頂値 ＜ 18 µg/dL		
	GHRP-2 試験	GH：頂値は ≦ 9 ng/mL [1,2]		
	アルギニン試験	GH：頂値は ≦ 3 ng/mL [1]		
	インスリン低血糖試験	ACTH：頂値は前値の 2 倍未満 コルチゾール：頂値 ＜ 18 µg/dL GH：頂値は ≦ 3 ng/mL [1]		
	GnRH 試験	LH：頂値は前値の 5 倍以下 FSH：頂値は前値の 1.5 倍以下（ただし視床下部性では LH・FSH の頂値は遅延するが正常反応の場合がある）		
	TRH 試験	TSH：頂値 ≦ 6 µU/mL（ただし視床下部性では頂値は遅延，または過大反応の場合がある） PRL：頂値は前値の 2 倍以下		

＊1：リコンビナント GH を標準品とした GH 測定キットを用いた場合の値，＊2：重症成人 GH 分泌不全症の基準

疾患名	機能検査	病態の判定基準	画像検査	特徴的所見
TSH産生腺腫	TRH試験	TSH：無反応または低反応	下垂体MRI	腫瘍は造影T1強調画像で正常下垂体より造影効果は弱い．従来大きな浸潤性腫瘍が多いとされてきたが，近年比較的小さな非浸潤性腫瘍も多く報告されている
非機能性下垂体腺腫			下垂体MRI	腫瘍は造影T1強調画像で正常下垂体より造影効果は弱い．種々の腫瘍サイズ，浸潤状態を呈する
Rathke嚢胞			下垂体MRI	嚢胞は単房性で内容物の蛋白濃度によりT1，T2の信号強度が変化する．嚢胞壁は薄く造影されない．嚢胞内にwaxy noduleが存在する
頭蓋咽頭腫			下垂体MRI	鞍上部に充実性腫瘍部と多房性の嚢胞を認め，実質部分と嚢胞壁は強く造影される
胚細胞腫瘍			下垂体MRI	視床下部から後葉にかけての病変を示す．腫瘍は均一で強い造影効果を示す．正常下垂体，茎の後方に位置するのが特徴
鞍結節部髄膜腫			下垂体MRI	腫瘍は，T1強調画像で等信号，造影で均一に強く造影される．硬膜に沿った線状の造影所見dural tailを時に認める
下垂体炎			下垂体MRI	リンパ球性下垂体前葉炎：前葉の腫大があり造影T1強調画像で前葉全体が強く造影される リンパ球性漏斗下垂体後葉炎：下垂体茎から後葉が腫大し，造影T1強調画像で強く造影される．T1強調画像で後葉の高信号が消失
中枢性尿崩症	水制限試験	尿浸透圧≦300 mOsm/kg	下垂体MRI	T1強調画像で後葉の高信号が消失
	高張食塩水負荷試験	血清Naと血漿AVPがそれぞれ ① 144 mEq/L：1.5 pg/mL以下， ② 146 mEq/L：2.5 pg/mL以下， ③ 148 mEq/L：4 pg/mL以下， 150 mEq/L：6 pg/mL以下 正常反応(有馬 寛先生，他作成)		
	DDAVP試験	尿浸透圧≧300 mOsm/kg		

索引

■ 和文

あ

悪性リンパ腫　81
アクチビン　45
アナモレリン　27
鞍隔膜　257
鞍結節　257
鞍結節髄膜腫　118
移行期医療　280

い

異所性 ACTH 症候群（EAS）　295
異所性 GHRH 産生腫瘍　136
異所性 GH 産生腫瘍　136
異所性ホルモン産生腫瘍　293
遺伝子組換えヒト IGF-1　151
意図的 2 staged TSS　118
インスリン様成長因子 -1（IGF-1）　41, 150
インテグリン　284
インヒビン　45

う え お

うつ病　93
運動誘発電位（MEP）　7
エクソサイトーシス　40
黄体形成ホルモン（LH）　44, 193
オキシトシン　53
オキシトシン遺伝子　53
オキシトシン受容体（OTR）　54
オクタン酸　26
オクトレオチドカプセル　297
オクトレオチド酢酸塩　139
オシロドロスタット　298

か

概日リズム　24
開頭経蝶形骨洞同時手術　120
開頭術（TCS）　6
外胚葉成分　14
海綿静脈洞（CS）　18, 109
海綿静脈洞浸潤腫瘍　120
海綿静脈洞部分浸潤腫瘍　121

買い物依存　292
カウフマン療法　282
学習データセット　308
拡大経蝶形骨洞法（extTSS）　6, 116, 118, 119
過誤腫　233
下垂体　18, 47
下垂体過形成　137
下垂体癌　88, 237, 238, 239
下垂体機能検査　3, 93
下垂体機能障害　241, 242
下垂体機能低下症　127, 128, 129, 213, 217, 222
下垂体偶発腫　174, 234
下垂体茎断裂症候群　222
下垂体梗塞　198
下垂体後葉　51
下垂体後葉機能検査　92
下垂体細胞　244
下垂体静脈洞（IPS）　109
下錐体静脈洞サンプリング（IPSS）　295
下垂体腺腫　71, 88, 96, 101
下垂体前葉機能検査　90
下垂体前葉機能低下症　208
下垂体卒中　83, 97, 215
家族性異常アルブミン性高サイロキシン血症　189
渇感障害　261, 270
カベルゴリン　139
仮面尿崩症　261
加齢　61
がん悪液質　27
眼科的精査　8
眼球運動モニター装置　7
患者調査　56
完全浸潤型　121
がん抑制遺伝子　68

き く

偽陰性　112
キスペプチン　20, 29
機能性下垂体腺腫　121
機能性下垂体腺腫の外科治療　7
機能性微小下垂体腺腫　6
偽被膜　116

偽陽性　112
くも膜下出血　212
くも膜嚢胞　86, 219

け

経口腔ロボット支援手術　122
経頭蓋アプローチ（TCA）　6
経蝶形骨洞手術（TSS）　6, 124, 181
経鼻的下垂体手術　305
月経異常　164, 186
月経不順　160
血漿浸透圧　51
血中 ACTH　181
健康関連 QOL 指標　105
顕微鏡下経鼻手術（mTSS）　6, 114, 220

こ

抗 CTLA-4 抗体　289
抗 PIT-1（POU1F1）抗体　210
抗 PIT-1 下垂体炎　210, 293
抗 PIT-1 抗体症候群　210
抗インスリンホルモン　95
好酸球数　3
膠腫　80
甲状腺機能低下症　154
甲状腺刺激ホルモン（TSH）　47, 193
甲状腺刺激ホルモン放出ホルモン（TRH）　30, 194
甲状腺ホルモン　48, 196
甲状腺ホルモン不応症（RTH）　190, 191
向精神薬　35
好中球数　3
高張食塩水負荷試験　262, 271
高プロラクチン血症　50, 164, 183, 232
高メチル化　68
抗利尿ホルモン　265, 270
抗利尿ホルモン不適合分泌症候群（SIADH）　232, 265
骨成熟　11
骨粗鬆症　160
骨端線　147
骨年齢　12

ゴナドトロピン　44
ゴナドトロピン放出ホルモン
　　（GnRH）　28

さ

サイクリックアデノシン一リン酸
　　（cAMP）　21
再生医療　278
サイバーナイフ（CK）　130
細胞外マトリクス（ECM）　284

し

視覚誘発電位検査　7
色素沈着　167，181
刺激試験　93
視交叉上核　17
自己免疫学的機序　202
視索上核　17
思春期早発症　153
思春期発来　153
視床下部　17，30
視床下部過誤腫　81，159
視床下部下垂体炎　207
視床下部－下垂体－副腎（HPA）系　21
視床下部障害　93
視床下部性甲状腺機能低下症　31
視床下部性肥満　233
視神経萎縮　103
システムレビュー　2
室傍核　17
死亡率　56
周期性 Cushing 病　113
周産期　63
重症成人 GH 分泌不全症　148
柔軟メカニズム　305
手術用顕微鏡　6
手術ロボット　305
術前検査　7
術前短期間薬物療法　8
術前薬物療法　8
術中透視　6
術中モニタリング　7
腫瘍免疫　288
消化管ホルモン分泌抑制　33
衝動制御障害（ICD）　162，292

衝突回避　306
小児がん経験者　3
静脈還流　111
女性化乳房　160，165
自律神経　232
視力・視野障害　117，125
心因性多飲症　261
新規治療薬　297
神経下垂体　18
神経サルコイドーシス　228
神経性食思不振症　93
人口動態統計　56
新生児　63
心臓弁膜症　291
診療ロードマップ　282

す

髄液漏　84，121，124
髄膜腫　257
睡眠　23
頭蓋咽頭腫　78
ステロイド治療　208
ストレス　21

せ

成人 GH 分泌不全症（AGHD）　146
性成熟　10，12
性腺機能低下症　280
性腺刺激ホルモン　193
性早熟　153
成長曲線　10，12，157
成長障害　141
成長ホルモン（GH）　41，193
成長ホルモン治療　141
成長ホルモン分泌　27
成長ホルモン分泌不全症（GHD）　283
成長ホルモン放出ホルモン（GHRH）　23
性欲過剰　292
性欲低下　160，165，186，199
脊索腫　82
石灰化　4
摂食　232
セラノスティクス　296
腺下垂体　18

全国疫学調査　56
選択的切除　6
前葉機能低下　207

そ

早発乳房　158
ソマトスタチン　32
ソマトスタチンアナログ　33，139，190

た

体温調節　232
ダイノルフィン　29
胎盤型アルカリフォスファターゼ
　　（PLAP）　157
男性化徴候　167
炭素線　300
蛋白プロセシング　38

ち

恥毛脱落　199
中心フリッカー値　101
中枢／末梢比（C/P 比）　111
中枢神経系原発胚細胞腫（CNS GCT）　252
中枢性尿崩症　207，208，232，270，273
蝶形骨洞　115
蝶形骨洞前壁　114
蝶口蓋動脈　114
長時間作用型 GH 製剤　149

て

定位放射線治療　130，242
デキサメタゾン抑制試験（DST）　94
テストステロン　196
デスモプレシン　263
テモゾロミド（TMZ）　238，239，240，297
転移性下垂体腫瘍　241，242
転写因子　14，15，19
転写因子遺伝子　19
転写調節　38

と

頭蓋咽頭腫　86，88，118，247

頭部外傷　212
特定医療費(指定難病)受給者証所持
　　者数　56
特発性頭蓋内圧亢進症　217
特発性低ゴナドトロピン性性腺機能
　　低下症(IHH)　186
ドパミン　34
ドパミン作動薬　161, 291
トルコ鞍部腫瘍　301
トルコ鞍部黄色肉芽腫　229

な

内頸動脈損傷　124
内視鏡下TSS(eTSS)　6, 114
内視鏡下経鼻手術　114
内側視索前野　17

に

肉芽腫性下垂体炎　230
二次性徴　11, 157, 186
乳汁分泌　35, 49, 164
乳汁分泌不全　199
乳汁漏出　160, 164
乳腺　49
ニューロキニンB　29
尿崩症　125, 241

の

脳腫瘍統計　56
嚢胞性下垂体腺腫　86
嚢胞性病変　86
ノンレム睡眠　24

は

胚細胞腫瘍　79
肺内神経内分泌腫瘍(NET)　295
胚様体　278
パシレオチドパモ酸塩　139
バソプレシン(AVP)　51, 260, 270
麦角アルカロイド　291
汎下垂体機能低下症　203

ひ

非アルコール性脂肪肝炎(NASH)
　　146
非アルコール性脂肪性肝疾患

(NAFLD)　146
光干渉断層撮影(OCT)　8, 104
非機能性下垂体腺腫　183
鼻腔内合併症　116, 125
微小腺腫　116
鼻中隔粘膜flap　116, 122
ピトレシン　264
ヒドロコルチゾン　196
びまん性軸索損傷　212
肥満度曲線　10, 12
病的賭博　292

ふ

フォリスタチン　45
フォロワーマニピュレータ　306
負荷試験　3, 93
腹外側視索前野　17
複合下垂体機能低下症(CPHD)
　　224, 280
副腎機能低下症　214
副腎全摘術　180
副腎皮質刺激ホルモン(ACTH)
　　37, 193
副腎皮質刺激ホルモン放出ホルモン
　　(CRH)　21, 194
副腎不全　215
不適切TSH分泌症候群(SITSH)
　　188, 191
不妊　160, 165, 186
部分浸潤型　121
ブラッグピーク　300
フリッカー値検査　8
プロトンポンプ阻害薬　35
プロラクチノーマ　291
プロラクチン(PRL)　31, 49, 193

へ　ほ

閉創　121
ペグビソマント　139
ペプチド受容体放射性核種治療
　　(PPRT)　296
放射線治療　130
傍腫瘍症候群　210, 293
ホメオスタシス　20
ホルモン補充療法　127
本態性高ナトリウム血症　286

ま

マイクロドプラ　7
マクロプロラクチン血症　161
マシモレリン　94

み　め

水制限試験　262
ミスマッチ修復機構(MMR)　238
無月経　160, 164, 199
免疫関連有害事象(irAE)　176, 288
免疫チェックポイント阻害薬　288
免疫チェックポイント阻害薬関連下
　　垂体炎　289
免疫チェックポイント分子　288

ゆ　よ

有病率　56
陽子線　300

ら　り　ろ

卵胞形成ホルモン(FSH)　44, 193
リーダーマニピュレータ　305
罹患率　56
両耳側半盲　83, 101
リンパ球性下垂体炎(LH)　201,
　　202, 273
リンパ球性下垂体前葉炎(LAH)
　　273
リンパ球性漏斗下垂体後葉炎
　　(LINH)　273
濾胞星状細胞　284
ロボティックサージェリー　305

■ 欧文

a

ACTH(adrenocorticotropic hormone)
　　37, 193
ACTH依存性Cushing症候群　295
ACTH単独欠損症(IAD)　176, 293
ADH(antidiuretic hormone)　265
ADH不適合分泌症候群(SIADH)
　　265
aggressive phenotype　71

AGHD（adult growth hormone deficiency）　146
AHQ　105
AI　306
AIP　226
APA（aggressive pituitary adenoma）　237，238，239
AVP（arginine vasopressin）　51，260，270
AVP負荷試験　263

b c

baloon occlusion test　121
brachyury　82
BRAF V600変異　228
C/P比　111
cAMP（cyclic adenosine monophosphate）　21
c-ANCA　229
CAPTEM　298
CDKN1B　226
chordoma　82
CK（CyberKnife）　130
CNS GCT（central nervous system germ cell tumors）　252
COE（center of excellence）　303
combined approach　120
concha type　115
COVID-19　5
CPHD（combined pituitary hormone deficiency）　224，280
craniopharyngioma　78
CRH（corticotropin-releasing hormone）　21，194
CRH受容体　22
CS（cavernous sinus）　18，109
CTLA-4　288
CTNNB1　79
Cushing症候群　174
Cushing病　116，167，180，295

d

D2受容体　35
debulking effect　4
DNAメチル化　68

DST（dexamethasone supression test）　94

e f

EAS　295
ECM（extracellular matrix）　284
EQ-5　105
ES（empty sella）　199，217
ES細胞　278
ethmoid-pterygo-sphenoidal approach　121
eTSS（endoscopic endonasal TSS）　6，114
extTSS（extended transphenoid surgery）　6，116，118，119
FSH（follicle-stimulating hormone）　44，193
FT_4　48

g

germ cell tumor　79
germinoma　252
GH（growth hormone）　41，193
GHD　283
GHRH（growth hormone-releasing hormone）　23
GHRP-2　195
GH産生下垂体腺腫　96，136
GH分泌刺激試験　94，148
GH補充療法　197
GNAS1　227
GnRH（gonadotropin-releasing hormone）　28
GnRHアナログ（LHRHアナログ）　159
GnRH負荷試験　155
GPR101　227
GPR54（G protein-coupled receptor 54）　154
granular cell　244
G蛋白共役受容体54（GPR54）　154

h

hCG-FSH療法　196
hCG β　157
hook effect　161

HPA系　21
hypothalamic hamartoma　81，159

i j

IAD（isolated ACTH deficiency）　176
ICA損傷　121
ICD（impulse control disorder）　162，292
IGF-1（insulin like growth factor-1）　41，150
IgG4関連疾患　207
IHH（idiopathic hypogonadotropic hypogonadism）　186
interdigitation　247
interhemispheric approach　258
IPS（inferior petrosal sinus）　109
IPSS　295
iPS細胞　278
irAE（immune-related adverse events）　176，288
JAK（Janus kinase）　42

k l

KISS1　154
KNDyニューロン　29
Knosp分類　114，121
LAH（lymphocytic adenohypophysitis）　273
Langerhans細胞組織球増加症（LCH）　228
LCH（Langerhans cell histiocytosis）　228
L-DOPA　34，43
LH（luteinizing hormone）　44，193
LH（lymphocytic hypophysitis）　201，202，273
LHRH　195
LINH（lymphocytic infundibulo-neurohypophysitis）　273

m

macroadenoma　116，117
malignant lymphoma　81
MEG3（maternally expressed gene 3）　68
MEN1　226

MEP（motor evoked potential） 7
MGMT 238, 239
MMP9（matrix metalloproteinase-9） 285
MMR 238
MRI invisible adenoma 116
MSH6 239
mTSS（microscopic transsphenoidal surgery） 6, 114, 220

n

NAFLD（non-alcoholic fatty liver disease） 146
NASH（non-alcoholic steatohepatitis） 146
Nax 抗体 286
Na チャネル 286
Nelson 症候群 180
NET 295
null cell adenoma 183
Nur77 38

o

OCT（optical coherence tomography） 8, 104
OGTT 137
Onco-Immuno-Endocrinology 294
OTR（oxytocin receptor） 54
oxytocin 53

p q

p53 68
PASQ 105
PD-1 288
PDL-1 288
PIT-1 抗体症候群 146
pituicytoma 88
pituitary incidentaloma 234
Pituitary Society 303
PL（placental lactogen） 41
PLAP（placental alkaline phosphatase） 157
PPRT 296
premature thelarche 158
primary medical therapy 4
PRKAR1A 226
PRL 31, 49, 193
pterional approach 258
QLS-H 105

r

Rathke 囊（胞） 14, 86, 219, 228
ring curette 118
robotic surgery 122
Rosenthal fiber 247
RTH（syndrome of resistance to thyroid hormone） 190, 191

s

SF36 105
SGA（small for gestational age） 150
Sheehan 症候群 198
SIADH（syndrome of inappropriate secretion of ADH） 232, 265
silent corticotroph adenoma 174
SITSH（syndrome of inappropriate secretion of TSH） 188, 191
snap diagnosis 2
SOCS2 42
sparsely 137
SPPP（slowly progressive precocious puberty） 159
SRS（stereotactic radiosurgery） 130
SRT（stereotactic radiotherapy） 130
STAT（signal transducers and activators of transcription） 42
STAT5b 42
subclinical Cushing 病 174
subfrontal approach 258

t

Tanner 分類 154, 157
TCA（transcranial approach） 6
TCS（transcranial surgery） 6
TGFβ2 285
theranostics 296
TMZ 238, 239, 240, 297
Tolosa-Hunt 症候群 230
transoral robotic surgery 122
TRH（thyrotropin releasing hormone） 30, 194
TRH 試験 189
TRH 受容体 31
TRβ遺伝子 190, 191
TSH（thyroid stimulating hormone, thyrotropin） 47, 193
TSH 産生下垂体腺腫 188
TSH 受容体 48
TSS（transsphenoidal surgery） 6, 124, 181
TTF-1 80, 244
two-cell theory 45

u v w

USP48 167
VR シミュレータ 308
Wegener 肉芽腫症 229
WHO 分類 71

■ 数字

3D 内視鏡 122
3T MRI 96
4K 内視鏡 122
75g 経口ブドウ糖負荷試験（OGTT） 137
8K 122

■ 記号

αSU/TSH モル比 188
[68Ga]CRH PET/MRI 295
[68Ga]DOTATATE PET/CT 295

- [JCOPY] 〈(社)出版者著作権管理機構 委託出版物〉
  本書の無断複写は著作権法上での例外を除き禁じられています．
  複写される場合は，そのつど事前に，(社)出版者著作権管理機構
  （電話 03-5244-5088，FAX03-5244-5089，e-mail：info@jcopy.or.jp）
  の許諾を得てください．
- 本書を無断で複製（複写・スキャン・デジタルデータ化を含みます）
  する行為は，著作権法上での限られた例外（「私的使用のための複
  製」など）を除き禁じられています．大学・病院・企業などにお
  いて内部的に業務上使用する目的で上記行為を行うことも，私的
  使用には該当せず違法です．また，私的使用のためであっても，
  代行業者等の第三者に依頼して上記行為を行うことは違法です．

下垂体疾患診療マニュアル　改訂第3版　　ISBN978-4-7878-2491-2
2021年12月13日　改訂第3版第1刷発行

2012年 4 月 20 日　初版第1刷発行
2016年11月25日　改訂第2版第1刷発行

編 集 者	平田結喜緒，髙橋 裕，山田正三，成瀬光栄
発 行 者	藤実彰一
発 行 所	株式会社　診断と治療社
	〒100-0014　東京都千代田区永田町2-14-2　山王グランドビル4階
	TEL：03-3580-2750（編集）　03-3580-2770（営業）
	FAX：03-3580-2776
	E-mail：hen@shindan.co.jp（編集）
	eigyobu@shindan.co.jp（営業）
	URL：http://www.shindan.co.jp/
表紙デザイン	株式会社 ジェイアイプラス
イラスト	松永えりか
印刷・製本	広研印刷 株式会社

©Yukio HIRATA, Yutaka TAKAHASHI, Shozo YAMADA, Mitsuhide NARUSE, 2021. Printed in Japan.［検印省略］
乱丁・落丁の場合はお取り替えいたします．